歯科衛生学シリーズ　第２版

歯科矯正学

一般社団法人
全国歯科衛生士教育協議会　監修

医歯薬出版株式会社

●執　筆（執筆順）

新井　一仁	日本歯科大学生命歯学部教授
長谷川　優	日本歯科大学新潟短期大学教授
上岡　寛	岡山大学学術研究院教授
玉置　幸雄	福岡歯科大学教授
安永　まどか	福岡歯科大学講師
梶原　弘一郎	福岡歯科大学
石川　翔子	福岡歯科大学
八木　孝和	神戸常盤大学保健科学部教授
谷本　幸太郎	広島大学大学院教授
山口　徹太郎	神奈川歯科大学教授
小泉　創	神奈川歯科大学講師
畠中　玲奈	神奈川歯科大学
池中　僚亮	神奈川歯科大学
朴　熙泰	神奈川歯科大学
齋藤　功	新潟大学大学院教授
丹原　惇	新潟大学大学院講師
大森　裕子	新潟大学大学院
友成　博	鶴見大学歯学部教授
関谷　利子	鶴見大学歯学部講師
飯嶋　雅弘	北海道医療大学歯学部教授
後藤　滋巳	愛知学院大学名誉教授
宮澤　健	愛知学院大学歯学部教授
川口　美須津	愛知学院大学歯学部講師
佐藤　和朗	岩手医科大学歯学部教授
根岸　慎一	日本大学松戸歯学部教授
西井　康	東京歯科大学教授
片田　英憲	東京歯科大学短期大学教授
立木　千恵	東京歯科大学講師
西村　達郎	東京歯科大学
土持　宇	日本歯科大学附属病院矯正歯科講師
大野　由希粛	大野矯正クリニック
小森　朋栄	井荻歯科医院／ふじた矯正歯科クリニック
鈴木　奈津子	岩手医科大学医療専門学校
江﨑　ひろみ	神戸常盤大学保健科学部教授
阿部　智美	鶴見大学短期大学部歯科衛生科

●編　集

新井　一仁	日本歯科大学生命歯学部教授
佐藤　聡	日本歯科大学新潟生命歯学部教授
山田　小枝子	朝日大学歯科衛生士専門学校副校長

This book is originally published in Japanese
under the title of :

SHIKAEISEIGAKU-SHIRĪZU
SHIKAKYOUSEIGAKU
(The Science of Dental Hygiene : A Series of Textbooks-Orthodontics)

Edited by The Japan Association for Dental
Hygienist Education

ISHIYAKU PUBLISHERS, INC.
7-10, Honkomagome 1 chome, Bunkyo-ku,
Tokyo 113-8612, Japan

『歯科衛生学シリーズ』の誕生 ―監修にあたって

全国歯科衛生士教育協議会が監修を行ってきた歯科衛生士養成のための教科書のタイトルを，2022 年度より，従来の『最新歯科衛生士教本』から『歯科衛生学シリーズ』に変更させていただくことになりました．2022 年度は新たに改訂された教科書のみですが，2023 年度からはすべての教科書のタイトルを『歯科衛生学シリーズ』とさせていただきます．

その背景には，全国歯科衛生士教育協議会の 2021 年 5 月の総会で承認された「歯科衛生学の体系化」という歯科衛生士の教育および業務に関する大きな改革案の公開があります．この報告では，「口腔の健康を通して全身の健康の維持・増進をはかり，生活の質の向上に資するためのもの」を「歯科衛生」と定義し，この「歯科衛生」を理論と実践の両面から探求する学問が【歯科衛生学】であるとしました．【歯科衛生学】は基礎歯科衛生学・臨床歯科衛生学・社会歯科衛生学の 3 つの分野から構成されるとしています．

また，これまでの教科書は『歯科衛生士教本』というような職種名がついたものであり，これではその職業の「業務マニュアル」を彷彿させると，看護分野など医療他職種からたびたび指摘されてきた経緯があります．さらに，現行の臨床系の教科書には「○○学」といった「学」の表記がないことから，歯科衛生士の教育には学問は必要ないのではと教育機関の講師の方から提言いただいたこともありました．

「日本歯科衛生教育学会」など歯科衛生関連学会も設立され，教育年限も 3 年以上に引き上げられて，【歯科衛生学】の体系化も提案された今，自分自身の知識や経験が整理され，視野の広がりは臨床上の疑問を解くための指針ともなり，自分が実践してきた歯科保健・医療・福祉の正当性を検証することも可能となります．日常の身近な問題を見つけ，科学的思考によって自ら問題を解決する能力を養い，歯科衛生業務を展開していくことが，少子高齢化が続く令和の時代に求められています．

科学的な根拠に裏付けられた歯科衛生業務のあり方を新しい『歯科衛生学シリーズ』で養い，生活者の健康に寄与できる歯科衛生士として社会に羽ばたいていただきたいと願っております．

2022 年 2 月

一般社団法人　全国歯科衛生士教育協議会理事長
眞木吉信

発刊の辞

歯科衛生士の教育が始まり70年余の経過を経た歯科衛生士の役割は，急激な高齢化や歯科医療の需要の変化とともに医科歯科連携が求められ，医科疾患の重症化予防，例えば糖尿病や誤嚥性肺炎の予防など，う蝕や歯周病といった歯科疾患予防の範囲にとどまらず，全身の健康を見据えた口腔健康管理へとその範囲が拡大しています．

日本政府は，経済財政運営と改革の基本方針「骨太の方針」で，口腔の健康は全身の健康にもつながることから，生涯を通じた歯科健診の充実，入院患者や要介護者をはじめとする国民に対する口腔機能管理の推進，歯科口腔保健の充実や地域における医科歯科連携の構築，歯科保健医療の充実に取り組むなど，歯科関連事項を打ち出しており，2022年の現在においても継承されています．特に口腔衛生管理や口腔機能管理については，歯科口腔保健の充実，歯科医療専門職種間，医科歯科，介護・福祉関係機関との連携を推進し，歯科保健医療提供の構築と強化に取り組むことなどが明記され，徹底した予防投資や積極的な未病への介入が全身の健康につながることとして歯科衛生士の活躍が期待されています．

歯科衛生士は，多くの医療系職種のなかでも予防を専門とする唯一の職種で，口腔疾患発症後はもちろんのこと，未病である健口のうちから介入することができ，予防から治療に至るまで，継続して人の生涯に寄り添うことができます．

このような社会のニーズに対応するため歯科衛生学教育は，歯・口腔の歯科学に留まらず，保健・医療・福祉の広範囲にわたる知識を学ぶことが必要となってきました．

歯科衛生学は「口腔の健康を通して全身の健康の維持・増進をはかり，生活の質の向上に資するためのものを『歯科衛生』と定義し，この『歯科衛生』を理論と実践の両面から探求する学問が歯科衛生学である」と定義されます．そこで歯科衛生士の学問は「歯科衛生学」であると明確にするために，これまでの『歯科衛生士教本』，『新歯科衛生士教本』，『最新歯科衛生士教本』としてきた教本のタイトルを一新し，『歯科衛生学シリーズ』とすることになりました．

歯科衛生士として求められる基本的な資質・能力を備えるため『歯科衛生学シリーズ』は，プロフェッショナルとしての歯科衛生学の知識と技能を身につけ，保健・医療・福祉の協働，歯科衛生の質と安全管理，社会において貢献できる歯科衛生士，科学的研究や生涯にわたり学ぶ姿勢を修得する教科書として発刊されました．これからの新たな歯科衛生学教育のために，本書が広く活用され，歯科衛生学の発展・推進に寄与することを願っています．

本書の発刊にご執筆の労を賜った先生方はじめ，ご尽力いただいた医歯薬出版株式会社の皆様に厚く御礼申し上げ，発刊の辞といたします．

2022 年 2 月

第２版　執筆の序

本書は，2011年に発行された『最新歯科衛生士教本 歯科矯正』(2023年に『歯科衛生学シリーズ 歯科矯正学』へと書名変更）の12年ぶりの改訂版です．

2020年（令和２年）の厚生労働省の統計では，矯正歯科を主たる診療科として従事する歯科医師数は4,274人で4%を超え，20年前の約1.5倍に増えていますので，歯科衛生士を目指す学生の皆さんにとって矯正歯科治療はますます身近な存在になっています．最近は，子どもの頃の治療経験が進学のきっかけという方も珍しくありません．

そこで今回の改訂におきましては，学生の皆さんにとって使いやすい教科書を目指して，用語の説明を強化し，写真や図を増やし，さらに時代の変化に合わせて動画も加えました．本書を通して歯科矯正学に興味を深めた歯科衛生士が一人でも多く巣立ち，夢をかなえて実り豊かな人生を歩まれることを願っています．

本書の編集にあたりましては，歯科衛生学教育コア・カリキュラム（2022年度改訂版）と，歯科衛生士国家試験出題基準（令和４年版）に準拠し，歯学部学生のための教科書『歯科矯正学 第６版』と整合性をもたせるという編集方針のもと，多くの大学教員と歯科衛生士養成機関教員の皆様のご協力を賜りました．終始あたたかいご助言を賜った監修委員会ならびに編集委員会の先生方，そして至らぬ点を助けていただき，粘り強く支えてくださった著者の先生方に心より御礼申し上げます．

2023年12月

編集委員　新井一仁

本書に付属する動画のご利用について

本書の関連動画を以下の方法にてインターネット上で視聴することができます.

パソコンで視聴する方法

以下の URL にアクセスし，該当項目をクリックすると動画を視聴することができます.
https://www.ishiyaku.co.jp/ebooks/426360/

動作環境　Windows 10 以上の Microsoft Edge，Google Chrome 最新版
MacOS 12 以上の Safari 最新版

スマートフォン・タブレットで視聴する方法

上記の URL を入力するか，以下の QR コードを読み込んでサイトにアクセスし，該当項目をクリック / タップすると動画を視聴することができます.

また，本文中に掲載されている QR コードを読み込むと，該当の動画を直接再生することができます.

動作環境　Android 10.0 以上の Google Chrome 最新版
iOS / iPad OS 15 以上の Safari 最新版
※フィーチャーフォン（ガラケー）には対応しておりません.

注意事項

- お客様がご負担になる通信料金について十分にご理解のうえご利用をお願いします.
- 本コンテンツを無断で複製・公に上映・公衆送信（送信可能化を含む）・翻訳・翻案することは法律により禁止されています.
- 本サービスは事前の予告をすることなく，内容等の一部または全部を変更，追加，削除，またサービス自体を終了する可能性があります．予めご了承ください.

お問い合わせ先

以下のお問い合わせフォームよりお願いいたします.
https://www.ishiyaku.co.jp/ebooks/inquiry/
※お電話でのお問い合わせには対応しておりません．ご了承ください.

歯科衛生学シリーズ

CONTENTS

歯科矯正学 第2版

I編 矯正歯科治療の基礎

1章 歯科矯正学概論

❶歯科矯正学の定義 …… 2
❷不正咬合による障害 …… 2
1. う蝕の誘因 …… 2
2. 歯周病の誘因 …… 3
3. 外傷の誘因 …… 3
4. 歯根吸収の誘因 …… 4
5. 咀嚼機能の低下 …… 4
6. 口腔周囲筋の機能異常 …… 4
7. 顎骨の発育障害 …… 4
8. 構音障害 …… 4
9. 審美的な欲求と心理的な背景 …… 5
❸矯正歯科治療の意義と目的 …… 5
❹矯正歯科治療の一般的なプロセス …… 5
❺矯正歯科治療の種類と時期 …… 6
1. 乳歯列期・混合歯列期における治療 …… 6
2. 永久歯列期における治療 …… 6
3. 成人期における治療 …… 8
❻歯科衛生士の役割 …… 10
1. 歯科診療の補助 …… 10
2. 口腔筋機能療法〈MFT〉 …… 10
3. 口腔衛生管理 …… 11
COFFEE BREAK 歯科矯正学のあゆみ …… 12

2章 成長発育

❶成長発育概論 …… 13
1. 成長発育の定義 …… 13
2. 成長発育のパターン …… 13
1）一般型 …… 13
2）神経型 …… 14
3）生殖器型 …… 14
4）リンパ型 …… 14
3. 身体の成長発育 …… 14
1）第一急進期 …… 15
2）安定期 …… 15
3）第二急進期 …… 15
4）漸減期 …… 16
4. 成長発育の評価法 …… 16
1）標準値との比較 …… 16
2）発育指数による評価 …… 16
3）絶対成長と相対成長 …… 16
5. 生理的年齢 …… 16
1）骨年齢 …… 17
2）歯齢（歯年齢） …… 17
3）二次性徴年齢 …… 17
4）形態学的年齢 …… 17
❷頭蓋・顎顔面の成長発育 …… 18
1. 頭蓋骨の成長機構 …… 18
1）骨膜性成長 …… 18
2）軟骨性成長 …… 18
3）縫合性成長 …… 18
2. 脳頭蓋の成長発育 …… 18
1）頭蓋冠の成長発育 …… 19
2）頭蓋底の成長発育 …… 19
3. 顔面頭蓋の成長発育 …… 20
1）胎生期の顎顔面の形成 …… 20
2）上顎（鼻上顎複合体）の成長発育 …… 20
3）下顎の成長発育 …… 22
❸歯・歯列・咬合の成長発育 …… 23
1. 乳歯列期 …… 23
1）歯間空隙 …… 23
2）ターミナルプレーン …… 24

2. 混合歯列期………………………………… 24
1）みにくいアヒルの子の時期 ………… 24
2）リーウェイスペース ………………… 25
3. 永久歯列期………………………………… 26
4. 咬合発育段階（歯齢）…………………… 26
❹顎口腔機能の発達 ……………………………… 27
1. 吸啜（哺乳）の発達……………………… 27
2. 嚥下の発達………………………………… 27
3. 咀嚼の発達………………………………… 28
1）咀嚼とは ……………………………… 28
2）咀嚼機能の発達 ……………………… 28
4. 発音の発達………………………………… 29
1）発声と発音 …………………………… 29
2）構音障害 ……………………………… 30

3章　咬合

❶正常咬合 ………………………………………… 32
1. 正常咬合の概念…………………………… 32
2. 正常咬合の種類…………………………… 33
1）永久歯列期の正常咬合 ……………… 33
2）乳歯列期の正常咬合 ………………… 34
3）混合歯列期の正常咬合 ……………… 34
3. 正常咬合の成立と保持条件……………… 35
1）上下顎骨の調和のとれた成長と発育… 35
2）歯の大きさと顎骨の大きさの調和 … 35
3）歯の正常な咬合接触関係と隣接面との接触関係 ……………………………… 35
4）歯周組織の健康 ……………………… 35
5）筋の正常な形態と機能 ……………… 35
6）顎関節の正常な形態と機能 ………… 36
❷不正咬合 ………………………………………… 36
1. 不正咬合の種類…………………………… 36
1）個々の歯の位置異常 ………………… 36
2）数歯にわたる位置異常 ……………… 38
3）歯列弓の形態の異常 ………………… 39
4）上下歯列弓の近遠心関係の異常 …… 40
5）上下歯列弓の垂直関係の異常 ……… 41
6）上下歯列弓の水平関係の異常 ……… 42
2. Angle〈アングル〉の不正咬合の分類… 42
1）Angle I 級不正咬合 ………………… 42
2）Angle II 級不正咬合 ………………… 43
3）Angle III 級不正咬合 ………………… 43
❸不正咬合の原因 ………………………………… 44
1. 不正咬合の原因のとらえ方……………… 44
2. 不正咬合の先天的原因…………………… 44
1）先天異常 ……………………………… 44
2）歯数の異常 …………………………… 44
3）歯の形態異常 ………………………… 45
4）口腔軟組織の形態異常 ……………… 46
3. 不正咬合の後天的原因…………………… 46
1）全身的原因 …………………………… 46
2）局所的原因 …………………………… 47
❹不正咬合の予防 ………………………………… 51
1. 不正咬合の予防の目的と意義…………… 51
2. 乳歯列期における不正咬合の予防……… 51
1）歯列の保隙 …………………………… 51
2）咬合の機能的偏位の早期改善 ……… 52
3）上下顎の前後的関係（骨性の異常）の早期改善 ………………………………… 52
4）口腔習癖の除去 ……………………… 52
3. 混合歯列期における不正咬合の予防…… 52
1）過剰歯の抜去 ………………………… 52
2）歯の大きさ，および形態の異常への対応 ……………………………………… 52
3）歯の先天性欠如への対応 …………… 52
4）小帯の異常への対応 ………………… 52
5）乳歯の早期喪失への対応（保隙）…… 52
6）晩期残存している乳歯への対応 …… 53
7）歯の骨性癒着への対応 ……………… 53
8）口腔習癖の除去 ……………………… 53
4. 永久歯列期における不正咬合の予防…… 53
1）歯周病の予防 ………………………… 53
2）大臼歯の萌出スペース不足と萌出異常の予防 ………………………………… 53
COFFEE BREAK ハプスブルグ家における骨格性下顎前突の特徴 ………………………… 54

4章　検査と診断

❶矯正歯科治療における検査と診断のプロセス ………………………………………………… 55
1. 初診相談・医療面接……………………… 55
2. 診察………………………………………… 55
3. 検査………………………………………… 56
4. 分析………………………………………… 57

5. 診断・治療方針の立案 57
6. インフォームド・コンセント 57
❷形態的検査・分析 58
1. 全身的検査 58
2. 顔面写真 58
3. 口腔内写真 60
4. 口腔模型 60
1）口腔模型分析 61
CLINICAL POINT
セットアップモデル（予測模型） 62
5. 画像検査 63
1）パノラマエックス線写真 63
2）デンタルエックス線写真 63
3）オクルーザルエックス線写真（咬合法エックス線写真） 64
4）手根骨エックス線写真 64
5）CT および MRI 画像 64
6）頭部エックス線規格写真 64
❸機能的検査・分析 69
1. 下顎運動の検査 69
2. 筋機能検査 69
3. その他の口腔機能検査 69
1）咬合力 69
2）口唇閉鎖力 70
❹矯正歯科治療における抜歯 71
1. 抜歯の適応 71
2. アーチレングスディスクレパンシーの算出 71
COFFEE BREAK
矯正歯科治療における抜歯の歴史的背景 71
3. 抜歯の部位と本数 72
4. 連続抜去法 72
❺検査と診断に関わる歯科診療の補助 73
1. 顔面写真の撮影 73
2. 口腔内写真の撮影 73
3. 印象採得と口腔模型の製作・保管 73

5章　矯正歯科治療における生体力学と生体反応

❶矯正力の種類 76
1. 矯正力の作用目的による分類 76
1）歯の移動を目的とする矯正力 76
2）顎の移動を目的とする矯正力（顎整形力） 77
2. 矯正力の大きさによる分類 77
1）弱い矯正力 77
2）最適な矯正力 77
3）強い矯正力 77
3. 矯正力の作用様式による分類 78
1）持続的な力 78
2）断続的な力 78
3）間歇的な力 78
❷歯の移動様式 78
1）傾斜移動 79
2）歯体移動 79
3）挺出 79
4）圧下 79
5）回転 79
6）トルク 79
❸固定 80
1. 固定の定義と意義 80
2. 固定の種類 80
1）部位（固定源の位置）による分類 80
2）抵抗の性質による分類 82
3）歯科矯正用アンカースクリューによる固定 83
❹矯正力による組織変化 84
1. 圧迫側における組織変化 84
2. 牽引側における組織変化 84
❺矯正力による生体反応 85
1. 歯の移動様相 85
1）矯正力による一般的な歯の移動様相 85
2）最適な矯正力による歯の移動様相 86
2. 最適な矯正力の評価 86
❻強い矯正力による生体反応 86

6章　矯正歯科治療と装置

❶器械的矯正装置―固定式矯正装置 87
1. マルチブラケット装置（エッジワイズ装置） 87
1）装置の構造 88
2）装置の適応 88
3）装着時の指導内容と注意点 88
2. リンガルアーチ（舌側弧線装置） 88

1）装置の構造 …… 88
2）装置の適応 …… 90
3）装着時の指導内容と注意点 …… 90
3．急速拡大装置 …… 90
1）装置の構造 …… 90
2）装置の適応 …… 90
3）装着時の指導内容と注意点 …… 90
4．緩徐拡大装置 …… 91
1）装置の構造 …… 91
2）装置の適応 …… 91
3）装着時の指導内容と注意点 …… 91
5．パラタルアーチ …… 91
1）装置の構造 …… 91
2）装置の適応 …… 92
3）装着時の指導内容と注意点 …… 92
6．Nance〈ナンス〉のホールディングアーチ …… 92
1）装置の構造 …… 92
2）装置の適応 …… 92
3）装着時の指導内容と注意点 …… 92
❷器械的矯正装置─可撤式矯正装置 …… 93
1．床矯正装置 …… 93
1）装置の構造 …… 93
2）装置の適応 …… 93
3）装着時の指導内容と注意点 …… 93
2．咬合斜面板 …… 94
1）装置の構造 …… 94
2）装置の適応 …… 95
3）装着時の指導内容と注意点 …… 95
3．咬合挙上板 …… 95
1）装置の構造 …… 95
2）装置の適応 …… 95
3）装着時の指導内容と注意点 …… 95
Clinical Point
アライナー型矯正装置による治療 …… 96
❸器械的矯正装置─顎外固定装置 …… 97
1．ヘッドギア（上顎顎外固定装置） …… 97
1）装置の構造 …… 97
2）装置の適応 …… 98
3）装着時の指導内容と注意点 …… 98
2．チンキャップ（オトガイ帽装置） …… 98
1）装置の構造 …… 99
2）装置の適応 …… 99
3）装着時の指導内容と注意点 …… 99
3．上顎前方牽引装置 …… 100
1）装置の構造 …… 100
2）装置の適応 …… 100
3）装着時の指導内容と注意点 …… 101
❹機能的矯正装置 …… 101
1．アクチバトール …… 101
1）装置の構造 …… 101
2）装置の適応 …… 101
3）装着時の指導内容と注意点 …… 102
2．バイオネーター …… 102
1）装置の構造 …… 102
2）装置の適応 …… 102
3）装着時の指導内容と注意点 …… 102
3．Fränkel〈フレンケル〉装置（ファンクショナルレギュレーター） …… 103
1）装置の構造 …… 103
2）装置の適応 …… 103
3）装着時の指導内容と注意点 …… 104
4．リップバンパー …… 104
1）装置の構造 …… 104
2）装置の適応 …… 104
3）装着時の指導内容と注意点 …… 104
❺その他の矯正装置 …… 105
1．口腔習癖除去装置（タングクリブ） …… 105
1）装置の構造 …… 105
2）装置の適応 …… 105
3）装着時の指導内容と注意点 …… 105
❻保定装置 …… 106
1．保定の定義と意義 …… 106
1）器械保定 …… 106
2）自然保定 …… 106
3）永久保定 …… 106
2．保定装置 …… 106
1）可撤式保定装置 …… 107
2）固定式保定装置 …… 108
7章　矯正歯科治療の実際
❶叢生 …… 109
1．叢生の治療 …… 109
1）乳歯列期・混合歯列期の治療 …… 109

2）永久歯列期の治療 …………………… 110
2. 叢生の治療の実際……………………… 110
❷上顎前突 …………………………………… 112
1. 上顎前突の治療…………………………… 112
1）機能性上顎前突の治療 ……………… 112
2）骨格性上顎前突の治療 ……………… 112
3）歯性上顎前突の治療 ………………… 112
2. 上顎前突の治療の実際………………… 112
❸下顎前突 …………………………………… 114
1. 下顎前突の治療…………………………… 114
1）成長期の治療 ………………………… 114
2）成人期の治療 ………………………… 114
2. 下顎前突の治療の実際………………… 114
❹上下顎前突 ………………………………… 116
1. 上下顎前突の治療………………………… 116
2. 上下顎前突の治療の実際……………… 116
❺過蓋咬合 …………………………………… 118
1. 過蓋咬合の治療…………………………… 118
1）乳歯列期の治療 ……………………… 118
2）混合歯列期の治療 …………………… 118
3）永久歯列期の治療 …………………… 118
2. 過蓋咬合の治療の実際………………… 118
❻開咬 ………………………………………… 120
1. 開咬の治療………………………………… 120
1）骨格性開咬の治療 …………………… 120
2）歯性開咬の治療 ……………………… 120
2. 開咬の治療の実際………………………… 120
❼交叉咬合 …………………………………… 122
1. 交叉咬合の治療…………………………… 122
1）乳歯列期の治療 ……………………… 122
2）混合歯列期の治療 …………………… 122
3）永久歯列期の治療 …………………… 122
2. 交叉咬合の治療の実際………………… 123
❽口唇裂・口蓋裂 …………………………… 124
1. 口唇裂・口蓋裂とは……………………… 124
2. 口唇裂・口蓋裂の治療…………………… 124
1）今日における治療の実際 …………… 124
2）治療の流れ …………………………… 125
❾成人矯正歯科治療 ………………………… 128
1. 成人矯正歯科治療とは…………………… 128
2. 成人矯正歯科治療の実際………………… 128
❿顎変形症と外科的矯正治療……………… 130
1. 顎変形症とは……………………………… 130
2. 顎変形症に対する外科的矯正治療……… 130
1）外科的矯正治療の目的 ……………… 130
2）外科的矯正治療の流れ ……………… 130
3. 顎変形症に対する外科的矯正治療の実際
……………………………………………… 131
⓫ MTM ……………………………………… 134
1. MTM とは ………………………………… 134
1）MTM の目的 ………………………… 134
2）MTM に用いる主な矯正装置 ……… 134
2. 歯周病患者への MTM ………………… 134
1）歯周病への対応 ……………………… 134
2）通院間隔 ……………………………… 134
3）MTM 後の保定 ……………………… 135

8章 矯正歯科治療に伴うリスク（偶発症・併発症）とその対応

1. 歯根吸収…………………………………… 137
2. エナメル質の白濁・う蝕………………… 137
3. 歯周病……………………………………… 138
4. 顎関節症…………………………………… 138
5. アレルギー（金属） ……………………… 138
6. 矯正装置の装着・調整による痛み……… 138
7. ワイヤーによる口腔粘膜への傷害……… 139
8. 矯正装置の破損・脱離…………………… 140
9. 歯科矯正用アンカースクリューによるトラブル
……………………………………………… 140

Ⅱ編　矯正歯科治療と歯科衛生士の役割

1章　矯正歯科治療に用いる器材と使用の手順

❶マルチブラケット装置を構成する器材……142
1. ブラケット……142
1）用途……142
2）特徴……142
2. チューブ（バッカルチューブ）……143
3. バンド（帯環）……144
1）用途……144
2）特徴……144
4. 矯正用ワイヤー……144
1）断面形態による分類……145
2）組成による分類……145
3）用途による分類……145
5. ブラケット用の接着材（ボンディング材）……146
6. バンド用の合着材（セメント）……147
7. 弾性材料（エラスティック）……148
1）エラスティックリング……148
2）エラスティックモジュール……148
3）エラスティックチェーン……148
4）エラスティックセパレーター……149
❷マルチブラケット装置の装着・調整・撤去に用いる器具……149
1. ブラケットの装着・撤去に用いる器具……149
1）ブラケットポジショニングゲージ……149
2）ブラケットリムービングプライヤー……149
3）レジンリムーバー……150
2. バンドの装着・撤去に用いる器具……150
1）エラスティックセパレーティングプライヤー……150
2）バンドプッシャー……151
3）バンドシーター……151
4）バンドコンタリングプライヤー……152
5）バンドリムービングプライヤー……153
6）スポットウェルダー……153
3. 矯正用ワイヤー（金属線）の屈曲に用いる器具……154
1）バードビークプライヤー……154
2）ライトワイヤープライヤー……154
3）Jarabak〈ジャラバック〉プライヤー……155
4）Tweed〈ツイード〉アーチベンディングプライヤー……155
5）Tweed〈ツイード〉ループフォーミングプライヤー……156
6）アーチフォーミングタレット……156
4. 矯正用ワイヤー（金属線）の切断に用いる器具……157
1）ピンアンドリガチャーカッター……157
2）ディスタルエンドカッター……158
5. アーチワイヤーの結紮に用いる器具……158
1）リガチャータイイングプライヤー……158
2）リガチャーインスツルメント……158
3）持針器……158
4）モスキートフォーセップス……158
6. 多目的に用いる器具……160
1）ユーティリティプライヤー……160
2）How〈ホウ〉プライヤー……160
❸その他の矯正装置の製作・調整に用いる器材……160
1. 技工用ワイヤー（金属線）……160
2. 技工用ワイヤーの切断に用いる器具（ワイヤーカッター）……162
3. 技工用ワイヤーの屈曲に用いる器具……162
1）Young〈ヤング〉プライヤー……162
2）スリージョープライヤー……162
4. 床用レジン……162
❹検査・分析に用いる器具……164
1）顔面写真および口腔内写真撮影用器具……164
2）ノギス（デジタル）……164
❺マルチブラケット装置の装着・撤去の手順……164
1. マルチブラケット装置の装着……164
1）バンドの装着……164
2）ブラケットの装着……166
3）アーチワイヤーの装着……168

2. マルチブラケット装置の撤去……………169
1）バンドの撤去 ………………………………169
2）ブラケットの撤去（ディボンディング）
……………………………………………………170
❻矯正歯科治療における器材の再生処理 …170
1. 再生処理とは……………………………………171
2. 矯正歯科治療に用いた器材の再生処理の流れ
……………………………………………………171
1）感染リスクの分類に応じた対応 ……171
2）洗浄 ………………………………………………171
3）消毒 ………………………………………………172
4）滅菌 ………………………………………………173

2章 口腔筋機能療法〈MFT〉

❶口腔筋機能療法〈MFT〉とは ……………174
COFFEE BREAK 口腔筋機能療法の歴史 ……174
❷口腔筋機能療法の進め方……………………175
1. 口腔機能の観察・検査・評価……………175
1）医療面接と観察・検査 …………………175
2）得られる情報と評価 ……………………176
2. 口腔筋機能療法の診断と訓練計画の立案
……………………………………………………178
3. 口腔筋機能療法の実施………………………179
1）訓練に使用する器材 ……………………179
2）訓練の種類 ……………………………………180
3）動機づけ ………………………………………186
4）訓練の評価と記録 …………………………186
❸口腔筋機能療法の実際………………………187

3章 矯正歯科治療における口腔衛生管理と指導

❶矯正歯科治療における口腔衛生管理 ……190
1. 矯正歯科治療における口腔衛生管理の意義
……………………………………………………190
2. 口腔衛生管理のためのアセスメント……190
1）主観的情報 ……………………………………191
2）客観的情報 ……………………………………191
3. 口腔衛生管理に関わる歯科予防処置……192
4. 口腔衛生管理に関わる歯科保健指導……193
1）歯ブラシを用いた口腔清掃 …………194
2）補助的清掃用具を用いた口腔清掃 …194
3）フッ化物の応用 ……………………………196
4）動機づけ（モチベーション）…………197
❷矯正装置に関わる指導…………………………197
1. 痛みに対する指導……………………………197
1）矯正力が加わることによる痛み ……197
2）粘膜に刺激が加わることによる痛み…198
2. 食生活指導………………………………………198
❸保定中の管理と指導……………………………199
1. 可撤式保定装置………………………………199
1）可撤式保定装置の管理方法 …………199
2）可撤式保定装置の洗浄方法 …………199
2. 固定式保定装置………………………………200

4章 矯正歯科治療に関わる歯科衛生の実践

事例 01：混合歯列期の事例……………………202
事例 02：永久歯列期の事例……………………206
事例 03：成人（歯周病患者）の事例………210
事例 04：マルチブラケット装置に歯科矯正用アンカースクリューを併用した事例
……………………………………………………215
事例 05：口唇裂・口蓋裂の事例……………217
事例 06：顎変形症（外科的矯正治療）の事例
……………………………………………………222

執筆分担

Ⅰ編

1章……新井一仁・長谷川　優

2章

❶〜❷……上岡　寛

❸……玉置幸雄・石川翔子

❹……八木孝和

3章

❶……谷本幸太郎

❷……玉置幸雄・梶原弘一郎

❸〜❹

……山口徹太郎・小泉　創・朴　熙泰

COFFEE BREAK……新井一仁

4章

❶〜❷……齋藤　功・大森裕子

❸……友成　博・関谷利子

❹……新井一仁

❺……玉置幸雄・安永まどか

5章

❶〜❸……飯嶋雅弘

❹〜❻……上岡　寛

6章

❶〜❷

……後藤滋巳・宮澤　健・川口美須津

CLINICAL POINT……新井一仁

❸……佐藤和朗

❹〜❺……根岸慎一

❻……谷本幸太郎

7章

❶……新井一仁

❷……山口徹太郎・池中僚亮

❸……根岸慎一

❹……上岡　寛

❺……佐藤和朗・山口徹太郎

❻……山口徹太郎・畠中玲奈

❼……谷本幸太郎

❽……丹原　惇

❾……友成　博・関谷利子

❿……齋藤　功・大森裕子

⓫……西井　康・立木千恵

8章……谷本幸太郎

Ⅱ編

1章

❶〜❹……新井一仁

❺……西井　康・片田英憲・西村達郎

❻……新井一仁・土持　宇

2章……大野由希粛

3章……小森朋栄

4章

事例 01，06……鈴木奈津子・佐藤和朗

事例 02，05……江﨑ひろみ・八木孝和

事例 03，04……阿部智美・関谷利子

I 編

矯正歯科治療の基礎

1章 歯科矯正学概論

到達目標

❶ 歯科矯正学の定義を説明できる.
❷ 不正咬合による障害を説明できる.
❸ 矯正歯科治療の一般的なプロセスを説明できる.
❹ 矯正歯科治療における歯科衛生士の役割を説明できる.

1 歯科矯正学の定義

歯科矯正学の“矯正(きょうせい)”とは,「欠点を直して正しくする」という意味をもつ.また,歯科矯正学を表す英語の「orthodontics」はギリシャ語を語源とし,“ortho-”は「正しい」あるいは「まっすぐな」,“-odont”は「歯」,“-ics”は「…学」や「…術」を意味する.

Angle〈アングル〉は咬み合わせ(咬合)の機能的な改善を治療の目的として,歯科矯正学を「歯の不正な咬合状態を治療する学問である」と定義し,独立した分野とした.現在では「歯科矯正学は,口腔・顎顔面頭蓋の発生と成長発育,および加齢による正常な変化や,発達上の異常の遺伝的・環境的要因を研究して予防・抑制をはかり,さらに不正咬合(歯並びや咬み合わせの不正)を治療することで機能と審美性を改善し,患者の健康と生活の質(QOL:Quality Of Life)の向上に寄与する歯科医学の一分野である」と定義されている.

2 不正咬合による障害

1. う蝕の誘因

歯列に叢生があると自浄作用が阻害され,歯ブラシなどの使用も難しくなることから,一般に不正咬合はう蝕の誘因になると考えられている(図Ⅰ-1-1).また,隣接する歯が異常な位置関係にあると,う蝕の治療が難しい場合がある.

2. 歯周病の誘因

Link
早期接触
p.57

不正咬合が原因で口腔清掃が行き届かない部位があると，プラークの付着や歯石の沈着が生じやすくなり，歯周病の誘因となる．また，咬合関係の異常で早期接触があると，歯の動揺や歯肉退縮のリスクが高まる（図Ⅰ-1-2）．

3. 外傷の誘因

上顎前突や犬歯の唇側転位など，歯が唇側あるいは頬側に突出している場合，転倒やスポーツで強く顔面を打ったりすると，口唇や頬粘膜の損傷や，歯の破折などを起こしやすい（図Ⅰ-1-3）．

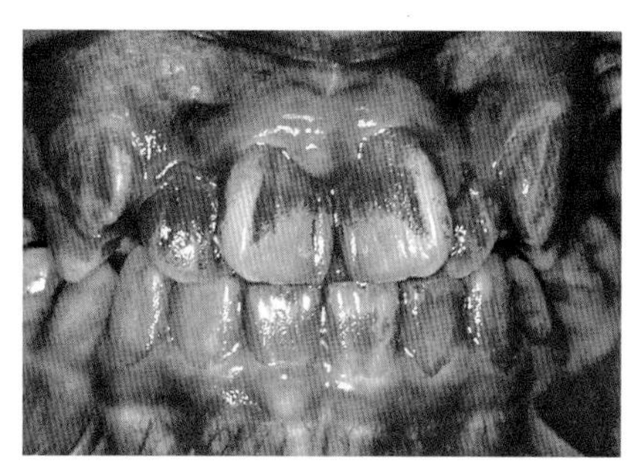

図Ⅰ-1-1　**う蝕の誘因となる不正咬合（叢生）**
歯並びが悪いことを主訴として来院した前歯部叢生患者で，ブラッシング指導のために染め出しを行った．特に上顎側切歯（2|2）が強く染まっていることから，位置異常（舌側転位）により磨きにくく，自浄作用も低下していることが説明できる．

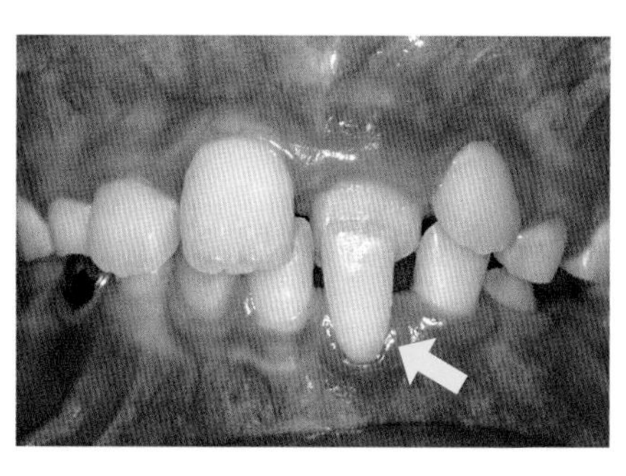

図Ⅰ-1-2　**歯周病の誘因となる不正咬合（反対咬合）**
中切歯の反対咬合を主訴に来院した患者の口腔内写真．咬合性外傷に伴う下顎左側中切歯（|1）の歯肉退縮と発赤が認められ，咬合時に軽度の動揺を伴っていた．

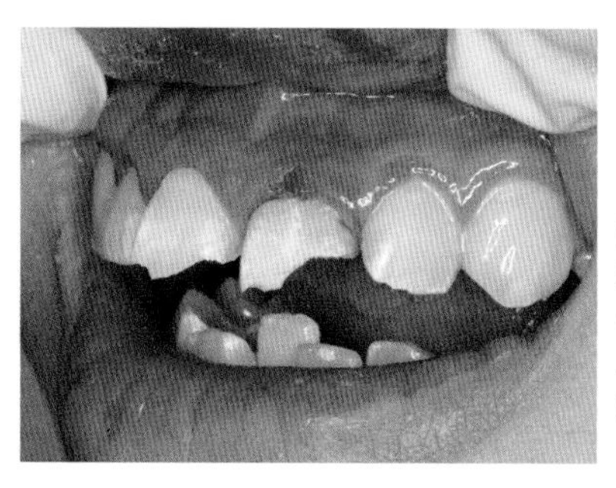

図Ⅰ-1-3　**外傷の誘因となる不正咬合（上顎前突）**
転倒による外傷で，唇側傾斜した上顎中切歯（1|1）の歯冠が破折した症例．上顎左側中切歯（|1）は元々，反対側と同様に突出した位置にあったが，打撲により陥入している．エックス線検査で歯根の破折も確認され，抜歯となった．

4. 歯根吸収の誘因

歯胚の位置異常が原因で，隣接する歯の歯根が吸収される場合がある（図Ⅰ-1-4）．

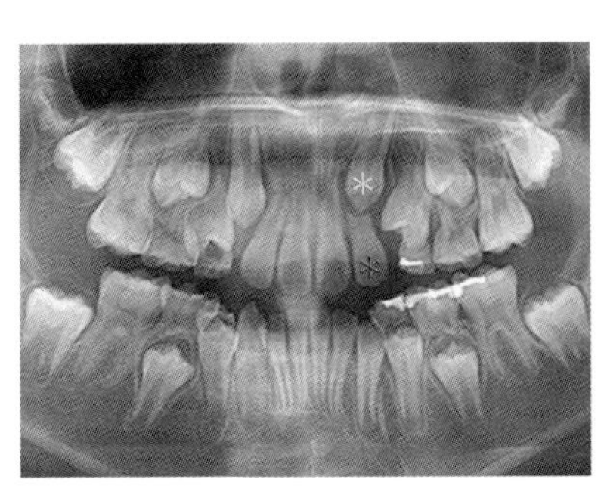

図Ⅰ-1-4 **歯根吸収の誘因となる不正咬合（永久歯胚の位置異常）**
上顎犬歯の萌出遅延を主訴として来院した．パノラマエックス線検査で，上顎左側犬歯（|3，✻）の歯胚の位置異常によって，隣接する側切歯（|2，✽）の歯根吸収が認められた．

5. 咀嚼機能の低下

叢生や反対咬合を有する不正咬合の患者は，正常咬合を有する人と比較して咀嚼能率の低下がみられる．また，咀嚼時の筋活動や下顎運動リズムも不安定で，一般的に咀嚼機能は低いと考えられている．

6. 口腔周囲筋の機能異常

Link
口腔周囲筋
p.174

不正咬合では，口腔周囲筋の機能異常がみられる．例えば，奥歯を咬んでも前歯が咬み合わない開咬では，嚥下する際に上下顎歯の間に舌を突出させる舌突出癖が，上顎前突では，下唇を咬む咬唇癖がしばしば観察される．これらの口腔周囲筋の機能異常は，不正咬合が原因で生じたとも考えられるが，逆にこれらの筋機能異常が不正咬合の原因の 1 つになったとも考えられる．

7. 顎骨の発育障害

上下顎の歯列が咬合するときに，歯の位置異常によって，下顎が前後左右のいずれかの方向に機能的に偏位することがある．成長期にこのような症状を放置すると，骨格性の下顎前突や顔面の非対称を生じることがある．

8. 構音障害

Link
構音障害
p.30

不正咬合によって構音障害（音をつくる器官の形態や機能に何らかの異常があり，うまく発音ができない状態）が生じることがある．

9. 審美的な欲求と心理的な背景

一般的に，矯正歯科治療を希望する患者の多くは，歯列や顔貌の審美性の改善によって，心理的・社会的に満足できる状態を求めている場合が多い．

3 矯正歯科治療の意義と目的

歯科医療のなかで矯正歯科治療の役割は，顎口腔機能障害に対する予防，抑制，治療にとどまらず，成長期における顎顔面頭蓋の正常な成長発育を誘導し，顎口腔領域や全身の健康を維持・増進するとともに，心理的・社会的な環境をより良い方向に導くことによってQOLの向上にも寄与することである．

また，矯正歯科治療で歯列や咬合を改善することで，成人期以降における歯周治療や，保存修復や補綴学的な処置のための環境を整えることもでき，歯科治療全体の質の向上にも関与している．

4 矯正歯科治療の一般的なプロセス

矯正歯科治療の初診から終了までの一般的なプロセスを次に示す（図Ⅰ-1-5）．

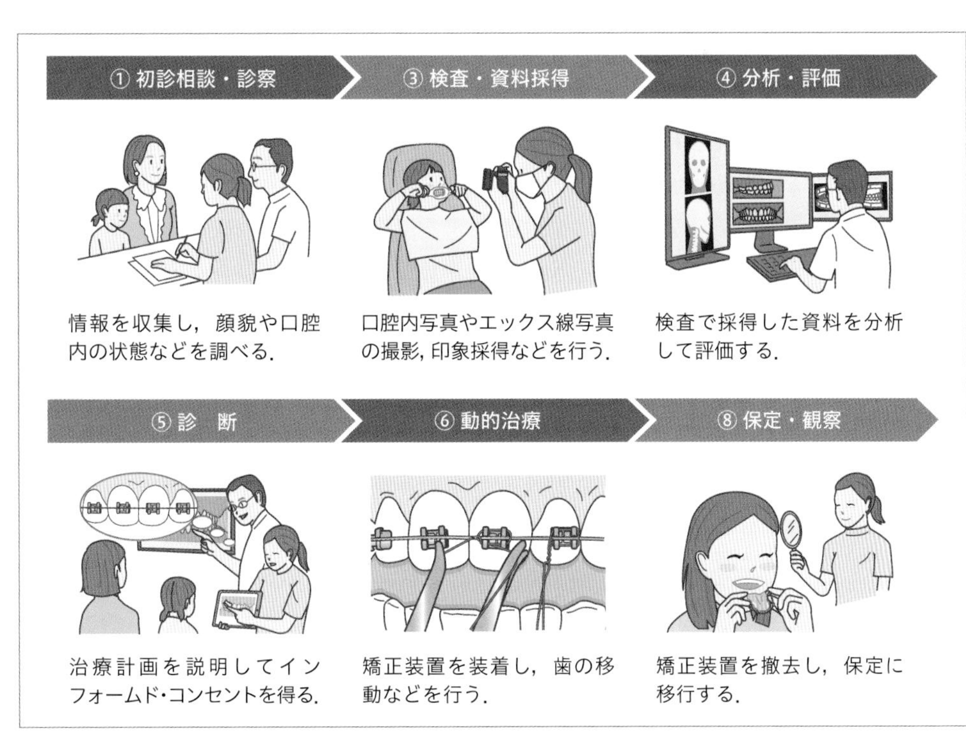

図Ⅰ-1-5　矯正歯科治療の一般的なプロセス

①**初診相談・診察**：初診時には，患者の相談を受け，医療面接によって主訴や現病歴，既往歴，家族歴，治療への期待などの情報を収集する．その後，診察にて顔貌や口腔内の状態，口腔習癖の有無を調べる．

②**検査・資料採得**：口腔内写真や顔面写真の撮影，エックス線検査，印象採得などを行う．

③**分析・評価**：エックス線写真や口腔模型を客観的に分析して評価する．

④**診断**：検査の結果わかった問題点を整理し，治療計画（装置の種類，治療時期など）について説明して，同意（インフォームド・コンセント）を得る．

⑤**動的治療**：矯正装置を装着して，顎や歯を動かす矯正歯科治療が開始される（これを**動的治療**という）．成長期では歯の移動だけでなく，口腔習癖の除去，顎の成長の促進や抑制なども行う．

⑥**保定・観察**：動的治療が終了したら矯正装置を撤去し，保定（**静的治療**ともいう）に移行する．その後，観察期間を経て治療は終了する．

5 矯正歯科治療の種類と時期

矯正歯科治療では，患者の来院時期によって対応が異なってくる（図Ⅰ-1-6）．

1．乳歯列期・混合歯列期における治療

乳歯列期・混合歯列期では，①顎骨の成長の誘導，②口腔習癖の除去，③機能性要因の除去，④永久歯の萌出の誘導が主な治療の目標となる．一般的に，上下顎骨の不調和がある場合には，その成長をコントロールできる成長が旺盛なこの時期に治療を開始するほうが，利点が多いと考えられている．

Link
口腔習癖
p.49-50

乳歯列期では，吸指癖や舌突出癖などの口腔習癖を除去することを目的として，口腔筋機能療法〈MFT〉を実施する（**後述**）．混合歯列期では，例えば歯の早期接触が原因で下顎が前方や側方に誘導される機能性の不正咬合がある場合，矯正装置で早期接触を除去することで，顎骨の成長を正常な方向へ誘導する．また，この時期は歯の交換に伴う永久歯の萌出異常も多く，その場合は牽引などで対応する．

現状では不正咬合は発症していないが，将来の発症が予測される場合に，原因になる要素を早期に除去することで予防する対応を**予防矯正**という．

一方，不正咬合がすでに発症しているが，早期に改善することで，その後の顎骨や歯の成長発育を正しい方向に導く治療を**抑制矯正**という．

2．永久歯列期における治療

永久歯列期において，上下顎歯列全体の移動を行い，正常咬合の達成に導く治療

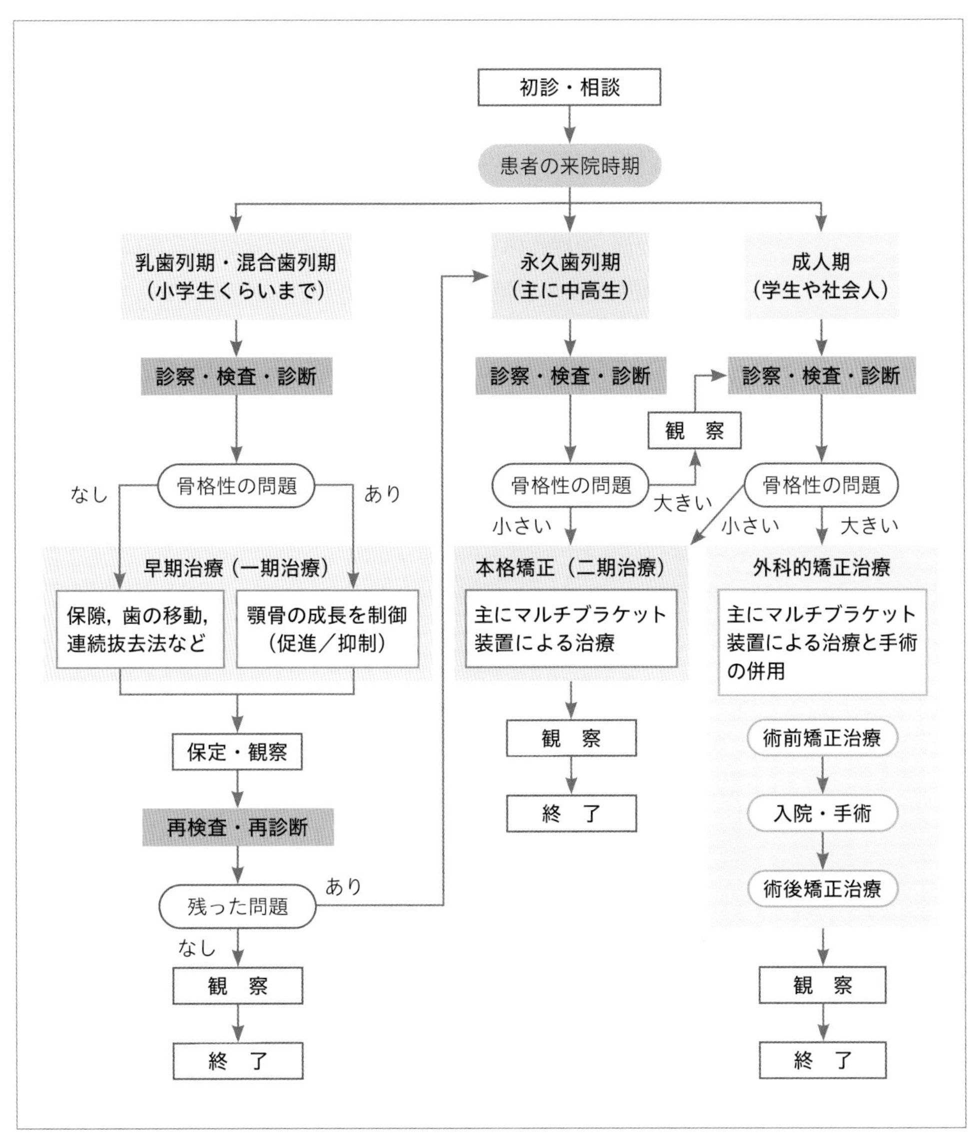

図Ⅰ-1-6　矯正歯科治療の種類と患者の来院時期ごとの対応

を**本格矯正**という．乳歯列期や混合歯列期に成長発育や歯の萌出・交換の誘導を目的として行う治療を**一期治療（早期治療）**というのに対して，本格矯正は**二期治療**ともよばれる．この時期は，できるだけ良い歯並びと咬み合わせの達成を目指して，主にマルチブラケット装置を用いた治療が行われる．

思春期では，顎骨の成長がどの程度残っているかの見きわめが難しい．例えば下顎前突の症例で，以降もまだ下顎骨の大きな成長が予測されれば外科的矯正治療が必要となる可能性もあるため，動的治療の開始を遅らせる必要がある．成長が完了していると判断できる場合でも，成長の予測には限界があることを理解して，治療中も慎重な対応が求められる．

3. 成人期における治療

永久歯列の完成後の中高年を含む成人期の矯正歯科治療を**成人矯正**という．この時期は歯周病に罹患しやすく，欠如歯の補綴治療を要する場合も増えてくる．成長期に比べると，患者の治療に対するモチベーションが高く，協力が得られやすい利点がある反面，治療に伴う口腔内の環境変化に適応しづらいなどの特徴もみられる．

特に治療開始前の環境の整理，動的治療中の管理，さらに治療後のメインテナンスにおいても，歯の移動に伴う咬合の変化による歯周組織の反応には十分な注意を払う必要があり，歯科衛生士による口腔衛生管理は欠かせない．

6 歯科衛生士の役割

矯正歯科治療における歯科衛生士の主な役割には，①歯科診療の補助，②口腔筋

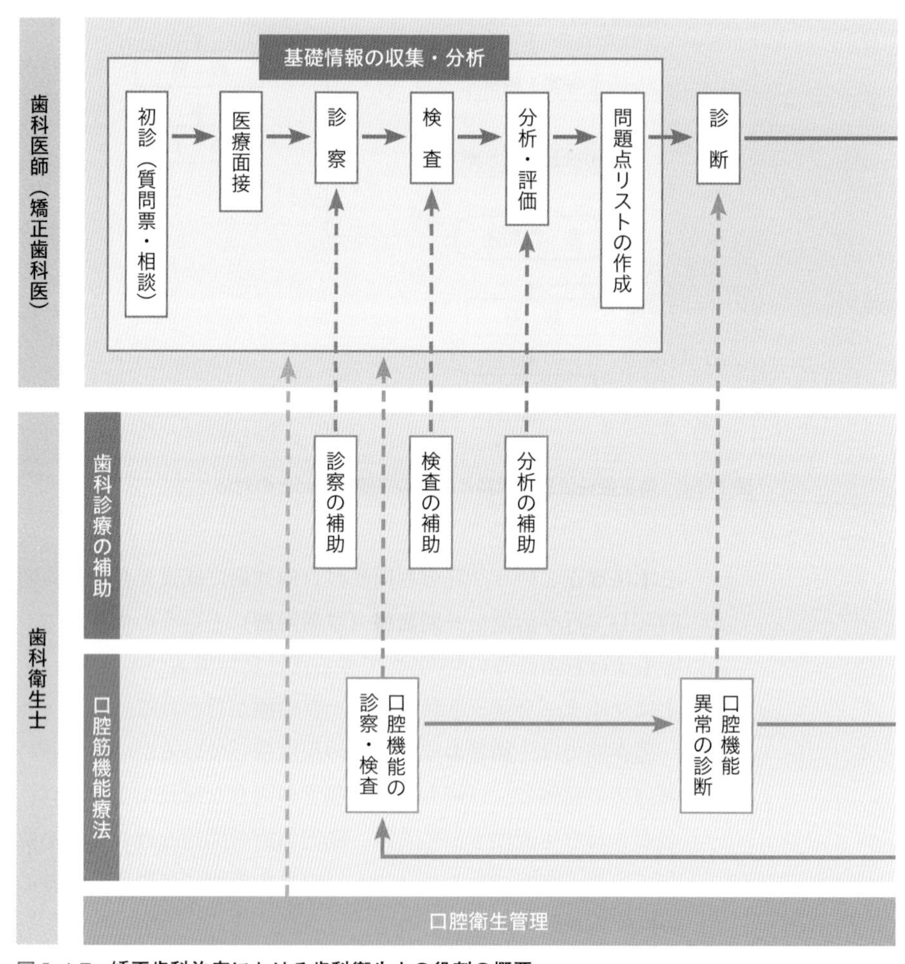

図Ⅰ-1-7 矯正歯科治療における歯科衛生士の役割の概要

機能療法，③口腔衛生管理の実施があげられる（図Ⅰ-1-7）．矯正歯科治療は比較的長期にわたるため，患者を中心に，多職種の医療従事者との信頼関係を構築することが基本となる．そして患者のモチベーションを維持するためにも，治療に携わるすべての担当者がチームとなって協力していく意識を共有することが大切である．

なかでも歯科衛生士は，チーム内での調整役として，患者が話しやすい環境づくりに努めて，患者の生活環境（例えば勉強や仕事，趣味の内容，家族構成など）を把握することで，成長や環境変化に応じた指導が可能となる．患者と身近に接することによって，顎口腔領域の諸問題や悩みに共感しつつ，治療後の達成感を分かち合える存在になれれば，患者と歯科衛生士ともにその喜びは大きい．

本書の後半で紹介するように，歯周病を有する患者，補綴治療の必要な患者，口唇裂・口蓋裂などの先天異常を伴う患者，顎変形症を伴う患者などの矯正歯科治療においては，他の専門領域の担当者と協力した総合的なチームアプローチが不可欠である．歯科衛生士は，チームの一員として各担当者との綿密な連携をとりながら，治療が円滑に進むよう環境を整える必要がある．

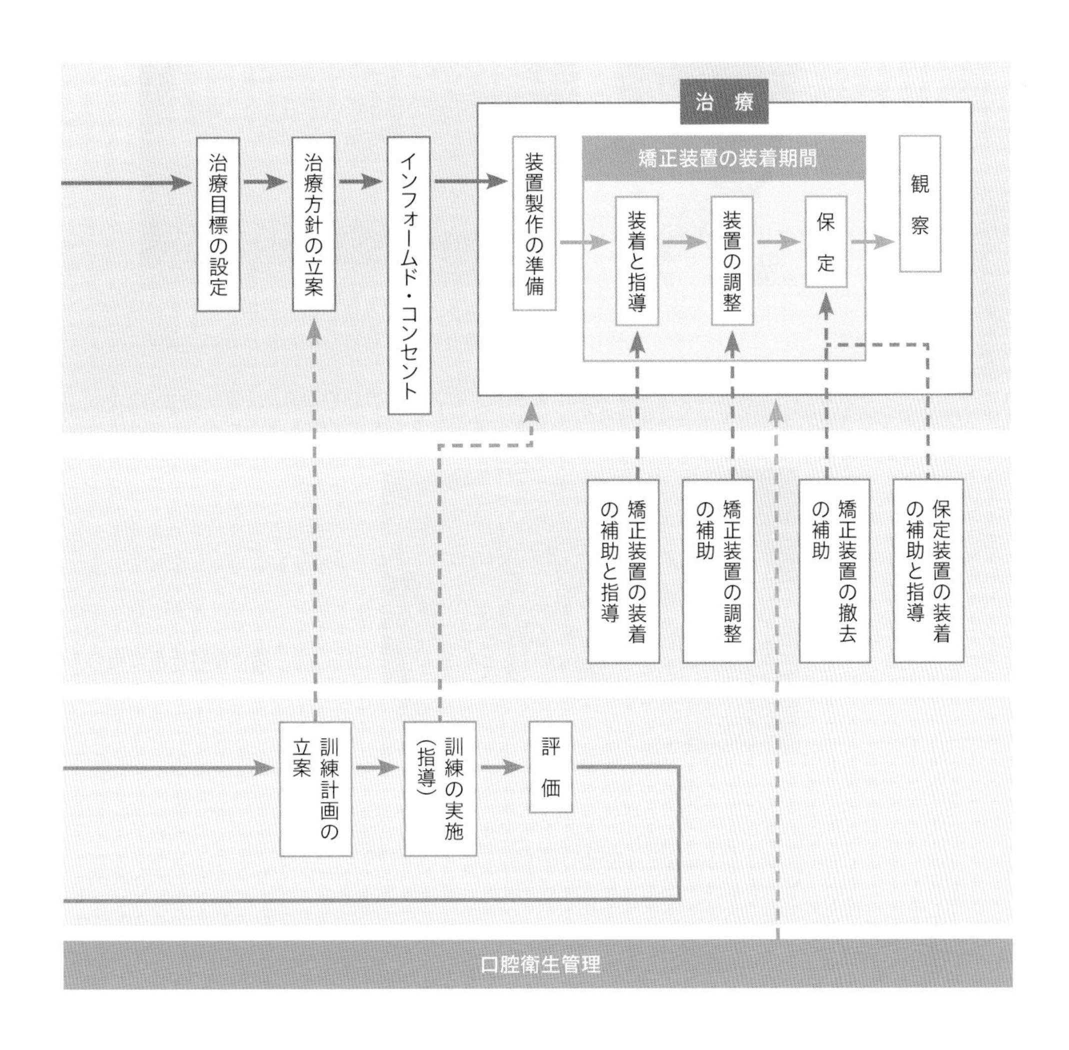

1. 歯科診療の補助

Link
矯正歯科治療に用いる器材と使用の手順
p.142-173

矯正歯科治療における歯科衛生士の重要な役割の1つに，歯科診療の補助がある．初診時に行われる各種の検査では，初めての経験に不安を感じている患者に寄り添い，歯科診療の補助を行う立場となる．治療が始まってからも，矯正装置の装着時や変更時，装置撤去時など，歯科衛生士の活躍の場は多岐にわたる．

特に矯正歯科治療期間中の装置の装着と管理には，患者自身の協力が不可欠であり，歯科衛生士は装置の名称や特徴，使用方法をわかりやすく説明することで，患者や保護者のモチベーションの向上にも関わる（図Ⅰ-1-8）．

また，矯正歯科治療では専用の器材（図Ⅰ-1-9）を用いるため，補助を行うにあたって，あらかじめその名称，用途，特徴，注意事項などについて把握しておく必要がある．

※矯正装置や器材の詳細についてはⅠ編6章，Ⅱ編1章を参照．

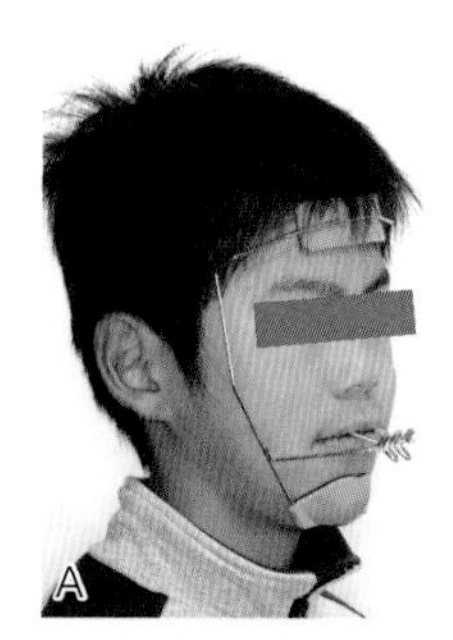

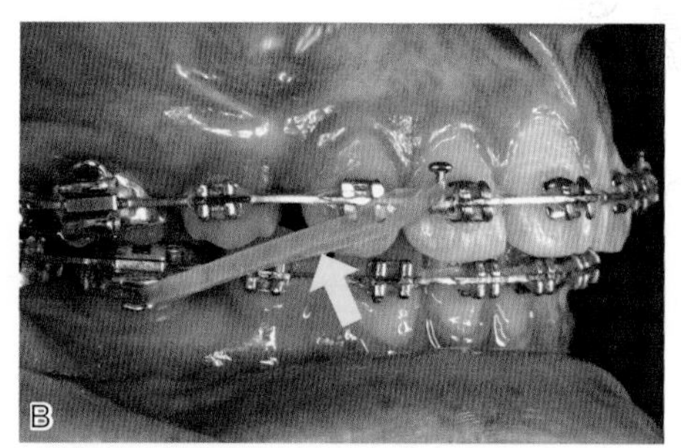

図Ⅰ-1-8 **装着や管理に患者自身の協力が必要な矯正装置の例**
A：上顎前方牽引装置は主に夜間に患者自身で装着してもらうため，使用方法の指導が必要．
B：顎間ゴム（矢印）を用いた治療では，装着方法の指導が必要．

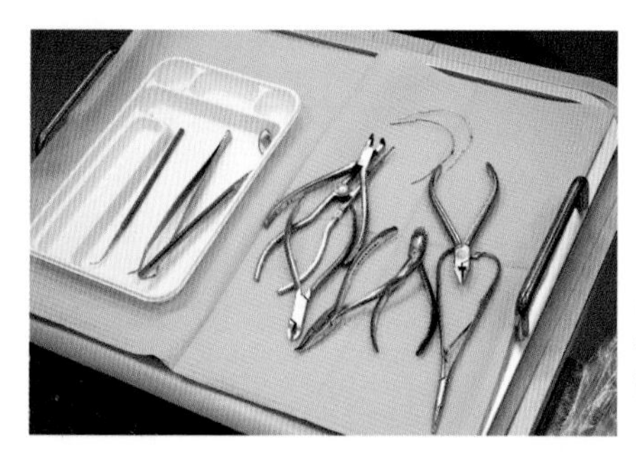

図Ⅰ-1-9 **矯正歯科治療に用いられるさまざまな器材**
診療中には多くの器材を使用するため，補助にあたり，それらの名称や用途を把握する必要がある．

2. 口腔筋機能療法〈MFT〉

Link
口腔筋機能療法
p.174-189

不正咬合の原因の1つに，吸指癖（母指吸引癖）や舌突出癖などの口腔習癖がある（図Ⅰ-1-10）．成長期では，原因と考えられる口腔習癖を除去することで，不正咬合が改善することがある．**口腔筋機能療法**とは，不正咬合の要因と考えられる

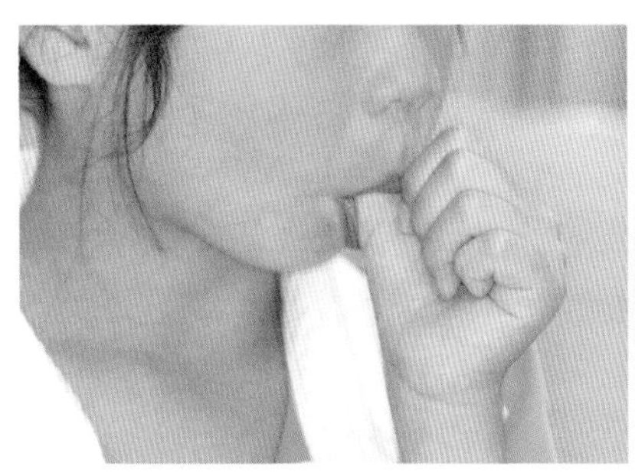
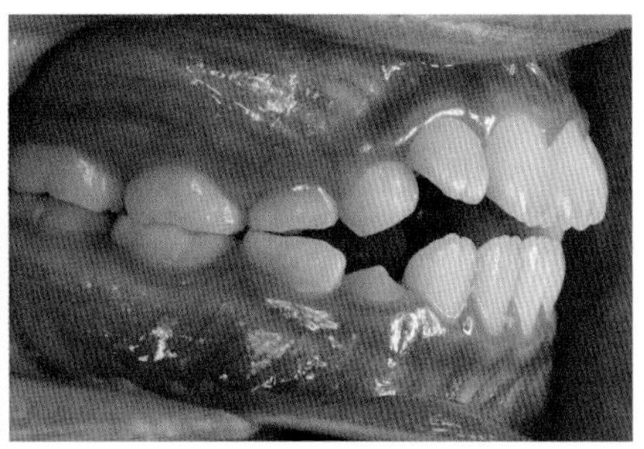

図Ⅰ-1-10　**母指吸引癖と初診時の口腔内写真**
母指吸引癖により上下顎前歯が唇側に傾斜し，奥歯を咬んでも前歯が咬み合わない開咬という状態になっている．

口腔習癖や，安静時の低位舌や口唇閉鎖不全，嚥下時の舌突出癖などの口腔周囲筋の機能異常を改善するための訓練法である．

歯科衛生士は，歯科医師の指導のもとで口腔機能の観察と検査を行って問題点を把握し，アセスメントと訓練計画を立案して，長期間にわたって粘り強く訓練を行う．また，訓練の経過を客観的に記録して，定期的な評価を行い，それを歯科医師と共有するとともに，患者と保護者に説明してさらなるモチベーションの向上をはかる．

3. 口腔衛生管理

Link
矯正歯科治療における口腔衛生管理と指導
p.190-201

口腔衛生管理の目的は，矯正歯科治療中にう蝕や歯周病などを発症させないよう，清潔な口腔内環境を維持・管理することにある（図Ⅰ-1-11）．特に固定式矯正装置が装着された患者においては，歯科衛生士によるプロービングを中心とした歯周組織検査や，スケーリング・ルートプレーニング（SRP），PMTC（歯面清掃），フッ化物塗布などの処置が重要である．

また歯科衛生士は，毎回の来院時に口腔内の状態を観察し，歯の交換，治療に伴う歯列や咬合の変化，矯正装置の種類の変更に応じて，そのつど適した口腔清掃や

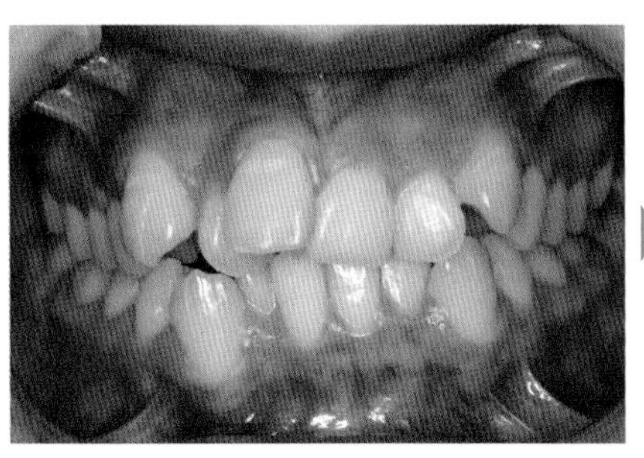
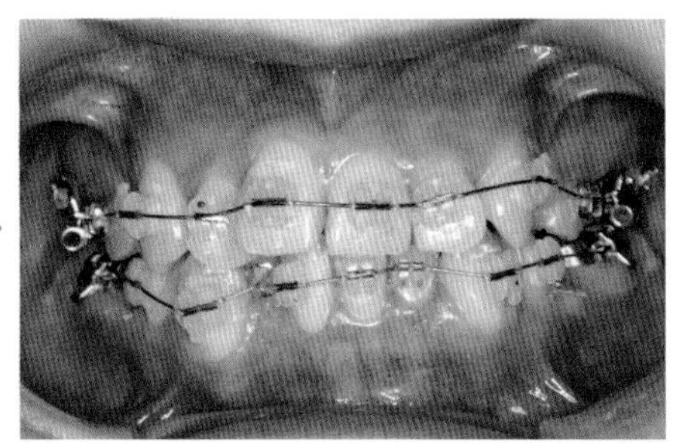

図Ⅰ-1-11　**前歯部に叢生を伴う症例，矯正歯科治療による口腔内の変化**
初診の時点で叢生により口腔清掃がしにくく，口腔衛生状態が低下している（左写真）．矯正装置が装着されると，さらに口腔衛生管理が難しくなる（右写真）．

食生活指導を行う．矯正歯科治療は治療期間が比較的長いため，口腔衛生管理の内容を検討する際には，進学や就職による生活環境の変化なども考慮する必要がある．

歯科衛生士は，患者や保護者と良好なコミュニケーションをとり，矯正歯科治療における口腔衛生管理への理解を深めてもらうよう努める．特に小児の場合は，保護者の協力も不可欠である．

歯科矯正学のあゆみ

紀元前400年頃，古代ギリシャの医師Hippocrates〈ヒポクラテス〉は歯並びの異常に関する記述を残し，紀元1世紀にはローマの学者Celsus〈ケルスス〉が歯を指で押して誘導する方法を記述しています．18世紀，フランスのFauchard〈フォシャール〉は，金や銀の帯状の薄い板に絹糸で歯を結んで歯並びを治す方法を記述しました．これは，記録に残っている限りでは現在の矯正歯科治療につながる最初の矯正装置といわれています．

そして19世紀の後半になると，歯科矯正学はアメリカで発展します．ニューヨークのKingsley〈キングスレー〉は，口唇裂・口蓋裂（**p.124～127参照**）の治療に尽力するとともに，可撤式の矯正装置として咬合斜面板（**p.94参照**）を考案して影響を与えました．また1899年，セントルイスにいたAngle〈アングル〉は，不正咬合の分類（**p.42～43参照**）を発表し，1900年から歯科矯正学を系統的に教える専門学校を設立して専門分野の確立に貢献しました．彼が1928年に発表したエッジワイズ装置（**p.87～88参照**）は，今なお主要な矯正装置として世界中で使用されています．

参考文献

1）飯田順一郎ほか編：歯科矯正学 第6版．医歯薬出版，2019.
2）全国歯科衛生士教育協議会監修：歯科衛生学シリーズ 歯科矯正学．医歯薬出版，2023.
3）葛西一貴，新井一仁，須田直人ほか編：新･歯科衛生士教育マニュアル 歯科矯正学．クインテッセンス出版，東京，2015.

2章 成長発育

到達目標

❶ 顔面および歯・歯列の成長発育とその評価を説明できる.
❷ 乳歯列期の特徴を説明できる.
❸ 混合歯列期の特徴を説明できる.
❹ 永久歯列期の特徴を説明できる.
❺ Hellman の咬合発育段階（歯齢）を説明できる.

1 成長発育概論

1. 成長発育の定義

「成長」と「発育」は異なる意味をもつ.「成長」とは，全身または各器官の細胞の増殖，ならびに細胞間基質の増大により，大きさ・数が増える変化である．一方「発育」とは，各器官の機能および人の行動・精神が成熟していく変化である.

2. 成長発育のパターン

ヒトは胎児から新生児，そして成人へと成長するにしたがって，頭部から下肢における各部の全身における比率が変化する.この頭部から下肢で成長が異なるのは，成長の速度が器官によって異なるためである．例えば，頭部の占める割合が出生後に著しく小さくなるのは，四肢の成長にみられる筋骨格系の成長が，脳神経系の成長より速いためである.

Scammon〈スキャモン〉の臓器別発育曲線（図Ⅰ-2-1）に示すように，出生後の成長発育のパターンは以下の４つの型に大別される.

1）一般型

乳児期～幼児期前半と思春期の急激な成長と，幼児期後半～学童期の緩やかな成長によって，S 字状の曲線を描く．身体の主な部分を構成する骨，筋肉，内臓などがこの型の成長パターンを示す.

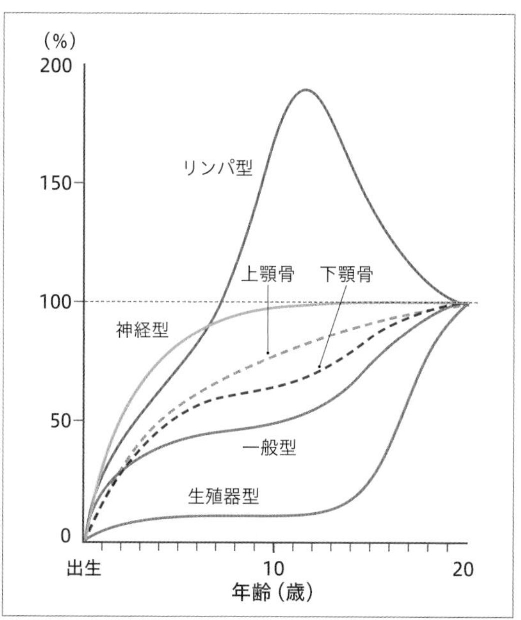

図Ⅰ-2-1　Scammon の臓器別発育曲線
（文献 1）より）

2）神経型

出生後から急速な成長を示し，6 ～ 7 歳までにほとんどの成長が完了する．脳，脳頭蓋，脊髄，視覚器などの中枢・末梢神経系がこの型の成長パターンを示す．

3）生殖器型

10 歳頃までほとんど変化はないが，思春期になって急速な立ち上がりを示す曲線を描く．成長の立ち上がりとしては最も遅く，精巣や卵巣などの性器のほか，乳房，恥毛，腋毛，喉仏などがこの型の成長パターンを示す．

4）リンパ型

幼児期後半頃より成長の立ち上がりを示し，思春期直前に最大増加を示して最大値に達する．その後，徐々に小さくなり成人値となる．胸腺，リンパ節，口蓋扁桃，咽頭扁桃などのリンパ性組織がこの成長パターンを示す．

3. 身体の成長発育

ヒトの身体発育の状況を評価するためには，全身の成長発育の一般的な経過を知っておくことが重要である．身体の大きさ（身長，体重，頭囲，胸囲，座高）の年齢的変化は，成長曲線と成長速度曲線として表すことができ，成長パターンは次の 4 つの時期に区分される．成長速度に 2 つのピークがあることが，ヒトの成長発育の特徴である（図Ⅰ-2-2）．

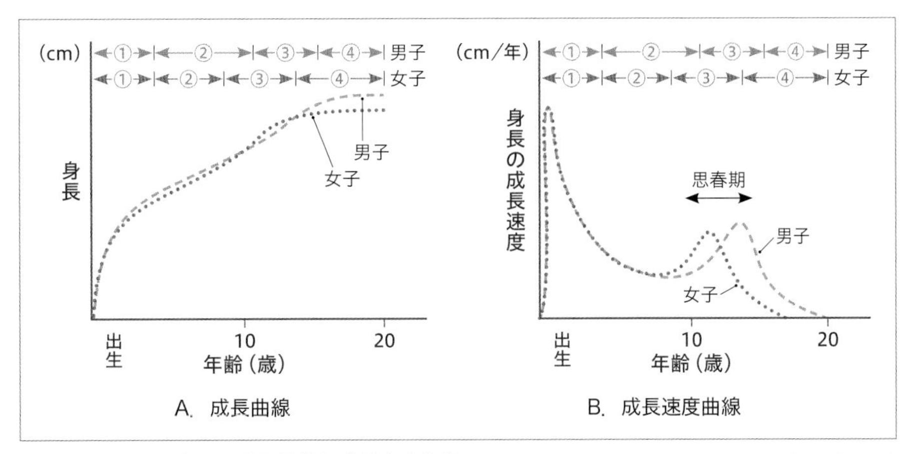

図Ⅰ-2-2　ヒトの身長の成長曲線と成長速度曲線　（文献 2）より）
①第一急進期，②安定期，③第二急進期，④漸減期.
成長速度曲線（B）を見ると，身長の成長速度には 2 つのピークがあり，11 ～ 13 歳頃に最大成長速度を示している.

1）第一急進期

胎児期から幼児期前半までの時期のことである．胎児期では，身体の各部分の大きさが急速に成長し，器官形成後の各器官も発達する．胎児期に引き続いて，乳児期（生後～ 1 歳）から幼児期前半（1 ～ 3 歳）に急速な成長発育が起こる．

2）安定期

幼児期後半には次第に成長速度が減少し，幼児期後半以降から学童期の安定期へと変わっていく．学童前期（6 ～ 10 歳）では，身長と体重は穏やかに増加し，脳の成長は終盤を迎えて成人とほぼ同じになる．3 ～ 4 歳頃から思春期の急速な成長促進までの期間は，比較的安定した成長速度を保っており，成長の安定期ともよばれている．

3）第二急進期

（1）男子の特徴

男子では 10 歳頃になると，それまで穏やかだった身長の成長速度が上昇し，再び著しい成長がみられる．その後，年々身長の年間増加量が増大し，12 ～ 13 歳頃に最高に達し（最大成長速度），思春期性成長スパートを示して急激に身長が伸びる．14 歳を過ぎる頃になると，身長の伸びは穏やかになる．17 歳頃にほぼ成人の体格に近づく．

（2）女子の特徴

女子では思春期の開始が男子に比べて約 1 ～ 2 年早く，幼児期後半から学童前期までは穏やかだった身長増加が 8 ～ 9 歳で再び上昇し，10 ～ 11 歳頃にピークを迎える．そして，14 ～ 15 歳頃に身長の伸びは止まる．初潮は，身長の最大成長速度を示す時期の約半年～ 1 年後にみられる．

4）漸減期

思春期の急激な成長を終えて，緩やかに成長停止に至る．

4．成長発育の評価法

1）標準値との比較

ある年齢におけるヒトの身長発育の大小や速度は，その個体の身長発育の最小，あるいはその属している集団の標準値と比較して，個体の値がどのくらい変異しているのか，生理的に許容される変動範囲内にあるのかに基づいて評価される．

2）発育指数による評価

身長，体重などを組み合わせて指数を算出し，身体の発育や栄養状態などを評価する．

(1) Kaup〈カウプ〉指数

$$\text{Kaup 指数} = \frac{\text{体重（kg）}}{〔\text{身長（cm）}〕^2} \times 10^4$$

Kaup 指数は，出生後 2 カ月までを除き，全乳幼児期を通してほぼ正常値が一定しているため，乳幼児保健に用いられる．

(2) Rohrer〈ローレル〉指数

$$\text{Rohrer 指数} = \frac{\text{体重（kg）}}{〔\text{身長（cm）}〕^3} \times 10^7$$

Rohrer 指数は，学齢期から成人の評価に用いられる．この数値が 160 以上のときに肥満と判定される．

3）絶対成長と相対成長

ヒトの身体は時間とともに大きくなるが，このように時間を指標として観察される成長を**絶対成長**という．しかし，各臓器は一様に大きくなるのではなく，例えばヒトの成長は Scammon の臓器別発育曲線（図Ⅰ-2-1）で示されるように，神経系（神経型）の成長が骨格系（一般型）の成長よりも先行する．よって，身長に対して幼児の頭部の比率は大きく，成人のそれは相対的に小さい．

したがって，身長に対する頭部の大きさの割合を尺度として，個体の全体的な成長を予測することができる．このように生体のある部分を基準として，別のある部分の成長を評価する方法を**相対成長**という．

5．生理的年齢

成長発育には個人差があるため，成熟の度合いを評価・把握するためには，各個人の組織や器官の生理的状態を基準とした**生理的年齢**（発育年齢）が用いられる．

生理的年齢には発育段階の明確なものが適しており，骨年齢，歯齢（歯年齢），二次性徴年齢，形態学的年齢などがある．

1）骨年齢

骨年齢（骨格年齢）は，身長の伸びと密接な関係をもっており，身体的な成熟の度合いを表す最も適切な生理的年齢として広く用いられている．骨年齢は，エックス線写真での骨核（骨化中心）の出現と，その骨成熟に至る過程，ならびに骨端核（骨端軟骨）の骨幹との癒合の過程に基づいて判定される．

特に手部は多数の骨からできており，骨核数が多く，しかも各骨核は連続的かつ長期的に出現するため，**手根骨エックス線写真**が判定に用いられる（図Ⅰ-2-3）．

Link
手根骨エックス線写真
p.64

2）歯齢（歯年齢）

萌出歯の歯数や歯種を指標とした年齢である．歯の萌出開始時期，歯の石灰化の程度（石灰化年齢），歯冠あるいは歯根形成の程度も指標となる．

代表的なものとして，乳歯および永久歯の萌出状態を指標とする **Hellman の咬合発育段階**がある（p.26 参照）．

3）二次性徴年齢

思春期における二次性徴（睾丸，陰嚢，陰茎，陰毛，乳房，腋毛，初潮，髭，喉仏，声変わりなど）の出現から，成人に至るまでの発育変化を，数段階に分けて判定する．

4）形態学的年齢

身長の最大増加量を示す時期など，個人の成長過程で際立った変化を示す時期を基準として，それ以前と以後を暦年齢*で区分して身体発育を評価する．

***暦年齢**
生まれてからの暦（こよみ）上の年齢のことです．

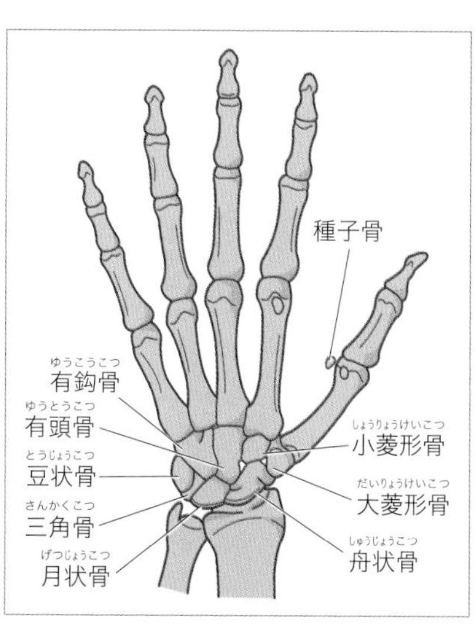

図Ⅰ-2-3　**手根骨の骨核**

2 頭蓋・顎顔面の成長発育

1. 頭蓋骨の成長機構

頭蓋骨は，以下の３つの成長様式によって成長する．

1）骨膜性成長

骨膜内に含まれる間葉細胞が骨芽細胞となり，この骨芽細胞によって骨組織が形成される（膜内骨化）．比較的平らな骨（扁平骨）や鎖骨にみられる骨の成長様式である．

Link
膜内骨化と軟骨内骨化
『解剖学・組織発生学・生理学』
p.54-56

2）軟骨性成長

間葉細胞がまず軟骨細胞になり，軟骨基質を産生し，将来的な骨の外形をもつ塊をつくる．この塊に血管が侵入して，塊の内部の間葉細胞が骨芽細胞に分化し，軟骨が骨に置き換わる（軟骨内骨化）．

3）縫合性成長

骨と骨の間にある縫合部で結合組織が増殖し，同時に骨縁にある骨芽細胞により，骨が添加されていく成長様式である．

2. 脳頭蓋の成長発育

頭蓋骨は，大きく脳頭蓋と顔面頭蓋に分けられる（図Ⅰ-2-4）．さらに脳頭蓋は，大きく頭蓋冠と頭蓋底に分けられる（図Ⅰ-2-5）．

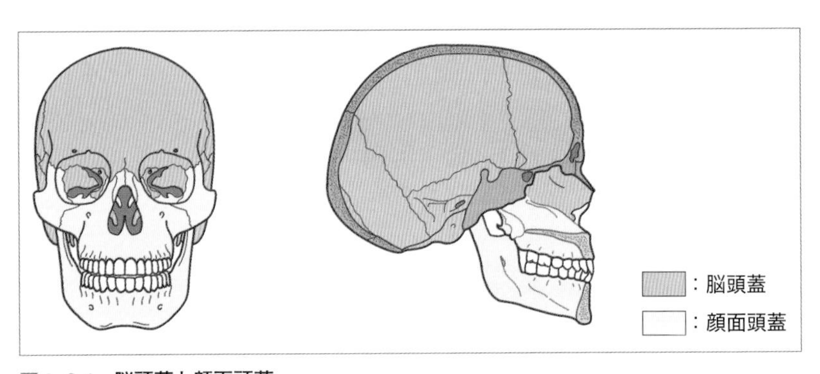

図Ⅰ-2-4　脳頭蓋と顔面頭蓋

1）頭蓋冠の成長発育

頭蓋冠は，頭蓋上部を覆っている部分で，扁平骨からなる．扁平骨は，骨膜性成長による骨表面の**骨添加**と**骨吸収**の相互作用（骨リモデリング）により成長する．

乳児期から幼児期前半には，脳の容積が急速に拡大するために，扁平骨には引き離される力がかかり，縫合部では結合組織が増殖し，同時に骨縁に骨が添加され（縫合性成長），頭蓋腔の容積を増大させていく（図Ⅰ-2-6）．

2）頭蓋底の成長発育

頭蓋底は前頭骨，篩骨，蝶形骨，側頭骨および後頭骨で構成されている．頭蓋底に軟骨頭蓋として形成された部位に骨化中心が現れ，骨に置き換わる．骨化が進行するにつれて，**軟骨結合**という軟骨組織の帯がこれらの骨の間に存在するようになるが，この軟骨結合が次第に骨化することで頭蓋底が成長する．

軟骨結合のうち，蝶形骨間軟骨結合は出生時に癒合するが，蝶形篩骨軟骨結合は7歳頃まで成長してから癒合する．蝶形後頭軟骨結合は最も成長が長く続き，20歳頃に癒合する（図Ⅰ-2-7）．

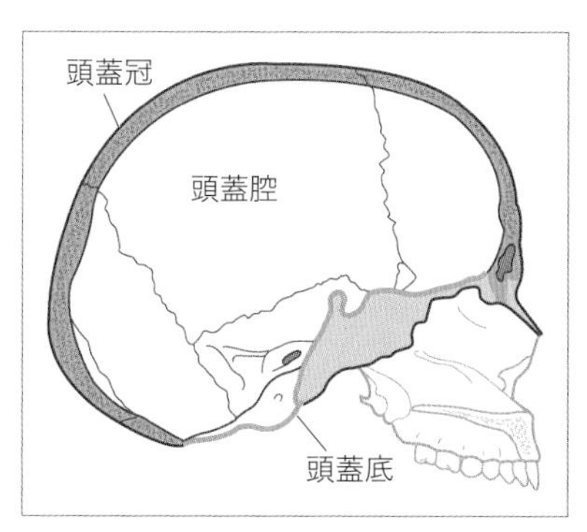

図Ⅰ-2-5　**頭蓋冠と頭蓋底**

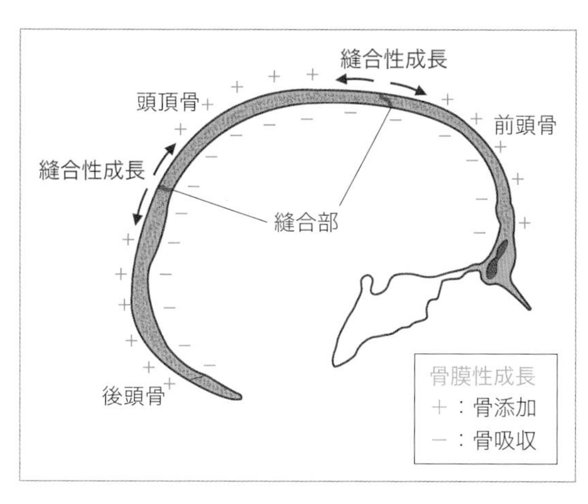

図Ⅰ-2-6　**頭蓋冠の骨膜性成長と縫合性成長**
骨膜性成長と縫合性成長により，頭蓋腔の容積が増す．

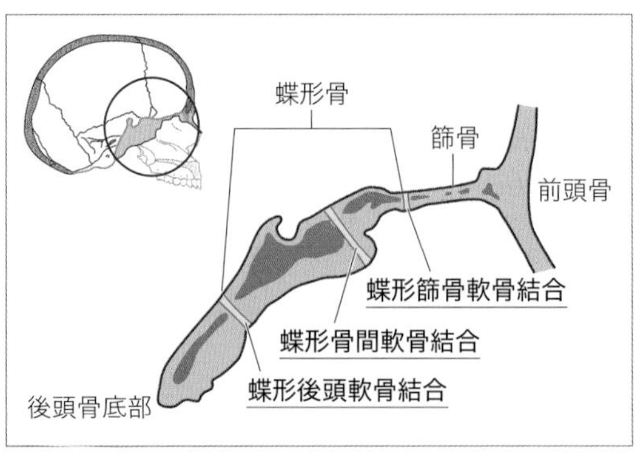

図Ⅰ-2-7 **頭蓋底の成長に関わる軟骨結合**

3. 顔面頭蓋の成長発育

1）胎生期の顎顔面の形成

顔面の形成は，前頭鼻突起と 1 対の上顎突起，および下顎突起が，口窩という陥凹を取り囲むように現れるところから開始する（図Ⅰ-2-8-①）．さらに前頭鼻突起の下方部にある鼻板から鼻窩が形成され，その辺縁部に外側鼻突起および内側鼻突起が生じる（図Ⅰ-2-8-②）．鼻窩は将来の外鼻孔となる．

外側鼻突起は鼻翼を形成し，左右の内側鼻突起は上顎突起と融合して，鼻尖，鼻柱，人中，上唇小帯，一次口蓋（切歯孔より前方の口蓋）を形成する（図Ⅰ-2-9-①）．両側の上顎突起からは上唇と頬，上顎骨側方部および二次口蓋（切歯孔より後方の口蓋）が形成され（図Ⅰ-2-9-②，③），下顎突起からは下顎骨，下唇および顔面下部が形成される（図Ⅰ-2-8-③，④）．

Link
口唇裂・口蓋裂
p.124-127

内側鼻突起と上顎突起が癒合しない場合に**口唇裂**，唇顎裂となり，二次口蓋を形成する左右の外側口蓋突起が癒合しない場合に**口蓋裂**が発現する．

2）上顎（鼻上顎複合体）の成長発育

上顎骨とその周囲の小さな骨（鼻骨，涙骨，篩骨，口蓋骨，頬骨および鋤骨）の集まりは，鼻上顎複合体と総称される．鼻上顎複合体は膜内骨化により形成され，縫合部での縫合性成長と，個々の骨の骨膜性成長によって成長する．

(1) 縫合性成長による上顎の成長

前頭上顎縫合，頬骨側頭縫合，頬骨上顎縫合，翼突口蓋縫合における縫合性成長により，上顎は頭蓋底に対して前下方に成長する（図Ⅰ-2-10）．顔面の側方方向への拡大には，鼻骨間縫合，上顎間縫合，正中口蓋縫合が関与する．

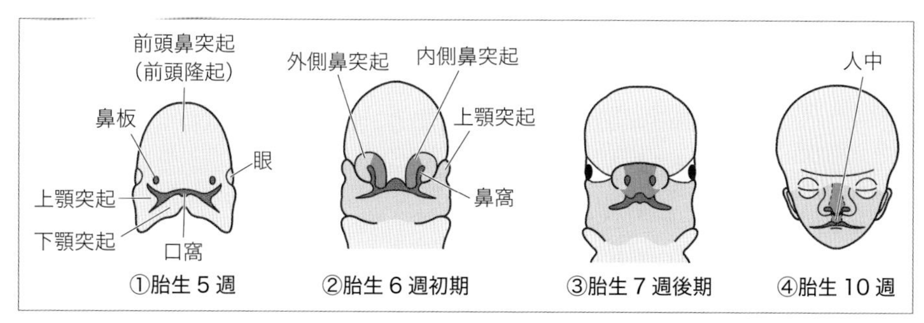

図Ⅰ-2-8　**顔面の形成過程**　（文献 3）より一部改変）

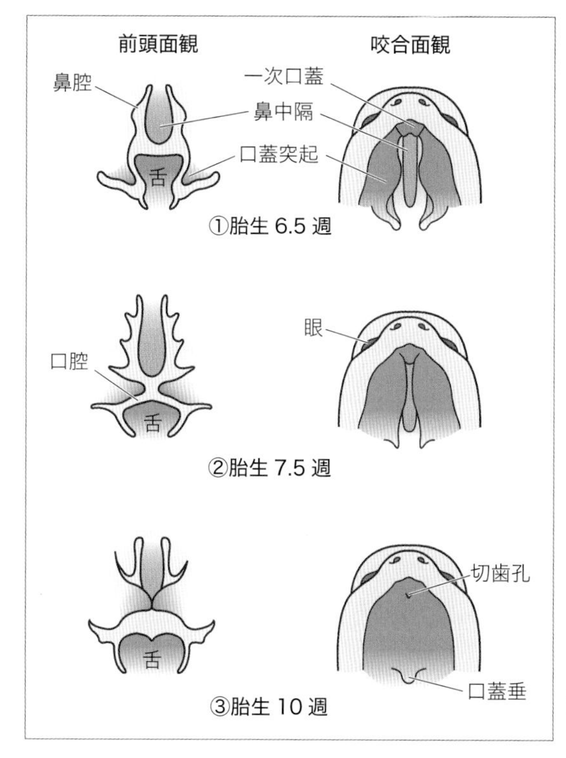

図Ⅰ-2-9　**口蓋の形成過程**
（文献 3）より一部改変）

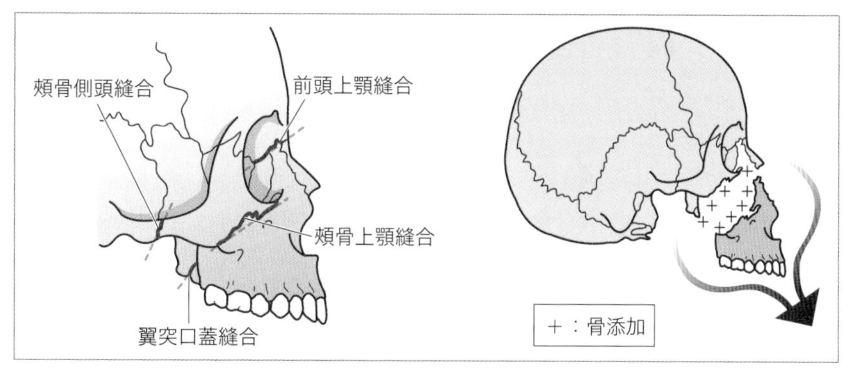

図Ⅰ-2-10　**上顎の縫合と前下方への成長**
同一方向に走る 4 つの縫合部で成長が起こるため，上顎は頭蓋に対して前下方に成長する（縫合性成長）．

(2) 骨膜性成長による上顎の成長

骨膜性成長における主な骨添加の部位は，歯槽突起，口蓋の口腔側面，切歯歯槽部の口蓋側，上顎結節であり，骨吸収の部位は，口蓋の鼻腔側面，切歯歯槽部の唇側である（図Ⅰ-2-11）.

歯槽突起での骨添加により，咬合高径が増加する．また，口蓋の骨添加と骨吸収は，成長に伴う同部の下降をもたらす．さらに上顎結節での骨添加は，後方臼歯の萌出スペースの獲得に役立つ．

3）下顎の成長発育

(1) 軟骨性成長による下顎の成長

下顎頭は軟骨で覆われているため，さまざまな運動によって生じる圧力に適応することができる．また，機械的刺激に応答してその形を変化させることができる．下顎頭は軟骨性成長を示し，後上方へ成長する（図Ⅰ-2-12-①）．その結果，相対的に下顎骨全体は頭蓋底に対して前下方に成長する（図Ⅰ-2-12-②）.

(2) 骨膜性成長による下顎の成長

骨膜性成長による主な骨添加の部位は，下顎枝後縁，オトガイ部，切歯歯槽部の舌側，歯槽突起である．骨吸収の部位は，下顎枝前縁，切歯歯槽部の唇側である．

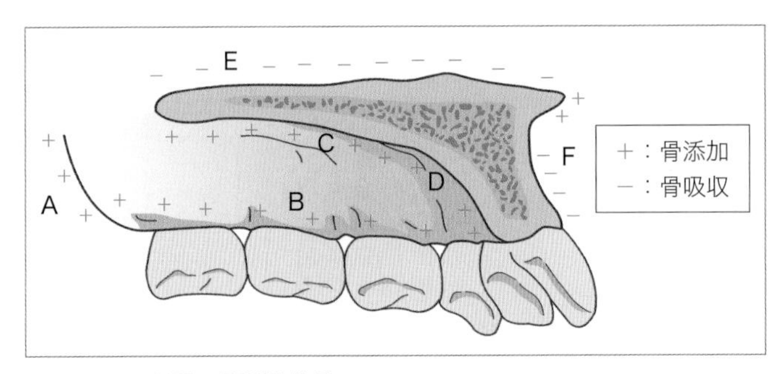

図Ⅰ-2-11 上顎の骨膜性成長
A～D：骨添加部，EF：骨吸収部
A：上顎結節，B：歯槽突起，C：口蓋の口腔側面，D：切歯歯槽部の口蓋側，E：口蓋の鼻腔側面，F：切歯歯槽部の唇側

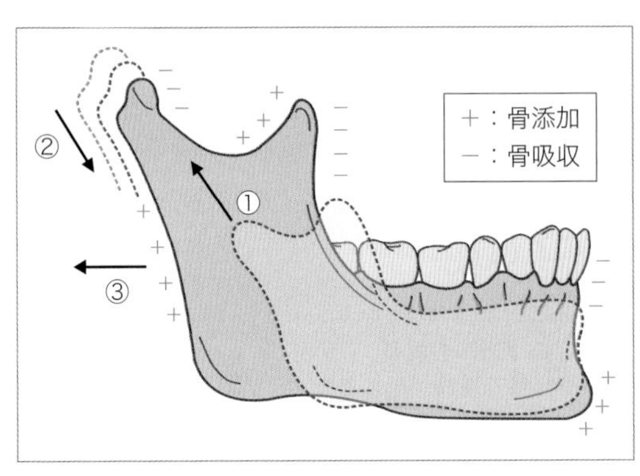

図Ⅰ-2-12 下顎の成長
①下顎頭は後上方へ成長する.
②相対的に下顎骨全体は頭蓋底に対して前下方へ成長する.
③下顎枝後縁は後方に成長する.
（文献4）より一部改変）

歯槽突起での骨添加は咬合高径の増加に役立つ．また，下顎枝前縁での骨吸収と後縁での骨添加により，下顎枝後縁は後方に成長する（図Ⅰ-2-12-③）．

頭蓋骨のうち，脳頭蓋の成長発育パターンは神経型に属し，顔面頭蓋は一般型に属すると解釈されている．しかし顔面頭蓋のうち，上顎の一部は頭蓋底に付着しているため神経型に近い曲線を示し，下顎骨はより一般型に近いＳ字曲線を示す傾向がある（図Ⅰ-2-1）．

3 歯・歯列・咬合の成長発育

1．乳歯列期

Link
乳歯の萌出時期と順序
『小児歯科学』
p.39

乳歯が萌出を開始してから，永久歯が萌出開始するまでの期間を乳歯列期といい，暦年齢では生後７カ月～６歳頃までが相当する．

下顎乳中切歯→上顎乳中切歯→上顎乳側切歯→下顎乳側切歯→上顎第一乳臼歯≒下顎第一乳臼歯→上顎乳犬歯≒下顎乳犬歯→下顎第二乳臼歯→上顎第二乳臼歯の順序で萌出するとされているが，これには個人差がみられる．

1）歯間空隙

乳歯列期の歯間空隙には，**霊長空隙**と**発育空隙**の２種類がある（図Ⅰ-2-13）．霊長空隙は霊長類に共通してみられ，上顎は乳側切歯（B）と乳犬歯（C）との間，下顎では乳犬歯（C）と第一乳臼歯（D）との間に存在する．一方，発育空隙は，霊長空隙を除いたその他の空隙を指し，乳歯列期において顎の成長に伴って変化し，個人によりその発現部位は異なる．

永久歯列では，歯と歯の間に空隙（歯間空隙）があることは異常な状態とされる．しかし乳歯列では，永久歯に交換する際に不足する萌出スペースを補償するための歯間空隙がある状態が正常とされている．このため，乳歯列で歯間空隙が少ない場合は，永久歯列で叢生をきたすことが多い．

Link
叢生
p.38

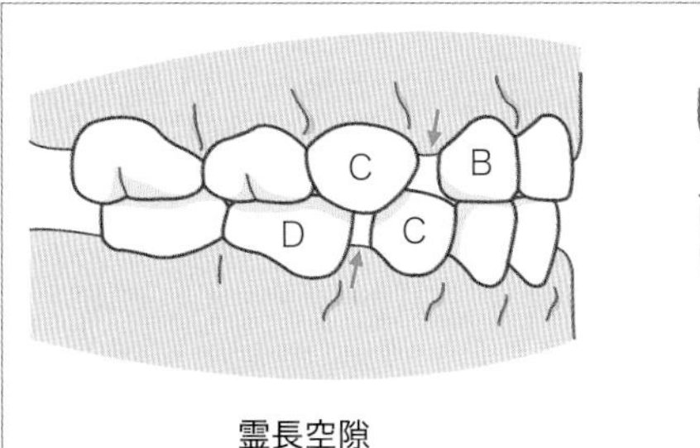

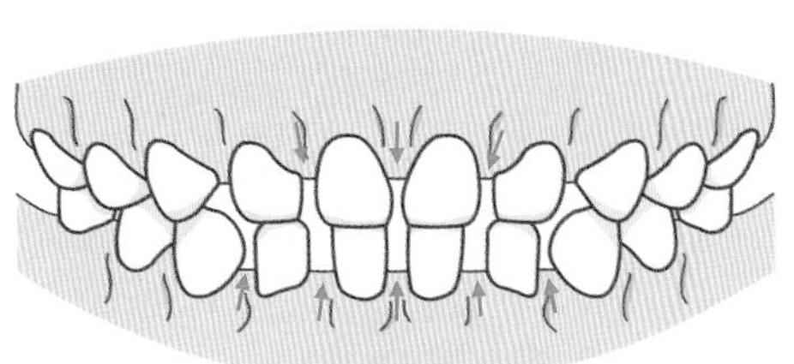

図Ⅰ-2-13　乳歯列期の霊長空隙と発育空隙

2）ターミナルプレーン

第一大臼歯は，上下顎とも第二乳臼歯（E）の遠心面に接して萌出する．このため，乳歯列期における第二乳臼歯の前後的関係を把握することは，後の永久歯列期の近遠心的関係や骨格的な前後関係を推定するうえで重要である．

上下顎第二乳臼歯の遠心面の前後的関係を**ターミナルプレーン**とよび，以下の3タイプに分類される（図Ⅰ-2-14）．

（1）垂直型

上下顎第二乳臼歯の遠心面が，垂直的に一直線である．頻度は垂直型が最も多い．

（2）近心階段型

上顎第二乳臼歯の遠心面に対して，下顎第二乳臼歯の遠心面が近心位にある．

（3）遠心階段型

上顎第二乳臼歯の遠心面に対して，下顎第二乳臼歯の遠心面が遠心位にある．

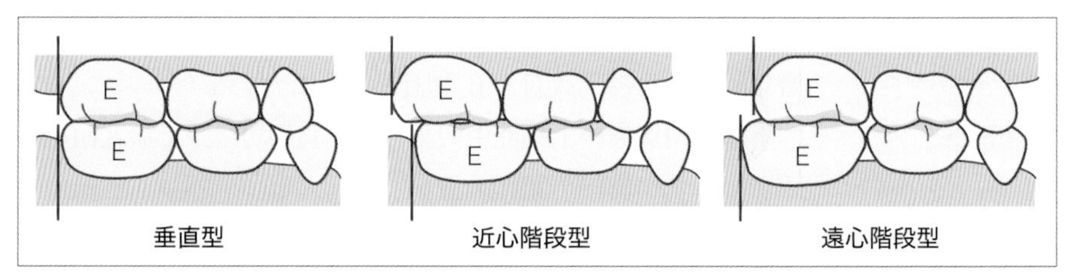

図Ⅰ-2-14 ターミナルプレーンの分類（乳歯列）

2. 混合歯列期

最初の永久歯が萌出を開始してから，すべての乳歯が脱落するまでの期間を，混合歯列期という．暦年齢では6～12歳頃までが相当する．

1）みにくいアヒルの子の時期

上顎中切歯（1）と側切歯（2）の萌出後，犬歯（3）が萌出するまでの間に，一時的に正中離開がみられることがある．この正中離開は，顎骨内の犬歯が側切歯の歯根の近くにあるため，中切歯と側切歯の歯軸が遠心に傾斜することで生じる（図Ⅰ-2-15，7歳）．その後，犬歯の萌出に伴い，中切歯と側切歯の歯軸が改善し，その結果，犬歯が萌出する頃には自然に正中離開が改善される（図Ⅰ-2-15，9～11歳）．

この過程を**みにくいアヒルの子の時期**（ugly duckling stage）というが，萌出異常ではなく，上顎切歯萌出の生理的な特徴である．しかしながら，正中埋伏過剰歯や，上唇小帯の肥厚および高位付着が原因で生じる空隙との鑑別が必要な場合もある．

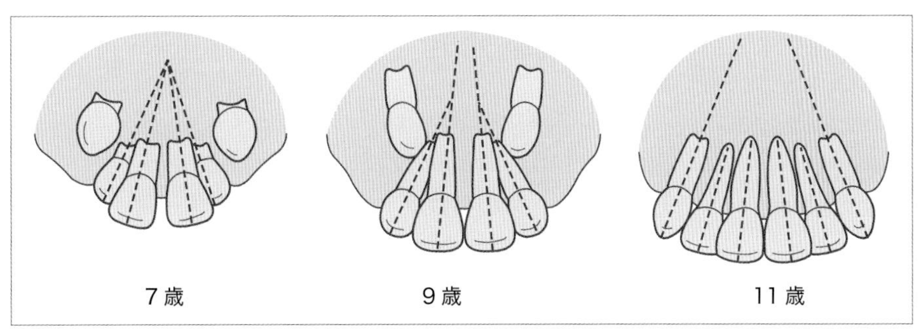

図Ⅰ-2-15 **みにくいアヒルの子の時期にみられる永久前歯の変化**
※ピンクの点線は歯軸を表している.

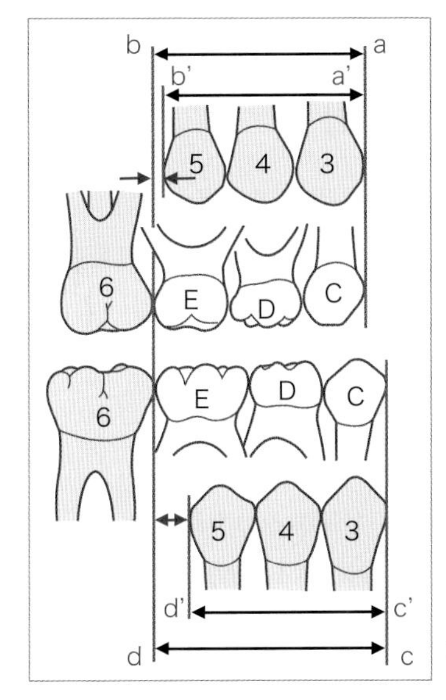

図Ⅰ-2-16 **リーウェイスペース**
上顎：(a ～ b) − (a' ～ b') ＝約 1 mm
下顎：(c ～ d) − (c' ～ d') ＝約 3 mm

2）リーウェイスペース

上下顎側方歯群の乳歯 3 歯〔乳犬歯（C），第一乳臼歯（D），第二乳臼歯（E）〕と永久歯 3 歯〔犬歯（3），第一小臼歯（4），第二小臼歯（5）〕とで，それぞれの歯冠近遠心幅径の和を比較すると，乳歯側方歯群の和のほうが大きい値を示す．この総和の差〔(C＋D＋E) − (3＋4＋5)〕を**リーウェイスペース**とよび，上顎で約 1 mm，下顎で約 3 mm とされ，平均的には上顎に比べ下顎のほうが大きい（図Ⅰ-2-16）．

このリーウェイスペースは，側方歯群のスムーズな交換のために利用され，永久側方歯群が正常に排列するために必要である．歯の大きさは C ＜ 3，D ≒ 4，E ＞ 5 であることから，E が早期に脱落すると，大臼歯が近心傾斜してリーウェイスペースが不足し，叢生や大臼歯関係の不正を生じる一因となる．

3. 永久歯列期

すべての乳歯が脱落し，第二大臼歯が萌出して永久歯咬合が完成する時期を，永久歯列期という．暦年齢では 12 歳以上に相当する．

Link
永久歯の萌出時期と順序
『小児歯科学』
p.39-40

日本人の永久歯の半数以上は，上顎は中切歯→第一大臼歯→側切歯→第一小臼歯→犬歯→第二小臼歯→第二大臼歯の順序で，下顎では中切歯→第一大臼歯→側切歯→犬歯→第一小臼歯→第二小臼歯→第二大臼歯の順序で萌出するとされているが，乳歯同様に個人差がある．

第二大臼歯が萌出することで，小臼歯や第一大臼歯は近心へ移動し，リーウェイスペースは最終的に消失する．

4. 咬合発育段階（歯齢）

咬合発育段階は，生理的年齢の 1 つであり，歯の萌出や成長変化に伴う上下顎の萌出状態をもとに分類される．矯正歯科臨床では，口腔内や歯列模型から簡便に分類できる **Hellman〈ヘルマン〉の咬合発育段階**が用いられる．

Hellman の咬合発育段階は，歯の萌出段階がローマ数字で表され，それに続く A，B，C の頭文字と組み合わせて 10 ステージに分類される．歯の萌出開始を C（Commencement：開始），萌出完了を A（Attainment：完了）とし，ⅢC 期とⅢA 期の間の側方歯群交換期はⅢB 期（Between：間）と表記されている．

乳歯列期は Hellman の咬合発育段階のⅠC 期とⅡA 期，混合歯列期はⅡC 期からⅢB 期まで，永久歯列期はⅢC 期以降に相当する（表Ⅰ-2-1）．

表Ⅰ-2-1　Hellman の咬合発育段階
A：Attainment（完了），B：Between（間），C：Commencement（開始）

記号		咬合の発育段階	歯列期
Ⅰ	A	乳歯萌出前	無歯期
	C	乳歯咬合完成前	乳歯列期
Ⅱ	A	第二乳臼歯萌出完了による乳歯咬合完成期	
	C	第一大臼歯および前歯萌出開始期（前歯の交換期）	混合歯列期
Ⅲ	A	第一大臼歯萌出完了期（永久前歯の一部あるいは全部の萌出完了）	
	B	側方歯群交換期	
	C	第二大臼歯萌出開始期	永久歯列期
Ⅳ	A	第二大臼歯萌出完了期	
	C	第三大臼歯萌出開始期	
Ⅴ	A	第三大臼歯萌出完了期	

4 顎口腔機能の発達

摂食嚥下機能の発達
『小児歯科学』
p.13-17

顎口腔は，消化器（摂食嚥下），感覚器，呼吸器，発声器（構音），分泌器や感情表出の機能を担っている．ヒトは生まれながらさまざまな機能を有しているが，味覚を含む口腔内感覚については，物を舐めたり，手にした物体を口に運んだりなどの行為を通じて発達し，咀嚼・嚥下機能や発音機能については，歯の萌出や顎の成長発達などを通じて発達する．したがって，歯列の状態や歯の欠損などは，これらの発達に影響を与える．

1．吸啜（哺乳）の発達

哺乳動物の摂食行動の発達における特徴的な変化は，母乳の吸啜（きゅうてつ）から固形物の摂食運動への変化である．出生直後に認められる吸啜運動は生まれながら備わっており，生得的な反射運動の 1 つ（原始反射）である（表Ⅰ-2-2）．

吸啜運動の特徴は①リズミカルな運動，②口腔と頸部周囲の筋の協調運動である．

2．嚥下の発達

摂食嚥下の 5 期モデル（図Ⅰ-2-17）のうち，嚥下は口腔期以降を指す．嚥下が誘発されると，嚥下が終わるまで，嚥下に関わる筋は嚥下のみに使用される．

嚥下は，母乳を摂取する時期の**乳児型嚥下**から，乳臼歯が萌出して咬合する頃（生後 18 カ月以降）に**成熟型嚥下**へと移行する（図Ⅰ-2-18，19）．

表Ⅰ-2-2　吸啜に関連する原始反射

原始反射	特徴	消失時期
探索反射（追いかけ反射）	刺激を受けた方へ顔を向けて乳首を探索する．	4～7カ月
捕捉反射（口唇反射）	口唇と舌を使って乳首を捕捉する．	
吸啜反射	口の中に乳首が入ると吸啜運動を行う．	

※吸啜時の嚥下反射は原始反射に含まれない．

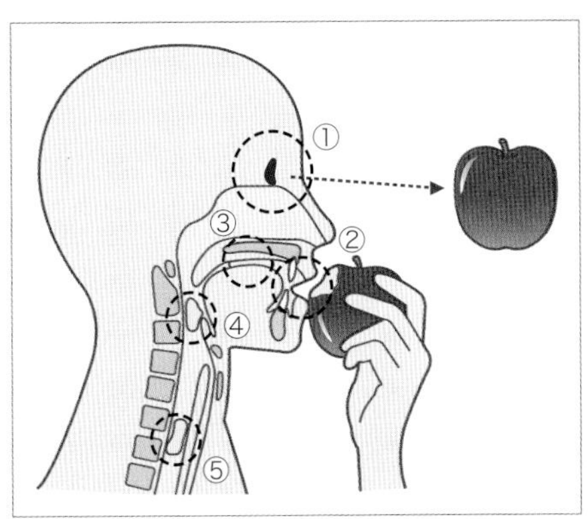

図Ⅰ-2-17　摂食嚥下の 5 期モデル（5 過程）
①認知期（先行期），②準備期（咀嚼期），③口腔期，④咽頭期，⑤食道期．

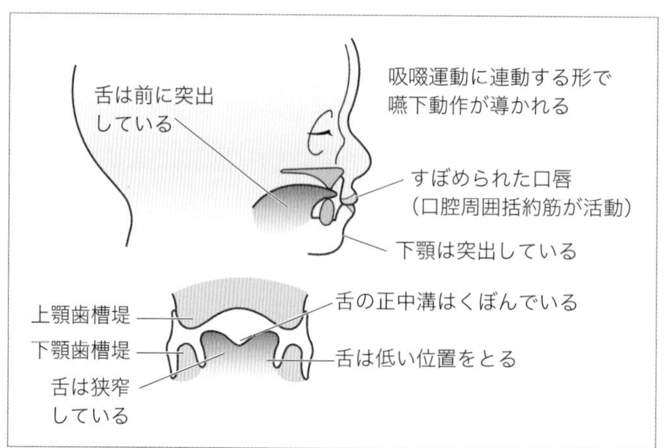

図Ⅰ-2-18　**乳児型嚥下**

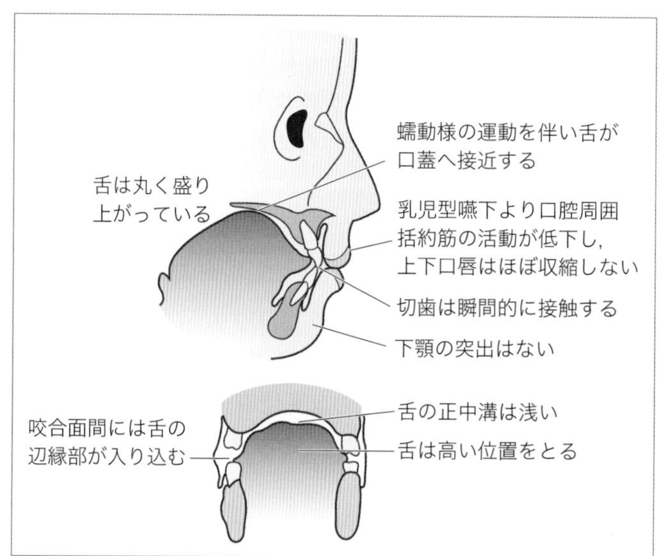

図Ⅰ-2-19　**成熟型嚥下**

3. 咀嚼の発達

1）咀嚼とは

咀嚼運動は，咀嚼中に生じる下顎骨と舌・頬・口唇などとのリズミカルな協調運動である．摂食嚥下のうち咀嚼とは，食物を認知し，口腔へ取り込んだ食物を歯で咬断・粉砕し，唾液と絡めて食塊とするところまでの過程（認知期〜準備期）を指す．

2）咀嚼機能の発達

乳歯萌出期に吸啜運動から「噛む」行為へ運動が移行し，離乳食を介して固形食の摂取方法を修得する．また，舌・頬・口唇などの機能発達とともに，食物を唾液と絡ませながら歯槽堤や臼歯咬合面の間に送り，下顎の閉口運動ですりつぶし，味わいながら，嚥下へ移行する．

咀嚼運動の発達は，歯の萌出・交換に伴い，乳歯列期の側頭筋優位から，永久歯列期の咬筋優位に変化する．また，下顎運動は下顎頭の成長と下顎窩の深化により，安定した顎位を示すようになる．咬合力は，歯の交換期に一時低下するが，成長とともに増加する．

一方，成人期以降は，加齢に伴い下顎窩が平坦化し，下顎の可動域が増加する．また，歯の喪失や唾液分泌量の減少，筋力低下に伴う粉砕能力の低下から，咀嚼能力は低下する．この結果，食塊形成に時間を要し，咀嚼回数も増加する傾向（なかなか飲み込めないなど）を示す．

4. 発音の発達

1）発声と発音

発声とは，声帯を通る呼気の流れ（呼気流）によって音（音声）を発する過程であり，声帯の振動を伴う「有声音」，振動を伴わない「無声音」に分類される．

一方，発音とは，以下の過程を通じて音声を言語音にすることである．

①**喉頭原音**：呼気流が声帯を振動させることで生じる音波（ブザーのような音）．

②**母音**：「ア」「イ」「ウ」「エ」「オ」の音のことで，喉頭で作られた喉頭原音が，声門より上の喉頭腔・咽頭腔・口腔・鼻腔といった空間（管腔器官）で共鳴し，音色が変化することで生成される（図Ⅰ-2-20）．

③**子音**：軟口蓋・舌・口唇・歯・硬口蓋などを利用して，声道を閉鎖したり狭めたりすることで生成される（図Ⅰ-2-20，21）．

（1）構音機能の発達

母音や子音など，日本語にある音の特性を喉頭原音に付与する過程を**構音**という．構音は管腔器官と運動器官（軟口蓋・舌・口唇など）で行われ，これらの器官を**構音器官**という．

言葉の明瞭度は，構音器官（軟口蓋，舌，口唇など）と非可動部分（硬口蓋，歯

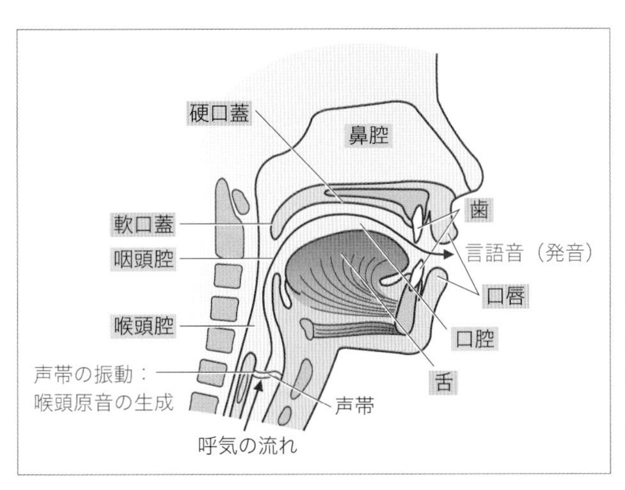

図Ⅰ-2-20　**発声と構音**
▭は管腔器官で，共鳴して母音を生成する．▭は子音の生成に関わる．声帯の振動により生じた声（喉頭原音）は，母音→子音の順に修飾を受けて言語音（発音）となる．

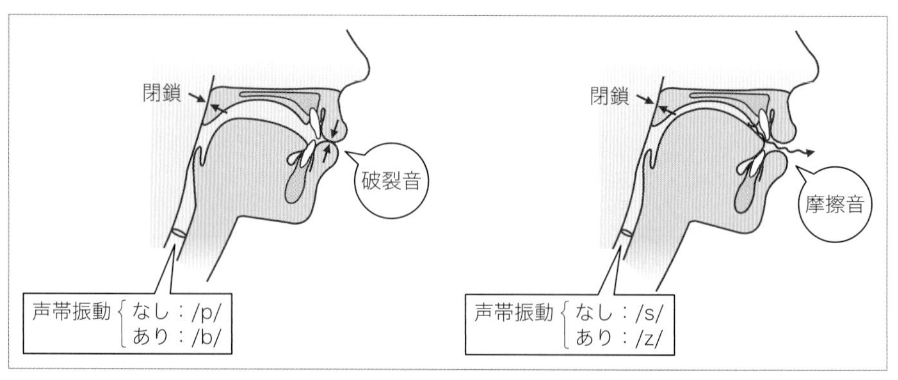

図Ⅰ-2-21　**子音発声時の声道の形態**
子音は，声道の形態を微妙に変化させて呼気の流れを変えることで生成され，破裂音や摩擦音に分類される．また，声帯の振動の有無の影響も受ける．前歯部開咬や著しい上顎前突・下顎前突では破裂音や摩擦音に異常が生じやすい．
①破裂音：口唇や舌・軟口蓋などで，呼気流を完全に止めた後に勢いよく開放することでつくられる破裂性の音声（パ行（/p/），バ行（/b/）など）．
②摩擦音：歯肉・舌・口唇・歯などでつくられた声道の狭い隙間を，呼気流が通過することでつくられる摩擦性の音声（サ行（/s/），ザ行（/z/）など）．

槽，歯など）の位置関係，および機能の発達状態に依存するため，構音器官の成長と機能の調和が重要である．また，正しい発音は，乳児型嚥下から成熟型嚥下へ移行する時期に起こる舌運動の成熟と，微妙な口唇の運動とともに獲得されていく．小児の構音機能の発達は，生後６年前後から数年間で完成するとされている．

(2) 発音機能の加齢変化

生理的な加齢現象による口腔領域の器質的な変化や，唾液量の低下，舌の運動巧緻性の低下，う蝕や歯周病による歯数の減少，歯槽骨の変化，義歯の使用などにより，発音機能は低下する．

2）構音障害

口蓋裂や著しい不正咬合を有する患者は，構音器官の形態・機能の両面から構音に問題を抱えることが多い．特に,不正咬合が原因で誤った構音動作を獲得すると，永久歯列期の構音に影響を与える可能性がある．以下に構音障害の種類を示す．

(1) 機能性構音障害

成長期に特異な構音動作を獲得した場合に起こる（例:「カ」行が「タ」行になる,「ガ」行が「ダ」行になる）．

(2) 器質性構音障害

構音器官の形態・構造異常により起こる．先天異常としては，口唇裂・口蓋裂，先天性鼻咽腔閉鎖不全，舌小帯短縮症などがあげられる．

(3) 運動障害性構音障害

神経系・筋系の疾患により，発声・発語器官に筋緊張の異常や筋力低下，協調性の低下が生じた結果起こる（原因となる疾患例：脳血管疾患・脳腫瘍・パーキンソン病・多発性硬化症・筋萎縮性側索硬化症など）．

参考文献

1) Scammon RE：The measurement of the body in children. In：The Measurement of Man(Harris JA et al. eds.). University of Minnesota Press, Minneapolis, 1930.
2) 高石昌弘：身体計測値からみた小児の成長発達．新小児医学大系 2 小児発達科学．中山書店，東京，1986.
3) 脇田　稔，前田健康，中村浩彰ほか編：口腔組織・発生学 第 2 版．医歯薬出版，2015.
4) Enlow DH: Facial Growth. 3rd ed. W.B. Saunders, Philadelphia, 1990.
5) 飯田順一郎ほか編：歯科矯正学 第 6 版．医歯薬出版，2019.
6) 全国歯科衛生士教育協議会監修：歯科衛生学シリーズ 歯科矯正学．医歯薬出版，2023.
7) 白川哲夫ほか編：小児歯科学 第 5 版．医歯薬出版，2017.
8) 全国歯科衛生士教育協議会監修：歯科衛生学シリーズ 小児歯科学．医歯薬出版，2023.
9) 日本小児歯科学会：日本人小児における乳歯・永久歯の萌出時期に関する調査研究 II ―その 1. 乳歯について―．小児歯科学雑誌，57（1）：45 ～ 53，2019.
10) 野田　忠：側方歯の交換過程にみられる側方歯群長の変化について．口腔病学会雑誌，39（4）：728 ～ 754，1972.
11) Broadbent BH：Bolton Standards and technique in orthodontic practice. Angle Orthod, 7（4）：209-233, 1937.
12) 日本小児歯科学会：日本人小児における乳歯・永久歯の萌出時期に関する調査研究．小児歯科学雑誌，26（1）：1 ～ 18，1988.
13) 北村晴彦：永久歯の萌出順序型に関する生物統計学的研究．歯科学報，67（2），1967.
14) 日本小児歯科学会：日本人小児における乳歯・永久歯の萌出時期に関する調査研究 II ―その 2. 永久歯について―．小児歯科学雑誌，57（3）：363 ～ 373，2019.
15) 井出吉信編：咀嚼の事典．朝倉書店，東京，2007.
16) 山田好秋：よくわかる 摂食・嚥下のメカニズム 第 2 版．医歯薬出版，2013.
17) 中村嘉男：咀嚼運動の生理学．医歯薬出版，1998.
18) Onozuka M, Fujita M, Watanabe K, et al.：Age-related changes in brain regional activity during chewing：a functional magnetic resonance imaging study. J Dent Res, 82（8）：657-660, 2003.
19) 藤田雅文，渡邊和子，小野塚実：咀嚼と痴呆．THE BONE，17（4）：375-380，2003.
20) 佐藤智子，大津美香，木浪麻里ほか：咀嚼が一般高齢者の短期記憶に長期的に与える影響．日本ヘルスサポート学会年報，2：11 ～ 20，2015.
21) 城本　修，原　由紀編：発声発語障害学 第 3 版．医学書院，東京，2021.

3章 咬合

到達目標

❶ 成長発育に伴う正常咬合（乳歯列から永久歯列）を説明できる.
❷ 正常咬合が成立し保持される条件を説明できる.
❸ 不正咬合の原因と種類を説明できる.
❹ 不正咬合の予防を説明できる.

1 正常咬合

1. 正常咬合の概念

正常咬合とは，矯正歯科治療の治療目標として目指すべき状態であり，「歯科医学的に許容できる形態的，機能的，社会心理的な正常性をもつ咬合」のことである（図Ⅰ-3-1）.

成長が終了して完成した永久歯列期の正常咬合と，そこに到達する過程である乳歯列期および混合歯列期の正常咬合がある.

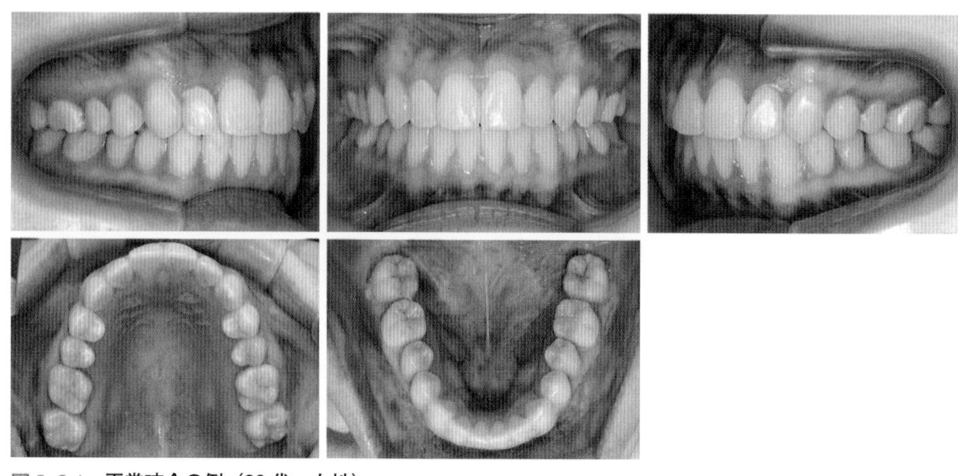

図Ⅰ-3-1 **正常咬合の例（20代，女性）**
正常咬合は，不正咬合を診断し，治療目標を設定するために最も重要な概念である.

2. 正常咬合の種類

1）永久歯列期の正常咬合

(1) 正常咬合の形態学的特徴

上下顎の歯列の正常な咬合関係は，上顎歯列に対し下顎歯列は舌側にあり，側方歯では上顎歯は下顎の対合歯の遠心に位置する．下顎中切歯と上顎第二大臼歯を除く歯の咬合関係は，1歯対2歯の関係となる．

動画 I-3-①

正常咬合における上下顎の歯の接触関係は次の4つに定義され（図I-3-2，▶**動画I-3-①**），この4つの接触関係がすべて満たされる場合，上顎と下顎の咬合関係は図I-3-3のようになる[1, 2]．

①歯面接触：上顎中切歯の切縁は，下顎中切歯の1/4～1/3を覆い，接触する．

②隆線と歯間鼓形空隙との接触：上顎第一小臼歯頬側咬頭の三角隆線は，下顎第一・第二小臼歯の歯間鼓形空隙と接触する．

③咬頭頂と窩の接触：上顎第一大臼歯の近心舌側咬頭は，下顎第一大臼歯の中心窩と接触する．

④隆線と溝の接触：上顎第一大臼歯の近心頬側咬頭の三角隆線は，下顎第一大臼歯の頬面溝と接触する（これをI級の臼歯関係という）．

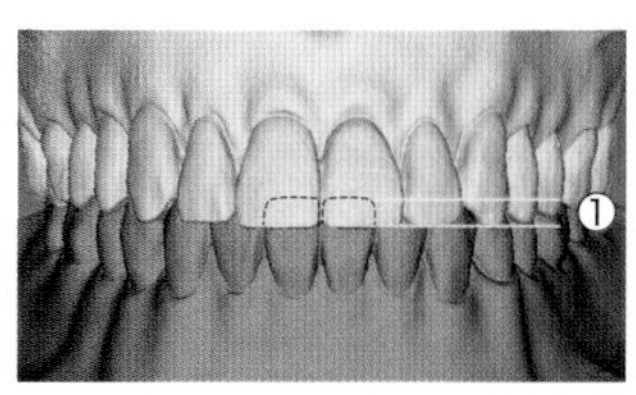

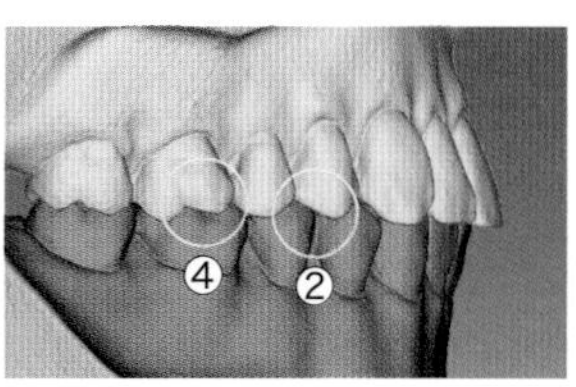

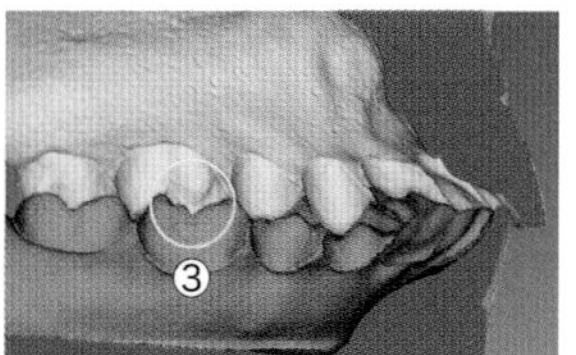

図I-3-2 **正常咬合における上下顎の接触関係（左から正面観，右頬側面観，左舌側面観）**
①上顎中切歯（1）が下顎中切歯（1）の1/4～1/3を覆い，接触する．
②上顎第一小臼歯（4）頬側咬頭の三角隆線が，下顎第一・第二小臼歯（4 5）の歯間鼓形空隙と接触する．
③上顎第一大臼歯（6）の近心舌側咬頭が，下顎第一大臼歯（6）の中心窩と接触する．
④上顎第一大臼歯（6）近心頬側咬頭の三角隆線が，下顎第一大臼歯（6）の頬面溝と接触する（I級の臼歯関係）．

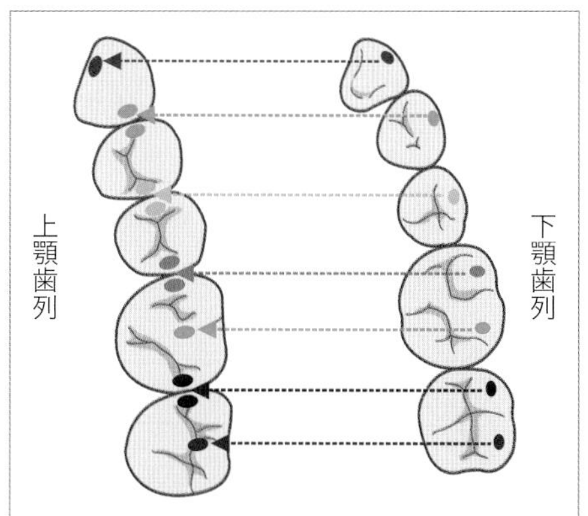

図I-3-3 **正常咬合における犬歯から第二大臼歯の咬合関係**
下顎歯列の犬歯の尖頭と臼歯の頬側咬頭は，上顎歯列の対応する犬歯の舌側面，臼歯の歯間鼓形空隙や窩とそれぞれ接触する．

(2) 正常咬合の5つの分類

❶仮想正常咬合

仮想正常咬合は，理想咬合と同義である．すべての条件が理想的に整った状況で，上下顎の歯が最大限の機能を発揮できる理想的な咬合状態である．

❷典型正常咬合

典型正常咬合は，人種的あるいは民族的に共通する特徴をもつ正常咬合である．

❸個性正常咬合

個性正常咬合は，歯の大きさや形態など個体ごとに異なる条件下で成立する正常咬合である．矯正歯科治療の治療目標となるのは，この個性正常咬合である．例えば，不正咬合の改善のために上下顎両側の第一小臼歯4本を抜去し，適切な歯列と咬合接触状態が得られている場合も個性正常咬合に含まれる．

Link
矯正歯科治療における抜歯
p.71-72

❹機能正常咬合

機能正常咬合は，解剖学的に正常でなくても，咀嚼や嚥下，発音，呼吸などが正常に行われ，機能的には正常な咬合状態である．

❺暦齢正常咬合

暦齢正常咬合は，年齢に応じた正常咬合である．例えば，乳歯列期の生理的な空隙のある咬合状態や，混合歯列期の一時的な咬頭対咬頭の咬合状態は，正常な成長発育の段階の1つとして現れる．

2) 乳歯列期の正常咬合

乳歯列の正常咬合の主な特徴は次の3つである．

①永久歯列に比べて切歯が直立し，オーバージェットやオーバーバイトが小さい．
②上下顎第二乳臼歯遠心面のターミナルプレーンは，垂直型を示す．
③乳歯列期の前歯部には，生理的な空隙がみられることが多い．

Link
オーバージェット
オーバーバイト
p.60-61
ターミナルプレーン
p.24

3) 混合歯列期の正常咬合

混合歯列期の切歯の萌出交換期において，一見，不正咬合のようにみえるものの，成長に伴って正常咬合となる「みにくいアヒルの子の時期」の咬合状態は正常とみなされる．

また，乳犬歯および第一・第二乳臼歯に対して，これらの後継永久歯の歯冠幅径の総和は小さく，その差をリーウェイスペースという．上顎に対して下顎のリーウェイスペースのほうが大きいため，側方歯の交換期には上顎よりも下顎でより多く第一大臼歯の近心移動が生じ，適切な上下顎の大臼歯の咬合関係へと導かれる．

Link
みにくいアヒルの子の時期
p.24-25
Link
リーウェイスペース
p.25

3. 正常咬合の成立と保持条件

正常咬合が成立し，維持されるためには，口腔の環境が適切に維持されている必要がある．骨格や歯周組織，口腔機能に関わる筋組織や神経系の正常な発達と加齢変化，審美性など，咬合を取り巻く環境はさまざまであるが，これらのバランスが適切にとれていることが正常咬合を成立させ，さらには保持していく条件となる．

1）上下顎骨の調和のとれた成長と発育

顎骨が正しく成長発育し，上下顎骨の調和が保たれていることが，正常咬合が成立するための最も基本的な条件である．

2）歯の大きさと顎骨の大きさの調和

上下顎の歯の大きさと形態，歯数のバランスがとれていないと，咬合や歯列に不正が生じる．また，歯の大きさと顎骨，歯列弓の大きさに不調和があると，空隙や叢生などの原因となる．

3）歯の正常な咬合接触関係と隣接面との接触関係

上下顎の歯が，前歯部での正しい歯面接触，臼歯部での正しい咬頭と窩の接触関係，隆線と歯間鼓形空隙との接触関係，隆線と溝との接触関係にあることは，正常咬合が成立する条件である（図Ⅰ-3-2，3）．これは，咬合時に生じる機能圧を適切に分散させ，正常咬合を維持するために必要な条件でもある．

4）歯周組織の健康

歯肉，歯根膜，および歯槽骨などの歯周組織が健康であることは，正常咬合を成立させ，保持するための必須の条件である．歯周病などによる歯周組織の破壊は，切歯の挺出や唇側傾斜，臼歯の近心傾斜や咬合高径の低下を招き，正常咬合の維持が困難となる．

5）筋の正常な形態と機能

正常咬合では，咀嚼，嚥下，発音，呼吸などの機能時に開口筋や閉口筋，あるいは口唇，頬，舌，咽頭などにある筋が適切に活動している．開口筋と閉口筋の活動が調和していることにより，リズミカルな咀嚼運動が達成されるとともに，上下歯列の適切な垂直的関係が保持されている．

また，歯列の内側には舌圧が，外側には口唇圧や頬圧などが作用している．歯列形態の安定には，この歯列の内外からの圧力のバランスも関与していると考えられており，これをバクシネーターメカニズムとよぶ（図Ⅰ-3-4）．

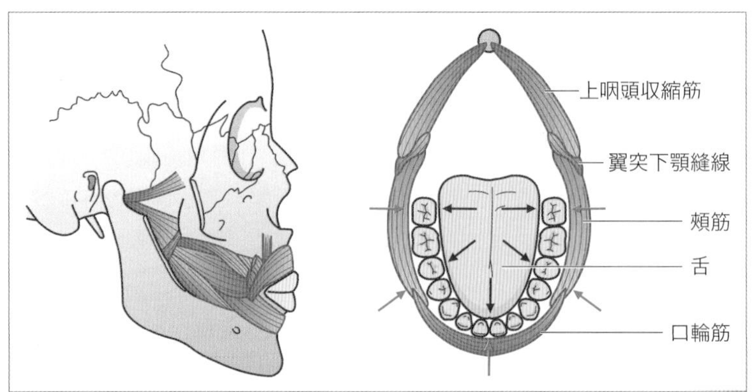

図Ⅰ-3-4　バクシネーターメカニズム　（文献3）より）
歯列を帯状に取り巻く筋が歯列に対して外側からかける圧力と，内側からの舌圧との均衡によって，歯列形態の安定が保持されることをバクシネーターメカニズムという．

6）顎関節の正常な形態と機能

顎関節の正常な形態と機能は，正常咬合が成立するための要件である．顎関節の発育異常や腫瘍，関節リウマチなどは，不正咬合の原因となる．

2 不正咬合

顎・顔面・歯などが何らかの原因で機能や形態に異常をきたし，結果として正常な咬合状態から逸脱してしまった状態を総称して**不正咬合**という．

1．不正咬合の種類

1）個々の歯の位置異常（図Ⅰ-3-5）

（1）転位（図Ⅰ-3-6）

歯が歯列弓の正常な位置から逸脱している状態を**転位**という．**近心転位**，**遠心転位**，**唇側転位**，**頬側転位**，**舌側転位**がある．

（2）傾斜（図Ⅰ-3-7）

歯の長軸（歯軸）が，正常な歯軸よりいずれかの方向に強く傾斜している状態を**傾斜**という．

（3）低位（図Ⅰ-3-8）

歯の切縁あるいは咬頭頂が，咬合平面に達していない状態を**低位**という．

（4）高位（図Ⅰ-3-8）

歯の切縁あるいは咬頭頂が，咬合平面を越えている状態を**高位**という．

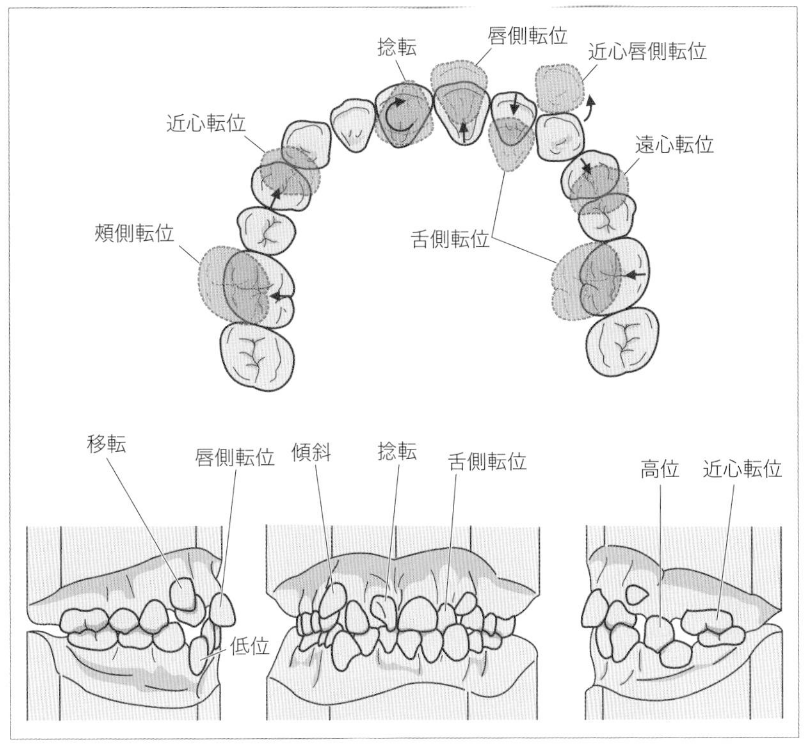

図 I -3-5　**個々の歯の位置異常**　（文献 7）より一部改変）

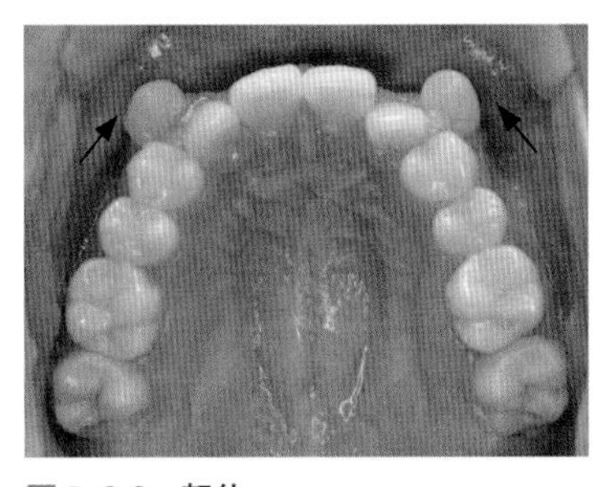

図 I -3-6　**転位**

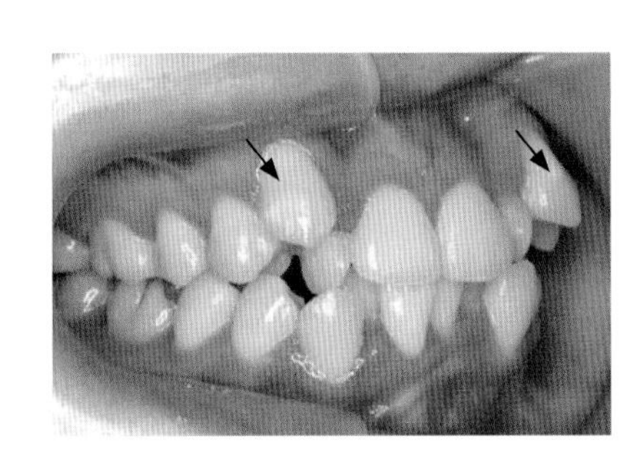

図 I -3-7　**傾斜**

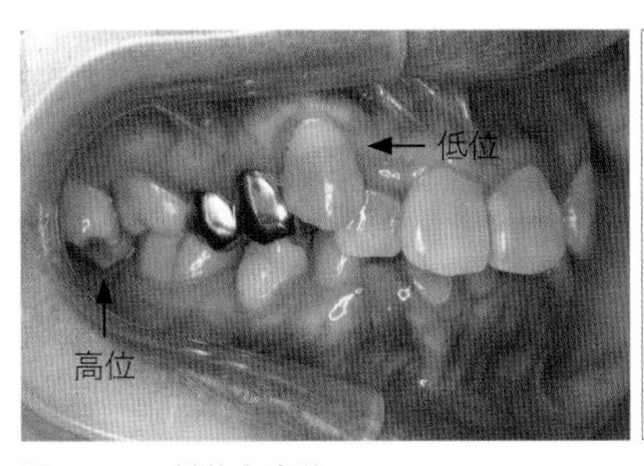

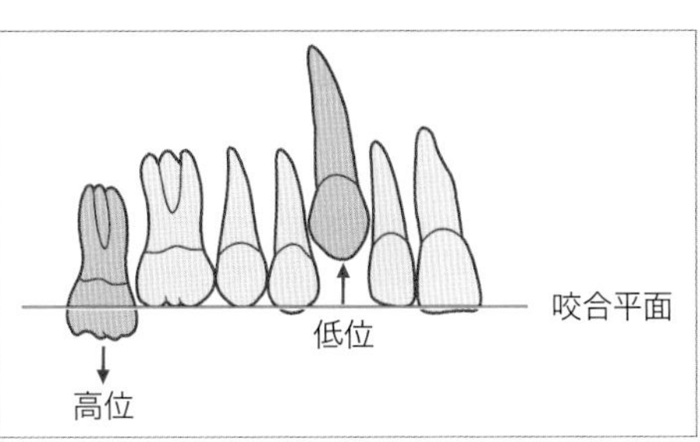

図 I -3-8　**低位と高位**

(5) 捻転（図Ⅰ-3-9）

歯が正常な位置から，その長軸を中心に回転している状態を**捻転**という．

(6) 移転（図Ⅰ-3-9）

隣在歯あるいはより離れた歯の萌出位置が入れ替わり，正常な排列順序と異なった状態を**移転**という．

2）数歯にわたる位置異常

(1) 叢生（図Ⅰ-3-10）

数歯にわたって歯が唇頬側，舌側と交互に転位している状態を**叢生**という．

(2) 正中離開（図Ⅰ-3-11）

上顎両側中切歯間に空隙のある状態を**正中離開**という．

(3) 対称捻転（図Ⅰ-3-12）

上顎両側中切歯が，それぞれ逆方向に捻転している状態を**対称捻転**という．捻転している向きによって，翼状捻転（近心対称捻転）と相対捻転（遠心対称捻転）がある．

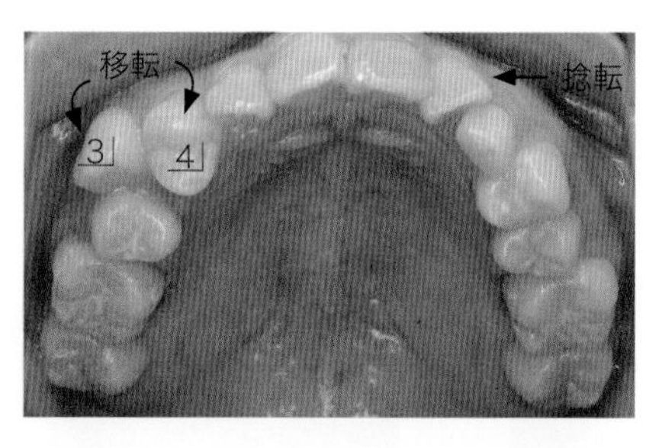

図Ⅰ-3-9　**捻転と移転**

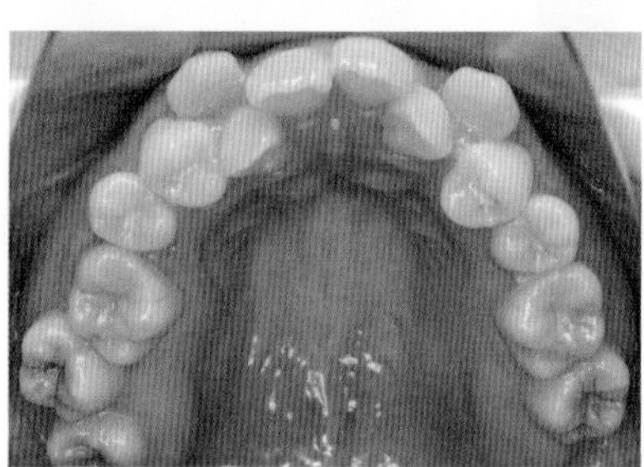

図Ⅰ-3-10　**叢生**

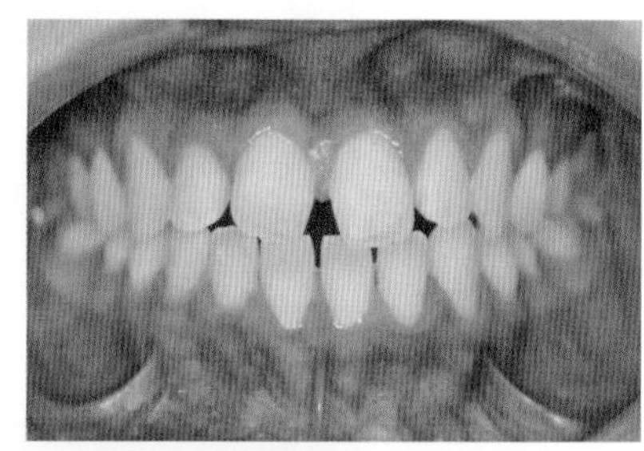

図Ⅰ-3-11　**正中離開**

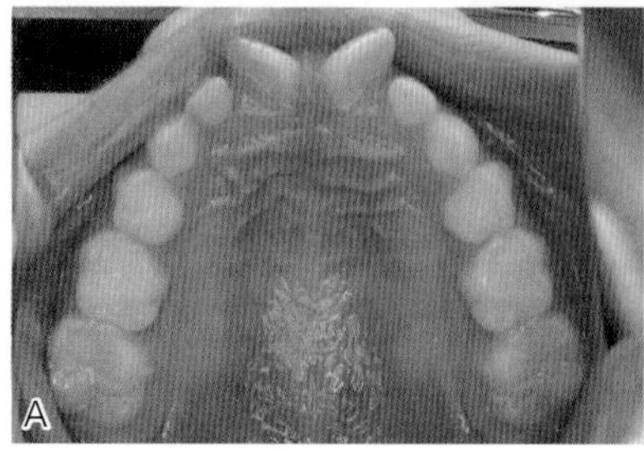

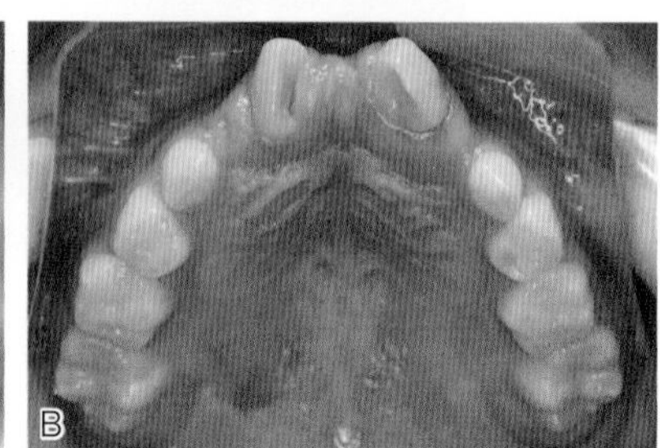

図Ⅰ-3-12　**対称捻転**
A：翼状捻転，B：相対捻転．

3）歯列弓の形態の異常

(1）狭窄歯列弓（図Ⅰ-3-13）

正常より左右臼歯間の幅径が狭い歯列弓を**狭窄歯列弓**（きょうさく）という．

(2）V 字型歯列弓（図Ⅰ-3-14）

狭窄歯列弓の１つで，両側犬歯間の幅径が狭く，前歯が唇側傾斜を示し，歯列弓がＶ字型の歯列弓である．

(3）鞍状歯列弓（図Ⅰ-3-15）

下顎骨の劣成長や第一大臼歯の近心転位などにより，小臼歯の萌出スペースが不足し，小臼歯が舌側に転位，または傾斜することによって生じる歯列弓を**鞍状歯列弓**（あんじょう）という．主に下顎にみられる．

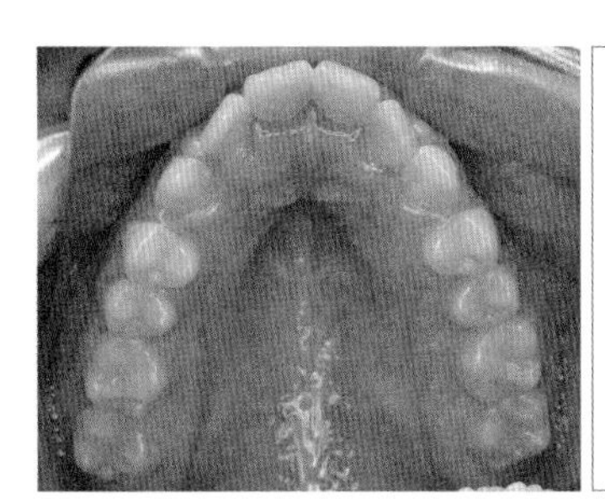
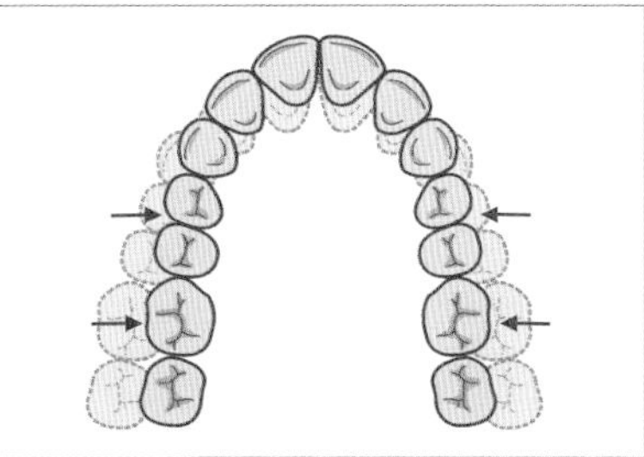

図Ⅰ-3-13　狭窄歯列弓

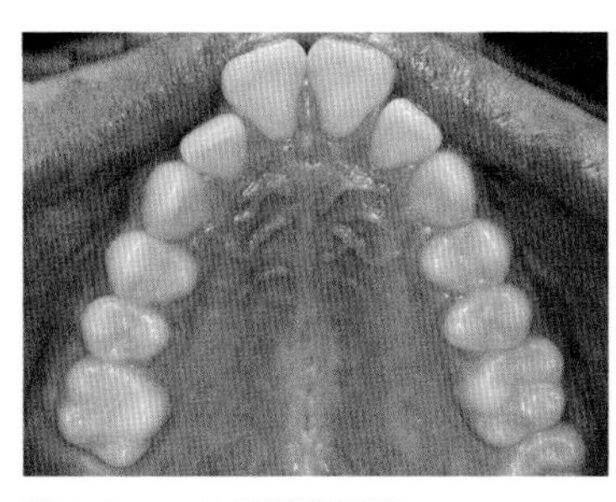
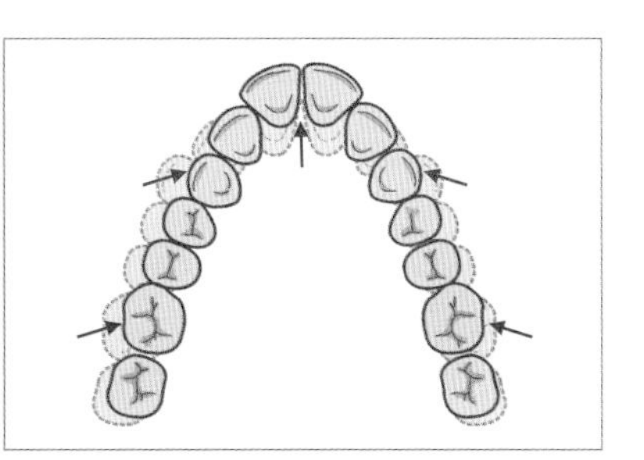

図Ⅰ-3-14　V 字型歯列弓

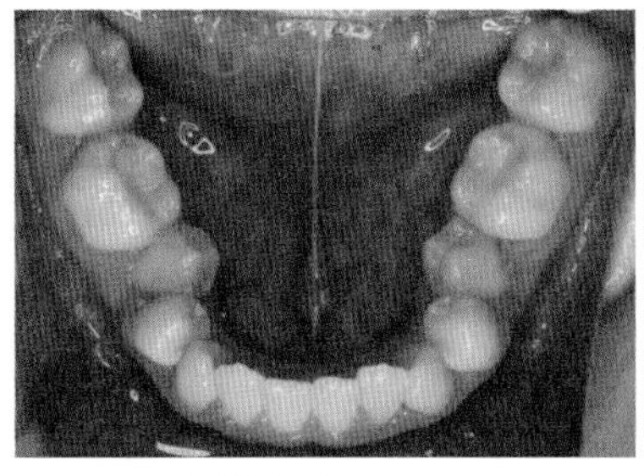
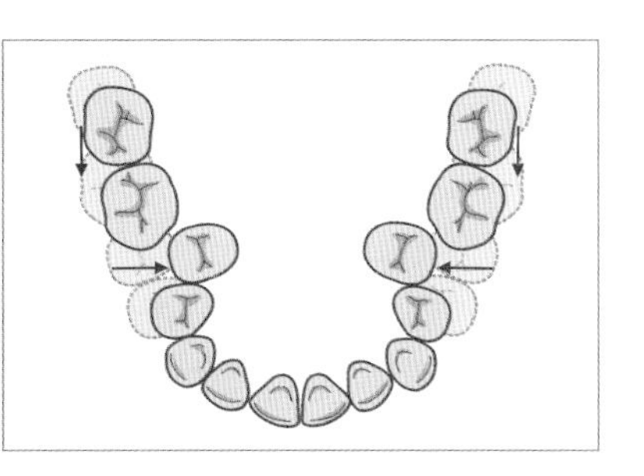

図Ⅰ-3-15　鞍状歯列弓

(4) 空隙歯列弓（図Ⅰ-3-16）

歯間に空隙がみられる歯列弓を**空隙歯列弓**（くうげき）という．顎骨に対して歯が小さい，舌が大きい，歯数が不足しているなどの場合にみられる．

4) 上下歯列弓の近遠心関係の異常

(1) 上顎歯列弓の近遠心的位置が正常の場合

①**下顎近心咬合**：下顎歯列弓が近心位にあるもの（**下顎前突**，図Ⅰ-3-17）．

②**下顎遠心咬合**：下顎歯列弓が遠心位にあるもの（**上顎前突**）．

(2) 下顎歯列弓の近遠心的位置が正常の場合

③**上顎近心咬合**：上顎歯列弓が近心位にあるもの（**上顎前突**，図Ⅰ-3-18）．

④**上顎遠心咬合**：上顎歯列弓が遠心位にあるもの（**下顎前突**）．

(3) 上下顎歯列弓とも異常な近遠心的位置をとる場合

特に上下顎前歯に強い唇側傾斜がみられるものを**上下顎前突**という（図Ⅰ-3-19）．

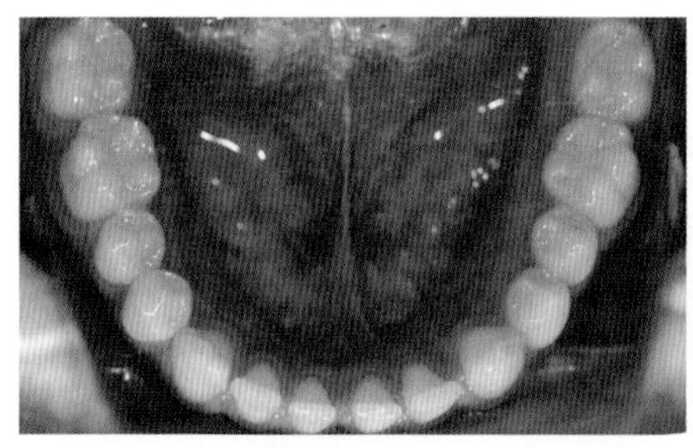
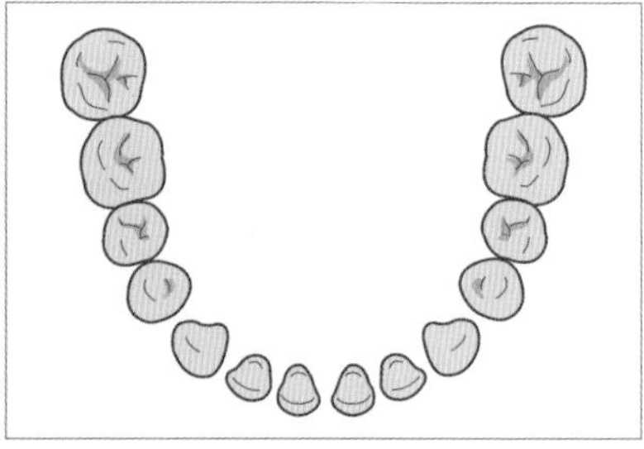

図Ⅰ-3-16　**空隙歯列弓**

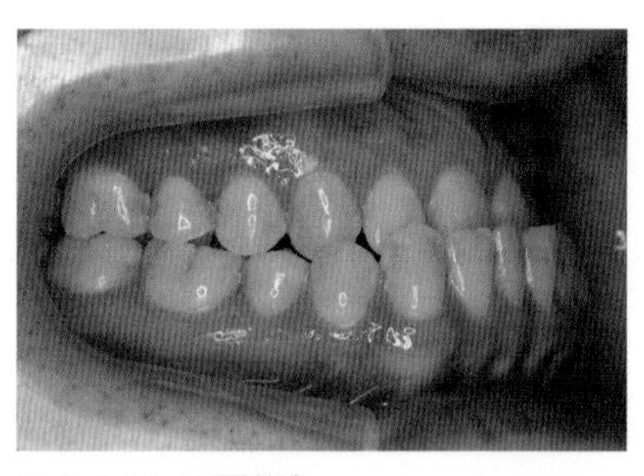

図Ⅰ-3-17　**下顎前突**

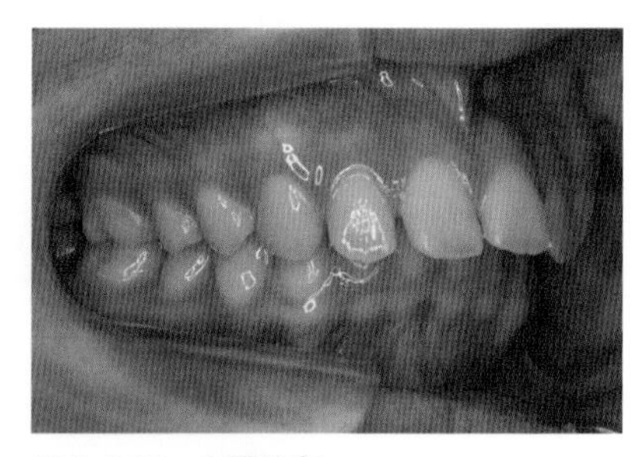

図Ⅰ-3-18　**上顎前突**

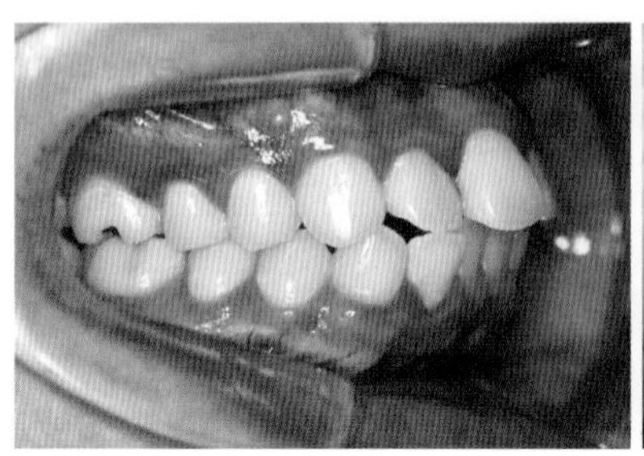
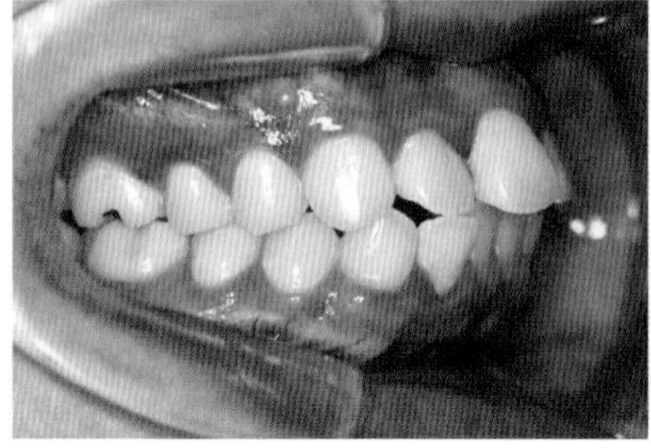

図Ⅰ-3-19　**上下顎前突**

5）上下歯列弓の垂直関係の異常

（1）過蓋咬合（図Ⅰ-3-20）

*咬頭嵌合位

上下の歯の対応する咬頭と窩（か）を構成する斜面が最大の面積で接触する下顎位のことです．

咬頭嵌合位*において，前歯部が臨床的歯冠の 1/2 以上を覆い，深く咬合している状態を**過蓋咬合**（かがい）という．

（2）切端咬合（図Ⅰ-3-21）

咬頭嵌合位において，上下顎前歯の切縁同士が接触した状態を**切端咬合**（せったん）という．

（3）開咬（図Ⅰ-3-22）

咬頭嵌合位において，上下顎の数歯の歯が咬合接触していない状態を**開咬**（かいこう）という．主に前歯部にみられるが，歯の萌出不全，顎関節症，先天性疾患に伴って，臼歯部にもみられることがある．

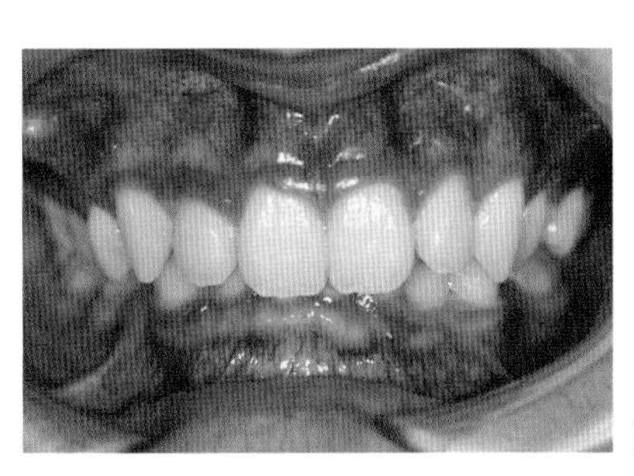

図Ⅰ-3-20　過蓋咬合

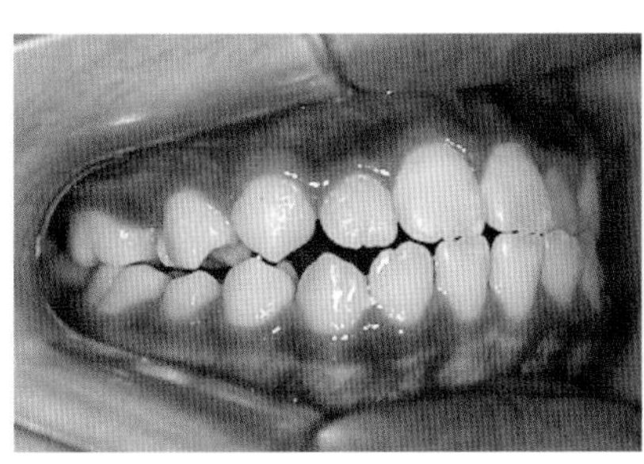
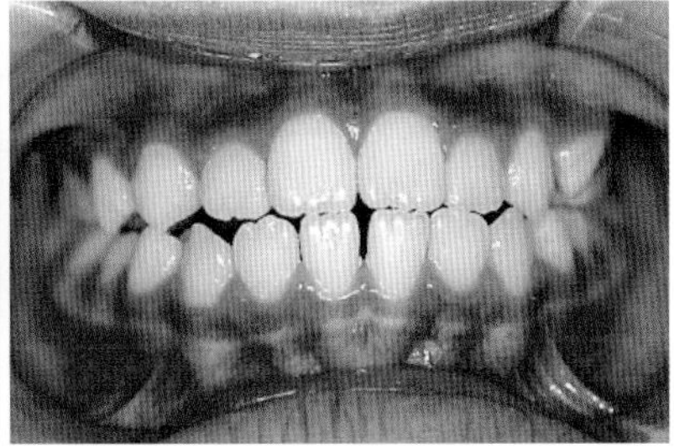

図Ⅰ-3-21　切端咬合

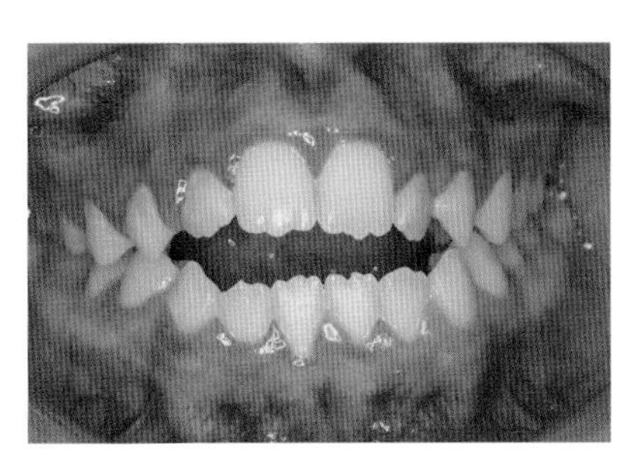

図Ⅰ-3-22　開咬

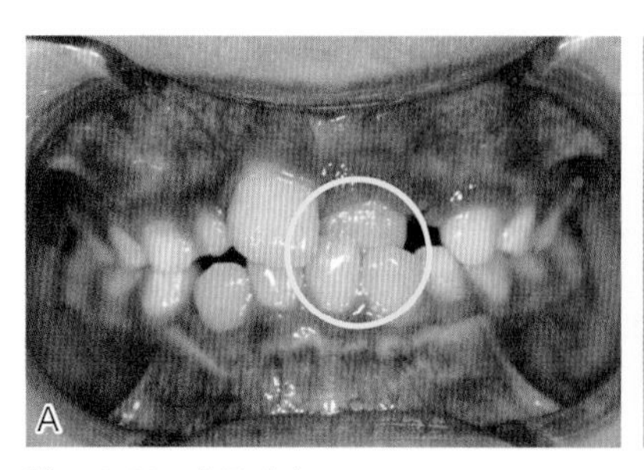

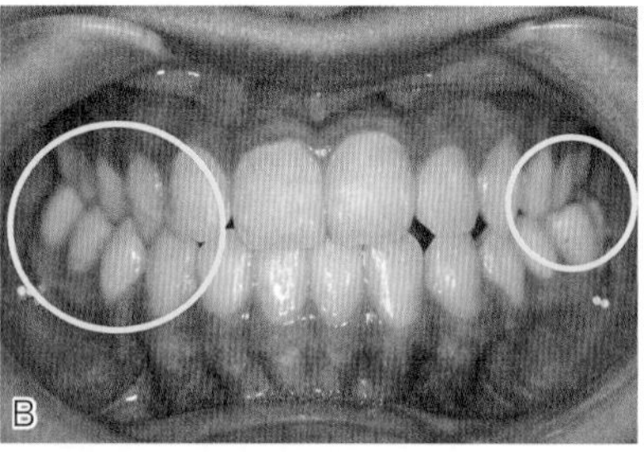

図Ⅰ-3-23 **交叉咬合**
A：左側前歯部が交叉咬合している．B：両側臼歯部が交叉咬合している．

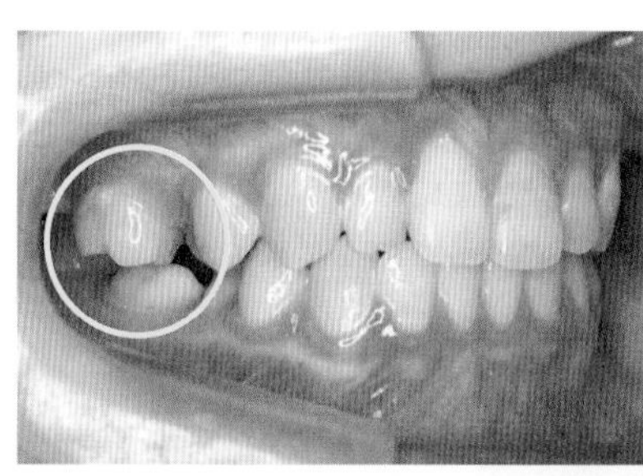
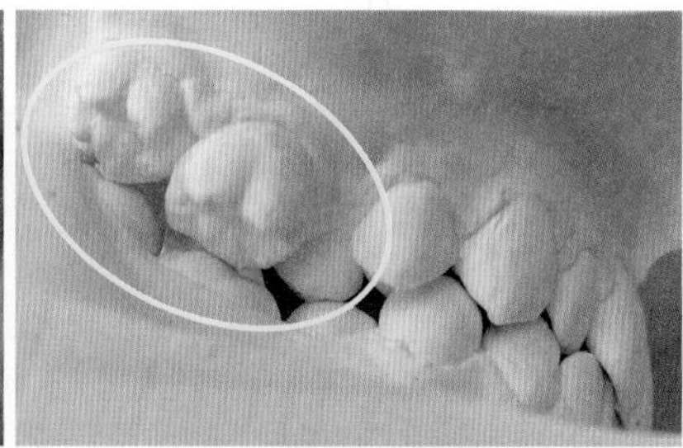

図Ⅰ-3-24 **鋏状咬合（右図は模型で見た大臼歯部）**

6）上下歯列弓の水平関係の異常

(1) 交叉咬合（図Ⅰ-3-23）

咬頭嵌合位において，上下顎の歯列弓が交叉（こうさ）して（被蓋が逆になって）咬合している状態を**交叉咬合**という．片側性の場合と両側性の場合がある．

(2) 鋏状咬合（図Ⅰ-3-24）

咬頭嵌合位において，上顎臼歯の舌側咬頭が下顎臼歯の咬合面と咬合せず，頬側にすれ違って萌出している状態を**鋏状咬合**（はさみじょう）という．

2. Angle〈アングル〉の不正咬合の分類

最も広く使われている不正咬合の分類である．上顎歯列を基準とし，上顎歯列に対する下顎歯列の近遠心的な関係を，上下顎第一大臼歯の咬合関係によって評価したもので，Ⅰ～Ⅲ級に分類される．

1）Angle Ⅰ級不正咬合（図Ⅰ-3-25-①）

上下顎歯列弓が正常な近遠心的関係にあるものの，個々の歯の位置異常を伴った叢生や，上下顎の前歯が前突した上下顎前突などがこの分類の不正咬合に属する．

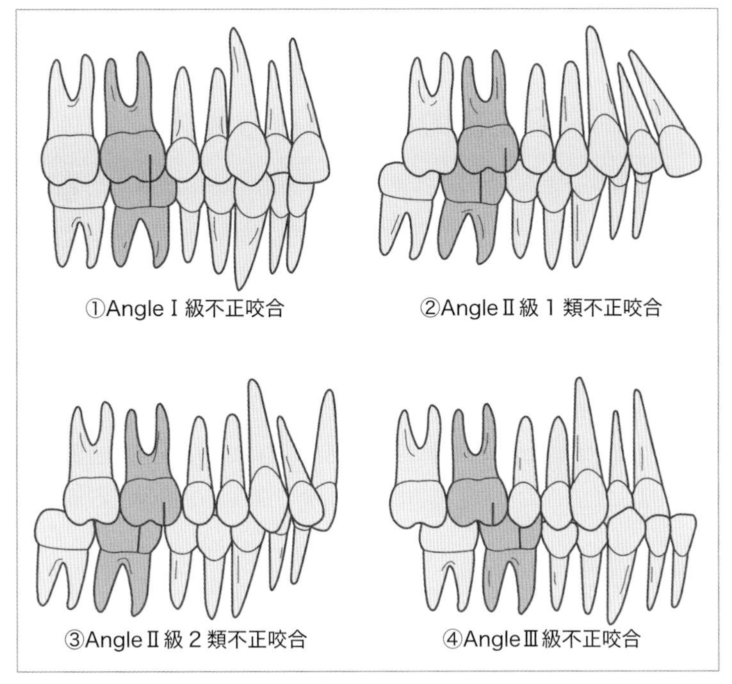

図 I -3-25　Angle の不正咬合の分類
※ピンクの線は，正常咬合の基準の 1 つである上顎第一大臼歯の近心頬側咬頭の三角隆線と，下顎第一大臼歯の頬面溝を示している．

2）Angle II 級不正咬合

下顎歯列弓が上顎歯列弓に対し，正常より遠心で咬合する不正咬合をいう．上顎第一大臼歯に対し，下顎第一大臼歯が半咬頭以上遠心位にある，すなわち下顎の遠心咬合である．片側性の場合と両側性の場合がある．さらに，以下の 2 つに細分される．

（1）Angle II 級 1 類不正咬合（図 I -3-25- ②）

下顎遠心咬合で，上顎切歯が唇側に傾斜し，オーバージェットが大きいのが特徴である．口呼吸を伴う．

（2）Angle II 級 2 類不正咬合（図 I -3-25- ③）

下顎遠心咬合で，上顎中切歯が後退しているものをいう．上顎中切歯の舌側傾斜と過蓋咬合がみられ，オーバーバイトの過大がみられるのが特徴である．呼吸は正常な鼻呼吸である．

3）Angle III 級不正咬合（図 I -3-25- ④）

下顎歯列弓が上顎歯列弓に対して，正常より近心で咬合する不正咬合をいう．すなわち，下顎の近心咬合である．下顎歯列弓が上顎歯列弓に対して近心位をとるため，前歯が反対咬合*を示すことが多い．片側性の場合と両側性の場合がある．

*反対咬合
咬頭嵌合位において，前歯部の被蓋（ひがい）が正常とは逆に咬合している不正咬合のことです．

3 不正咬合の原因

1. 不正咬合の原因のとらえ方

一般に不正咬合に限らず，疾患の原因は環境的要因と遺伝的要因に分けられる．不正咬合のほとんどは，環境的要因と遺伝的要因が複合的に関与する多因子疾患として考えることができる．

一方，発症に関与する因子が出生前に作用するものを先天的原因*，出生後に作用するものを後天的原因に分類することができる．

不正咬合は，歯の大きさや顎骨の大きさ，それらの位置関係に加え，顎の成長発育，口腔習癖などさまざまな要因が関与するが，不正咬合の原因を理解しておくことは，予防，治療ならびに予後を考えるうえで重要である．

＊先天的原因と遺伝的要因

「先天的原因」と「遺伝的要因」は混同される場合がありますが，先天的原因には胎生期の母胎内外の「環境的要因」が関与する場合も含まれるため，両者は必ずしも同一とはいえません．

2. 不正咬合の先天的原因

1）先天異常

口唇裂・口蓋裂では，歯の先天性欠如や，上顎骨の劣成長による上顎歯列弓の狭窄，交叉咬合，反対咬合などを生じる．

2）歯数の異常

(1) 過剰歯（図Ⅰ-3-26）

上顎正中部に多く，叢生や正中離開をもたらすことがある．

(2) 先天性欠如（図Ⅰ-3-27）

1歯～数歯の欠如例が多い．空隙歯列や近接歯の傾斜などを生じる．上顎の側切歯・第二小臼歯・第三大臼歯，下顎の中切歯・側切歯・第二小臼歯・第三大臼歯に多い．

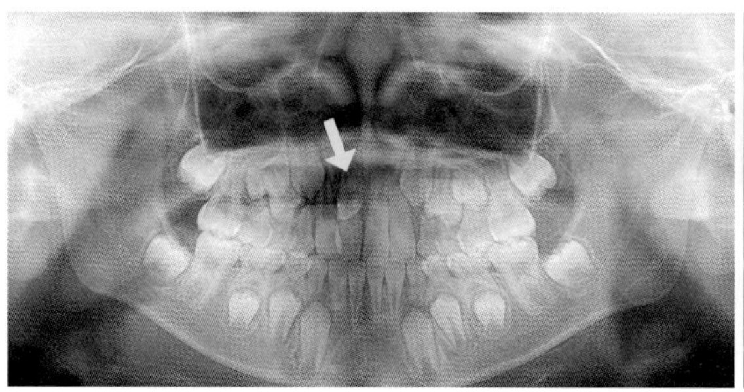
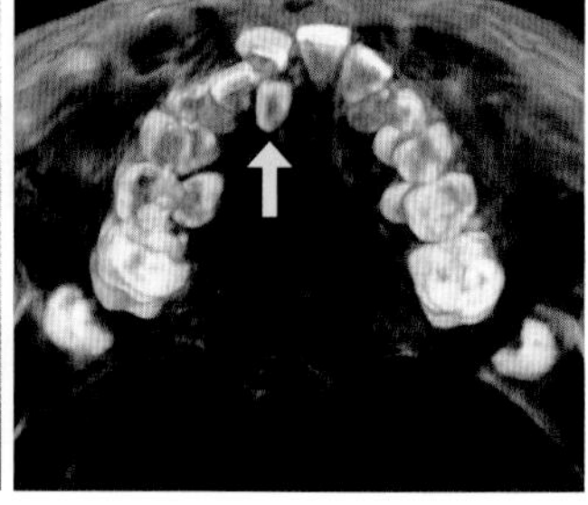

図Ⅰ-3-26　**過剰歯（右図はCT画像）**
上顎右側正中部に過剰歯が認められる．

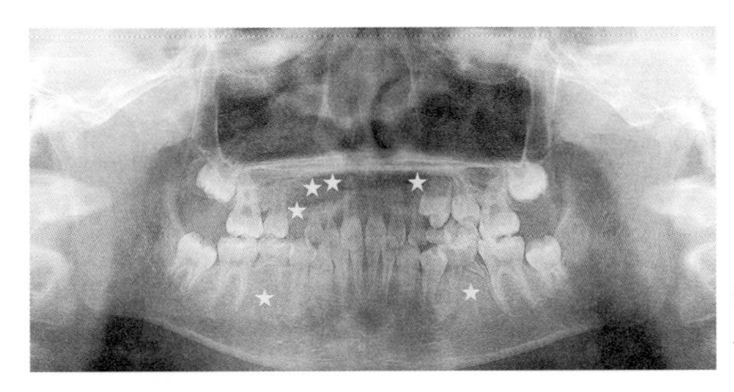

図Ⅰ-3-27 **先天性欠如**
432|3 / 5|5 が欠如している.

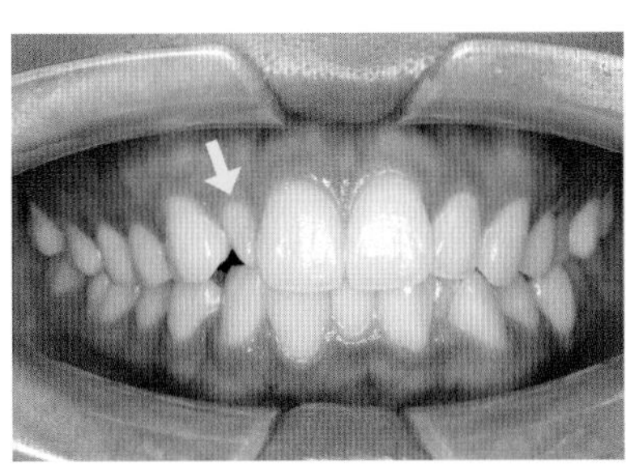
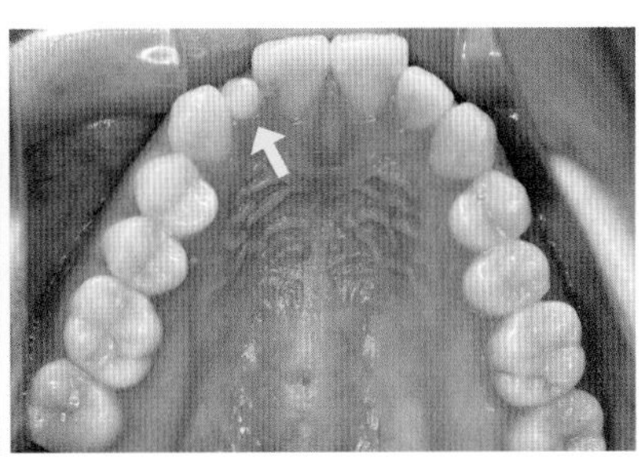

図Ⅰ-3-28 **矮小歯**
上顎右側側切歯（2|）の矮小歯を認める.

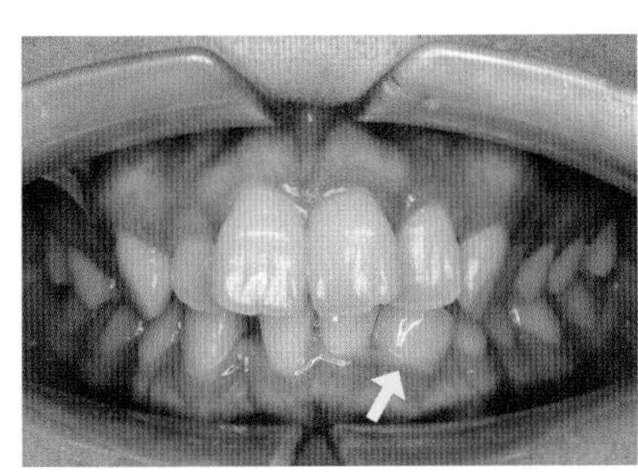
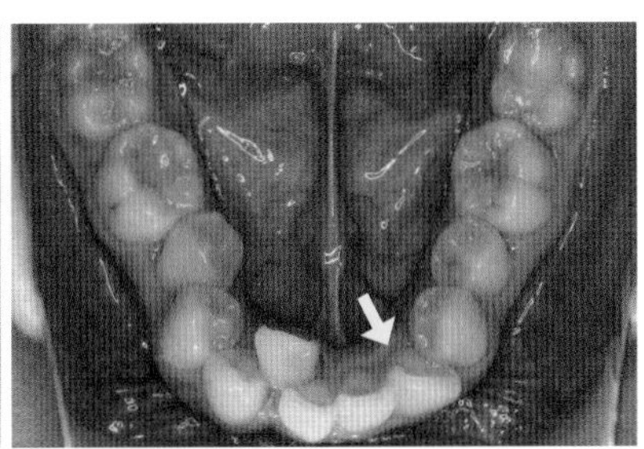

図Ⅰ-3-29 **癒合歯**
下顎左側側切歯（|2）と犬歯（|3）の癒合歯を認める.

3）歯の形態異常

(1) 巨大歯

上顎中切歯に多くみられる. 叢生や, 上顎前歯の唇側傾斜の原因となる.

(2) 矮小歯（図Ⅰ-3-28）

上顎側切歯に多くみられ, 形状によっては円錐歯（えんすいし）や栓状歯（せんじょうし）ともよばれる. 矮小歯（わいしょうし）があると, 空隙歯列を呈することがある.

(3) 癒合歯, 癒着歯

2つの歯が歯胚形成の早い時期に結合したもので, 歯冠部歯髄が1つになっているものを癒合歯（ゆごうし）という（図Ⅰ-3-29）. 一方, 2つの歯胚が象牙質形成期以降にセメント質の肥厚により結合し, 歯髄はおのおの分離しているものを癒着歯（ゆちゃくし）とよぶ.

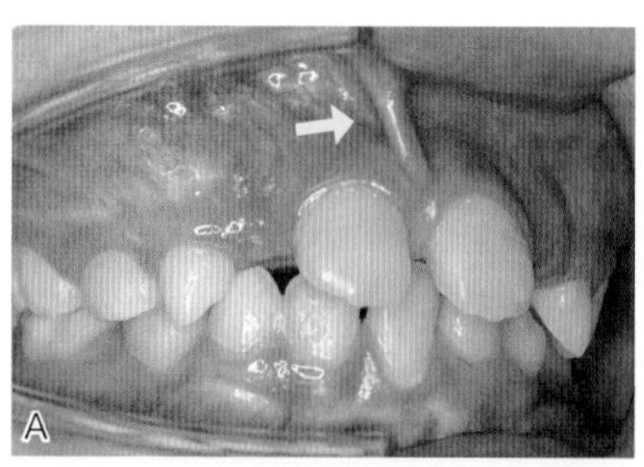

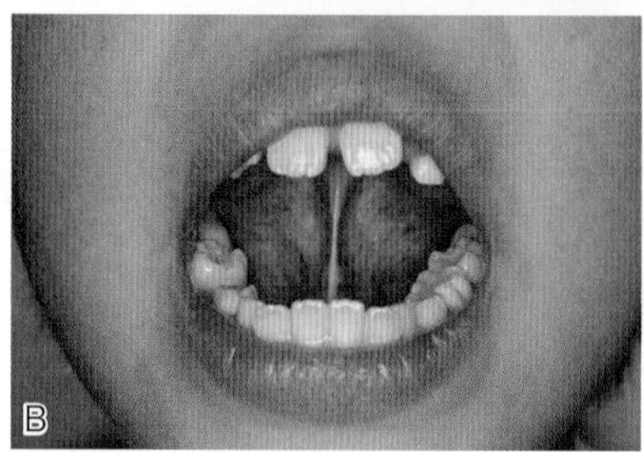

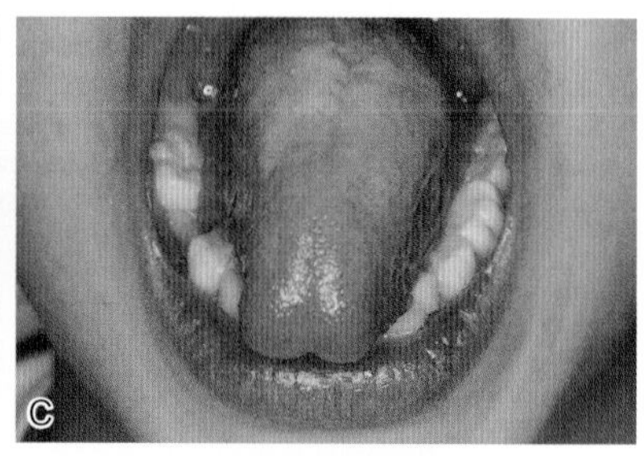

図Ⅰ-3-30 **小帯の異常**
A：上唇小帯の高位付着により正中離開が生じている．
B：舌小帯が短く，舌尖付近に付着している．
C：下を前方に出そうとすると舌尖がハート形にくびれる．

4）口腔軟組織の形態異常

(1) 巨舌症

舌圧の亢進により歯の唇側傾斜や頬側傾斜をもたらし，上下顎前突，開咬や空隙歯列をきたすことがある．

(2) 小舌症，無舌症

舌圧の低下により，歯列弓の狭窄や縮小，それに伴い叢生をきたすことがある．

(3) 小帯の異常

上唇小帯の肥厚や高位付着は，上顎前歯の正中離開の原因となる（図Ⅰ-3-30-A）．また，舌小帯の短小や肥厚は舌運動を阻害し，異常嚥下癖や構音障害を引き起こすことがある（図Ⅰ-3-30-B，C）．

3. 不正咬合の後天的原因

1）全身的原因

(1) 内分泌障害

脳下垂体腫瘍などにより成長ホルモンの過剰分泌があると，巨人症あるいは先端巨大症（アクロメガリー）となる．この場合，骨格性反対咬合，空隙歯列，舌の肥大などを認める．

(2) 栄養障害

ビタミンDと紫外線の不足により発症するくる病では，エナメル質減形成，矮小歯や歯冠の形態異常，歯の萌出の遅延や位置異常を引き起こすことがある．

2）局所的原因

(1) 歯の萌出異常

乳歯から永久歯への交換期において，何らかの原因により永久歯萌出に必要なスペースの不足が生じると，叢生を引き起こすことがある．

❶早期萌出

平均的な萌出時期より早期に歯が萌出することを**早期萌出**という．う蝕などによる乳歯の早期脱落や喪失により，後継永久歯の萌出が早まる．

❷萌出遅延

平均的な萌出時期より遅れて歯が萌出することを**萌出遅延**といい，隣在歯の位置異常や対合歯の挺出が生じることがある（図Ⅰ-3-31）．萌出遅延の原因を以下にあげる．

A．歯胚の位置異常

歯胚が本来とは異なる位置で発生・発育したり，発育中の歯胚に外力などの刺激が加わることによって，歯胚の発育障害や萌出方向の変化が生じ，萌出遅延や萌出異常を引き起こす．

B．囊胞性疾患

Link
含歯性囊胞
『病理学・口腔病理学』
p.134

含歯性囊胞などの囊胞性疾患は，歯の萌出を阻害したり，萌出方向の変化をもたらすことがある（図Ⅰ-3-32）．

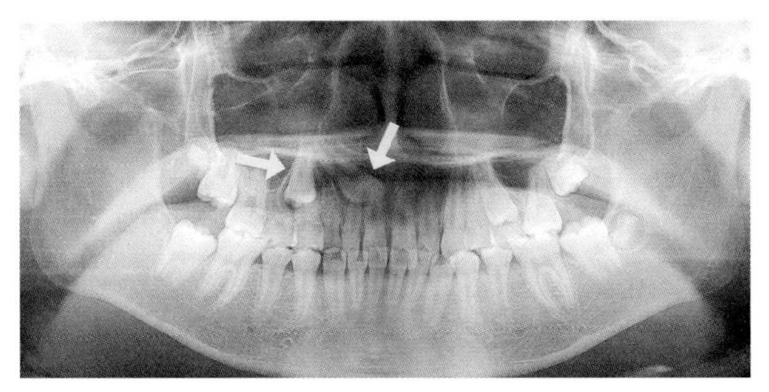

図Ⅰ-3-31　**萌出遅延による位置異常**
上顎右側犬歯（3|），第二小臼歯（5|）の萌出遅延による位置異常が認められる．

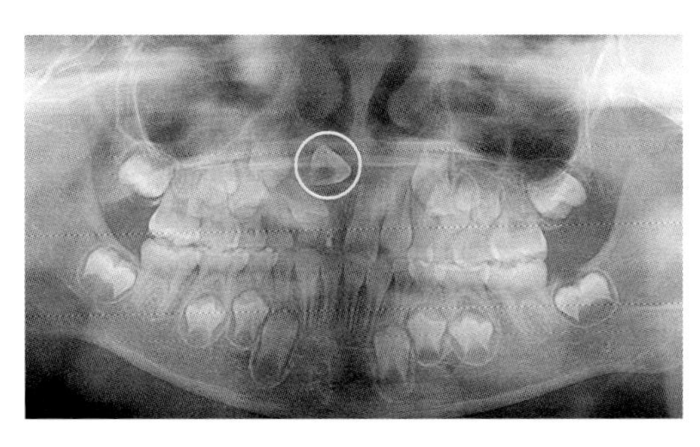

図Ⅰ-3-32　**含歯性囊胞**
上顎右側中切歯（1|），側切歯（2|）に，含歯性囊胞を疑う透過像を認める．

C. 乳歯の晩期残存

乳歯歯根の正常な吸収が阻害されて乳歯の脱落が遅れると，後継永久歯の萌出が阻害されたり，萌出方向の異常が生じたりする（図Ⅰ-3-33）.

D. 乳歯の早期喪失

後継永久歯の歯根形成があまりされていない時期に，乳歯がう蝕や外傷などで早期に喪失すると，隣接する歯の傾斜や移動により後継永久歯の萌出スペースが減少し，永久歯の萌出遅延や萌出位置異常が生じる（図Ⅰ-3-34）.

歯牙腫
『病理学･口腔病理学』
p.139-140

E. 歯牙腫

永久歯の萌出経路に歯牙腫（しがしゅ）が存在すると，萌出の妨げとなる.

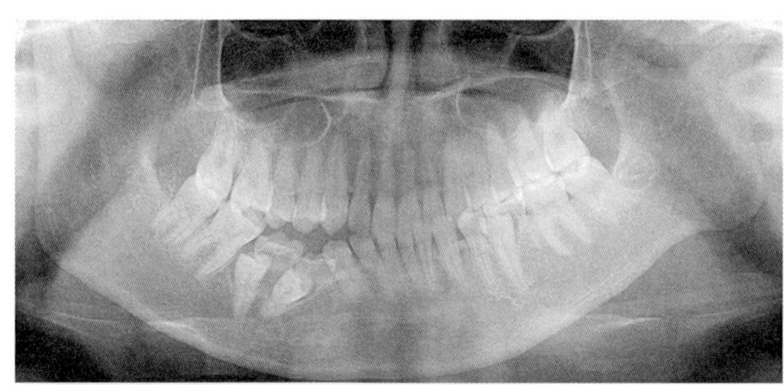

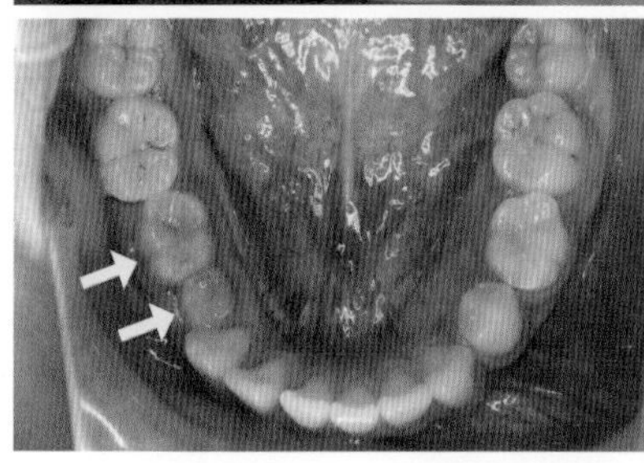

図Ⅰ-3-33　**乳歯の晩期残存**
下顎右側乳臼歯（E D|）の晩期残存が認められ，5 4|は萌出遅延となっている.

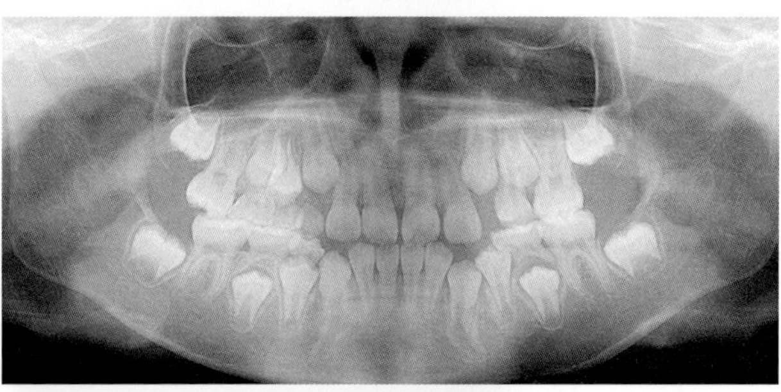

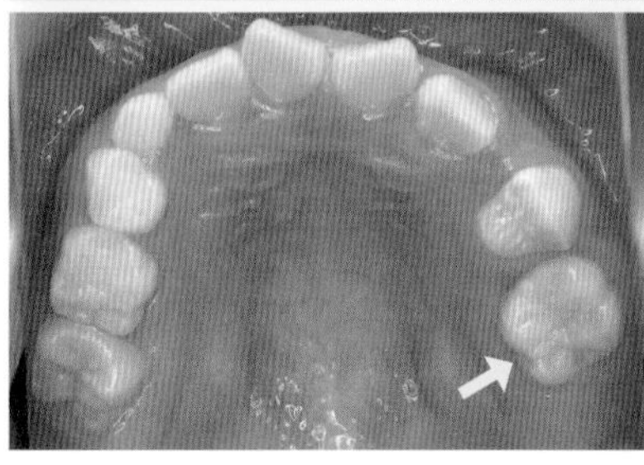

図Ⅰ-3-34　**乳歯の早期喪失**
上顎左側第二乳臼歯（|E）の早期喪失により，上顎左側第一大臼歯（|6，矢印）が近心傾斜をきたしている.

F. 歯肉の肥厚

歯肉の肥厚のために，歯の萌出が妨げられることがある．

G. 歯の骨性癒着*

外力などで歯根膜が損傷し，歯が歯槽骨と骨性癒着（こつせいゆちゃく）を起こすと，歯の萌出が阻害される．

*骨性癒着
外傷などで歯根膜が損傷し，歯根が歯根膜（結合組織）を介さずに歯槽骨と直接癒着した状態のことです．

(2) 永久歯の早期喪失

永久歯の早期喪失は，歯列の連続性が失われるだけでなく，喪失により生じたスペースへの隣在歯の傾斜や転位，および対合歯の挺出を引き起こす．

(3) 口腔習癖

口腔習癖による外力が歯や歯列，歯槽骨，顎骨に作用して，正常な成長発育を阻害すると，不正咬合を引き起こす．また，口腔習癖が矯正歯科治療の進行を妨げ，予後不良となることもある．口腔習癖としては以下があげられ，口腔筋機能療法〈MFT〉などが適応となる．

Link
口腔筋機能療法
p.174-189

❶おしゃぶりの長期使用

哺乳時以外のおしゃぶりの長期間にわたる使用は，上顎歯列の狭窄や臼歯部交叉咬合の原因となる．

❷吸指癖（指しゃぶり）

母指（親指）を吸う**母指（ぼし）吸引癖**が一般的である．開咬，上顎前歯の唇側傾斜，上顎歯列弓の狭窄や臼歯部の交叉咬合などの原因となる（図Ⅰ-3-35）．

❸弄唇癖

下唇を咬んだり（**咬唇癖**（こうしんへき）），吸引したり（**吸唇癖**（きゅうしんへき））する習癖を**弄唇癖**（ろうしんへき）という．上顎前歯の唇側傾斜や，上顎前歯部の空隙，下顎前歯の舌側傾斜や叢生などの原因となる（図Ⅰ-3-36）．

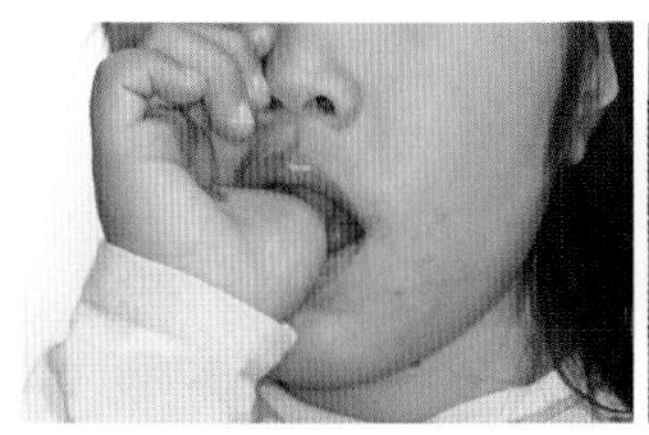
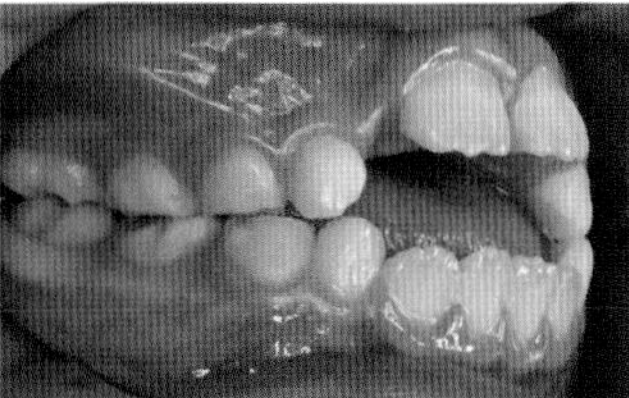
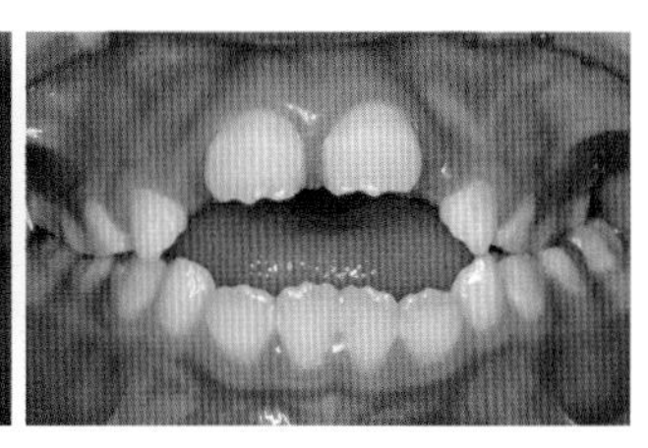

図Ⅰ-3-35　母指吸引癖と開咬

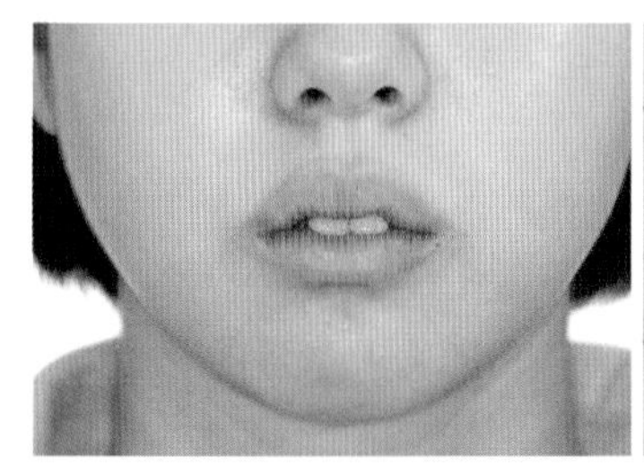
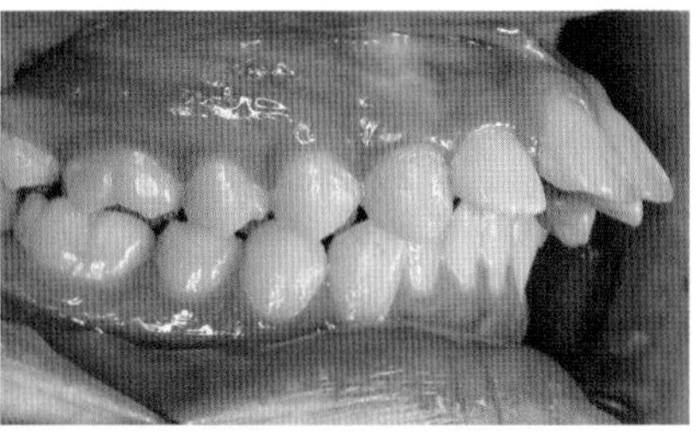

図Ⅰ-3-36　咬唇癖と上顎前歯の唇側傾斜

❹弄舌癖

発音や嚥下時以外に舌を無意識に咬んだり（咬舌癖），突き出したり（**舌突出癖**，図Ⅰ-3-37）する口腔習癖を**弄舌癖**という．上下顎前歯の唇側傾斜，前歯部の開咬，空隙歯列などの原因となる．

❺口呼吸

アレルギー性鼻炎や**アデノイド**（咽頭扁桃の増殖肥大）によって正常な鼻呼吸が妨げられると，その代償として口呼吸となる．口呼吸が長期にわたると口唇閉鎖不全，上顎歯列の狭窄，上顎前歯の唇側傾斜，その他特徴的な顔貌を伴う，いわゆるアデノイド顔貌を呈することになる（図Ⅰ-3-38）．

Link
乳児型嚥下
成熟型嚥下
p.27-28

❻異常嚥下癖

生後２～３年までは上下顎の前歯間に舌尖を挟んで嚥下する乳児型嚥下が行われるが，乳歯列が完成するとこの嚥下パターンは自然に消失し，食塊を舌後方部へ送り込む成熟型嚥下に移行する．しかし，何らかの理由で成長後も乳児型嚥下が残存する**異常嚥下癖**になると，上下顎前突や開咬を引き起こす．

❼咬爪癖

咬爪癖とは，爪を咬んだり，咬み切ったりする癖のことであり，持続すると歯の摩耗や傾斜を生じることがある．

❽睡眠態癖

睡眠中の習慣的姿勢が，顎顔面や歯列の発育に影響を与える場合がある．

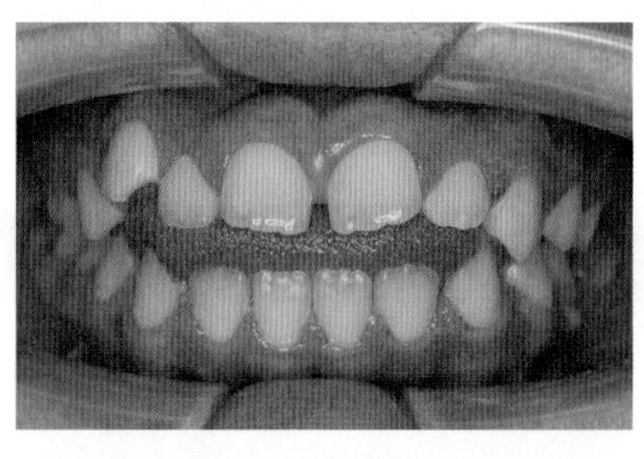

図Ⅰ-3-37　**舌突出癖による開咬**

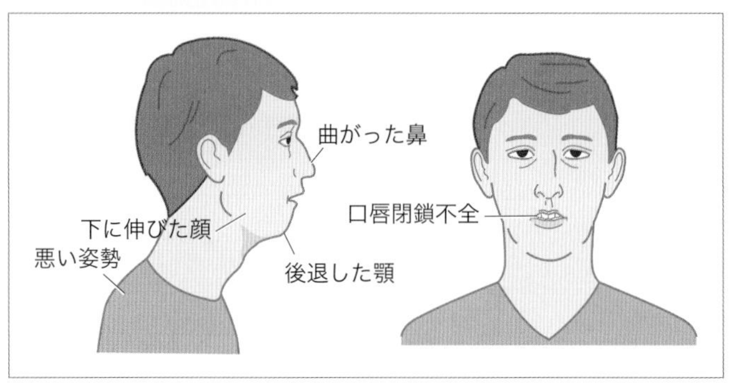

図Ⅰ-3-38　**アデノイド顔貌**

(4) う蝕，歯周病

う蝕は隣在歯との接触関係を変化させ，歯の排列を乱す原因となる．また，歯周病は歯の支持力を低下させ，上下顎前歯の唇側傾斜や前歯部の空隙などを生じさせる．

(5) 顎関節障害

顎関節強直症や顎関節の外傷は，下顎骨の変形による交叉咬合や，顔面（顔貌）の非対称などを引き起こすことがある．

(6) 鼻咽腔疾患

アデノイド，鼻中隔彎曲症(びちゅうかくわんきょくしょう)などの鼻咽腔疾患により気道が狭窄し，代償的に口呼吸が行われるようになると，上顎前歯の唇側傾斜や，上顎歯列の狭窄などを引き起こすことがある．

(7) 外傷，口腔腫瘍

発育期における顎口腔領域の外傷や腫瘍は，歯胚の発育障害や萌出方向の異常など，顎口腔組織の成長に影響を及ぼすことがある．例えば顎骨骨折などの外傷は，顎変形をもたらすことがある．

(8) ブラキシズム（歯ぎしり）

Link
咬合性外傷
『歯周病学』
p.26-27

ブラキシズムによる強大な咬合力が咬合性外傷を引き起こし，支持力の低下した歯が傾斜や移動を起こすことがある．

(9) 不適合修復物・補綴装置

不適合な義歯や充塡物は，望まない歯の移動をきたす力を発生させ，咬合を変化させ不正咬合を誘発する．

4 不正咬合の予防

1. 不正咬合の予防の目的と意義

Link
予防矯正
抑制矯正
本格矯正
p.6-7

一次予防として，定期診査を実施し，予防可能な原因が明らかな場合には，その除去によって不正咬合の発現を予防する予防矯正が実施される．また二次予防として，不正咬合の進行阻止を目的とした抑制矯正が実施される．三次予防としては，本格矯正と保定が実施される．

2. 乳歯列期における不正咬合の予防

1) 歯列の保隙

Link
保隙
『小児歯科学』
p.147-148

乳歯が早期に喪失した場合は，隣在歯との接触関係と，対合歯との咬合関係が維持されるように保隙(ほげき)する必要がある．

2）咬合の機能的偏位の早期改善

乳前歯や乳犬歯の早期接触・咬頭干渉によって，下顎が前後的あるいは側方に偏位し，反対咬合や臼歯部交叉咬合を誘発することがある．干渉している乳歯の咬合調整や，矯正装置による歯の移動によって改善をはかる．

3）上下顎の前後的関係（骨性の異常）の早期改善

第二乳臼歯遠心面のターミナルプレーンにより，上下顎の前後的関係を評価することができる．顎関係の異常は成長過程において増悪することがあるため，早期治療（抑制矯正）の対象となる．

4）口腔習癖の除去

口腔習癖によって，前歯部の開咬や臼歯部の交叉咬合などの不正咬合を引き起こす可能性がある．特に，長期間持続するものは不正咬合の原因となるため，口腔筋機能療法などにより抑制する必要がある．

3．混合歯列期における不正咬合の予防

1）過剰歯の抜去

過剰歯は抜去が検討される．

2）歯の大きさ，および形態の異常への対応

歯列弓に対して萌出歯が大きい場合には，将来叢生となる可能性が高いため，場合によっては永久歯の抜去が検討される．

3）歯の先天性欠如への対応

永久歯が先天性欠如している場合，隣在歯の移動によって空隙を閉鎖するのか，あるいは将来補綴的に処置するのかなど，最終的な治療方法の検討が必要となる．

4）小帯の異常への対応

上唇小帯の肥厚は，上顎前歯の正中離開の原因となる．舌小帯の短小や肥厚は舌運動を阻害し，異常嚥下癖や構音障害（発音障害）を引き起こすことがあるため，必要に応じて小帯切除術を行う．

5）乳歯の早期喪失への対応（保隙）

乳歯，永久歯を問わず，う蝕による歯質欠損や歯の喪失は不正咬合の原因となる．特に乳歯においては，後継永久歯の萌出スペース不足を防ぐために保隙が必要となる．また，後継永久歯の萌出スペースが不足した場合には，その空隙を獲得するための抑制矯正（咬合誘導）が検討される．

6）晩期残存している乳歯への対応

う蝕などにより乳歯の歯髄が壊死すると，歯根吸収が遅れ，永久歯の萌出を妨げることがある．また，後継永久歯の萌出方向の異常により，乳歯の歯根が吸収されずに晩期残存することがある．このような場合，残存する乳歯を抜去することで，永久歯の萌出を誘導することができる．

7）乳歯の骨性癒着への対応

骨性癒着を起こした乳歯は低位乳歯となりやすく，後継永久歯の位置異常をもたらす可能性がある．乳歯抜去と，隣在歯の異常な傾斜の改善により，後継永久歯の萌出誘導をはかる．

8）口腔習癖の除去

口腔周囲軟組織に関わる異常な習癖は，早期に改善する必要がある．適切な時期に口腔筋機能療法などにより口腔習癖へ介入することは，上顎前突や開咬といった不正咬合の予防効果がある．

4．永久歯列期における不正咬合の予防

1）歯周病の予防

歯周病は歯の移動をはじめ，空隙歯列，歯の挺出，咬合性外傷，咬合高径の減少などを引き起こす．したがって，不正咬合の防止では，歯周病の予防と治療，欠損部の補綴が重要である．

2）大臼歯の萌出スペース不足と萌出異常の予防

萌出スペース不足による第二大臼歯の頬舌的な位置異常から，大臼歯の鋏状咬合や交叉咬合を引き起こす場合がある．状況によっては，第三大臼歯の抜去などの処置も考慮する必要がある．

ハプスブルグ家における骨格性下顎前突の特徴

ハプスブルグ家は，ヨーロッパの歴史上最も著名な王朝の１つです．ヨーロッパ各地に残る代々の肖像画には，下顎前突の顔貌の特徴が残っており，骨格性の不正咬合に遺伝的要因が関与することを示していると考えられています．

マクシミリアン１世

カール５世

フェリペ２世

フェリペ３世

フェリペ４世

カルロス２世

（文献 10）より転載）

参考文献

1）Hellman M：Variation in occlusion. Dent Cosmos, 63：608-619, 1921.
2）Friel S：Occlusion. Observations on its development from infancy to old age. Int J Orthod Oral Surg , 13 (4)：322-343, 1927.
3）Howland JP, Brodie AG：Pressures exerted by the buccinator muscle. Angle Orthod, 36 (1)：1-12, 1966.
4）飯田順一郎ほか編：歯科矯正学 第 6 版．医歯薬出版，2019.
5）福原達郎：歯科矯正学入門．医歯薬出版，1995.
6）全国歯科衛生士教育協議会監修：歯科衛生学シリーズ 歯科矯正学．医歯薬出版，2023.
7）J. A. Salzmann：Principles of Orthodontics, Second Edition. J. B. Lippincott, Philadelphia, 1950.
8）Wei Huang, Bo Shan, Brittany S Ang, et al.：Review of etiology of posterior open bite：Is there a possible genetic cause? Clin Cosmet Investig Dent, 12：233-240, 2020.
9）葛西一貴，新井一仁，須田直人ほか編：新・歯科衛生士教育マニュアル 歯科矯正学．クインテッセンス出版，東京，2015.
10）伊藤学而，島田和幸：かお・カオ・顔―顔学へのご招待；あいり出版，京都，2007.

4章 検査と診断

到達目標

❶ 矯正歯科治療における検査と診断のプロセスを説明できる.
❷ 形態的検査の方法を説明できる.
❸ 口腔模型分析の目的と意義を説明できる.
❹ 側面頭部エックス線規格写真分析の目的と意義を説明できる.
❺ 機能的検査の方法を説明できる.
❻ 矯正歯科治療における抜歯の目的を概説できる.
❼ 診断に必要な検査・資料を説明できる.
❽ 検査と診断に関わる歯科診療の補助を説明できる.

1 矯正歯科治療における検査と診断のプロセス

矯正歯科治療は,個々の患者の不正咬合を正常な状態に改善する歯科医療である.初診時の相談では主訴の聴取と十分な医療面接を行い，診察・検査・分析へと進め,的確な診断と治療目標の設定，ならびに治療方針を立案する．治療を開始するにあたっては，患者・保護者の理解と同意（インフォームド・コンセント）を得ておかなければならない（図Ⅰ-4-1).

1. 初診相談・医療面接

初診相談では，患者・保護者との面談を通して，来院理由を聴取し，矯正歯科治療の概要について説明する．続いて行う医療面接では，患者・保護者の主訴（来院動機)，現症，現病歴，既往歴，家族歴，および学童期の患者では成長発育の様相など，矯正歯科治療を行ううえで必要な情報を収集する.

2. 診察

医療面接で得た情報を参考にしながら，全身的観察ならびに視診や触診により，顎顔面頭蓋領域および口腔周囲軟組織の状態について情報を収集する．また，口腔内の視診，触診，打診などによって不正咬合の状況を把握し，原因についてできるだけ推測する.

さらに，吸指癖（母指吸引癖）や舌突出癖，口呼吸などの口腔習癖の有無や既往について確認する.

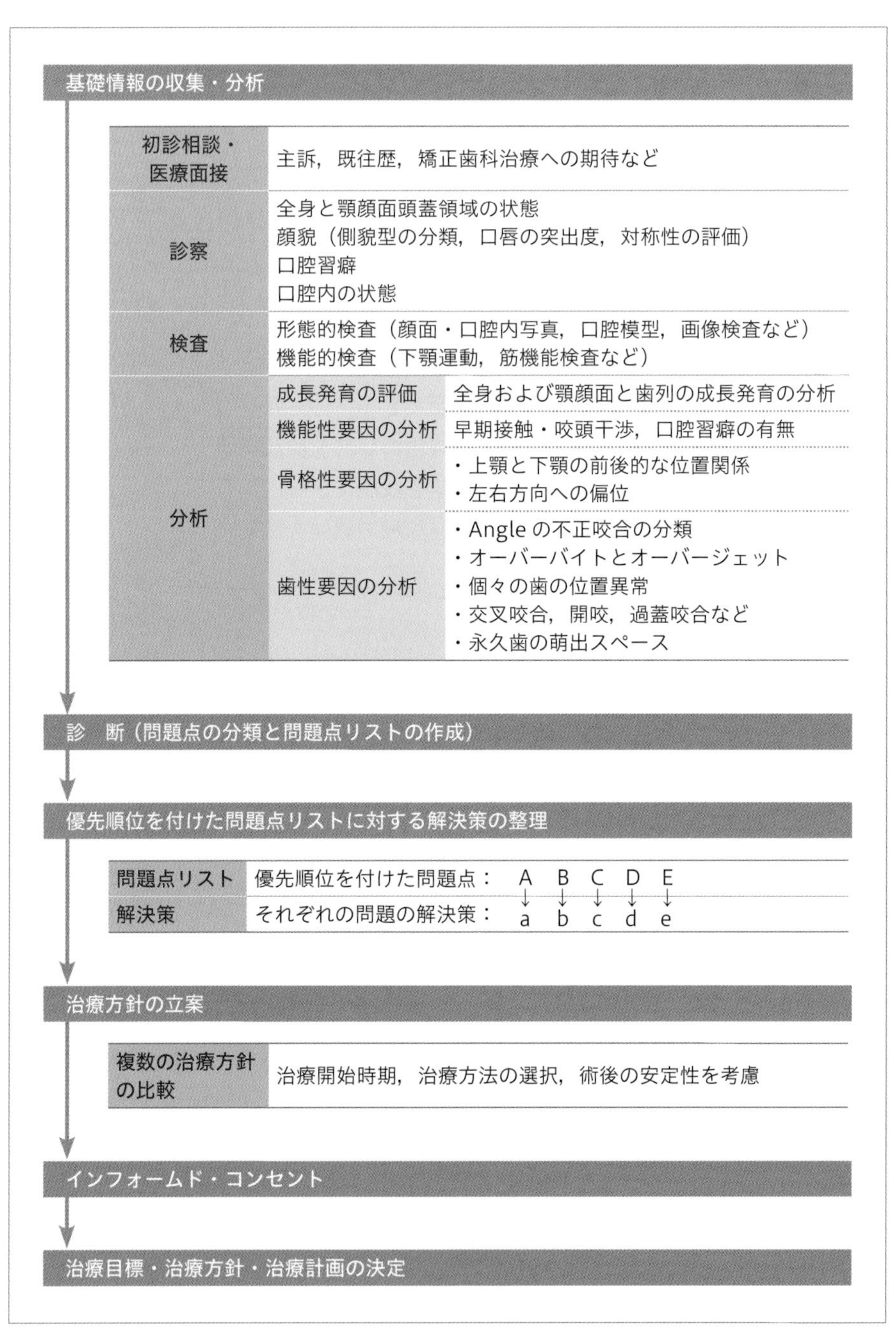

図Ⅰ-4-1　**矯正歯科治療における検査・診断の一般的なプロセス**

3. 検査

検査には**形態的検査**と**機能的検査**がある．形態的検査では，顔面写真・口腔内写真撮影，口腔模型を製作するための印象採得，および硬組織の状態把握を目的とした各種エックス線写真撮影などを行う．一方，機能的検査では，下顎運動測定や筋機能検査などを行う．

4. 分析

採得した各種検査資料をもとに，正貌・側貌の分析，口腔模型分析，頭部エックス線規格写真分析，顎運動分析および筋機能分析を行って問題点を抽出する．分析によって不正咬合の要因が機能性か骨格性か，あるいは歯性かを把握する．

機能性要因には，早期接触・咬頭干渉*（図Ⅰ-4-2），口腔習癖，口唇の機能低下などがある．**骨格性要因**としては，上下顎骨の過成長・劣成長，近遠心的あるいは水平的位置異常がある．**歯性要因**としては，個々の歯の位置異常，歯の形態異常，歯数の異常，歯軸傾斜の異常などがある．

*早期接触・咬頭干渉
閉口運動において，咬頭嵌合位に至る前に上下の歯が接触する状態をいいます．

5. 診断・治療方針の立案

形態的・機能的検査の分析結果をもとに問題点を整理し，診断名の確立，治療目標の設定，抜歯・非抜歯の判定や装置の選択などの治療方針を立案する．

6. インフォームド・コンセント

インフォームド・コンセントとは，矯正歯科治療を開始するにあたって，治療の必要性，診断と治療方針，治療のリスク，治療費などを説明し，患者（学童期の患

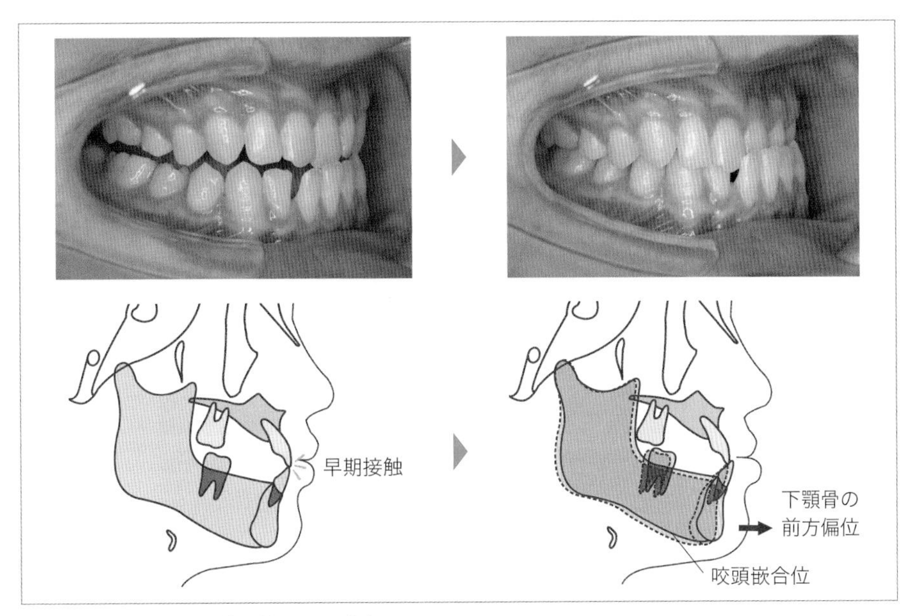

図Ⅰ-4-2　**早期接触と機能性の不正咬合**
左：上下顎中切歯における早期接触位の口腔内写真と模式図．下顎安静位から咬頭嵌合位へ移動する運動経路の途中で，上下顎中切歯の切縁が接触する早期接触が認められる．
右：咬頭嵌合位の口腔内写真と模式図．中切歯の早期接触により下顎骨は前方に誘導され，機能性の不正咬合（機能性下顎前突）を呈している．

者では保護者)がこれを理解・納得し，治療を受けることへの同意をいう．インフォームド・コンセントが得られたら，立案した治療方針に基づいて動的治療を開始し，動的治療終了後，保定・観察へと移行する．

2 形態的検査・分析

1. 全身的検査

歯列・咬合の土台となる上下顎骨を含む顎顔面頭蓋領域の成長発育は，身長・体重など全身の成長発育と密接に関係する．学童期（成長発育期）の患者では，できるだけ出生から現在に至るまでの成長発育の様相（身長・体重などの変化）を把握しておくことが望ましい．

また女児では，思春期成長のピーク後に初潮を迎えるのが一般的である．後述する手根骨エックス線写真は，思春期における成長予測に有用である．

2. 顔面写真

歯列・咬合関係は，口腔周囲軟組織を中心とした顔貌の形や機能に影響を与えている．したがって，診断を行うにあたって，顔貌の特徴を分析するためには顔面写真が不可欠である．一般に**正貌**，**側貌**，**斜位 45°**，**微笑時***の写真を撮影し（図Ⅰ-4-3），正貌の対称性，顔面の垂直的比率（図Ⅰ-4-4），側貌型を評価する．

*微笑時の顔面写真は，歯肉の露出度や口角部の挙上具合などをみるのに使用します．

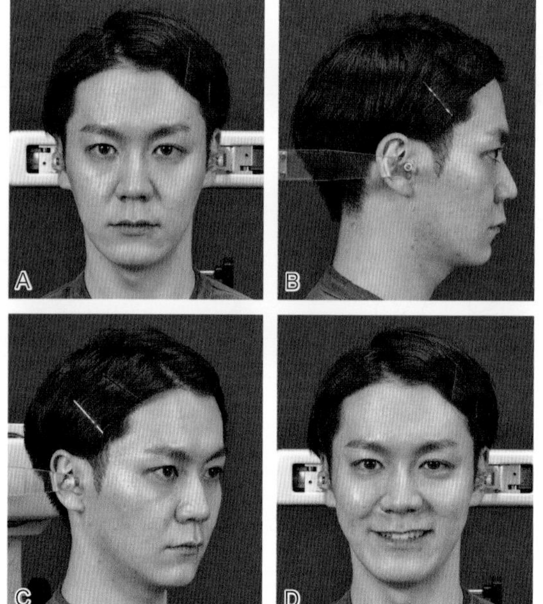

図Ⅰ-4-3　顔面写真
A：正貌，B：側貌，C：斜位 45°，D：微笑時

側貌型は，眉間点，鼻下点，軟組織オトガイ部最突出点を結んだ直線をもとに分類し，①中顔面が前突した**凸顔型（コンベックスタイプ）**，②直線的な**直線型（ストレートタイプ）**，③中顔面が後退した**凹顔型（コンケイブタイプ）**の３つに分類される（図Ｉ-4-5）．

また，口唇の閉鎖時および口唇安静位における口元の写真を撮影し，口唇の形態や機能を評価する（図Ｉ-4-6）．

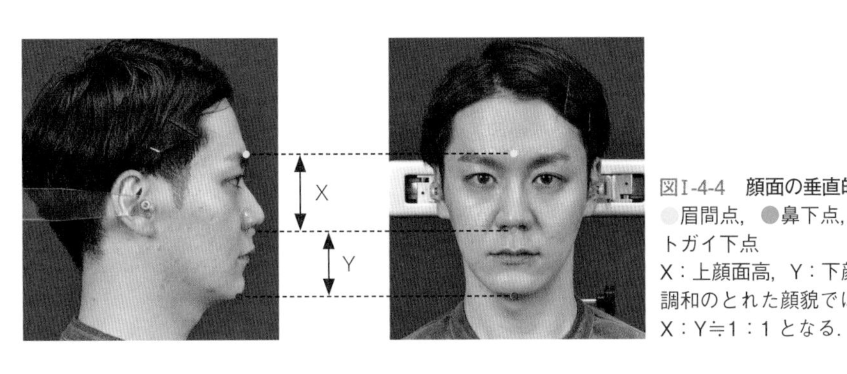

図Ｉ-4-4　**顔面の垂直的比率**
●眉間点，●鼻下点，●オトガイ下点
X：上顔面高，Y：下顔面高
調和のとれた顔貌では
X：Y≒1：1 となる．

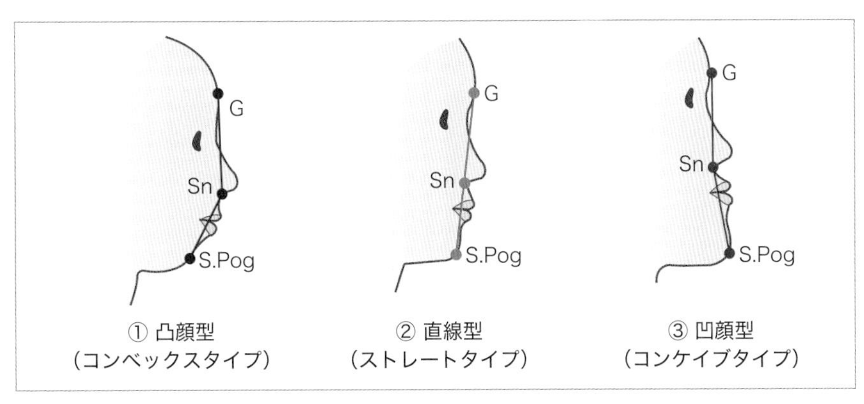

図Ｉ-4-5　**側貌型の分類**
眉間点（G），鼻下点（Sn），軟組織オトガイ部最突出点（S.Pog）の３点を結んでできる直線の形状により，３つの側貌型に分類される．

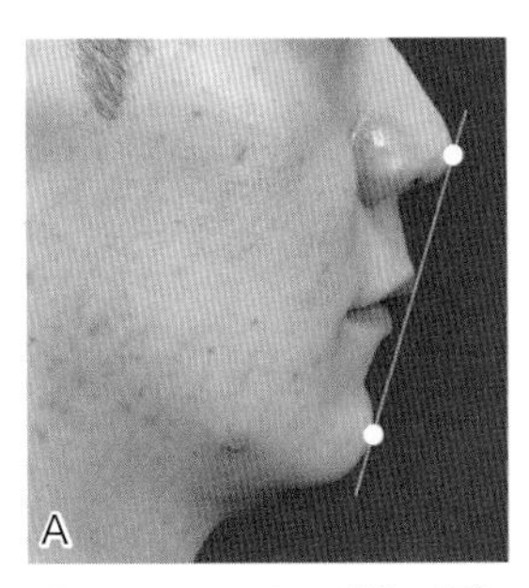

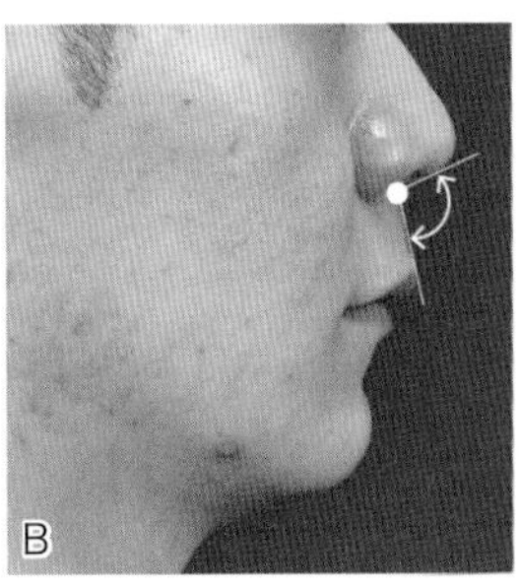

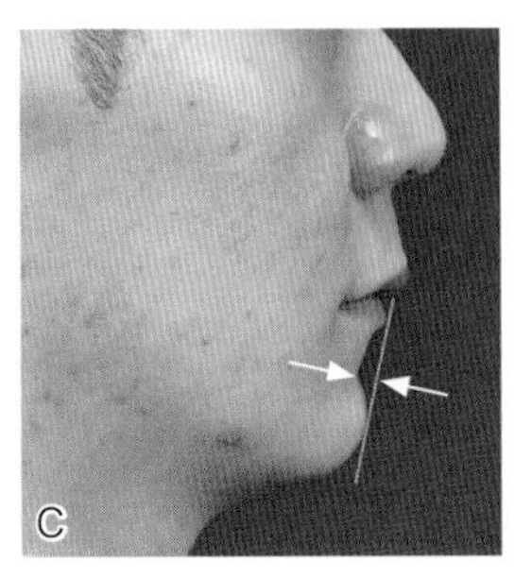

図Ｉ-4-6　**口唇の形態の評価**
A：鼻尖と軟組織オトガイ部最突出点を結んだ線をエステティックライン（E ライン）とよぶ．口唇閉鎖時における上下口唇の突出度の評価に有用である．
B：鼻唇角，C：オトガイ唇溝の深さ

3. 口腔内写真

口腔内の状態を把握し記録しておくために，口腔内写真が必要である．口腔内写真から歯，歯列弓，咬合関係，ならびに舌，歯肉，小帯といった軟組織の状態，さらに口腔衛生状態を把握することができる．口腔内写真は咬頭嵌合位における正面観，左右側面観，オーバージェットを確認できる前歯部側方，上下顎咬合面観の6枚組を撮影する（図Ⅰ-4-7）．早期接触・咬頭干渉あるいは舌突出癖などが観察される症例では，その状態での写真を追加撮影する．

動的治療中は，治療中の変化をとらえるために，来院ごとにほぼ毎回撮影する．常に一定の条件下で，的確な写真を撮影するためには，適切な補助が必要である（p.73 ～ 74 参照）．

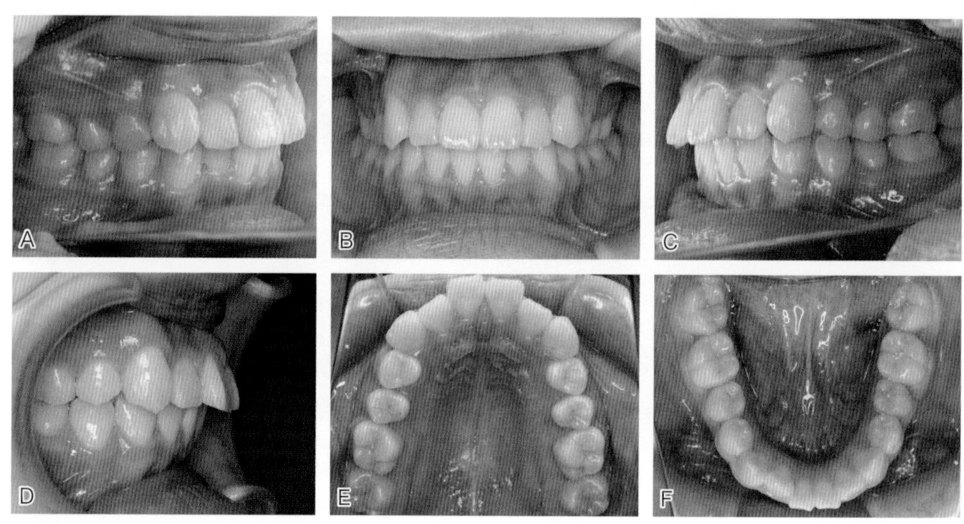

図Ⅰ-4-7　**口腔内写真**
A：右側面観，B：正面観，C：左側面観
D：前歯部側方，E：上顎咬合面観，F：下顎咬合面観

4. 口腔模型

診断を行うにあたって，さまざまな角度から詳細に口腔内を観察するためには，口腔模型が不可欠である．一般に，模型の基底面と咬合平面が平行になるよう製作した**平行模型**が用いられる（図Ⅰ-4-8）．

原寸大の模型からは，上下顎歯列の咬合状態やオーバーバイト，オーバージェットなどを観察できる（図Ⅰ-4-9）．ほかにも抜歯の必要性や歯列弓拡大の可否など多くの情報が得られ，有用性が高い．また，矯正歯科治療において歯は前後方向のみならず頬舌的・垂直的方向にも移動することから，模型には歯肉頬移行部まで明瞭に再現されるよう，的確な印象採得が必要である（p.73 ～ 74 参照）．

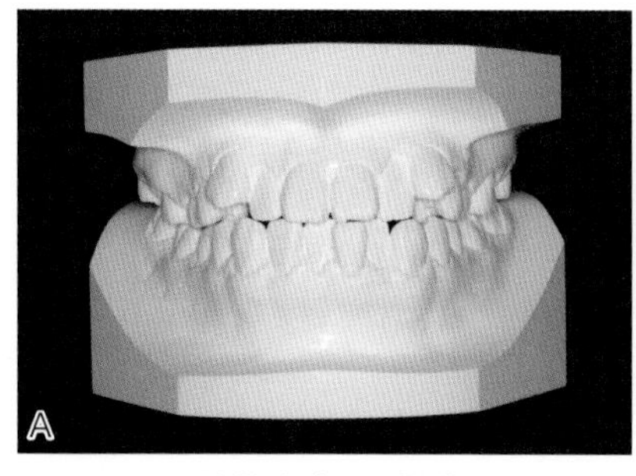

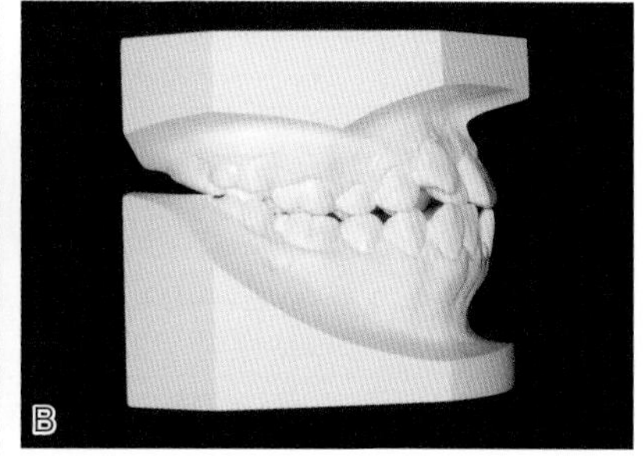

図Ⅰ-4-8 **口腔模型（平行模型）**
A：正面観，B：右側面観
上下顎の模型ともに，歯肉頬移行部まで明瞭に再現されている．

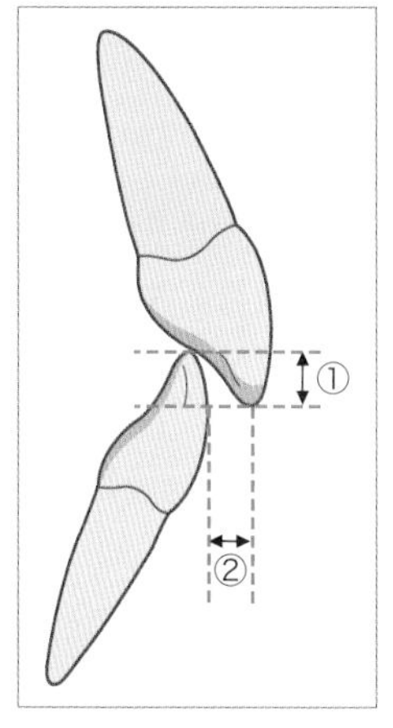

図Ⅰ-4-9 **オーバーバイトとオーバージェット**
①オーバーバイト（標準は２～３mm），
②オーバージェット（標準は２～３mm）．

1）口腔模型分析

診断における抜歯・非抜歯の判定，あるいは歯列弓拡大の可否の判断には，平行模型を用いた模型計測が必要である．

（1）歯冠近遠心幅径の計測

ノギスを用いて，萌出歯の歯冠近遠心幅径を計測する．

（2）歯列弓の計測

❶歯列弓幅径（図Ⅰ-4-10-①，Ⅰ-4-11-A）

ノギスを用いて，両側第一小臼歯の頰側咬頭頂間の距離を計測する．

❷歯列弓長径（図Ⅰ-4-10-②，Ⅰ-4-11-B）

大坪式模型計測器を用いて，両側第一大臼歯の遠心接触点を結ぶ直線から，中切歯接触点までの距離を計測する．

（3）歯槽基底弓の計測

❶歯槽基底弓幅径（図Ⅰ-4-10-③）

ノギスを用いて，両側第一小臼歯の根尖部に相当する歯肉最深部間の距離を計測する．

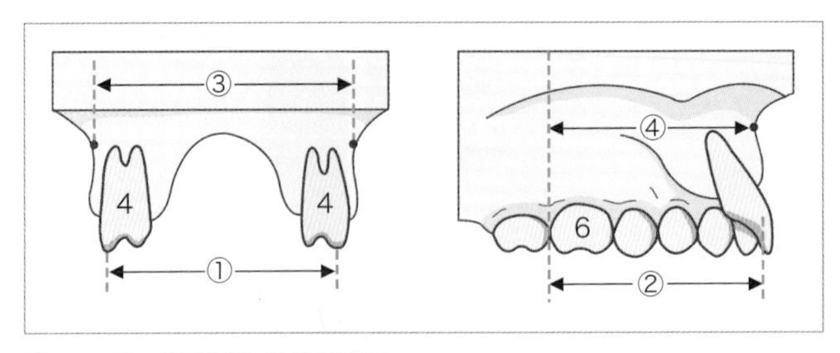

図Ⅰ-4-10 **歯列弓と歯槽基底弓**
①歯列弓幅径，②歯列弓長径，③歯槽基底弓幅径，④歯槽基底弓長径．

❷歯槽基底弓長径（図Ⅰ-4-10-④，Ⅰ-4-11-C）

大坪式模型計測器を用いて，両側第一大臼歯の遠心接触点を結ぶ直線（面）から，中切歯唇側歯肉の最深部までの距離を計測する．

(4) アーチレングスディスクレパンシーの計測

歯槽基底弓と排列する歯の大きさとの不調和の程度を調べる指標として，**アーチレングスディスクレパンシー**が用いられる．これは，**アベイラブルアーチレングス**

セットアップモデル（予測模型）

セットアップモデルとは，矯正歯科治療後の歯列･咬合関係を予測して製作する模型のことです．初診時の口腔模型（**左図**）から複製（複模型）をつくり，個々の歯を分割してワックス上で再排列させることで製作します（**右図**）．

セットアップモデルから歯の移動量や移動方向を確認したり，抜歯による治療に際して固定源の強度などをシミュレートし，診断時における治療方針の立案，および患者・保護者への説明に利用します．

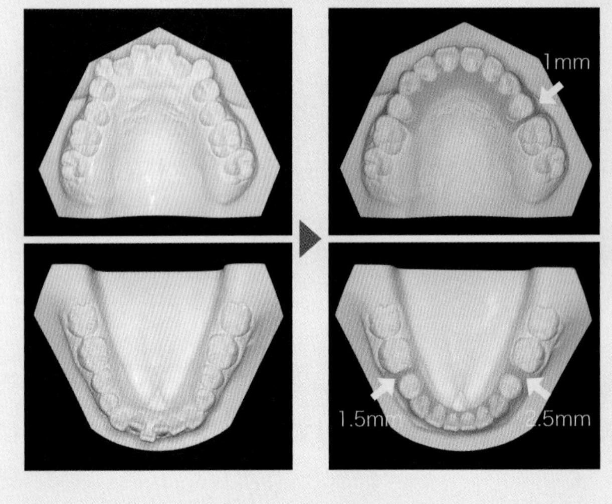

図 初診時口腔模型（上下顎叢生症例）とセットアップモデル
左：初診時の口腔模型．
右：同セットアップモデル．叢生症例について診断した結果，上下顎両側第一小臼歯の抜去が必要と判断された．セットアップモデルにより前歯部叢生の改善後，上顎で左側 1 mm，下顎で左側 2.5 mm，右側 1.5 mm の臼歯の近心移動が許容されることがわかる．

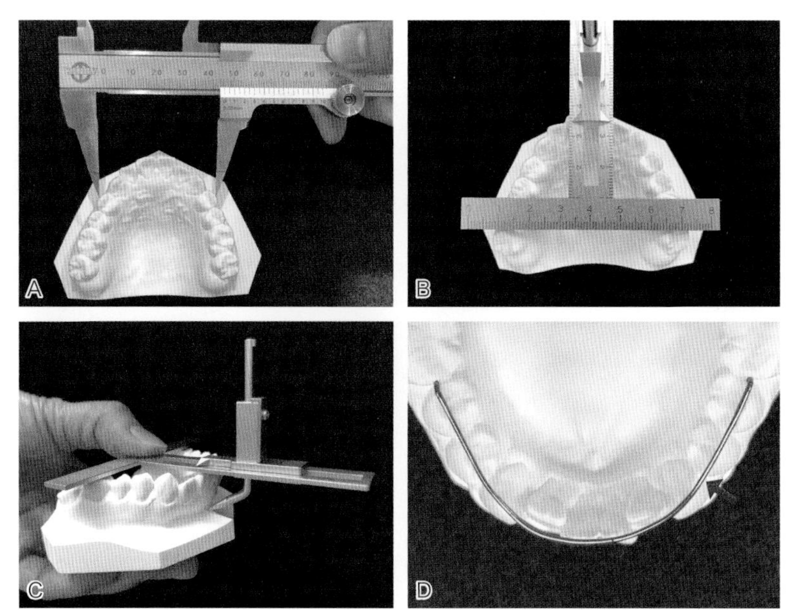

図Ⅰ-4-11 **平行模型を用いた計測**
A：歯列弓幅径の計測，B：歯列弓長径の計測，C：歯槽基底弓長径の計測．
D：アベイラブルアーチレングス（歯列弓周長）の計測．ブラスワイヤー（➡）を用いて，左右の第一大臼歯（6）近心面から小臼歯咬頭頂，犬歯尖頭および切歯切縁を連ねた放物線をつくり，このブラスワイヤーの長さを計測する．

（歯列弓周長）と，**リクワイアードアーチレングス**（片側の第二小臼歯から反対側の第二小臼歯までの歯冠近遠心幅径の総和）の差として算出される（p.71 参照）．

アベイラブルアーチレングスの計測法としては，ブラスワイヤーを用いて行う方法が一般的である（図Ⅰ-4-11-D）．

5. 画像検査

顎顔面頭蓋を構成する骨の構造，歯の位置関係，歯軸傾斜および歯根の状態などを把握するために，各種エックス線写真やCT画像，MRI画像を撮影する．

1）パノラマエックス線写真（図Ⅰ-4-12-A）

上下顎歯列の状態，永久歯の萌出方向，歯根の平行性，歯槽骨の状態，歯数の異常，歯胚形成の確認に有用である．また，上顎骨，下顎骨および顎関節なども観察できる．

2）デンタルエックス線写真（図Ⅰ-4-12-B）

10枚法と14枚法がある．歯列全体の観察はパノラマエックス線写真で可能だが，歯根の長さ，歯根吸収の有無，歯根尖の形態，歯槽骨の状態，歯根膜腔の拡大の有無などの精査が必要な場合に撮影する．

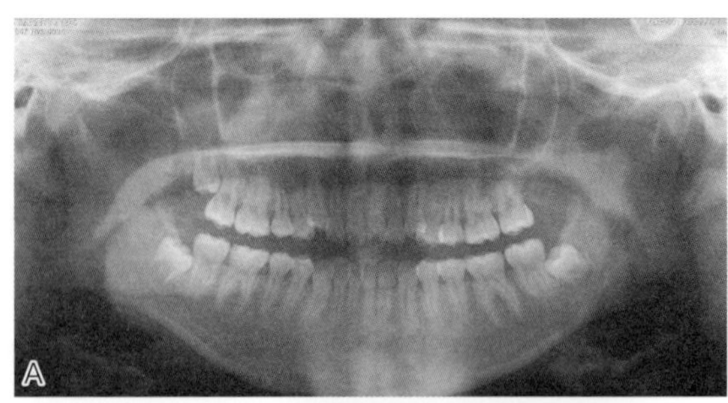
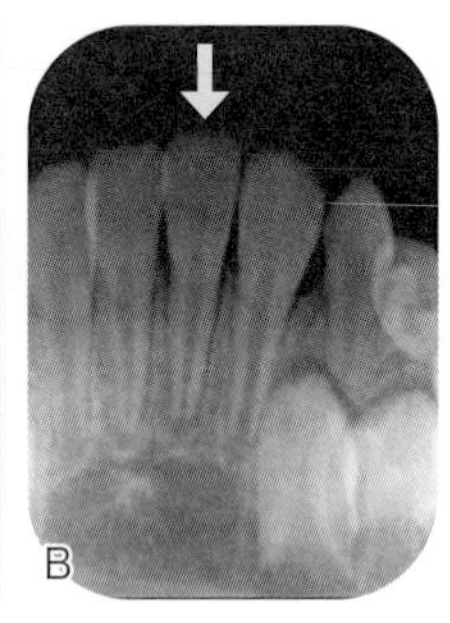
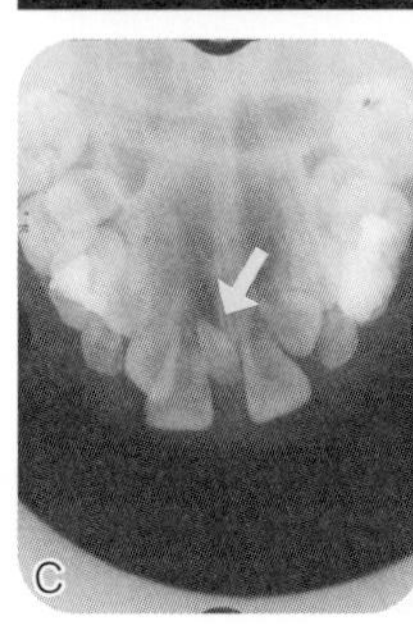
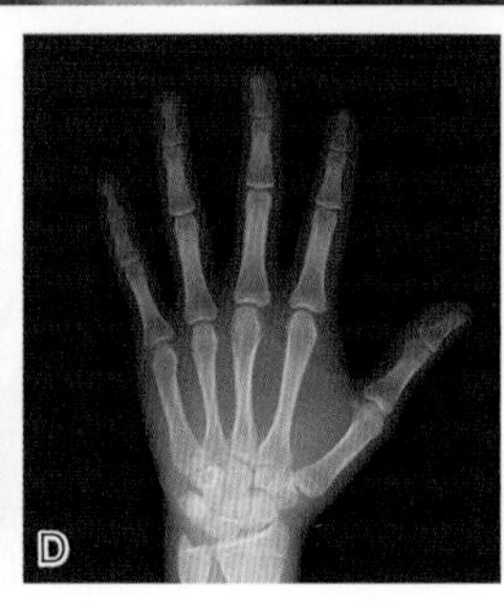

図Ⅰ-4-12　**各種エックス線写真**
A：パノラマエックス線写真.
B：デンタルエックス線写真. 下顎左側中切歯（⌈1，矢印）に歯根膜腔の拡大を認める.
C：オクルーザルエックス線写真. 正中埋伏過剰歯（矢印）を認める.
D：手根骨エックス線写真.

3）オクルーザルエックス線写真（咬合法エックス線写真，図Ⅰ-4-12-C）

過剰歯・埋伏歯の位置や方向の確認，口唇裂・口蓋裂の裂隙の状態の把握，あるいは急速拡大時における正中口蓋縫合の離開の確認などに用いられる.

Link
手根骨エックス線写真
p.17

4）手根骨エックス線写真（図Ⅰ-4-12-D）

成長発育期における全身の骨成熟度の判定に有用である. 骨核の出現，骨端核の骨化の程度などにより判断する. また，母指尺側種子骨（ぼししゃくそくしゅしこつ）の出現などを指標として，思春期性最大成長の時期を推定する.

5）CT および MRI 画像

顎顔面頭蓋領域の三次元的な骨構造の把握には，CT 画像が有用である（図Ⅰ-4-13-A）. また，埋伏歯の隣在歯歯根への影響の精査などにはコーンビーム CT 画像（図Ⅰ-4-13-B）を，顎関節における関節円板の位置や状態の精査には MRI 画像（図Ⅰ-4-13-C）をそれぞれ撮影する.

6）頭部エックス線規格写真

頭部エックス線規格写真（セファログラム）は，エックス線管，イヤーロッドを外耳道に入れて頭部を固定した被写体（患者），フィルム（デジタル装置ではイメージングプレート）間の距離を常に一定に保ち，エックス線の中心線が左右のイヤーロッドの中心部を通るように設定した装置を用いて撮影する（図Ⅰ-4-14）. 得られた写真の拡大率は 1.1 倍である.

撮影方向により正面と側面の頭部エックス線規格写真が得られる. 得られたエックス線写真をトレース台（ライトボックス）上にのせ，その上にトレーシングペー

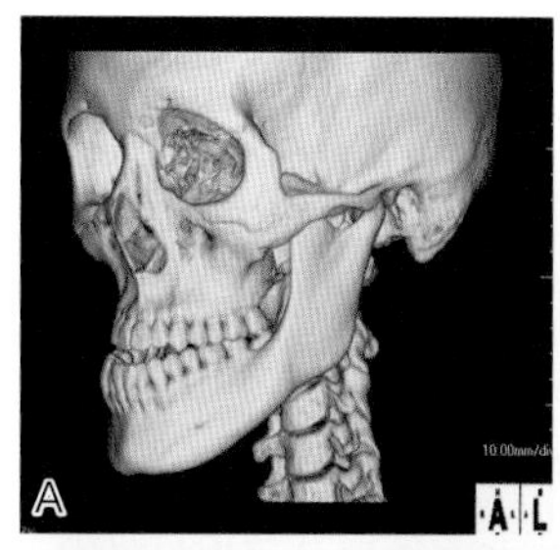

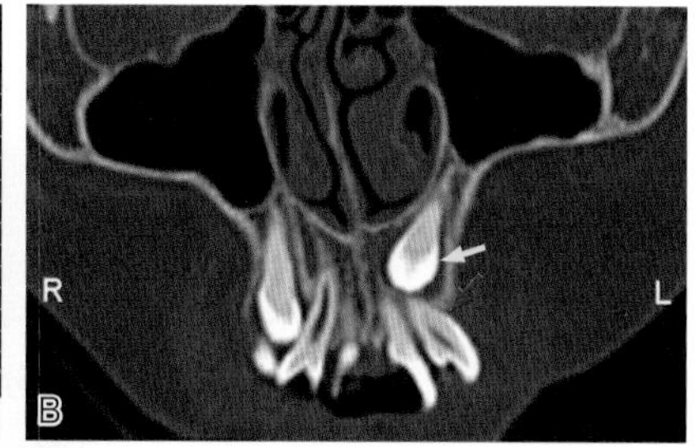

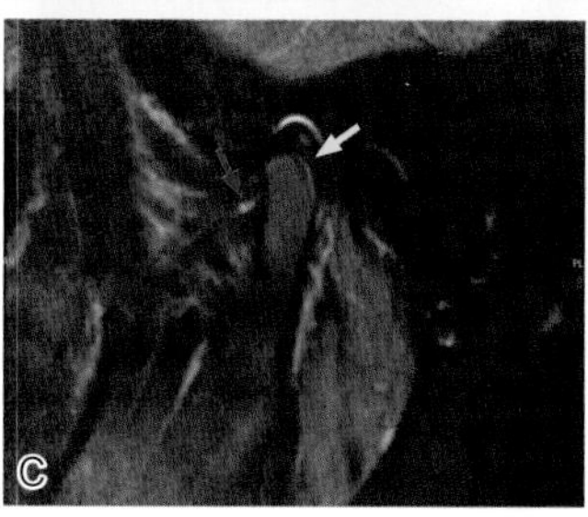

図Ⅰ-4-13　**CT および MRI 画像**
A：CT 画像．開咬を伴う骨格性下顎前突の三次元的な構造がわかる．
B：埋伏歯の位置の精査を目的としたコーンビーム CT 画像．上顎左側埋伏犬歯（|3，⇨）尖頭部に近接する左側側切歯（|2，➡）根尖との位置関係や影響の有無がわかる．
C：顎関節部の MRI 画像．左側下顎頭（⇨）および関節円板（➡）の位置関係がわかる．

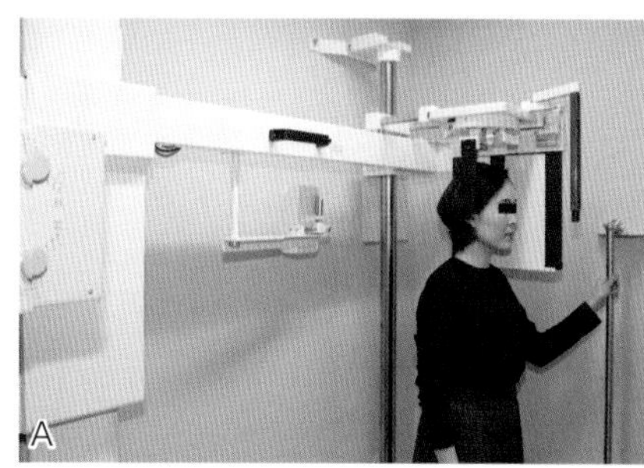

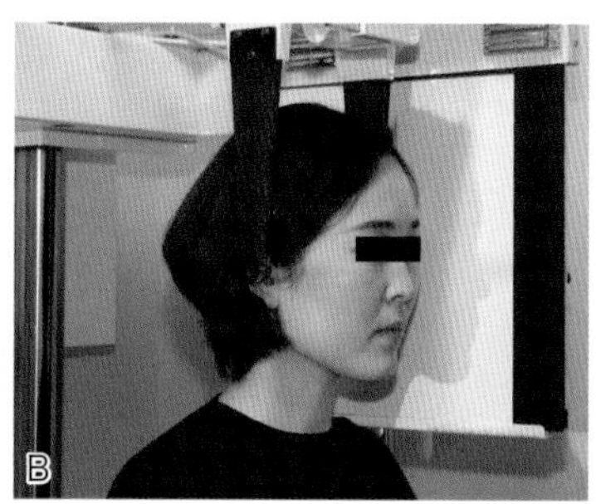

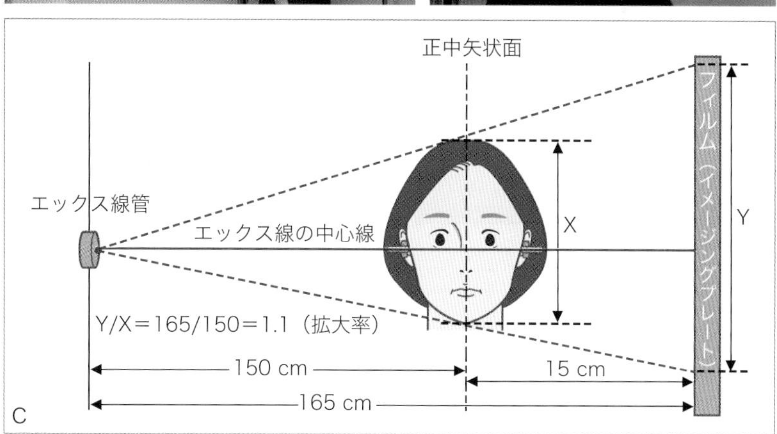

図Ⅰ-4-14　**頭部エックス線規格写真の撮影**
A：被写体（患者）の正面と左側にフィルム（イメージングプレート）が置かれ，右側にあるエックス線管よりエックス線を照射する．
B：被写体およびフィルム部分の拡大図．
C：頭部エックス線規格写真の撮影条件．

パーを置いてテープで固定し，やや硬めの鉛筆を用いて，トレーシングペーパー上で計測に必要な顎顔面頭蓋領域の硬組織と軟組織の外形線，ならびに計測点と計測平面をトレースする．

正面頭部エックス線写真からは主に正貌の対称性を評価でき，側面頭部エックス線写真からは顎顔面頭蓋を構成する骨の形態的特徴や前後的位置関係，および上下顎切歯の歯軸傾斜などが評価できる（図Ⅰ-4-15）．本項では，特に症例分析に広く用いられる**側面頭部エックス線規格写真分析**について紹介する．

(1) 側面頭部エックス線規格写真分析

計測点と計測平面（図Ⅰ-4-16）からなる各種計測項目（図Ⅰ-4-17）を利用して，頭蓋に対する上顎骨・下顎骨それぞれの位置関係や形態的特徴，上下顎骨の相対的位置関係，上下顎中切歯の歯軸傾斜，上下顎大臼歯の前後的な位置や相対的関係などについて評価する．

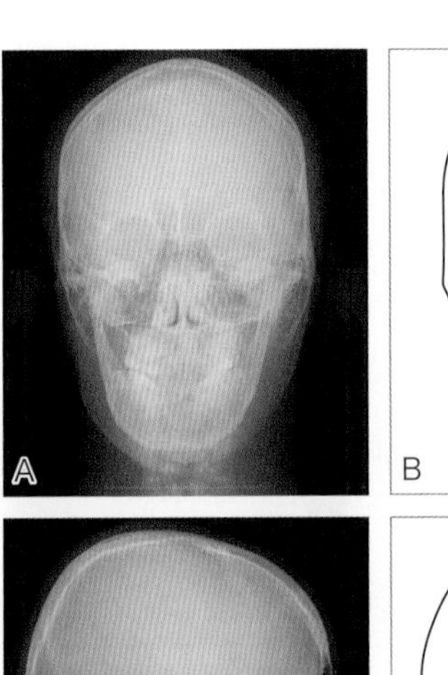

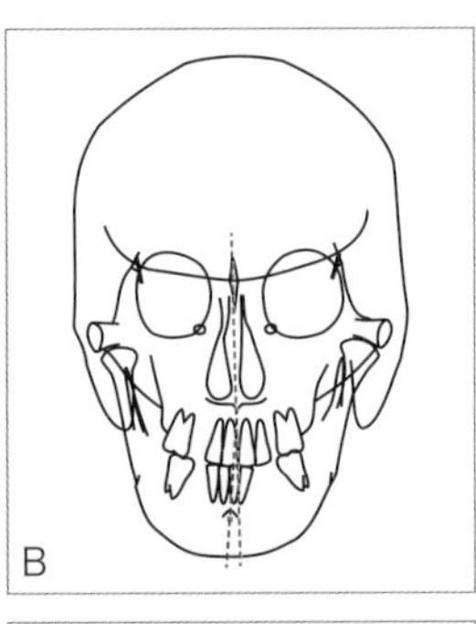

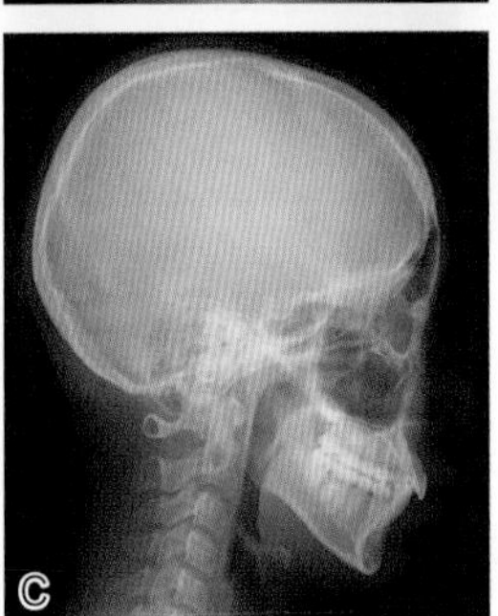

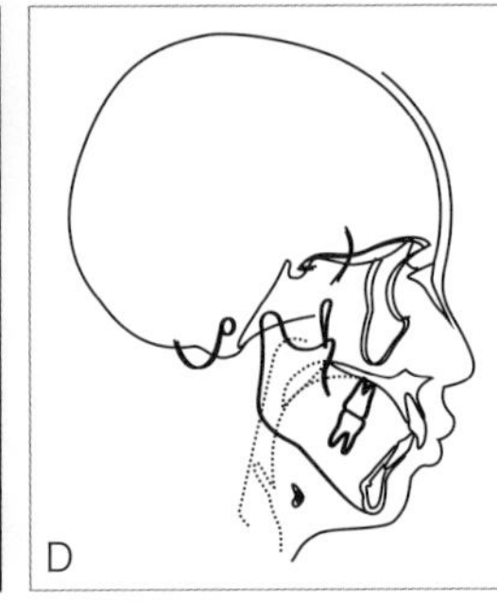

図Ⅰ-4-15　**頭部エックス線規格写真とそのトレース**

AB：正面頭部エックス線規格写真とそのトレース．前鼻棘とオトガイ点を結ぶ線（赤点線）が正中基準線（青点線）から右方向にずれ，下顎骨の右方偏位と，上下顎歯列正中の不一致が観察される．

CD：側面頭部エックス線規格写真とそのトレース．顎顔面頭蓋部の骨や歯（第一大臼歯・中切歯）および口唇，軟組織オトガイ部，舌，軟口蓋，気道の形態などを明らかにできる．

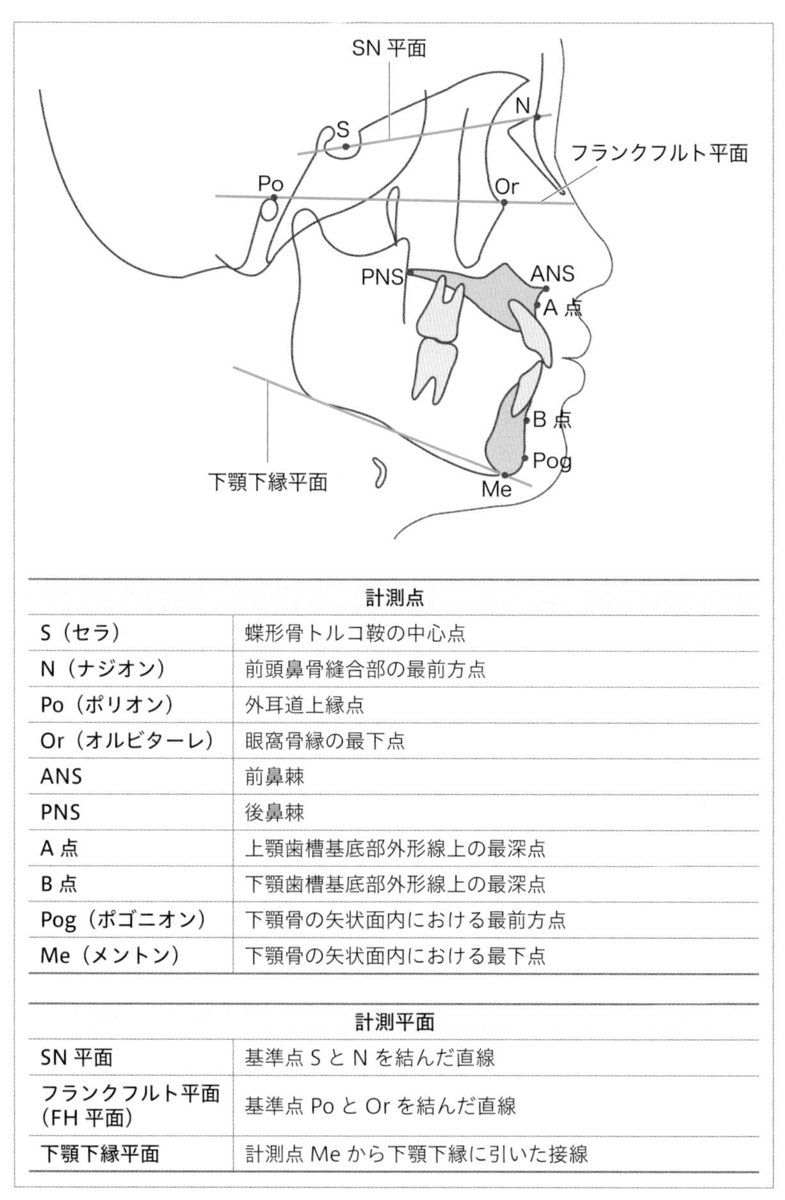

計測点	
S（セラ）	蝶形骨トルコ鞍の中心点
N（ナジオン）	前頭鼻骨縫合部の最前方点
Po（ポリオン）	外耳道上縁点
Or（オルビターレ）	眼窩骨縁の最下点
ANS	前鼻棘
PNS	後鼻棘
A 点	上顎歯槽基底部外形線上の最深点
B 点	下顎歯槽基底部外形線上の最深点
Pog（ポゴニオン）	下顎骨の矢状面内における最前方点
Me（メントン）	下顎骨の矢状面内における最下点

計測平面	
SN 平面	基準点 S と N を結んだ直線
フランクフルト平面（FH 平面）	基準点 Po と Or を結んだ直線
下顎下縁平面	計測点 Me から下顎下縁に引いた接線

図Ⅰ-4-16　**側面頭部エックス線規格写真分析の主な計測点と計測平面**

SN 平面
フランクフルト平面
S
N
①
②
④
A 点
下顎下縁平面
B 点
③

骨格系	
① SNA 角	SN 平面と, N と A 点とを結んだ直線（NA）とのなす角度. 頭蓋に対する上顎歯槽基底部の前後的な位置について評価する.
② SNB 角	SN 平面と, N と B 点とを結んだ直線（NB）とのなす角度. 頭蓋に対する下顎歯槽基底部の前後的な位置について評価する.
③ ANB 角	直線 NA と直線 NB とのなす角度. 上下顎歯槽基底部の前後的な相対関係について評価する.
④下顎下縁平面角	フランクフルト平面と下顎下縁平面とのなす角度. 上顔面に対する下顎下縁の傾斜度を評価する.

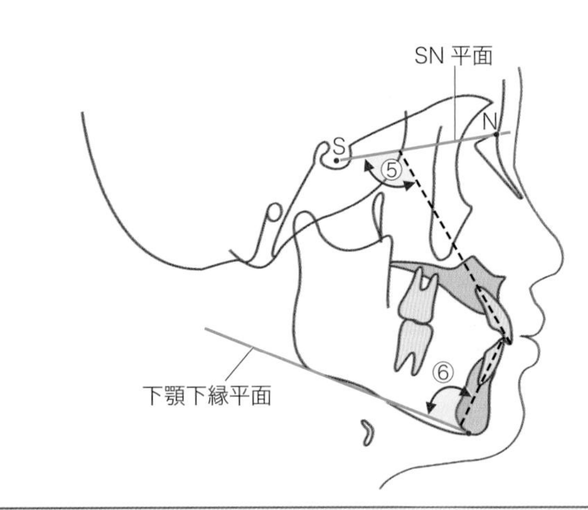

歯系	
⑤ SN 平面に対する上顎中切歯歯軸傾斜角	頭蓋に対する上顎中切歯の歯軸の傾斜度を評価する.
⑥下顎下縁平面に対する下顎中切歯歯軸傾斜角	下顎骨体に対する下顎中切歯の歯軸の傾斜度を評価する.

図 I -4-17　**側面頭部エックス線規格写真分析の主な計測項目**

③ 機能的検査・分析

顎口腔機能の検査は，下顎運動や咀嚼筋活動，咬合力，口唇閉鎖力などの口腔機能を把握するために行う検査であり，不正咬合の原因究明や矯正歯科治療における診断，治療方針・治療計画の立案にも有用な情報が得られる．

1. 下顎運動の検査

動画 I-4-①

顎運動測定装置を用いて，開閉口時やガム咀嚼時の下顎の運動経路を記録し，下顎の偏位や咀嚼運動パターンを評価する（図 I-4-18，▶**動画 I-4-①**）．

なかでも早期接触により下顎が前方に偏位して下顎前突となった場合を機能性下顎前突といい，成長に伴って骨格性の異常を引き起こす可能性があるため，下顎運動の検査を行い，早期に改善することが望ましい（p.57 参照）．

2. 筋機能検査

筋機能検査では筋電図計を用いて，咀嚼，嚥下，発語における咀嚼筋の筋活動の状態を記録し，評価する（図 I-4-19）．

3. その他の口腔機能検査

1）咬合力

動画 I-4-②

咬合力の測定には，薄いシート状の感圧フィルムを口腔内で咬ませて，専用の解析ソフトで測定する方法がある（図 I-4-20，▶**動画 I-4-②**）．

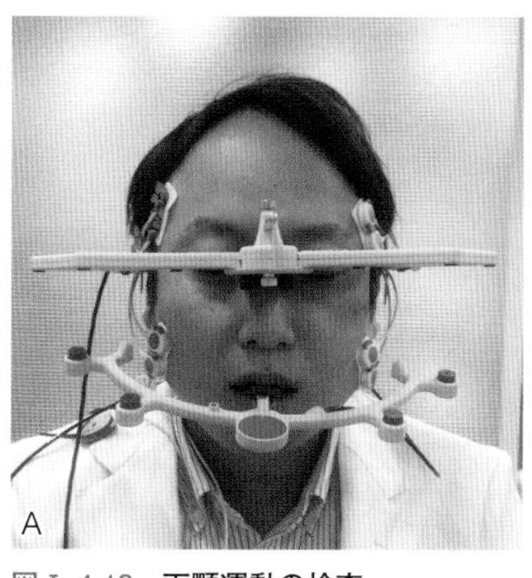

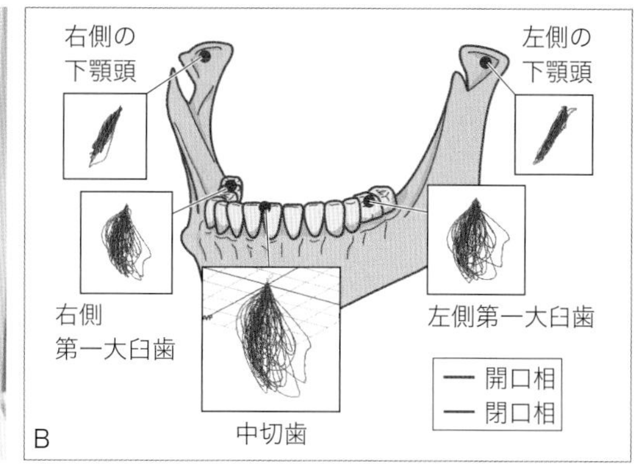

図 I-4-18　**下顎運動の検査**
A：顎運動測定装置．
B：ガムを咀嚼させ，咀嚼中の下顎中切歯（1|1），下顎第一大臼歯（6|6），下顎頭の運動経路を記録する．

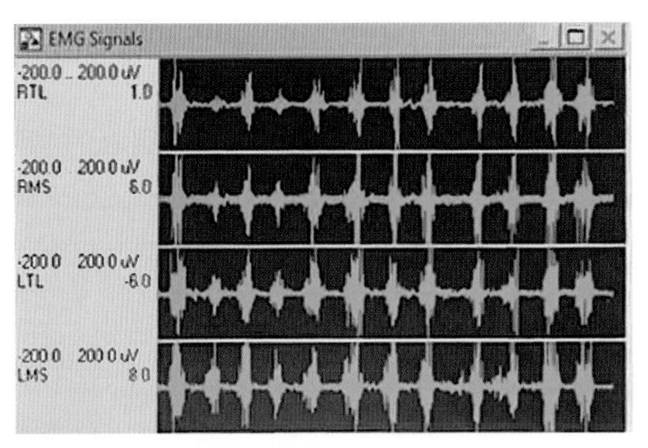

図Ⅰ-4-19　**ガム咀嚼時の咀嚼筋の筋電図**
上から右側側頭筋，右側咬筋，左側側頭筋，左側咬筋の筋電図を示している．

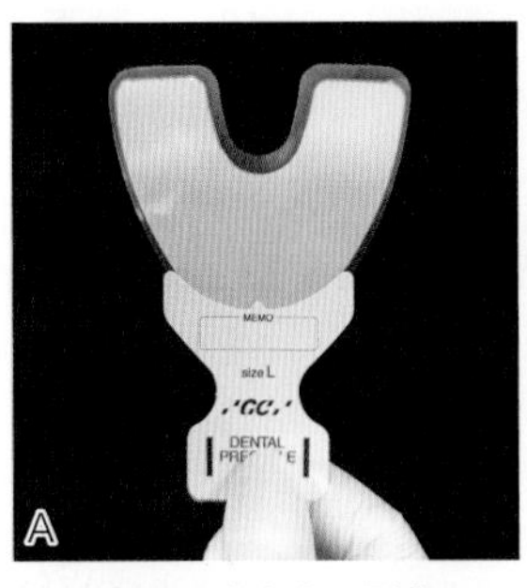

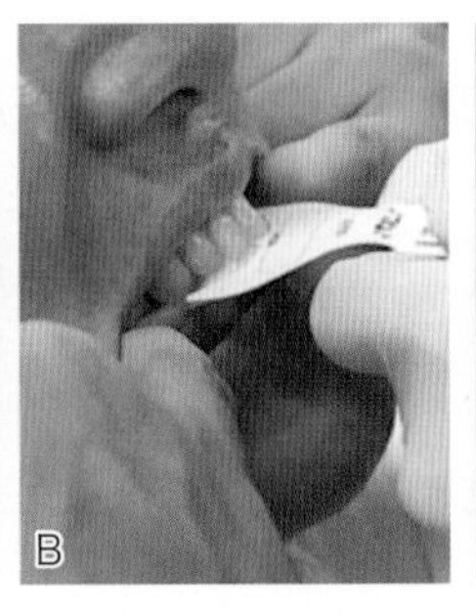

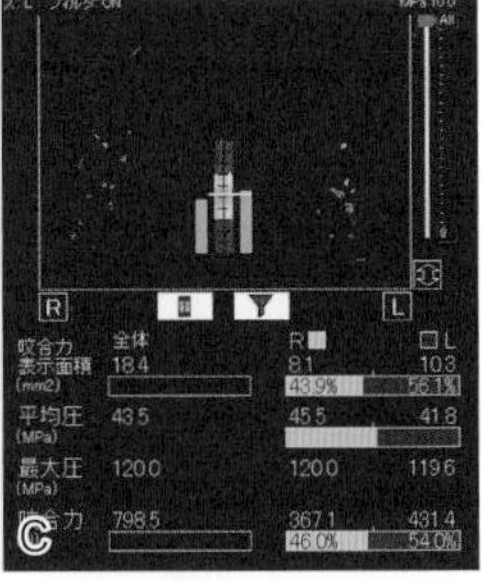

図Ⅰ-4-20　**咬合力の測定**
A：咬合力測定システム用フィルム．
B：フィルムを3秒間，最大咬合力で咬んでもらう．
C：解析ソフトによる測定結果．

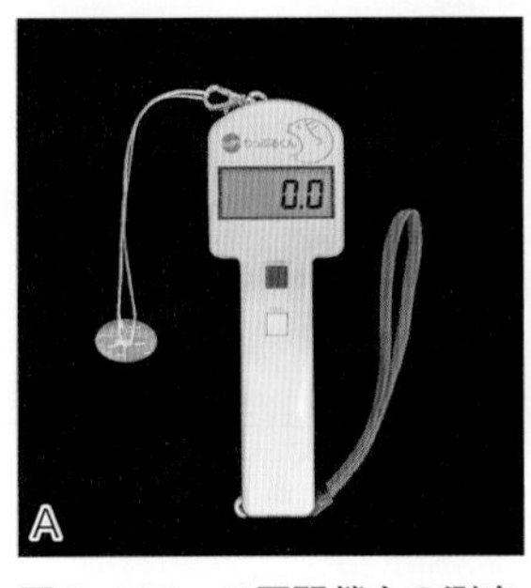

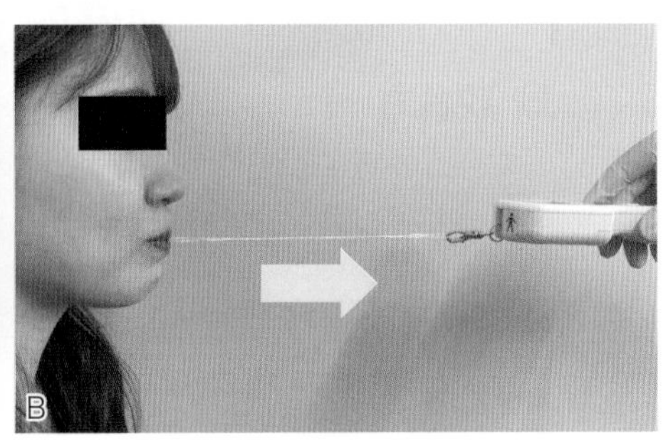

図Ⅰ-4-21　**口唇閉鎖力の測定**
A：装着具を結び付けた口唇閉鎖力測定器．
B：口唇閉鎖力の測定時の様子．歯と口唇の間に装着具を装着し，口腔内から装着具が引き出されるまで測定器を引っ張る．

2）口唇閉鎖力

口唇閉鎖力の測定は，口唇閉鎖不全の検査のために行われる．測定は口唇閉鎖力測定器を用いて行い，年齢と性別に応じた標準値と比較して診断する（図Ⅰ-4-21，▶**動画Ⅰ-4-③**）．口唇閉鎖力が低い値を示し，安静時や摂食時に口唇閉鎖を認めない場合，口唇閉鎖力が不足していると診断する．

動画 Ⅰ-4-③

 矯正歯科治療における抜歯

一般に，歯科治療ではできるだけ歯を保存することが目標となる．しかし矯正歯科治療では，被蓋関係や咬合関係，歯と顎骨の不調和（ディスクレパンシー），顔貌の審美性などを改善して正常咬合を獲得し，さらに治療後に安定させることを目的として，抜歯を行うことがある．

1. 抜歯の適応

歯を抜かずに治療する方法には限界がある．例えば著しい叢生があるにも関わらず，無理に歯を排列すると，後戻りなどの為害作用を引き起こす原因となる．そのため，頭部エックス線規格写真や口腔模型などの分析によって，治療目標を達成するためには抜歯が最良の選択であると診断され，かつ患者や保護者の同意が得られた場合に，抜歯が適応される．

2. アーチレングスディスクレパンシーの算出

混合歯列期でもまれに連続抜去法による抜歯が選択される場合もあるが（後述），一般的に永久歯の抜去の必要性や抜歯する部位は，永久歯列期に判断する．

まず利用できる歯列弓の長さとして，両側の第一大臼歯の近心面間の歯列弓周長（アベイラブルアーチレングス）を口腔模型から測定する（p.63 参照）．次に，必要な歯列弓の長さを調べるために，片側の第二小臼歯から反対側の第二小臼歯まで

矯正歯科治療における抜歯の歴史的背景

19 世紀末まで，矯正歯科治療のために永久歯を抜去することは，必要な状況であればやむを得ないことと認識されていました．例えば 1880 年には Kingsley〈キングスレー〉が，上顎前突の治療で上顎両側第一小臼歯の抜去を推奨しています．

ところが 20 世紀初頭に Angle〈アングル〉は，臨床経験に基づいて，叢生歯列でも抜歯をせずに歯列弓を拡大することが可能で，咀嚼による機能的刺激によって歯を支持する顎骨が成長すると主張しました．この極端な考え方は発表直後から批判されましたが，患者にとって魅力的な学説であったため，広く支持されました．

しかし 1923 年に，Lundström〈ルンドストローム〉が「矯正歯科治療では歯を支える骨の大きさまで変えることはできない」という「歯槽基底論」を提唱しました．その後，Angle の弟子であった Tweed〈ツイード〉も，抜歯しない治療後は口元の突出した顔貌や叢生の再発に悩みました．そこで抜歯の必要性を調べる診断基準を提案しました．

現在では，抜歯の必要性や客観的な診断基準の重要性は，広く認識されています．

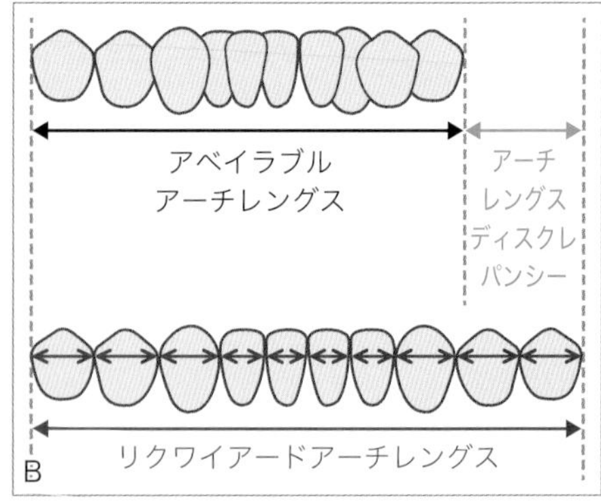

図Ⅰ-4-22　**リクワイアードアーチレングスとアベイラブルアーチレングス，アーチレングスディスクレパンシーの関係**

A：アベイラブルアーチレングスは歯列弓周長の測定から求められる．リクワイアードアーチレングスは，片側の第二小臼歯から反対側の第二小臼歯までの10歯の歯冠近遠心幅径（↔）を測定して合算する．叢生のある歯列であれば，リクワイアードアーチレングスは治療後に排列した長さに相当する．

B：アーチレングスディスクレパンシー（↔）は，アベイラブルアーチレングス（↔）からリクワイアードアーチレングス（↔）を引くことで算出できる．図のように，この値がマイナスの場合に叢生と判定される．

の歯冠近遠心幅径を測定して合算する．この値をリクワイアードアーチレングスという．そして，アベイラブルアーチレングスからリクワイアードアーチレングスの値を引き，**アーチレングスディスクレパンシー**を算出する（図Ⅰ-4-22）．

叢生のある歯列では，アーチレングスディスクレパンシーは歯の排列スペースの不足を意味する負の値（−）をとり，空隙歯列弓の場合は，余ったスペースを意味する正の値（＋）をとる．

3. 抜歯の部位と本数

前歯部叢生の改善のために，上下顎の第一小臼歯を抜去することが多い．また，重度のう蝕歯は抜去の対象となりやすく，咬合関係の改善を目的に他の永久歯が選択される場合もある．

4. 連続抜去法

混合歯列期前期で，すでに永久歯列期における著しい叢生が予想され，骨格や臼歯部の咬合関係に問題のない場合に，①乳犬歯→②第一乳臼歯→③第一小臼歯の順で計画的に抜去することで，叢生の発生を予防する**連続抜去法**が選択されることがある．

しかし，骨格の成長を予想することは難しく，また抜去した第一小臼歯の隣在歯の位置異常（大臼歯の近心傾斜，犬歯の遠心傾斜）が生じることが多いため，慎重に判断する必要がある．このため，現在では適応されることはまれである．

5 検査と診断に関わる歯科診療の補助

1. 顔面写真の撮影

動画 I-4-④

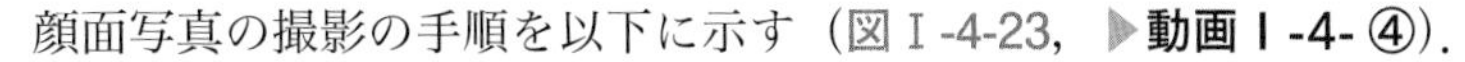

顔面写真の撮影の手順を以下に示す（図 I-4-23，▶**動画 I-4-④**）.

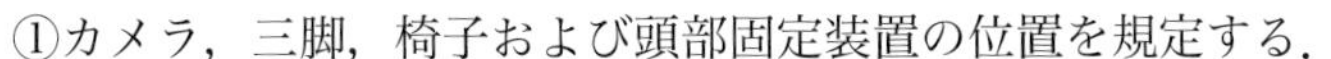

①カメラ，三脚，椅子および頭部固定装置の位置を規定する.

②患者の額と耳が見えるように，頭髪をピン留め，あるいは束ねる.

③左右の外耳孔に頭部固定用のイヤーロッドを挿入し，フランクフルト平面と床面を平行にして正視させる.

④カメラレンズの高さを目の高さに合わせる.

⑤咬頭嵌合位あるいは下顎安静位の状態で正貌，側貌，斜位 45°，微笑を指示し，撮影する.

⑥撮影日，診療録番号，患者氏名を記録し，症例別にデータを保管，整理する.

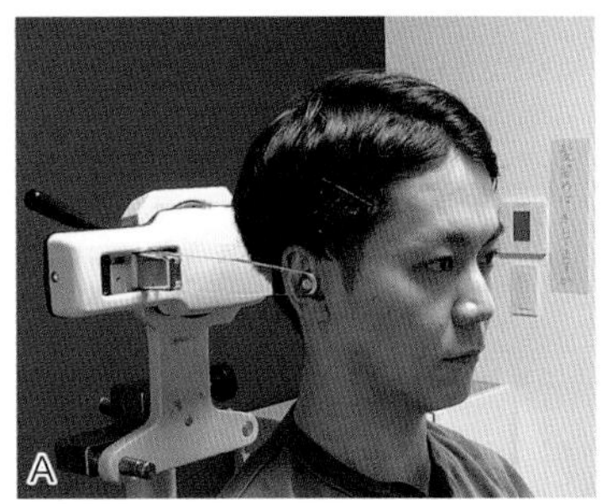

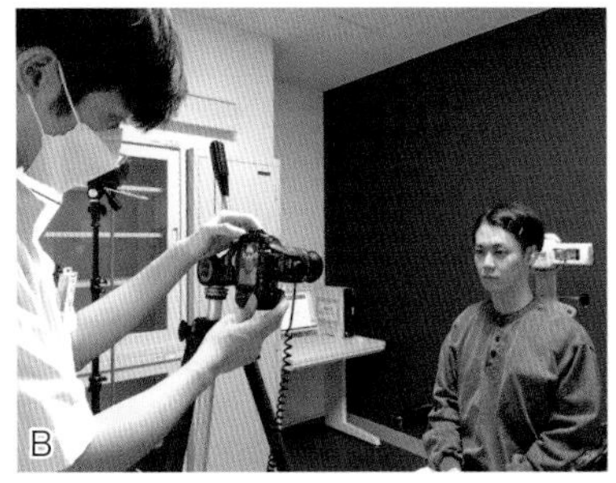

図 I-4-23 **顔面写真撮影の手順**
A：イヤーロッドで頭部を固定し，フランクフルト平面と床面を平行に位置づけて正視させる.
B：規定の距離で撮影する.

2. 口腔内写真の撮影

動画 I-4-⑤

口腔内撮影用のカメラを使用し，フラッシュやレンズにも専用品を用いる．口腔内写真の撮影の手順を図 I-4-24 に示す（▶**動画 I-4-⑤**）.

3. 印象採得と口腔模型の製作・保管

矯正歯科治療では口腔模型を製作し，抜歯の必要性や歯の移動量の算定といった治療方針の立案のための資料とする．また口腔模型は，治療前後の咬合の変化の記録としても重要である.

動画 I-4-⑥

矯正診断用の口腔模型は，歯と歯槽の形態の評価のために歯槽基底部，つまり歯肉頬移行部（口腔前庭最深部）まで再現する必要があり，印象採得の際には歯肉頬移行部までの記録が必要となる（図 I-4-25，▶**動画 I-4-⑥**）．冷水などで硬化時

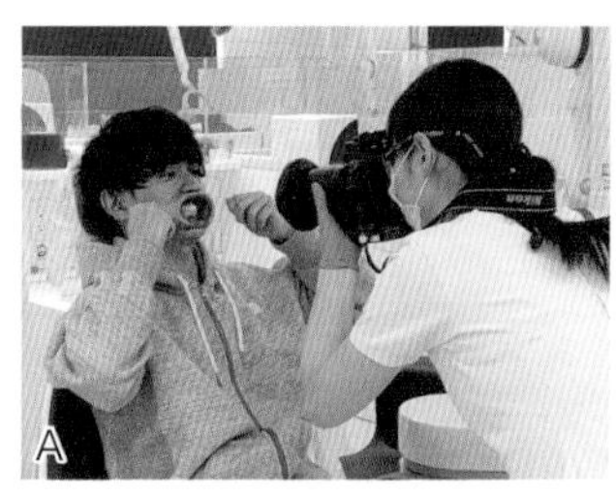

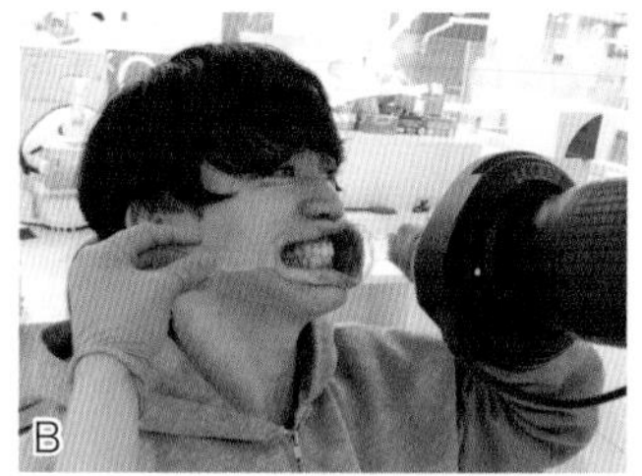

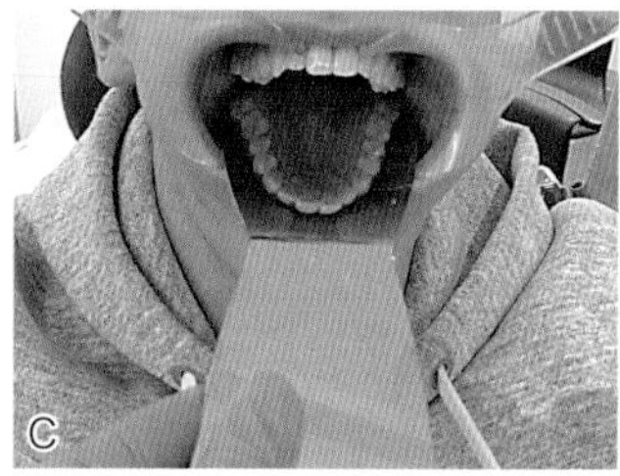

図Ⅰ-4-24 **口腔内写真撮影の手順**
A：撮影時の姿勢（座位）.
B：右側面観の撮影（顔を左に約30°向け，右側臼歯部の口角鉤を大きく引っぱる）.
C：咬合面観（上顎）の撮影．口角鉤を装着し上唇を斜め上に引っぱり，その後にミラーを傾けて口腔内に挿入する．ミラー両端を口腔内で確認し，開口させ，咬合面とミラーとの角度を大きく保持する．

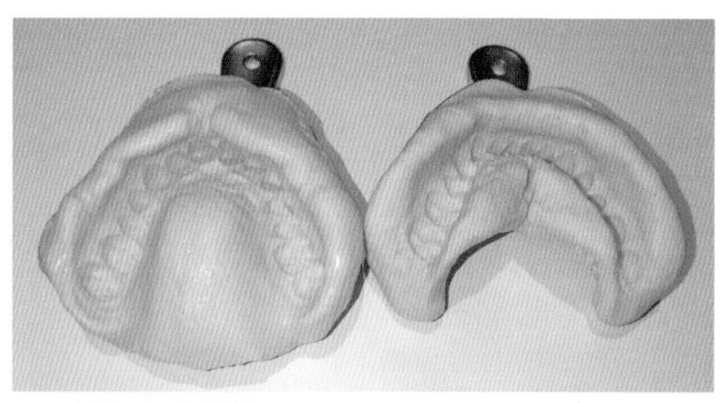

図Ⅰ-4-25 **採得した印象**
歯肉頬移行部まで採得する．

図Ⅰ-4-26 **口腔模型の保管**
患者ごとに模型箱に入れ，高温・多湿を避けて保管する．

動画 Ⅰ-4-⑦

間を延長したアルジネート印象材を用いて印象採得を行ったのち，硬石膏を注入して口腔模型を製作する（▶**動画Ⅰ-4-⑦**）．

口腔模型の種類として，平行模型（p.60～61参照）と顎態（がくたい）模型*がある．模型などの検査資料は症例別に番号をラベリングし，長期保管を考慮した管理を行う．鍵のかかる部屋，または専用の倉庫に保管することが望ましい（図Ⅰ-4-26）．

***顎態模型**
顎態模型とは，3つの平面（正中矢状平面，フランクフルト平面，眼窩平面）が再現された模型のことです．

参考文献

1）齋藤　功：矯正歯科治療の基本概念と他科との協同治療．歯科審美，24（2）：75 ～ 82，2012．
2）飯田順一郎ほか編：歯科矯正学 第 6 版．医歯薬出版，2019．
3）Proffit WR, et al.：Contemporary Orthodontics. 5th ed. Elsevier-Mosby, St. Louis, 2013.
4）日本歯科医学会：口腔機能発達不全症に関する基本的な考え方（令和 2 年 3 月）．https://www.jads.jp/basic/pdf/document-200401-3.pdf
5）全国歯科衛生士教育協議会監修：歯科衛生学シリーズ 歯科矯正学．医歯薬出版，2023．
6）葛西一貴，新井一仁，須田直人ほか編：新・歯科衛生士教育マニュアル 歯科矯正学．クインテッセンス出版，東京，2015．
7）清水典佳，鈴木里奈：歯科国試パーフェクトマスター 歯科矯正学 第 2 版．医歯薬出版，2022．
8）Kingsley NW：A treatise on oral deformities as a branch of mechanical surgery. D. Appleton, 1880.
9）Angle EH：Treatment of malocclusion of the teeth. The S. S. White Dental Manufacturing Co, 1907.
10）Lundström AF：Malocclusion of the teeth regarded as a problem in connection with the apical base. International Journal of Orthodontia, Oral Surgery and Radiography, 11（12）：1109-1133, 1925.
11）W. R. Proffit：新版 プロフィトの現代歯科矯正学．クインテッセンス出版，東京，2004．
12）宮下邦彦：カラーアトラス X 線解剖学とセファロ分析法．クインテッセンス出版，東京，1986．
13）熊谷　崇，熊谷ふじ子，鈴木昇一：新 口腔内写真の撮り方 第 2 版．医歯薬出版，2012．
14）後藤滋巳，氷室利彦，槇　宏太郎ほか：チェアサイド・ラボサイドの 矯正装置ビジュアルガイド．医歯薬出版，2004．
15）全国歯科技工士教育協議会編：最新歯科技工士教本 矯正歯科技工学．医歯薬出版，2017．

5章 矯正歯科治療における生体力学と生体反応

到達目標

❶ 器械的矯正力と機能的矯正力を説明できる.
❷ 顎整形力を説明できる.
❸ 最適な矯正力（至適矯正力）を説明できる.
❹ 矯正力の作用様式による分類を説明できる.
❺ さまざまな歯の移動様式を説明できる.
❻ 固定の位置や抵抗の性質を説明できる.
❼ 矯正力と歯の移動時の生体反応を説明できる.

1 矯正力の種類

歯や顎に対して加えられる力を矯正力という. ある一定期間, 矯正力を加えることによって, 歯の移動や顎の位置変化（成長促進や成長抑制）が起こる. 歯の移動のみに限局した場合を「狭義の矯正力」といい, 顎の移動や成長をコントロールする矯正力（顎整形力）を含めた場合を「広義の矯正力」という.

矯正力は, 作用目的や大きさ, 作用様式などによって分類される.

1. 矯正力の作用目的による分類

1）歯の移動を目的とする矯正力

狭義の「矯正力」とは, 歯を移動するために加える力のことであり, 利用する矯正力の種類によって, **器械的矯正力**（きかいてき）と**機能的矯正力**（きのうてき）に分類される.

(1) 器械的矯正力

矯正力のうち, 矯正用の各種ワイヤー, エラスティックやその他の高分子材料, コイルスプリング（バネ）などの弾性力により発揮されるものを器械的矯正力という. 具体的には以下の３種類に分類できる.

①**金属線の弾性によるもの：**矯正用ワイヤー（丸線, 角線）, コイルスプリング
②**高分子材料の弾性によるもの：**エラスティックチェーン, 顎間ゴムなど
③**その他：**拡大ネジなど

(2) 機能的矯正力

筋の機能力をエネルギーとして用いる矯正力を, 機能的矯正力という. 具体的には咀嚼筋, 頰筋, 口輪筋などがあげられ, これらの筋の機能力が, 矯正装置を介して歯や顎骨に作用する.

表Ⅰ-5-1　顎整形力を発揮する矯正装置

上顎骨への顎整形力	下顎骨への顎整形力
・上顎前方牽引装置（成長促進） ・ヘッドギア（成長抑制） ・急速拡大装置（成長促進）	・チンキャップ（成長抑制）

※装置の詳細はⅠ編6章を参照.

機能的矯正力を発揮する矯正装置（機能的矯正装置）には，アクチバトール，バイオネーター，Fränkel装置，およびリップバンパーなどがある．その他，矯正装置を介さないものとして，患者自身によって行われる口腔筋機能療法〈MFT〉がある．

※各種矯正装置および材料の詳細はⅠ編6章，Ⅱ編1章を参照.

Link
縫合性成長
軟骨性成長
p.18

2）顎の移動を目的とする矯正力（顎整形力）

上下顎骨の成長や位置に問題がある患者に対して，顎骨の縫合性成長や軟骨性成長を制御することによって，上下顎骨の前後的・垂直的な位置や大きさのバランスをはかるために加えられる外力を，**顎整形力**（がくせいけいりょく）という．

顎整形力は成長発育期の患者に用いられ，骨格性の不調和を改善する（表Ⅰ-5-1）．顎骨の成長に影響を与えるため，比較的強い力が適用される．

2. 矯正力の大きさによる分類

1）弱い矯正力

弱い矯正力とは，最適な矯正力よりも小さな矯正力のことである．弱い矯正力が作用すると，歯根膜はわずかに充血をきたし，これに接している歯槽骨に**直接性骨吸収**が生じる（p.84参照）．歯は移動するが，移動量はわずかである．

2）最適な矯正力

動画
Ⅰ-5-①

歯の移動に最適な矯正力（**至適矯正力**（してき））とは，歯周組織に対して，歯の移動に適した変化を生じさせ，歯の移動速度が最大となるような力のことを指す（▶**動画Ⅰ-5-①**）．最適な矯正力が加えられたときには，長期にわたる自発痛や咬合痛などの自覚症状，打診痛や著しい歯の動揺がなく，最も効率よく歯の移動が行われる．

3）強い矯正力

強い矯正力とは，歯根膜組織が強く圧迫されることで血流障害が生じ，歯根膜が貧血状態となり，その部分が**硝子様変性**（しょうしようへんせい）に陥るような力のことを指す（p.84参照）．その際，歯の移動は正常には行われず，歯の移動速度が減少する．

3. 矯正力の作用様式による分類

矯正装置や材料の種類によって，矯正力は常に付与されるものと，一時的に付与されるものに分類できる．
※各種矯正装置および材料の詳細はⅠ編6章，Ⅱ編1章を参照．

1）持続的な力

矯正力の減弱していく程度が緩やかで，矯正力の作用する時間が連続する力のことを**持続的な力**という（図Ⅰ-5-1-A）．リンガルアーチの補助弾線，マルチブラケット装置のアーチワイヤー，コイルスプリング，エラスティックなどによる力がこれに該当する．

2）断続的な力

矯正力の減弱が急激で，比較的短時間で矯正力がゼロになる力のことを**断続的な力**という（図Ⅰ-5-1-B）．急速拡大装置の拡大ネジなどによる力がこれに該当する．

3）間歇的な力

装置が装着されている間だけ矯正力が働き，その他の時間は作用せず，このように矯正力の作用と中断が繰り返される力のことを**間歇（かんけつ）的な力**という（図Ⅰ-5-1-C）．アクチバトールなどの機能的矯正装置や，ヘッドギアなどの顎外固定装置のような可撤式の装置によって発揮される力である．

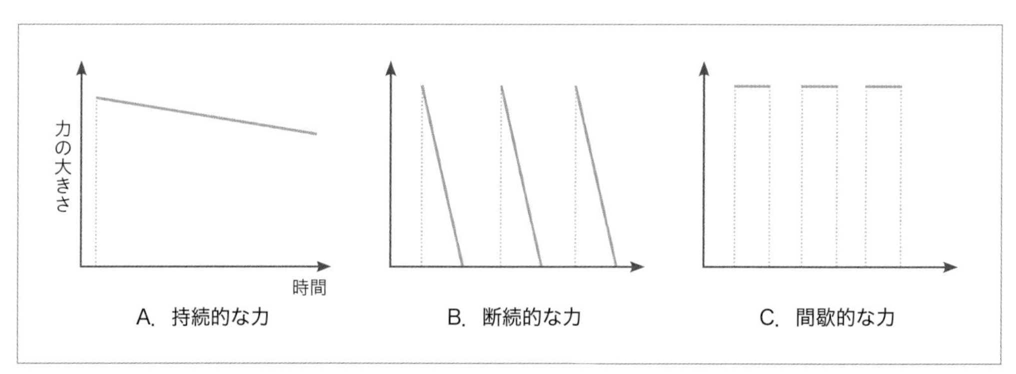

図Ⅰ-5-1　矯正力の作用様式

2 歯の移動様式

矯正力のかけ方により，歯はさまざまな移動様式を示す．

1）傾斜移動（図Ⅰ-5-2-A）

歯の長軸が傾斜を呈する移動様式であり，傾斜の方向には，近遠心方向と頰舌方向がある．

2）歯体移動（図Ⅰ-5-2-B）

歯が傾斜することなく，歯の長軸と平行に移動する様式である．

3）挺出（図Ⅰ-5-2-C）

歯の長軸に沿って，歯が歯槽から抜け出る方向に移動する移動様式である．

4）圧下（図Ⅰ-5-2-D）

挺出とは逆に，歯の長軸に沿って，歯槽方向に押し込むように移動する移動様式である．

5）回転（図Ⅰ-5-2-E）

歯の長軸を中心として，歯を回転させる移動様式である．

6）トルク（図Ⅰ-5-2-F）

歯冠部に頰舌的方向の回転力を加えることで，主に歯根を傾斜させる移動様式である．

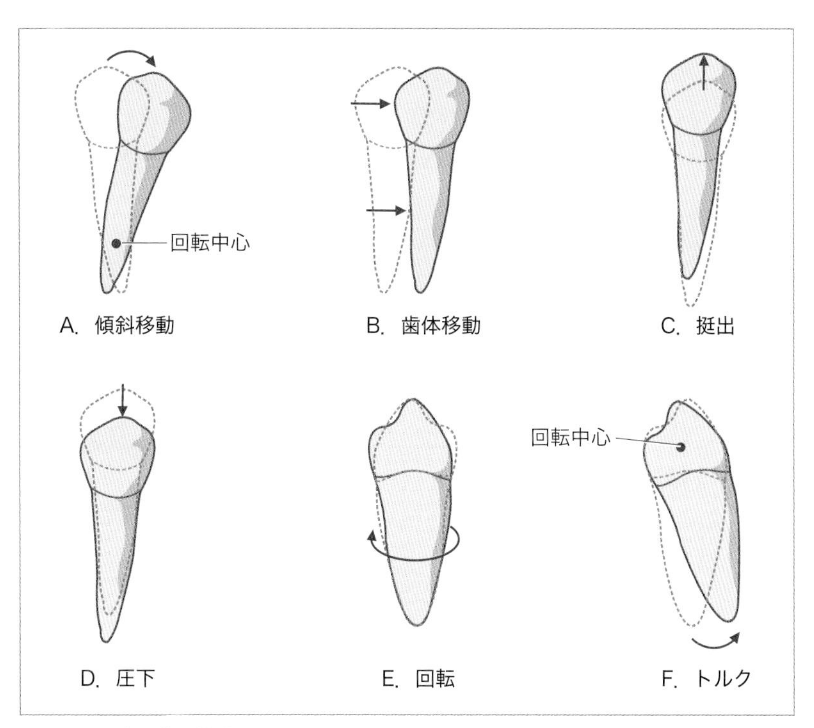

図Ⅰ-5-2　**歯の移動様式**
点線は移動前の歯の位置を示している．

3 固定

1. 固定の定義と意義

矯正歯科治療で歯や顎骨の移動をはかるとき，矯正装置を用いて歯や顎骨に矯正力をかけるが，動かしたい歯（移動歯）に力をかけると，動かしたくない歯（非移動歯）にも同時に，同じ大きさの反対方向への力がかかる．この矯正力に対する抵抗を**固定**といい，移動歯に対して抵抗源となる非移動歯のことを**固定源**という．

矯正歯科治療では，目的とする歯や顎骨に適切な矯正力を加えることはもちろん，その矯正力の固定源をどこに・どのように設定するかも十分に考慮したうえで矯正装置を設計し，固定源の望ましくない移動（**固定の喪失**）を防止する工夫が求められる．

2. 固定の種類

1）部位（固定源の位置）による分類

(1) 顎内固定（図Ⅰ-5-3）

固定源（非移動歯）と移動歯が同じ顎内（一方が上顎ならばもう一方も上顎，一方が下顎ならばもう一方も下顎）にある場合を，顎内固定という．例えば，顎内ゴムやリンガルアーチの補助弾線によって歯の移動をはかる場合は，顎内固定である．

Link
リンガルアーチ
p.88-90

(2) 顎間固定（図Ⅰ-5-4）

固定源が移動歯と反対側の顎にある場合を，顎間固定という．代表的なものに**顎間ゴム**を利用した方法があり，ゴムのかけ方によって歯の移動方向が異なる．

(3) 顎外固定（図Ⅰ-5-5）

固定源を口腔外に求める場合を顎外固定という．顎外固定装置は，一般的に可撤式の矯正装置であり，装置の使用時間や頻度によっては固定の喪失をきたすことがある．ヘッドギア，チンキャップ，上顎前方牽引装置などが顎外固定装置である．

Link
顎外固定装置
p.97-101

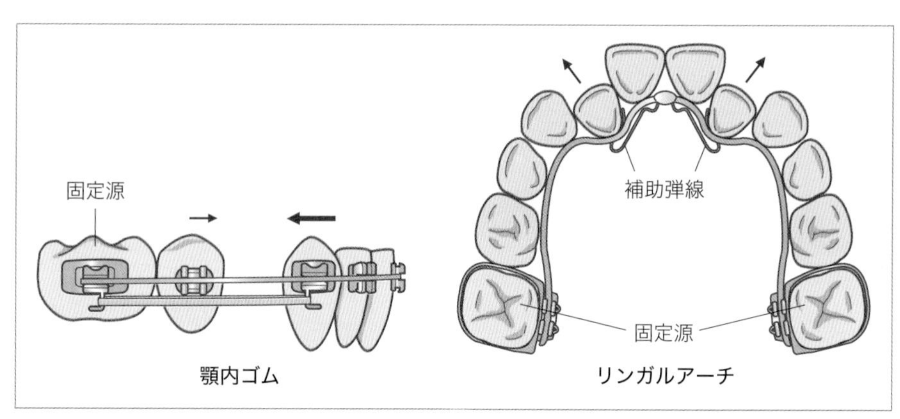

図Ⅰ-5-3 **顎内固定の例**
固定源（非移動歯）と移動歯（ピンクの矢印方向に移動する歯）が同じ顎内に存在する．

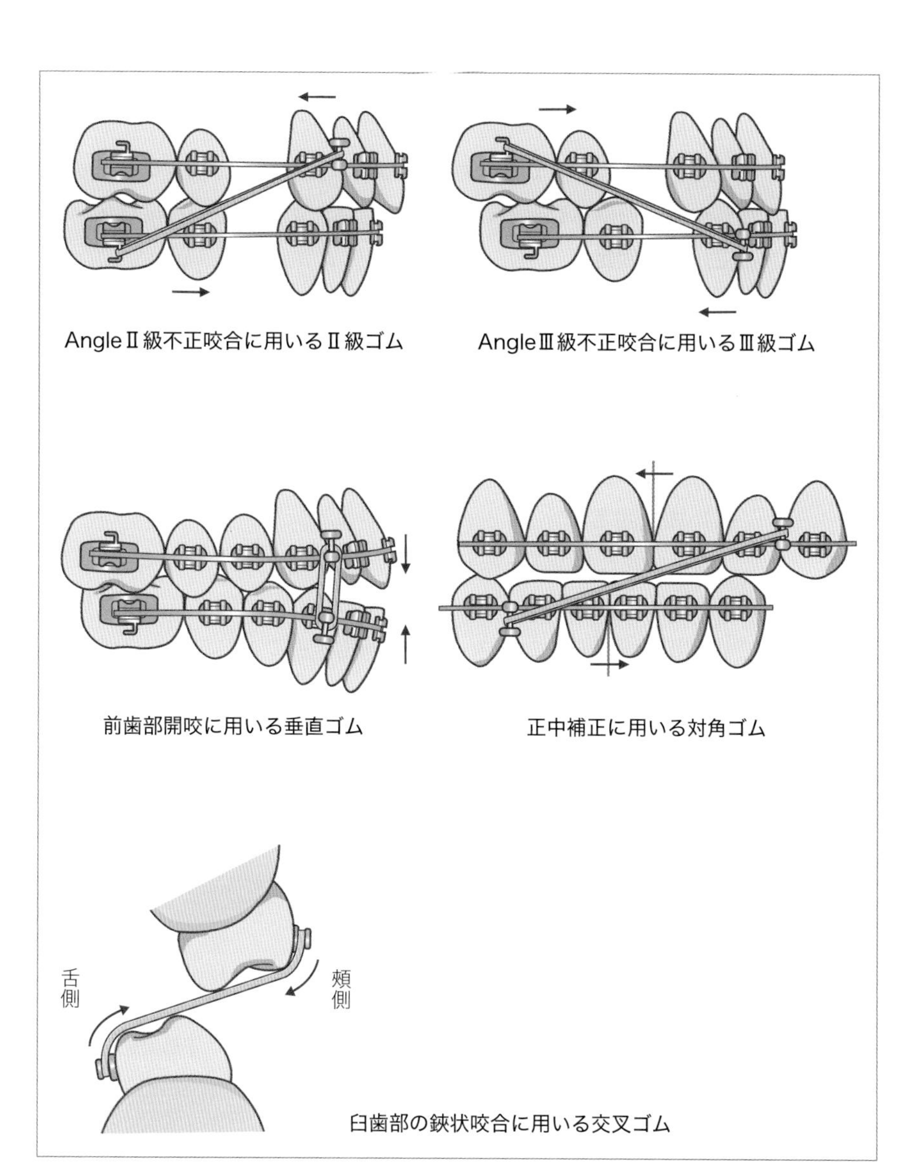

図Ⅰ-5-4　**顎間固定**

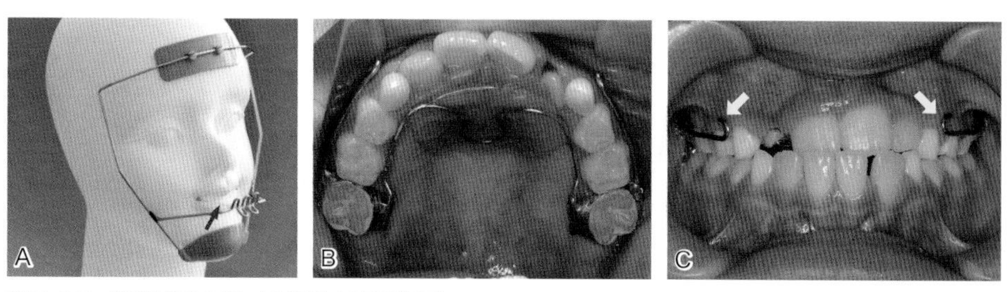

図Ⅰ-5-5　**顎外固定の例（上顎前方牽引装置）**
A：フェイスマスク．オトガイ部と前頭部が固定源になる．
BC：口腔内装置（Nance のホールディングアーチ）．口腔内装置に設置されたフック（⇨）から，固定源となるフェイスマスクに牽引用エラスティックをかけ（A の➡），上顎骨を前方に牽引する．
※装置の詳細はⅠ編 6 章を参照．

2）抵抗の性質による分類

(1) 単純固定

固定歯（固定源）が傾斜移動するよう設計された固定の様式を**単純固定**という（図Ⅰ-5-6）．傾斜移動は弱い力でも生じるため，固定の程度は弱い．

(2) 不動固定

固定歯が歯体移動するよう設計された固定の様式を**不動固定**という．固定歯が傾斜移動する単純固定よりも，固定の程度は強く，固定源が安定している（図Ⅰ-5-7）．

(3) 相反固定

移動させたい歯と固定源となる歯の双方が，同じ大きさの矯正力を受けることにより，互いに移動する状態を**相反固定**という（図Ⅰ-5-8）．

(4) 加強固定

固定の喪失をできる限り防ぐために，固定の強化・保護をはかることを**加強固定**という．具体的には，固定歯を増やしたり，装置を追加したり，または筋の機能力を利用したりすることで，固定を強化することができる（図Ⅰ-5-9）．

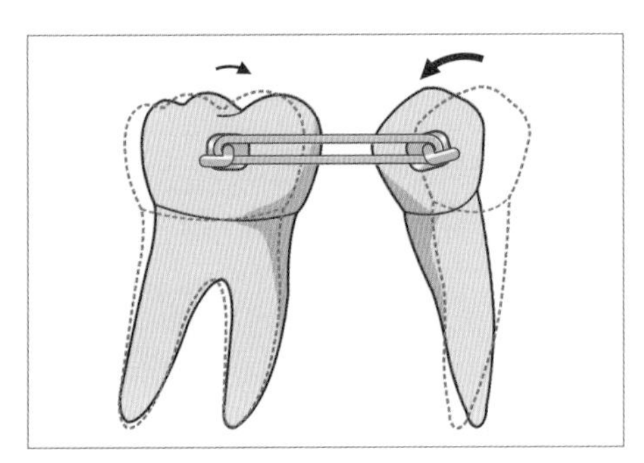

図Ⅰ-5-6　単純固定
点線は移動前の歯の位置を示している．大臼歯と小臼歯間での移動の場合，歯根の表面積が小さい小臼歯のほうが移動量が大きくなる．

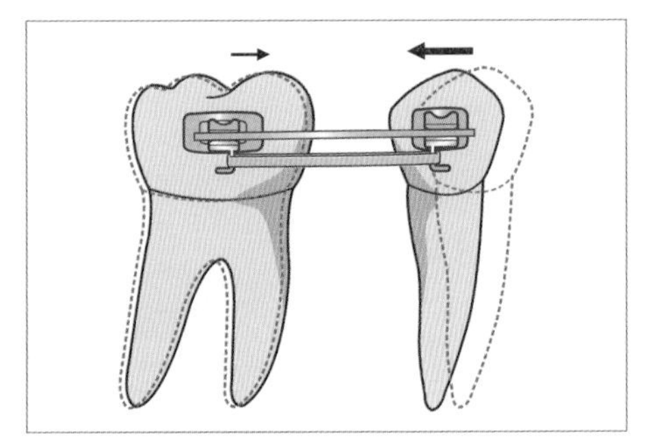

図Ⅰ-5-7　不動固定
点線は移動前の歯の位置を示している．

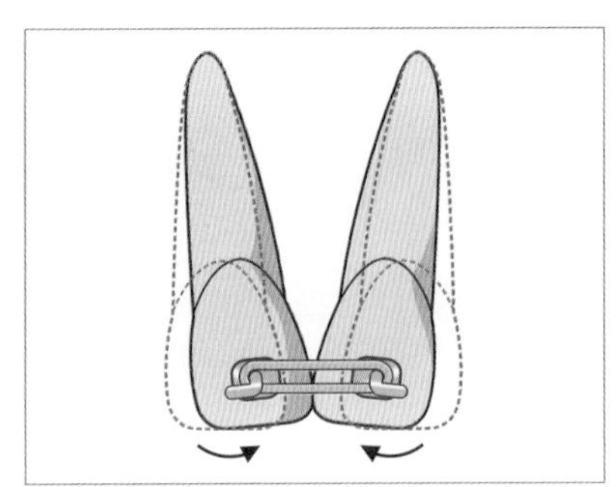

図Ⅰ-5-8　相反固定
両中切歯（1|と|1）はお互いが移動歯であり，固定歯でもある．

3）歯科矯正用アンカースクリューによる固定

歯科矯正用アンカースクリューとは，チタン合金製で生体親和性に優れる小さなネジ(直径約1.4 mm, 長さ約7 mm)のことである(図Ⅰ-5-10)．アンカースクリューを固定源として利用することにより，より強固な固定が得られる（図Ⅰ-5-11)．

また，従来では困難であった歯の移動（例：臼歯の遠心移動や圧下）も可能となり，歯の移動の範囲を拡大することができるようになった．

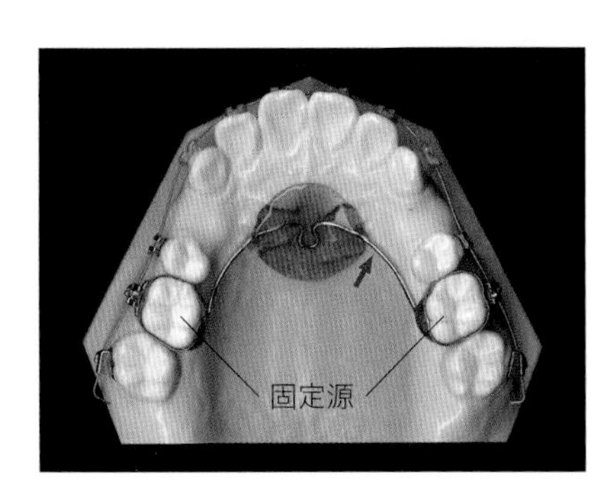

図Ⅰ-5-9　**加強固定の例**
抜歯による空隙の閉鎖をはかるためのマルチブラケット装置に，加強固定装置（Nanceのホールディングアーチ，➡）を併用し，マルチブラケット装置の固定源である第一大臼歯（6|6）の固定を強化している．
※装置の詳細はⅠ編6章を参照．

図Ⅰ-5-10　**歯科矯正用アンカースクリュー**
さまざまな形状の歯科矯正用アンカースクリューが用いられている．

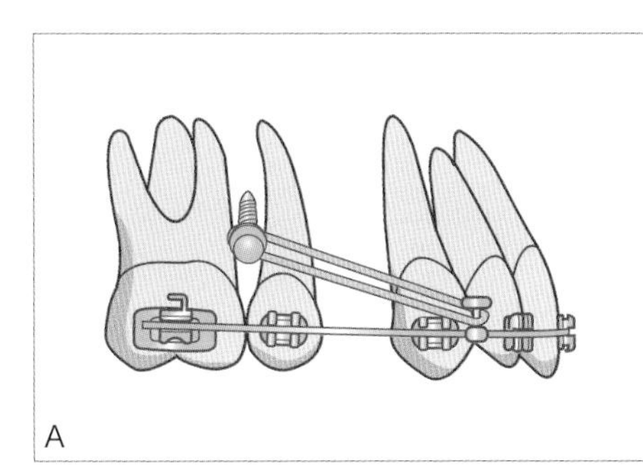

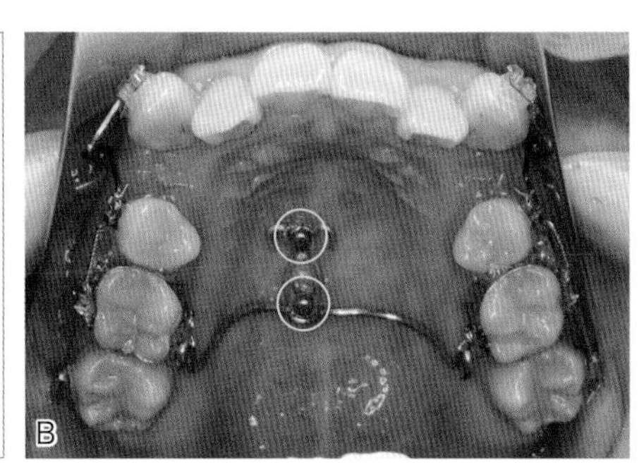

図Ⅰ-5-11　**歯科矯正用アンカースクリューを使用した矯正歯科治療の例**
A：上顎右側第二小臼歯，第一大臼歯（6 5|）間の頬側歯槽骨に植立された歯科矯正用アンカースクリューを固定源として，前歯の遠心移動を行う模式図．
B：口蓋正中部に植立された歯科矯正用アンカースクリューに，口蓋のワイヤーを接続することで，固定を強化している（加強固定の一種）．

矯正力による組織変化

矯正力が加わり，歯が平行に移動すると，移動方向の歯根膜が圧迫されて，反対方向の歯根膜は牽引される（引っぱられる）．前者を**圧迫側**，後者を**牽引側**という．歯の移動は圧迫側での骨吸収と，牽引側での骨形成によって生じる（図Ⅰ-5-12）．

1．圧迫側における組織変化

強い矯正力が加えられると，まず圧迫側の歯根膜が圧迫され，その中にある血管も押しつぶされて血流障害が生じ，貧血領域となる．この領域を**貧血帯**という．

貧血帯では，血流障害によって細胞への栄養供給が途絶えるため，歯根膜細胞が死に，**硝子様変性***という状態になる（図Ⅰ-5-13）．この硝子様変性が生じた部分（硝子様変性組織）の周辺には破骨細胞が出現し，**穿下性骨吸収***という骨吸収が起こる．また，硝子様変性組織はマクロファージによって吸収される．

一方，貧血帯から離れた圧迫状態の弱い領域（弱い矯正力がかかっている領域）は**充血帯**とよばれる．充血帯では歯槽骨の表面に破骨細胞が多数集まり，**直接性骨吸収**という骨吸収が起こる．

***硝子様変性**

「硝子」とはガラスという意味で，「変性」とは細胞などが何らかの原因で変化することです．強い矯正力が作用して変化した圧迫側歯根膜の組織像は，細胞が消え，まるで透明なガラスのように見えることからこうよばれます．

***穿下性骨吸収**

強い矯正力が作用した圧迫側歯根膜の貧血帯に接触する骨は，かえって吸収されにくくなってしまいます．その結果，そこから少し離れた位置の骨の表面やその背面から，遠回りするように骨吸収が始まります．「穿」とは穴をあけるという意味で，貧血帯の下の骨が，裏側からトンネルを掘るように吸収されることを表現しています．

2．牽引側における組織変化

矯正力が加えられると，牽引側の歯根膜は徐々に引き延ばされ，その中にある血管内の血流が亢進する．これによって歯根膜に存在する骨芽細胞やセメント芽細胞，線維芽細胞の増殖・分化が促進され，骨形成やセメント質形成，歯根膜線維の再形成が進行する．

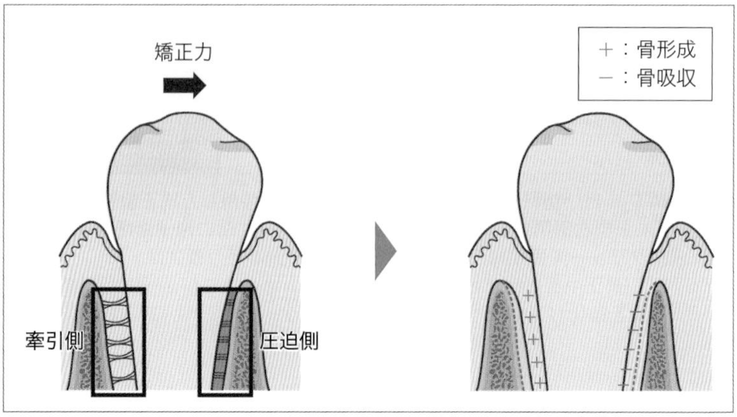

図Ⅰ-5-12 矯正力による歯の移動
圧迫側では骨吸収が，牽引側では骨形成が起こり，歯が移動する．

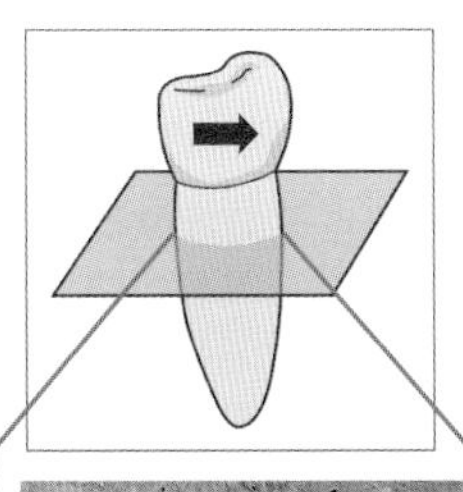

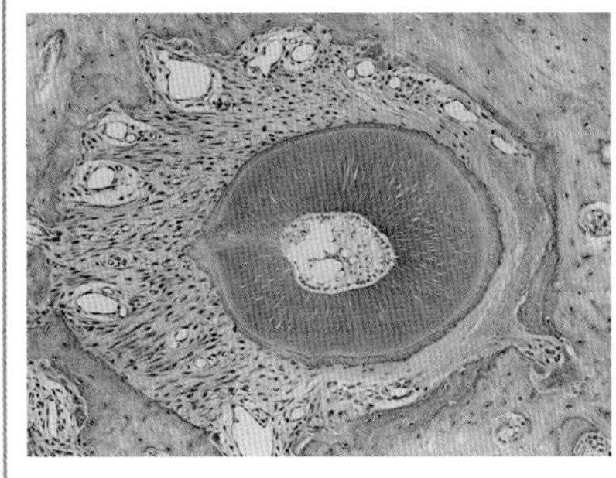

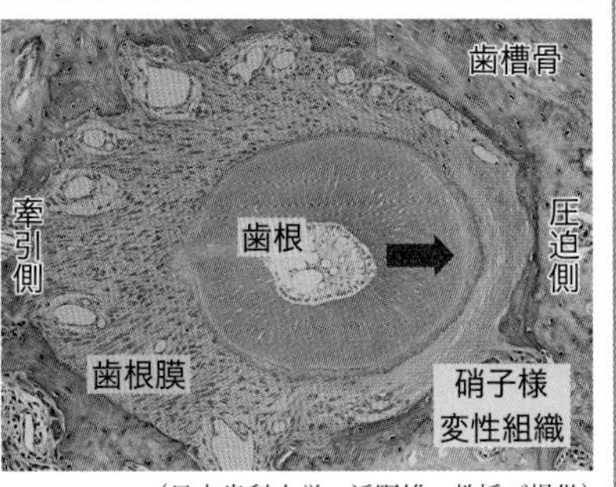

（日本歯科大学・添野雄一教授ご提供）

図Ⅰ-5-13　**硝子様変性の組織像（歯根の断面図）**
矢印（➡）は歯の移動方向（矯正力がかかっている方向）を表している．

5 矯正力による生体反応

1．歯の移動様相

1）矯正力による一般的な歯の移動様相

矯正力を負荷すると，歯は以下に示すような３つの移動様相を示す（図Ⅰ-5-14）．

①初期移動：歯根膜および歯槽骨のわずかな圧縮（粘弾性）による初期移動．

②移動の停滞：硝子様変性組織の出現による歯の移動の停滞．

③停滞後の再移動：変性組織の消失と骨改造に伴う歯の移動の再開．

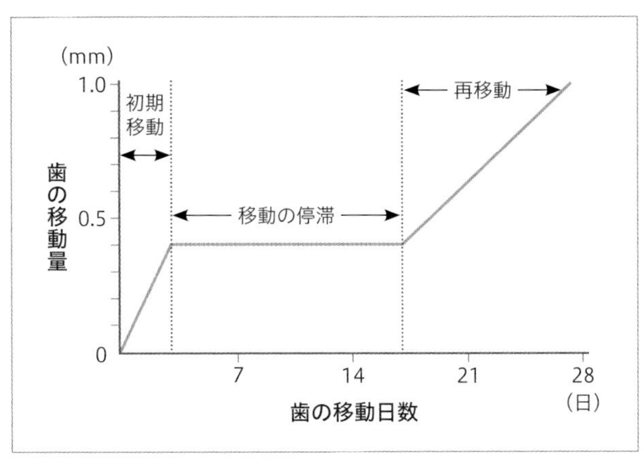

図Ⅰ-5-14　**矯正力による歯の移動の様相**
歯の移動様相は，①初期移動，②硝子様変性組織の出現による移動の停滞，③停滞後の再移動の３つに分けられる．

2）最適な矯正力による歯の移動様相

最適な矯正力（p.77 参照）が負荷されると，硝子様変性組織の形成はほとんど起こらず，歯槽骨壁では直接性骨吸収が進行し，歯は停滞期の短い，直線的で穏やかな移動様相を示す．

2. 最適な矯正力の評価

最適な矯正力が負荷されたときの臨床的な評価（指標）は以下のようになる．

①歯の移動が治療目標に従って効率よく進行している．

②長期にわたる自発痛，咬合痛などの自覚症状がない．

③打診に対する反応がない．

④著しい歯の動揺がない．

⑤エックス線写真において歯根吸収，歯槽骨の高さの減少などの病的変化がない．

6 強い矯正力による生体反応

強い矯正力（p.77 参照）が負荷されると，圧迫側では歯根膜に広範囲にわたる硝子様変性組織が生じ，歯槽骨に穿下性骨吸収を引き起こす．その結果，その後の変性組織の消失に時間を要し，効率的な歯の移動が抑制されてしまう．またこのような場合，歯根表面のセメント質に沿って破歯（はし）細胞*が多数出現し，重度の歯根吸収を生じる可能性が高くなる．

*破歯細胞
硝子様変性組織に関連して歯根表面に出現し，セメント質と象牙質を吸収する細胞です．

臨床的には，強い矯正力が負荷されると，①歯の移動速度の減少，②重度の歯根吸収，③歯の動揺の亢進，④痛みの出現，⑤歯髄反応の出現，⑥歯肉の退縮・変形，⑦歯の骨性癒着などの為害作用を認める場合がある．

参考文献

1）飯田順一郎ほか編：歯科矯正学 第 6 版．医歯薬出版，2019.
2）全国歯科衛生士教育協議会監修：歯科衛生学シリーズ 歯科矯正学．医歯薬出版，2023.
3）Oppenheim A：Biologic orthodontic therapy and reality. Angle Orthod, 6：69-116, 1936.
4）日本矯正歯科学会編：歯科矯正用アンカースクリューガイドライン 第二版. 日本矯正歯科学会, 2018.
5）Graber LW et al.：Orthodontics current principles and technique. 6th ed. Elsevier, St. Louis, 2017.

6章 矯正歯科治療と装置

到達目標

❶ 矯正装置の分類を説明できる.
❷ 矯正装置の構造および機能を説明できる.
❸ 矯正装置の適応を説明できる.
❹ 矯正装置装着時の指導内容と注意点を説明できる.
❺ 保定の定義と主な装置を説明できる.

矯正装置（保定装置は除く）の分類には，①矯正力の種類による分類，②患者自身で着脱できるかどうかによる分類，③固定の部位による分類がある（表Ⅰ-6-1）.

表Ⅰ-6-1 矯正装置の分類

①矯正力の種類による分類	②患者自身で着脱できるかどうかによる分類	③固定の部位による分類	装置の名称
器械的矯正装置	固定式矯正装置	顎内固定装置	マルチブラケット装置，リンガルアーチ，急速拡大装置，緩徐拡大装置，Nanceのホールディングアーチ，パラタルアーチ
		顎間固定装置	顎間固定装置
	可撤式矯正装置	顎内固定装置	床矯正装置
		顎外固定装置	ヘッドギア，チンキャップ，上顎前方牽引装置
機能的矯正装置			アクチバトール，バイオネーター，Fränkel装置，リップバンパー，咬合斜面板※，咬合挙上板※など

※咬合斜面板と咬合挙上板は機能的矯正装置に含める考え方もあるが，その構造から床矯正装置にも分類できるため，本文中では床矯正装置と同様に❷**器械的矯正装置—可撤式矯正装置**として説明する.

1 器械的矯正装置—固定式矯正装置

1. マルチブラケット装置（エッジワイズ装置）

ブラケットやチューブを歯に装着し，主にアーチワイヤーが発揮する矯正力で三次元的な歯の移動を行い，不正咬合を改善する装置をマルチブラケット装置という．本項では，Angleが考案し，現在世界で最も広く用いられているマルチブラケット装置であるエッジワイズ装置について解説する.

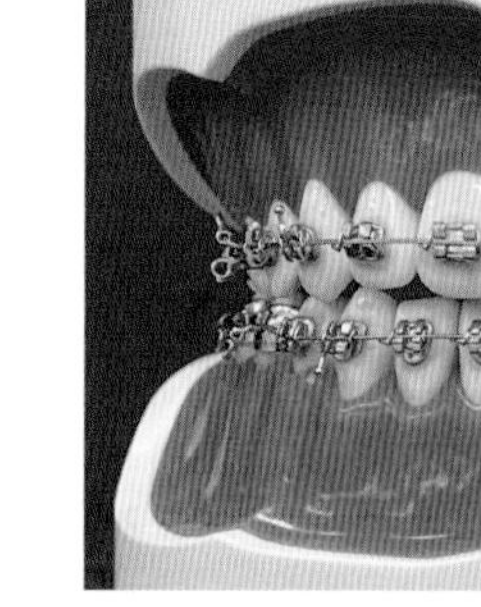
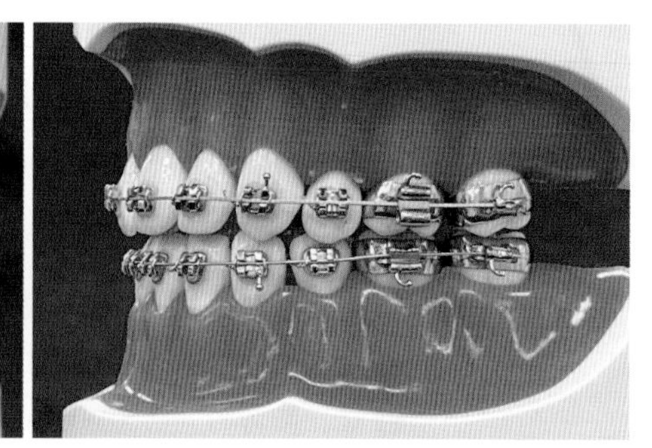

図Ⅰ-6-1　マルチブラケット装置（エッジワイズ装置）

マルチブラケット装置を構成する器材
p.142-146

1）装置の構造（図Ⅰ-6-1，▶動画Ⅰ-6-①）

マルチブラケット装置はブラケット，チューブ，アーチワイヤー，バンド，結紮線などで構成される．

動画
Ⅰ-6-①

2）装置の適応

個々の歯の位置異常の改善を目的として，永久歯列期には全歯に用いられ，混合歯列期には永久歯に部分的に用いられる．

3）装着時の指導内容と注意点

- ワイヤーとブラケットにより，個々の歯の位置異常を三次元的に改善する装置である．
- 装置装着後やアーチワイヤーの調整後，数日から1週間ほどは痛みや違和感を生じることがある．
- 歯科医療機関での定期的な装置の調整が必要である．
- 装置周囲に汚れが残りやすいため，ブラッシングをしっかり行う必要がある．
- 痛みが長期にわたって続き，日常生活に支障をきたす場合にはすぐに通院中の歯科医療機関に連絡してもらう．

2. リンガルアーチ（舌側弧線装置）

臨床で広く応用されている固定式の矯正装置で，主線と維持装置を介して，維持バンドが装着された臼歯が固定源となり，補助弾線による矯正力が個々の歯を移動させる．矯正力は持続的に作用し，歯は主として傾斜移動する．

1）装置の構造（図Ⅰ-6-2，▶動画Ⅰ-6-②）

(1) 維持バンド

装置の固定源として，主に第一大臼歯に装着する．小臼歯や乳臼歯に装着することもある．

(2) 維持装置

主線を維持バンドに接続する部分で，主線を着脱できるものと，主線をろう着するものがある．

(3) 主線

直径 0.9 mm の技工用ワイヤーを用い，移動する歯の舌側歯頸部に接して，なめらかなカーブを描くように屈曲される．

(4) 補助弾線

直径 0.5 mm の技工用ワイヤーを用い，主線にろう着される．移動する歯の歯頸部に接し，持続的な矯正力を発揮する．形状により次の 4 種類がある（図Ⅰ-6-3）．

①**単式弾線**：主に切歯の唇側移動に用いられる．

②**複式弾線**：歯の唇側，頬側移動に用いられる．

③**指様弾線**：前歯や小臼歯の近遠心移動に用いられる．

④**連続弾線**：主に小臼歯の頬側移動に用いられる．

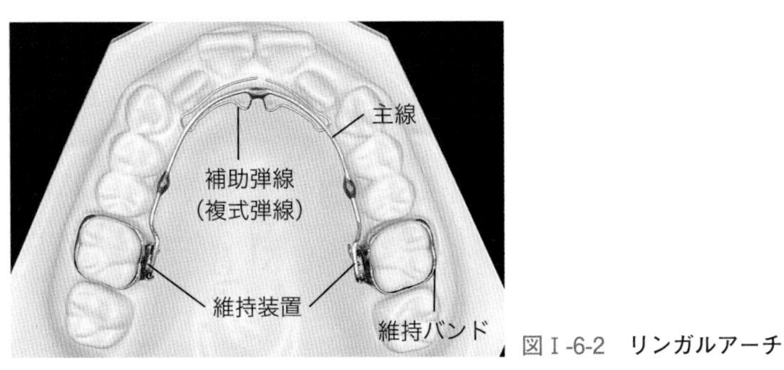

図Ⅰ-6-2 リンガルアーチ

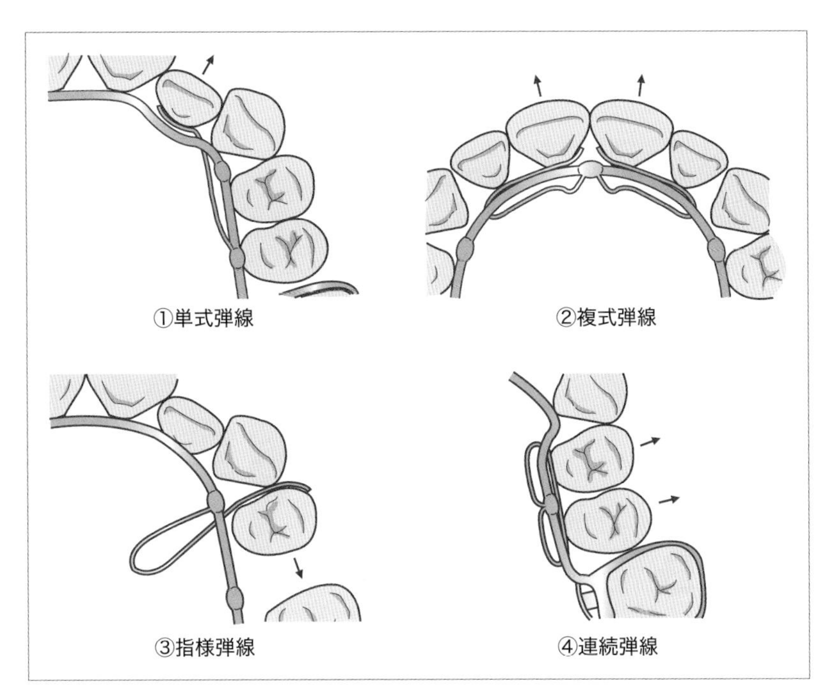

図Ⅰ-6-3 リンガルアーチの補助弾線の種類

2）装置の適応

個々の歯の位置異常や下顎前突の改善などを目的として，乳歯列期から永久歯列期にかけて用いられる．

3）装着時の指導内容と注意点

・補助弾線により数歯の位置異常を改善する装置である．
・装置装着後，数日から1週間ほどは痛みや違和感を生じることがある．
・歯科医療機関での定期的な調整が必要である．

3．急速拡大装置

Link 顎整形力 p.77

拡大ネジ（スクリュー）が発揮する断続的な顎整形力によって，正中口蓋縫合（せいちゅうこうがいほうごう）を離開させる固定式の拡大装置である．装置を口腔内に装着したまま，患者もしくは保護者が1日に1～2回，専用のキー（スクリューキー）を用いて拡大ネジを回転させ，この操作を目標の拡大量が得られるまで継続する．さらにその後，拡大によって離開した正中口蓋縫合部が骨化するまで，約3～6カ月の固定が必要である．

動画 I-6-③

1）装置の構造（図I-6-4，▶動画I-6-③）

①維持バンド，②拡大ネジからなる．補助的なワイヤーが装着される場合もある．

2）装置の適応

狭窄した上顎歯列弓の拡大を目的として使用される．正中口蓋縫合を離開させるため，成長発育期にあたる8～15歳の時期が最適とされるが，18歳頃まで使用する場合もある．

3）装着時の指導内容と注意点

・狭窄した上顎歯列弓の拡大（改善）を目的として，正中口蓋縫合を離開させる装

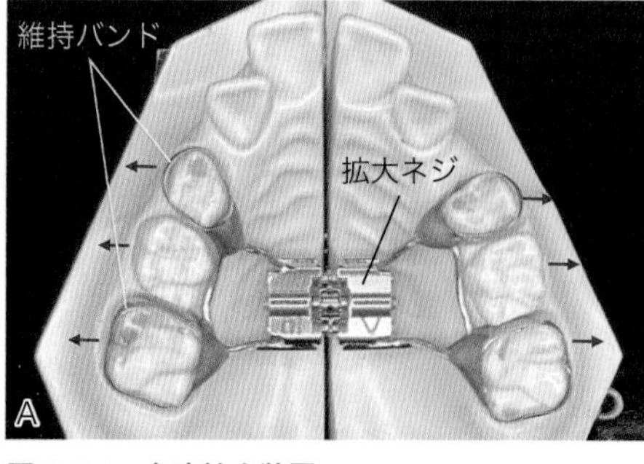

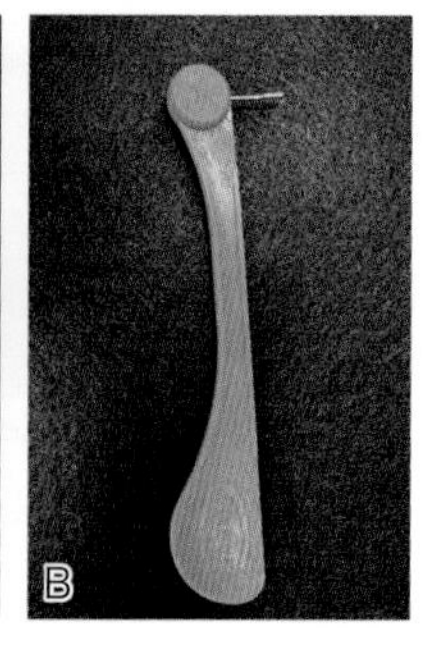

図I-6-4　急速拡大装置
A：急速拡大装置，B：スクリューキー．
急速拡大装置の拡大ネジの中央の穴にスクリューキーを挿入し，拡大ネジに印字された矢印の方向に回転させることで調整（拡大）する．

置である．
・拡大ネジは指示された時期と回数，患者もしくは保護者による調整が必要である．
・拡大ネジの調整後，数日から1週間ほどは痛みや違和感を生じることがある．

4. 緩徐拡大装置

ワイヤーが発揮する矯正力によって，上顎第一大臼歯の捻転を改善しながら，上顎歯列弓の側方拡大を行う拡大装置である．拡大のメカニズムは，側方歯の頬側への傾斜移動が主である．固定式の緩徐拡人装置として**クワドヘリックス装置**がある．

動画 I-6-④

1）装置の構造（図I-6-5，▶動画I-6-④）

クワドヘリックス装置は，主に①ワイヤー，②バンドからなる．

2）装置の適応

狭窄した上顎歯列弓の拡大を目的として，混合歯列期から永久歯列期に用いられる*．

*患者の年齢によっては正中口蓋縫合の離開も期待できることから，緩徐拡大と急速拡大の中間型として分類されることもあります．

3）装着時の指導内容と注意点

・狭窄した上顎歯列を拡大する装置である．
・歯科医療機関での定期的な調整が必要である．
・ワイヤーの調整後，数日から1週間ほどは痛みや違和感を生じることがある．

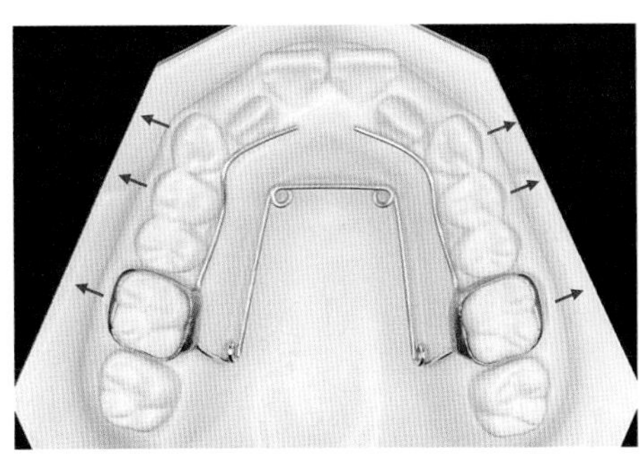

図I-6-5　緩徐拡大装置（クワドヘリックス装置）

5. パラタルアーチ

口蓋を横切る主線（ワイヤー）が左右の臼歯に連結した装置である．大臼歯の捻転の改善と，近心移動ならびに挺出の防止に用いる．

動画 I-6-⑤

1）装置の構造（図I-6-6，▶動画I-6-⑤）

①バンド，②主線（ワイヤー）からなる．

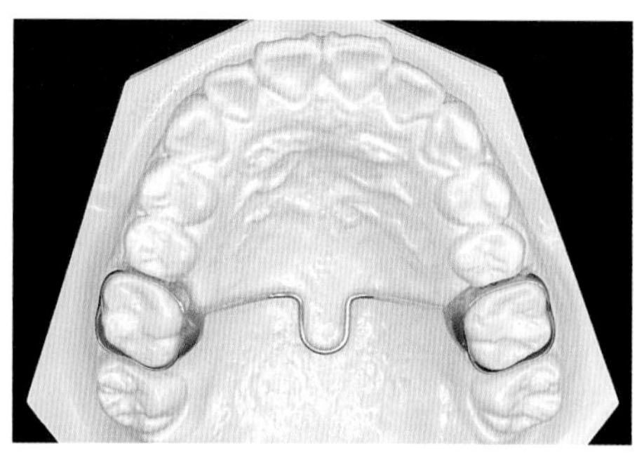

図Ⅰ-6-6 パラタルアーチ

2）装置の適応

混合歯列期から永久歯列期に用いられる．

3）装着時の指導内容と注意点

・マルチブラケット装置と併用することで，歯の固定を加強する装置である．
・装着後，数日から1週間ほどは発音時や嚥下時に痛みや違和感を生じることがある．
・舌にワイヤーの痕がつくことがあるが，痛みなどがなければ経過観察を行う．

6. Nance〈ナンス〉のホールディングアーチ

主にマルチブラケット装置の固定源（主に大臼歯）の近心移動を防ぐための装置である．

動画 Ⅰ-6-⑥

1）装置の構造（図Ⅰ-6-7，▶動画Ⅰ-6-⑥）

①維持バンド，②主線，③レジンボタンからなる．維持バンドを装着した左右臼歯を，主線のワイヤーで連結し，レジンボタンで口蓋粘膜の維持を得る装置である．

2）装置の適応

Link 加強固定 p.82

混合歯列期においては保隙装置として用いられ，永久歯列期においてはマルチブラケット装置の加強固定装置として用いられることもある．

3）装着時の指導内容と注意点

・（混合歯列期の場合）上顎乳臼歯の早期喪失による第一大臼歯の近心移動を防止する装置である．
・（永久歯列期の場合）マルチブラケット装置で歯を移動させる際に，併用することで固定を加強する装置である．
・装着後，数日から1週間ほどは痛みや違和感を生じることがある．

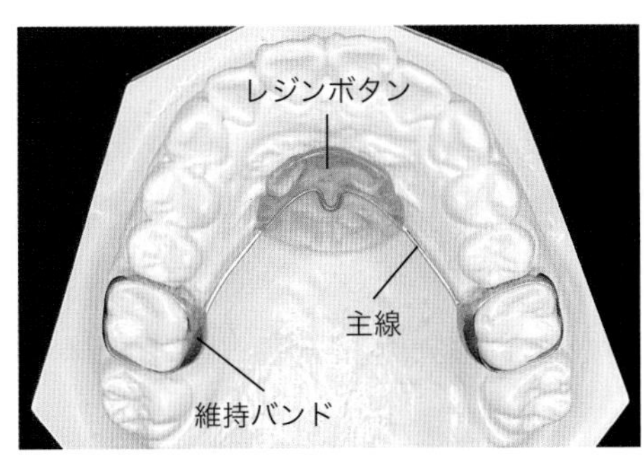

図Ⅰ-6-7　Nance のホールディングアーチ

2 器械的矯正装置—可撤式矯正装置

1. 床矯正装置

歯の位置異常に対して用いられる装置であり，症例に応じてさまざまな設計がある．

動画 Ⅰ-6-⑦

1) 装置の構造（図Ⅰ-6-8，▶動画Ⅰ-6-⑦）

①レジン床，②クラスプ，③唇側線（主線），④拡大ネジ（あるいは弾線）で構成される．

2) 装置の適応

歯の移動や歯列弓拡大を目的として，混合歯列期から永久歯列期に用いられる．

3) 装着時の指導内容と注意点

- 装置装着後，数日から1週間ほどは痛みや違和感を生じることがある．
- 食事時と口腔清掃時以外は装着するよう指導する．
- 拡大ネジは指示された時期と回数，患者もしくは保護者による調整（拡大）が必要である．
- 拡大ネジの調整後，痛みや違和感を生じることがある．
- 歯科医療機関での定期的な調整が必要である．

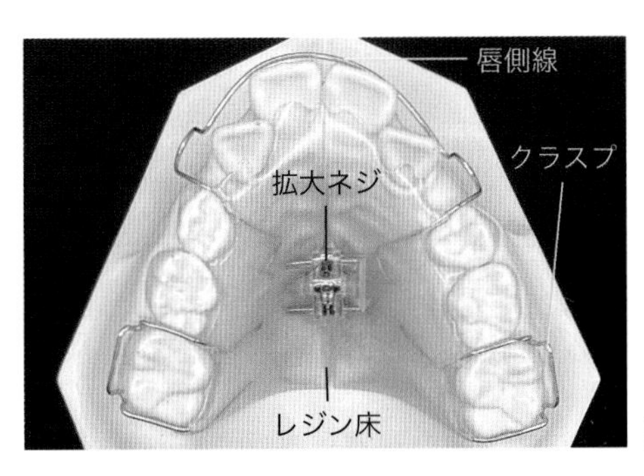

図Ⅰ-6-8　床矯正装置（拡大床）

2. 咬合斜面板

上顎前突と過蓋咬合の改善に用いられる．装置を装着して咬みこむと，下顎前歯が斜面板に接触し，下顎が前方に誘導され，上下顎の臼歯は咬合せずに離開する．これにより，下顎の前方成長と臼歯の挺出が生じ，下顎前歯の圧下と唇側移動が生じる．また，唇側線の調整によって上顎前歯は舌側傾斜する（図Ⅰ-6-9, 10）．

※咬合斜面板を機能的矯正装置に含める考え方もある．

動画 Ⅰ-6-⑧

1）装置の構造（▶動画Ⅰ-6-⑧）

①斜面板付きレジン床，②クラスプ，③唇側線からなる．

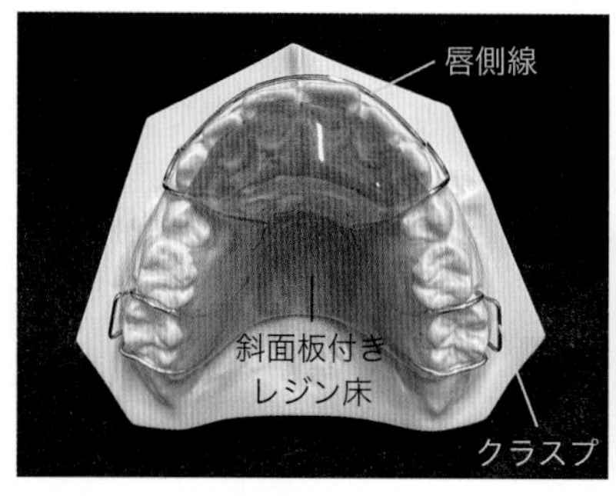

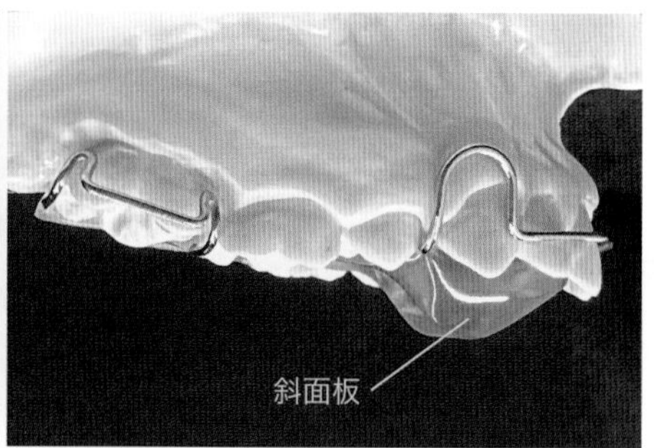

図Ⅰ-6-9 **咬合斜面板**

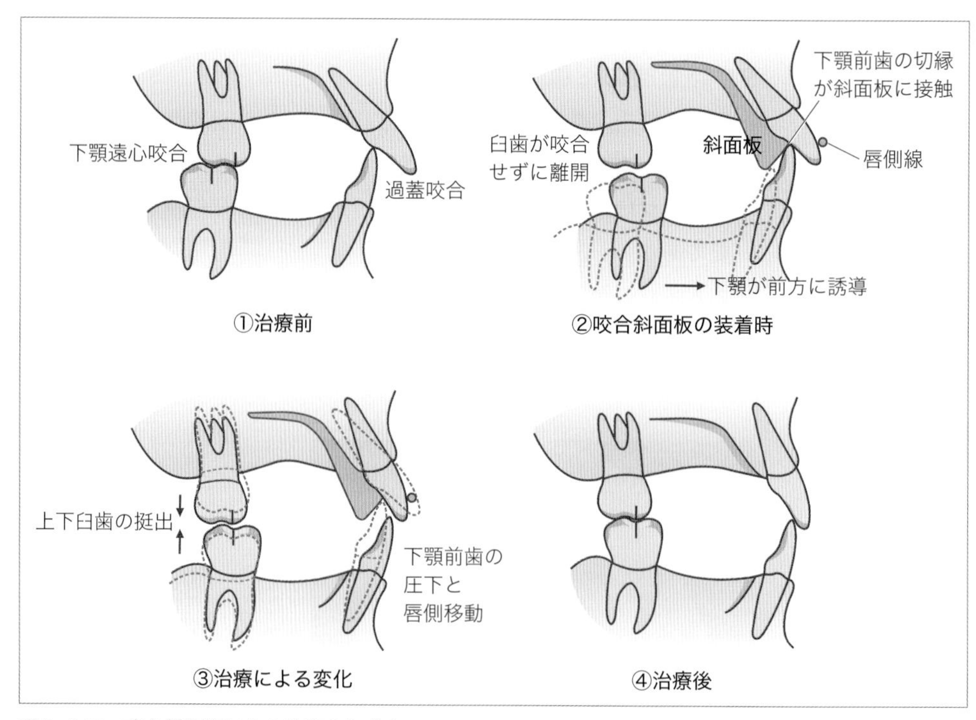

図Ⅰ-6-10 **咬合斜面板による改善のしくみ**

2）装置の適応

混合歯列期に用いられる．

3）装着時の指導内容と注意点

・装置装着後，数日から1週間ほどは痛みや違和感を生じることがある．
・食事時と口腔清掃時以外は装着するよう指導する．
・歯科医療機関での定期的な調整が必要である．

3. 咬合挙上板

大臼歯の咬合関係が正常な過蓋咬合の改善に用いられる．装置を装着して咬みこむと，下顎前歯が挙上板に接触し，上下顎の臼歯が離開する．これにより臼歯が挺出し，また下顎前歯のわずかな圧下によって，過蓋咬合が改善する（図Ⅰ-6-11，12）．
※咬合挙上板を機能的矯正装置に含める考え方もある．

1）装置の構造（▶動画Ⅰ-6-⑨）

①挙上板付きレジン床，②クラスプ，③唇側線からなる．

2）装置の適応

混合歯列期から永久歯列期に用いられる．

3）装着時の指導内容と注意点

・装置装着後，数日から1週間ほどは痛みや違和感を生じることがある．
・食事時と口腔清掃時以外は装着するよう指導する．
・歯科医療機関での定期的な調整が必要である．

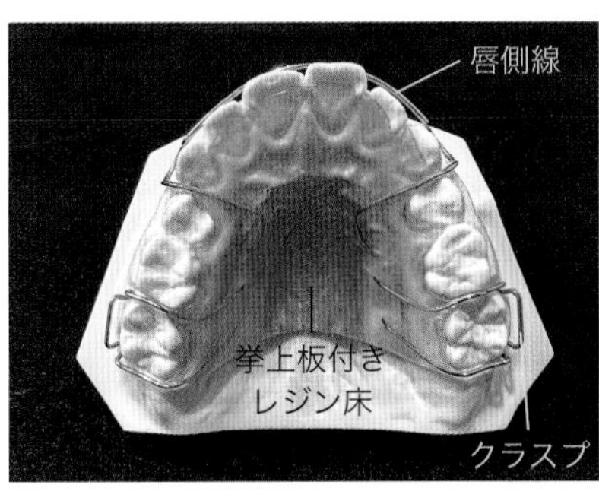

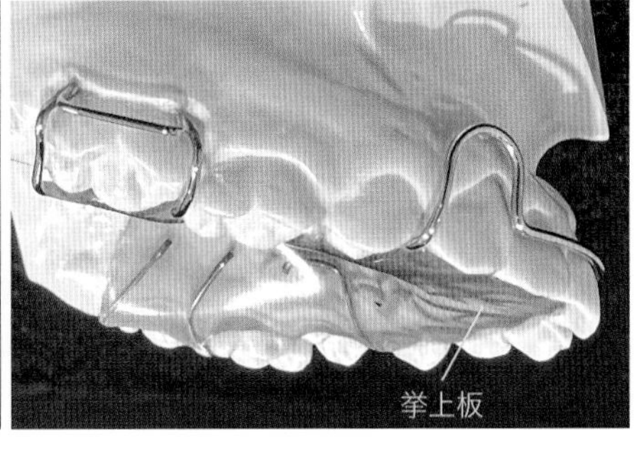

図Ⅰ-6-11　**咬合挙上板**

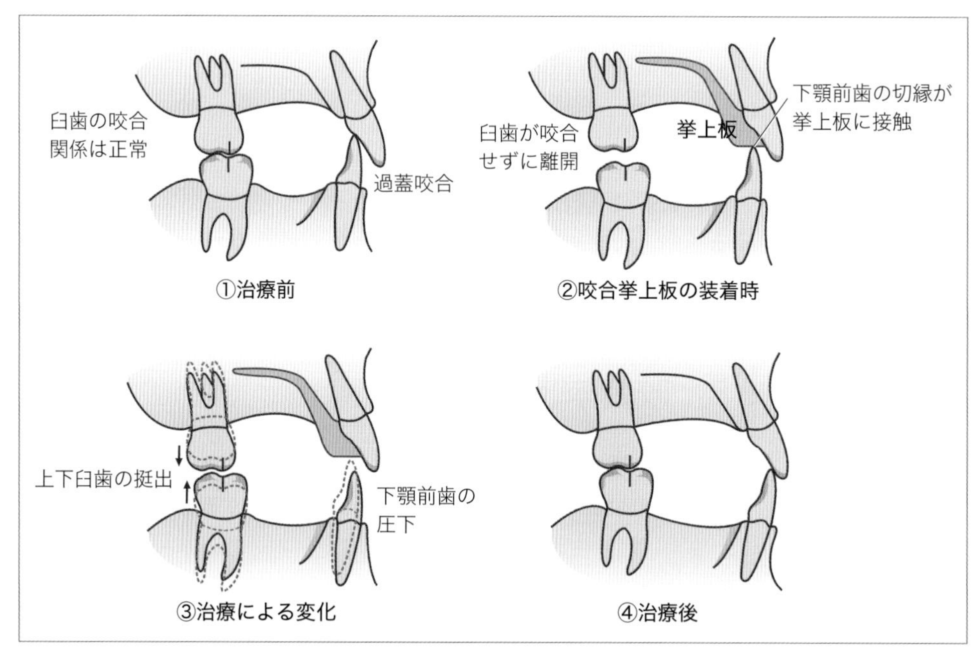

図Ⅰ-6-12　**咬合挙上板による改善のしくみ**

アライナー型矯正装置による治療

昨今，アライナー型矯正装置（歯を移動させる機能を有するマウスピースタイプの矯正装置）を用いた矯正歯科治療に関し，日本矯正歯科学会への問い合わせが増加しています．アライナー型矯正装置は取り外しができ，透明なので目立たずに治療を受けることができるという利点があります．なかでも歯科医師による検査や診断，および治療経過の確認さえも省略され，直接患者さんに装置が配送されるサービスにいたっては，通院の必要もなくなるのですから，相当便利に感じられることでしょう．

しかし最近の研究では，アライナー型矯正装置で歯並びは治っても，臼歯部が咬み合わなくなる傾向にあることが明らかになっています．さらに，なかには医療機器として認められていない材料を使用した装置や，国内の歯科医師や歯科技工士ではなく，海外で製作された装置も流通しており，安全性に疑問な点もあるため注意が必要です．

③ 器械的矯正装置—顎外固定装置

Link
顎整形力
p.77

顎外固定装置とは，口腔外に矯正力の固定源を求める矯正装置の総称である．頭部や頸部が固定源となる可撤式の矯正装置であり，間歇(かんけつ)的な矯正力を用いることで，上顎骨や下顎骨の成長コントロールを行う顎整形力を作用させる，または歯列に矯正力を作用させる装置である．

顎外固定装置は，いずれの装置も顎整形効果を得るために，食事・入浴時以外の在宅時（就寝時を含む）にはできるだけ長時間使用するよう指導する．また可撤式の矯正装置であるため，患者の協力度によって治療効果に差が生じてしまうことがあり，患者自身が積極的に装置を使用することが重要である．

ただし，学校での使用や運動時は装置の破損や受傷の危険性があるため，装着しないように指導する．

1. ヘッドギア（上顎顎外固定装置）

Link
AngleII級不正咬合
p.43

頭部や頸部を固定源として，以下の場合に使用する．主にAngleⅡ級不正咬合に適用される．

①上顎骨に後方や上後方に向かう顎整形力を作用させ，上顎骨の前方成長の抑制をはかる場合．

②上顎第一大臼歯および上顎歯列の遠心移動をはかる矯正力を作用させる場合．

③マルチブラケット装置と併用することで，上顎大臼歯の近心移動を防ぐ加強固定装置として用いる場合．

1）装置の構造（図Ⅰ-6-13，14）

①バッカルチューブ付きの大臼歯バンド，②インナーボウとアウターボウからなるフェイスボウ，③ネックバンドあるいはヘッドキャップからなる．

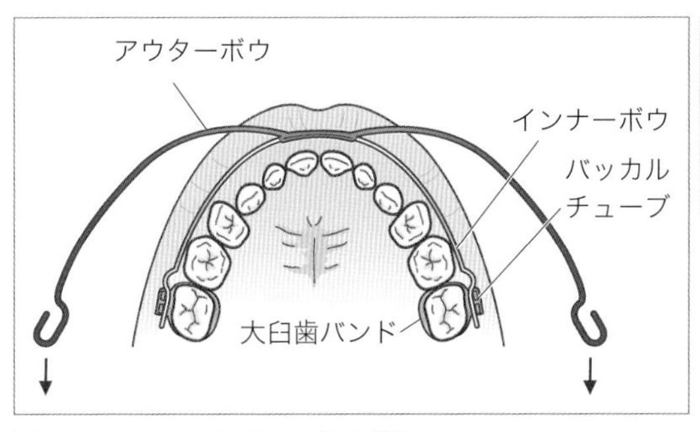

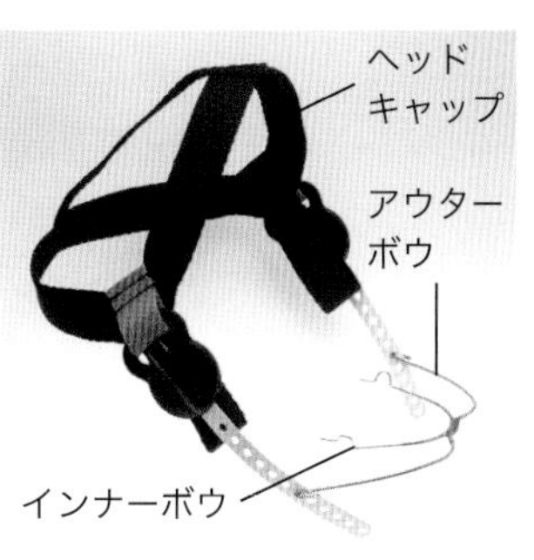

図Ⅰ-6-13　ヘッドギアの基本構造
上顎大臼歯にバッカルチューブ付きの大臼歯バンドを合着し，バッカルチューブにインナーボウとアウターボウからなるフェイスボウを取り付け，口腔外に出たアウターボウの先にヘッドキャップあるいはネックバンドを装着し，遠心へ牽引する（→）．

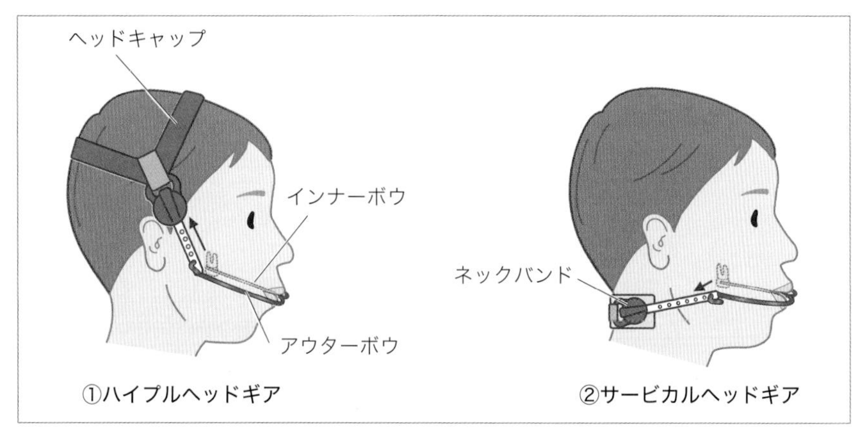

図Ⅰ-6-14　ヘッドギア（上顎顎外固定装置）

2）装置の適応

基本的には上顎第一大臼歯の萌出後の適用となるため，Hellman の咬合発育段階（歯齢）ⅢA 期以降の適用となる．マルチブラケット装置と併用する場合は成人にも適用されるが，上顎骨の成長抑制や大臼歯の遠心移動を目的とした場合には，ⅢA ～ⅢC 期が適用時期の中心となる．

顎顔面形態や咬合状態により，適用するヘッドギアの種類を選択する必要がある．ヘッドギアの種類により，上顎骨の前方成長の抑制に加えてそれぞれ次の作用がある．

(1) ハイプルヘッドギア（図Ⅰ-6-14-①）

上顎第一大臼歯の遠心移動と圧下を目的とする場合に用いられる．

(2) サービカルヘッドギア（ロープルヘッドギア，図Ⅰ-6-14-②）

上顎第一大臼歯の遠心移動や挺出を目的とする場合に用いられる．

3）装着時の指導内容と注意点

・就寝時を含めて 1 日あたり 10 ～ 14 時間程度装着するよう指導する．
・口腔内に装着された大臼歯バンドの脱離やバッカルチューブの破損などがないか，またはヘッドギアが適切に使用されているかを来院時に確認する．
・装置が破損したりした場合には，歯科医療機関に速やかに連絡してもらう．
・適切な使用においては，上顎第一大臼歯はわずかに動揺しながら遠心移動するが，著しい疼痛や動揺がみられる場合には速やかに連絡してもらう．
・大臼歯バンドは口腔内に合着されるため，同部位の清掃方法を指導する．

2. チンキャップ（オトガイ帽装置）

頭部を固定源として，オトガイ部にあてがったチンカップを牽引することで，下顎骨に顎整形力を加え，下顎骨の成長抑制をはかる装置である．下顎骨の前下方への過成長を認める，骨格性の下顎前突に適用される．

1）装置の構造（図Ⅰ-6-15）

①ヘッドキャップ，②チンカップ，③牽引用エラスティックからなる．

2）装置の適応

下顎骨の成長抑制を目的とするため，早期の使用では乳歯列期からの適用となる．思春期性成長の前のⅡA～ⅢC期が装置適用の中心となる．

顎顔面形態や咬合状態により，適用するチンキャップの種類を選択する必要がある．

(1) チンキャップ（図Ⅰ-6-15-①）

下顎骨の前下方への成長を抑制するため，下顎頭に向かう後上方に牽引する．

(2) ハイプルチンキャップ（図Ⅰ-6-15-②）

下顎骨の垂直的な成長を抑制するため，上方に牽引する．

3）装着時の指導内容と注意点

・就寝時を含めて1日あたり10～14時間程度装着するよう指示する．

・下顎の牽引によって顎関節部に疼痛や違和感を生じた場合や，装置が破損した場合には歯科医療機関に速やかに連絡してもらう．

・金属アレルギーやラテックスアレルギーのある患者では，チンカップの金属や牽引用エラスティックへのアレルギー反応に注意し，これらが皮膚に直接接触しないようにカバーなどを用いる．

・不適切な牽引方向や装着によってチンカップが上方にずれるような場合には，下顎前歯の舌側傾斜や，下顎前歯部の唇側歯肉の退縮などを引き起こす危険があるため，適切に使用されているかを来院時に確認する．

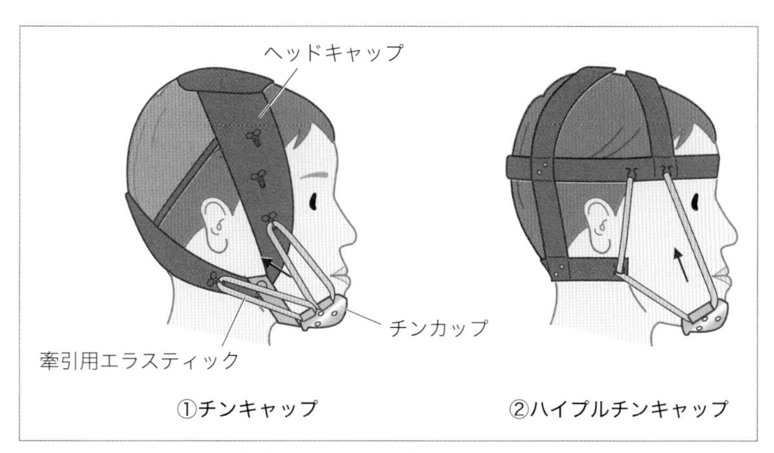

図Ⅰ-6-15　**チンキャップ（オトガイ帽装置）**
ヘッドキャップで頭部を固定し，チンカップでオトガイ部を覆い，牽引用エラスティックでチンカップを牽引する．

3. 上顎前方牽引装置

オトガイ部や前頭部を固定源として上顎に顎整形力を加え，上顎骨の前方への成長促進をはかる装置である．上顎骨の劣成長や後方位を認める，骨格性の下顎前突に適用される．

1）装置の構造（図Ⅰ-6-16，17）

①ホルン付きチンカップやフェイスマスク，②口腔内装置（リンガルアーチや急速拡大装置などの固定式矯正装置，または可撤式の床矯正装置），③牽引用エラスティックからなる．

2）装置の適応

上顎骨の成長促進を目的とするために，早期の使用では乳歯列期からも適用されるが，混合歯列前期から思春期性成長の前までが主な適用時期となる．上顎骨の前下方への成長促進を目的とする場合は，思春期性成長の前の下顎骨の成長発育期にあたるⅢA ～ⅢB 期が適用時期となる．

顎顔面形態や咬合状態により，適用する上顎前方牽引装置の種類を選択する必要がある．

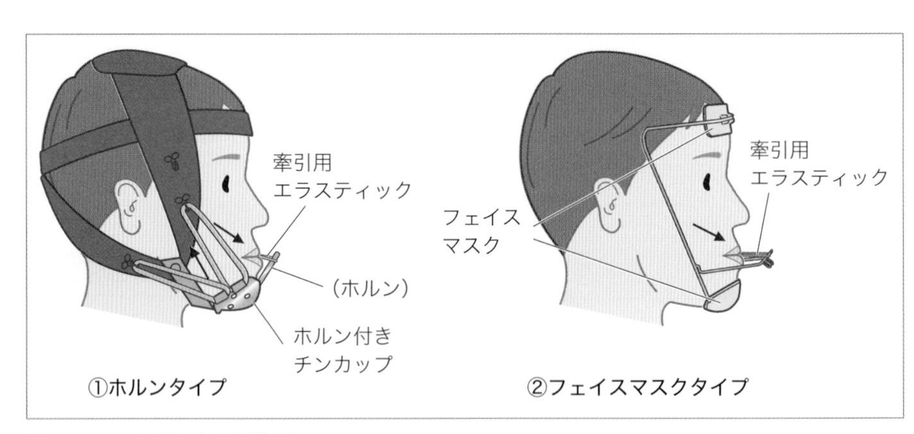

図Ⅰ-6-16 **上顎前方牽引装置**
ホルン付きチンカップやフェイスマスクを固定源として，口腔内装置を牽引用エラスティックで牽引する．

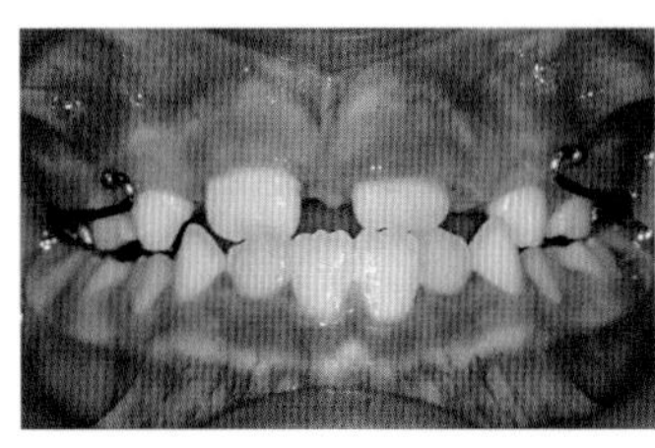
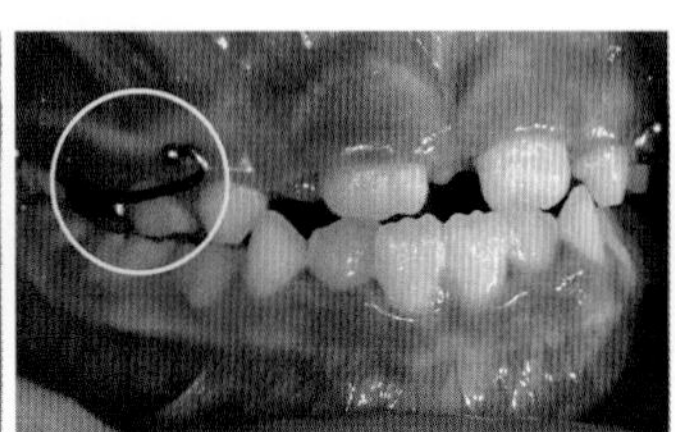
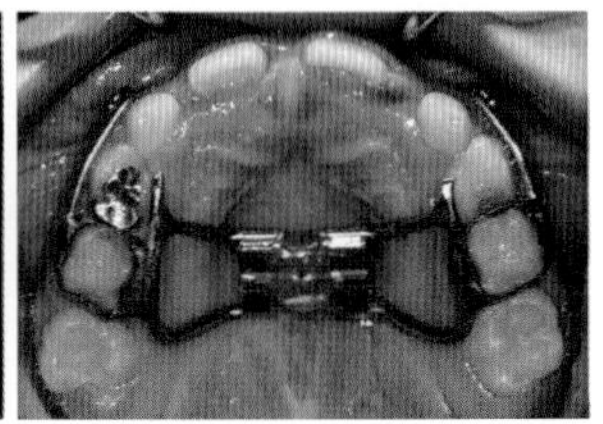

図Ⅰ-6-17 **上顎前方牽引装置に用いられる口腔内装置**
牽引用エラスティックを装着するフックが，急速拡大装置の頬側に付与されている（黄色い丸印）．

(1) ホルンタイプ（チンキャップタイプ，図Ⅰ-6-16-①）

上顎骨の劣成長または後方位と，下顎骨の過成長または前方位の両方が認められる骨格性下顎前突の，上下顎骨の成長コントロールに用いられる．

(2) フェイスマスクタイプ（図Ⅰ-6-16-②）

上顎骨の劣成長または後方位による骨格性下顎前突の，上顎骨の前方への成長促進に用いられる．

3）装着時の指導内容と注意点

・就寝時を含めて1日あたり10～14時間程度装着するよう指示する．
・口腔内に装着された固定式矯正装置の破損の有無や，装置全体の適切な使用がなされているかを来院時に確認する．
・装置が破損したなどの場合には，歯科医療機関に速やかに連絡してもらう．
・装置の適用時期が乳歯から永久歯への交換期と重なるため，適切な口腔内装置の選択が必要となる．

4 機能的矯正装置

機能的矯正装置とは，装置自体は矯正力を発揮しないものの，下顎の運動に関与する咀嚼筋などの機能力を利用する，あるいは筋の力を排除することによって，歯や顎の移動をはかる装置である．

1．アクチバトール

*構成咬合位
咀嚼筋などの機能力を矯正力として利用できるように，咬合高径を挙上して誘導される特殊な下顎位のことです．

アクチバトールは構成咬合位*という特殊な下顎位で咬合採得をして製作されるため，装着すると下顎は構成咬合位をとるようになる．その状態から習慣性咬合位（上下顎歯列が習慣的に接触する咬合位）に戻ろうとする筋の機能力を利用し，上下顎骨の成長方向や成長量の改善を期待する，可撤式の矯正装置である．

また，装置に付与されている誘導線が発揮する矯正力で，個々の歯の移動が行われる場合もある．

動画 Ⅰ-6-⑩

1）装置の構造（図Ⅰ-6-18，▶動画Ⅰ-6-⑩）

①レジン床，②誘導線からなる．

2）装置の適応

混合歯列期から永久歯列完成期の，下顎の劣成長を伴う上顎前突，機能性下顎前突，過蓋咬合，ならびに交叉咬合などに用いられる．アクチバトールは装着すると口での呼吸がしづらくなるため，鼻疾患などにより鼻呼吸が難しい患者には一般的

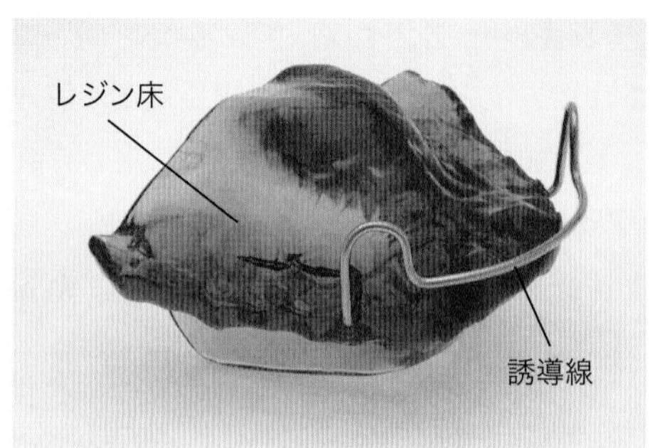

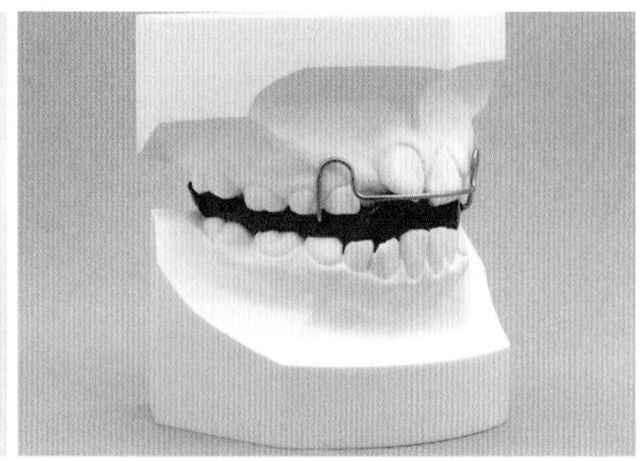

図Ⅰ-6-18　アクチバトール

に使用しない．

3）装着時の指導内容と注意点

・筋の機能力を利用して不正咬合を改善する装置である．
・患者自身で着脱するため，装着しないと矯正力が発揮されない．
・効果を得るためには，就寝時を含めて1日10～14時間以上の装着が必要である．
・顎関節部の痛みや開口障害などがあるときは使用を中止し，歯科医療機関に連絡する．

2．バイオネーター

アクチバトールから派生した機能的矯正装置である．主に下顎の後方位による上顎前突の改善を目的として使用される．下顎を構成咬合位に誘導することによって，下顎骨の前方への成長促進をはかる装置である．アクチバトールよりもレジン床の部分が少ないため，鼻呼吸が難しい患者にも使用できる．

動画 Ⅰ-6-⑪

1）装置の構造（図Ⅰ-6-19，▶動画Ⅰ-6-⑪）

①レジン床，②唇側線，③舌側線，④パラタルアーチからなる．歯列弓の側方拡大のために，拡大ネジを付与することがある．

2）装置の適応

混合歯列期から永久歯列完成期の，下顎骨の劣成長を伴う上顎前突に対して適用されることが多い．

3）装着時の指導内容と注意点

アクチバトールと同様．

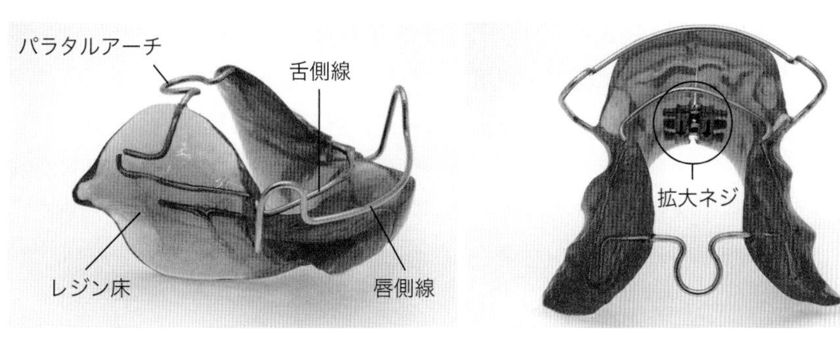

図Ⅰ-6-19　**バイオネーター**

3. Fränkel〈フレンケル〉装置（ファンクショナルレギュレーター）

ラビアルパッドやバッカルシールドで頬筋やオトガイ筋，口輪筋の異常な筋圧を排除し，口腔周囲筋の筋訓練を行うことで機能的な適応をはかり，良好な咬合関係を獲得することを目的とした装置である．

不正咬合の種類によって装置の設計が異なる．装置の製作には構成咬合位の採得が必要である．

1）装置の構造（図Ⅰ-6-20，▶動画Ⅰ-6-⑫）

①バッカルシールド，②ラビアルパッド，③リンガルシールド，④ワイヤーからなる．バッカルシールドやラビアルパッドは筋の異常な機能圧を排除するとともに，歯肉頬移行部の粘膜を伸展・刺激し，歯槽部の骨形成を促進させることから，歯列の拡大効果が期待できる．また，リンガルシールドは下顎を構成咬合位で安定させる役割を担っている．

2）装置の適応

乳歯列から永久歯列完成期にかけて使用できるが，特に混合歯列期に用いられる．軽度の叢生を伴うAngle Ⅰ級，Ⅱ級，Ⅲ級不正咬合のほか，開咬にも応用される．

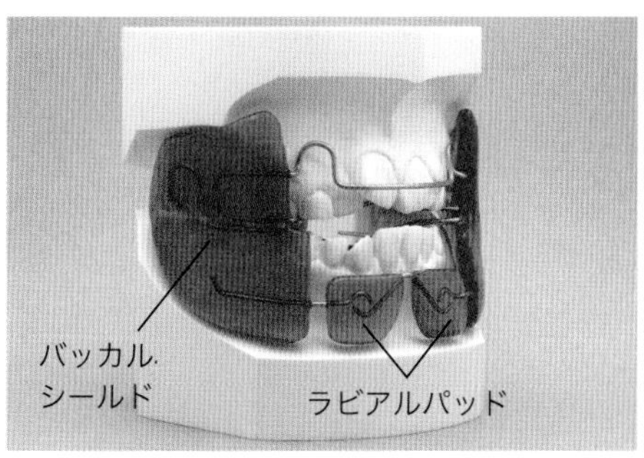

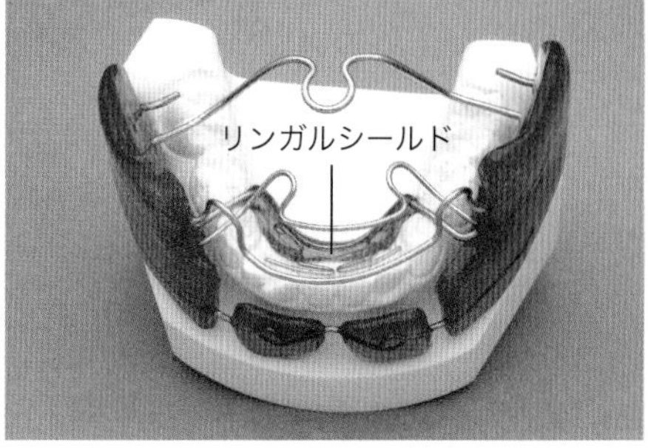

図Ⅰ-6-20　**Fränkel 装置（ファンクショナルレギュレーター）**

3）装着時の指導内容と注意点

・筋の機能力を利用して不正咬合を改善する装置である．
・患者自身で着脱するため，装着しないと矯正力が発揮されない．
・効果を得るためには，就寝時を含めて1日10〜14時間以上の装着が必要である．
・顎関節部の痛みや開口障害などがある場合や，口腔前庭部に潰瘍や痛みを生じた場合は使用を中止し，歯科医療機関に連絡する．

4．リップバンパー

歯列弓長径
p.61

下口唇圧を排除することで，舌側傾斜している下顎前歯を唇側移動させ，下顎の歯列弓長径を増加することができる．下口唇圧を利用して下顎大臼歯を遠心移動させたり，近心移動を防止したりすることもできる．

可撤式のものは着脱の必要があり，患者自身で唇側弧線を大臼歯のバンドのチューブに挿入し，装着する．固定式のものは，唇側弧線をバンドのチューブにろう着する場合や，結紮線で固定する場合がある．

動画
Ⅰ-6- ⑬

1）装置の構造（図Ⅰ-6-21，▶動画Ⅰ-6- ⑬）

①チューブのついたバンド，②唇側弧線，③バンパー（受圧板）からなる．

2）装置の適応

混合歯列期以降に用いる．下顎前歯の舌側傾斜の改善や，下顎大臼歯の近心転位あるいは傾斜の改善に用いられる．また，吸唇癖や咬唇癖などの口腔習癖の改善にも用いられる．

3）装着時の指導内容と注意点

・舌側傾斜した下顎前歯の改善や，近心転位あるいは傾斜した下顎大臼歯の改善，口腔習癖の改善を目的とする装置である．

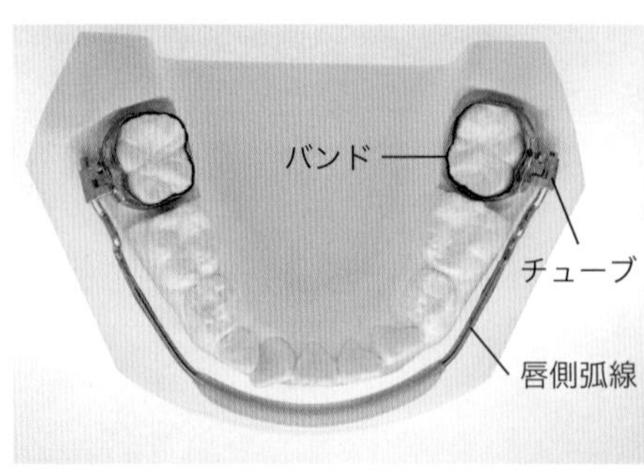

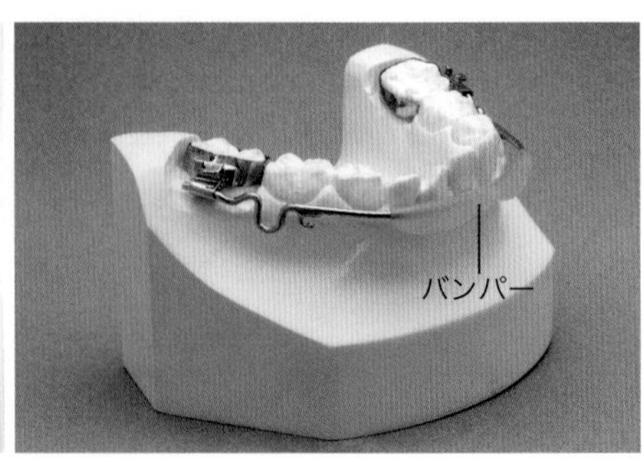

図Ⅰ-6-21　リップバンパー

・可撤式の場合，唇側弧線を装着しないと矯正力が発揮されないため，食事時を除いて可能な限り長時間の装着が必要である．
・装置の使用時に違和感もしくは痛みを感じることがある．

5 その他の矯正装置

1. 口腔習癖除去装置（タングクリブ）

歯性の開咬や上顎前突の原因となっている舌突出癖や吸指癖（母指吸引癖）などの口腔習癖を除去するために用いられ，固定式のものと可撤式のものが存在する．装着前から口腔筋機能療法〈MFT〉を併用することが推奨されている．

Link
口腔筋機能療法
p.174-189

1）装置の構造（図Ⅰ-6-22，▶動画Ⅰ-6-⑭）

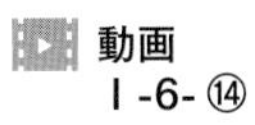
動画
Ⅰ-6-⑭

固定式の場合はリンガルアーチとクリブ，可撤式の場合は床装置とクリブからなる．

2）装置の適応

舌癖や吸指癖を伴う混合歯列期の歯性開咬が適応症となる．クリブの部分が突出させがちな舌や吸引する指の感覚を変え，患者に口腔習癖を自覚させることで，吸指癖の除去や，舌の位置変化をもたらす．このことが口腔習癖を防止し，特に開咬などの不正咬合の改善につながる．

3）装着時の指導内容と注意点

・舌突出癖や吸指癖を除去するための装置である．
・患者自身で口腔習癖をやめるように努力を促す装置である．
・同時に口腔筋機能療法による訓練が必要である．

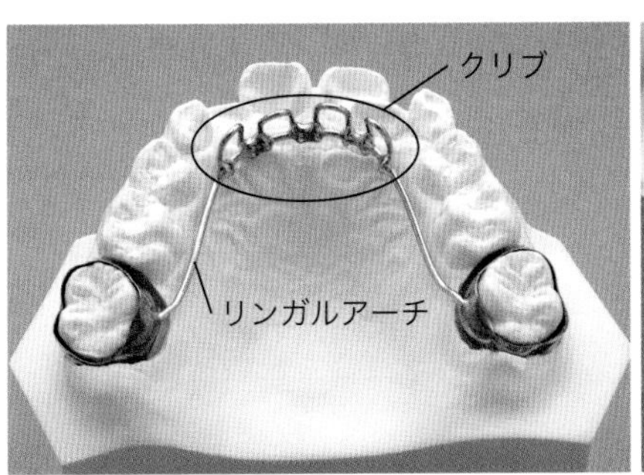

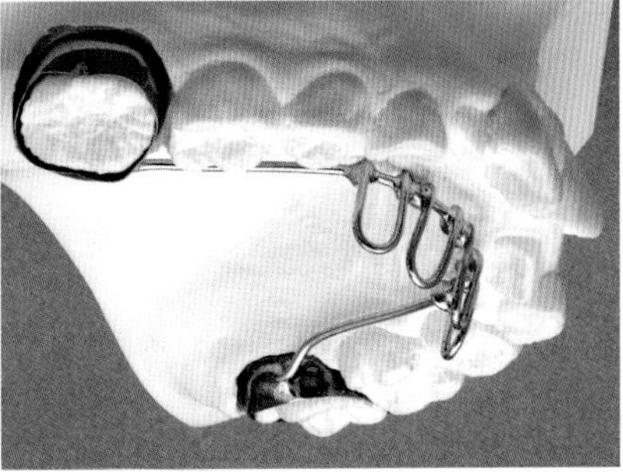

図Ⅰ-6-22　タングクリブ（固定式）

6 保定装置

1. 保定の定義と意義

矯正歯科治療には，不正咬合を積極的に治す動的治療と，治った状態を維持して後戻りを防ぐ静的治療がある．**保定**は静的治療であり，動的治療によって適正に位置づけられた歯列・咬合関係を保持し，長期間の安定が得られる条件を整える処置のことである．

矯正歯科治療は後戻りのリスクを伴うため，保定はきわめて重要である．治療後の歯列および咬合関係が新しい環境に適応し，安定するためには一定の時間が必要である．そこで，通常は動的治療に続いて保定が行われる．

保定には，器械保定，自然保定および永久保定の３種類がある．

1）器械保定

器械保定とは，動的治療後に保定装置を用いて咬合を維持することをいう．動的治療後のほとんどの症例において，器械保定が行われる．

2）自然保定

自然保定とは，装置を使わずに動的治療で得られた状態を保持することをいう．自然保定において，歯列や咬合は，歯の嵌合（かんごう）や隣接面の接触，口腔周囲筋の作用と咀嚼筋の機能の調和により維持される．

ただし，動的治療直後から自然保定のための条件が整っていることはまれで，一般的には器械保定により歯列・咬合関係が安定したと判断された時点で，自然保定に移行する．

3）永久保定

永久保定とは，動的治療後に長期間の器械保定を行っても後戻りが予想され，自然保定への移行が困難と考えられる場合に，補綴治療などにより永久的に行う保定をいう．

2. 保定装置

保定装置には可撤式と固定式がある．いずれの装置を用いるかは，患者の協力度や症状によって判断される．

1）可撤式保定装置

Link
保定中の管理と指導
p.199-201

(1) 装置の種類

❶ Hawley〈ホーレー〉タイプリテーナー（図Ⅰ-6-23-A，B）

レジン床と，両側犬歯の遠心間を結ぶ唇側線を有する床装置である．維持装置として，大臼歯部に単純鉤（こう）やクラスプが付与される．

❷ Begg〈ベッグ〉タイプリテーナー（図Ⅰ-6-23-C）

レジン床と，両側の最後臼歯の遠心間を結ぶ唇側線を有する床装置である．

❸トゥースポジショナー（図Ⅰ-6-23-D，E）

上下顎一塊に歯列を覆う保定装置である．高分子弾性材料で製作されているため，軽度の歯の移動が可能であり，これを動的治療に応用したものをダイナミックポジショナーという．

(2) 装着時の指導内容と注意点

・患者自身による着脱が必要である．
・保定開始時は食事時や歯磨き時を除く終日の装着が原則となるが，徐々に使用時間を減らし，歯列の安定が得られたと判断された時点で自然保定に移行する．
・装置の破損や変形がないか，定期的な来院による管理が必要である．

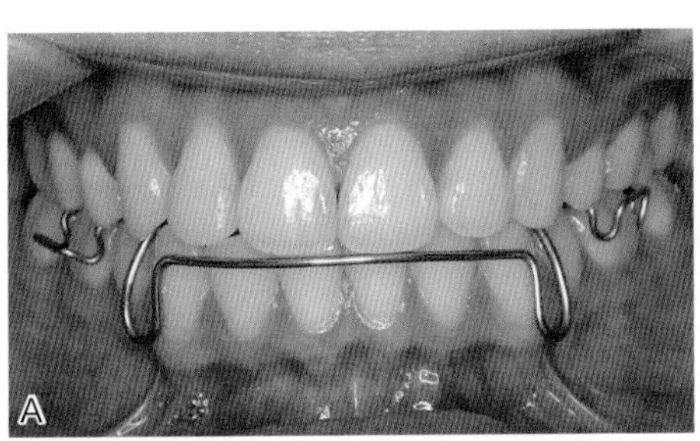

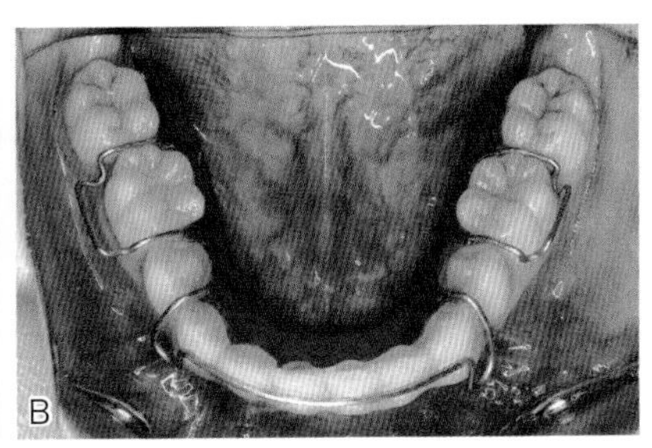

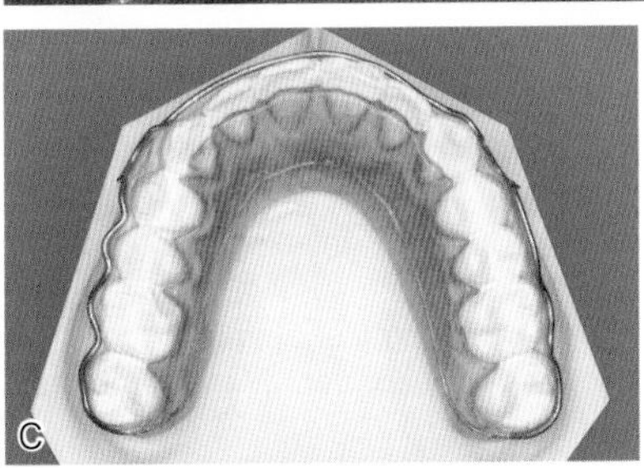

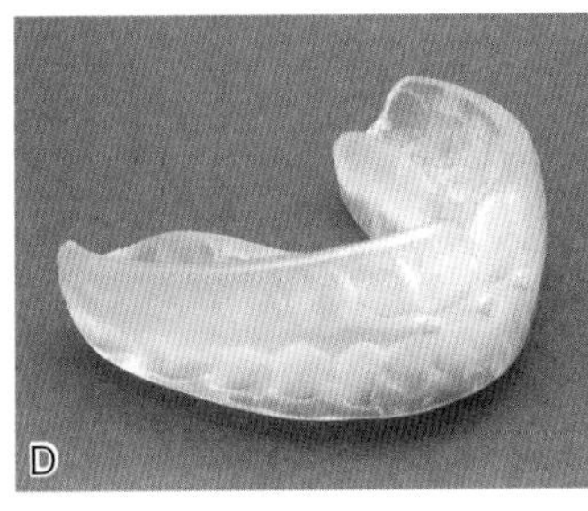

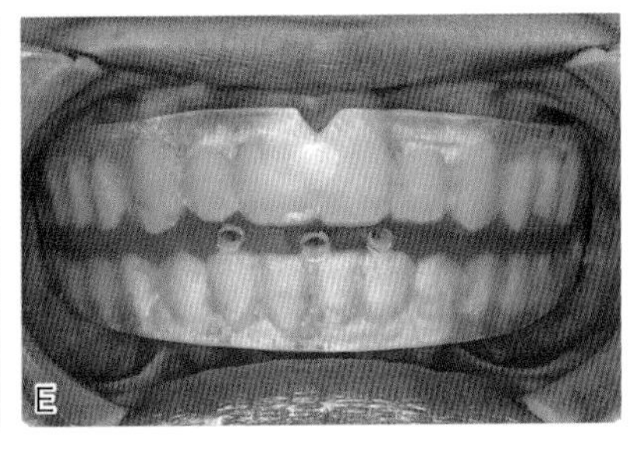

図Ⅰ-6-23　**可撤式保定装置**
AB：Hawley タイプリテーナー，C：Begg タイプリテーナー，DE：トゥースポジショナー．

2）固定式保定装置

固定式であるため，保定の効果が患者の協力度に影響されないという利点がある．

(1) 装置の種類

❶犬歯間保定装置

両側犬歯間を連結する太いワイヤーを，両側犬歯の舌側に装着する装置である（図Ⅰ-6-24-A）．

❷接着式犬歯間保定装置

両側犬歯間または小臼歯間で舌側歯面に沿わせた細いワイヤーを，1歯ずつ歯面に接着固定する装置である（図Ⅰ-6-24-B）．審美的に良好で異物感が少ないことから，比較的使用頻度の高い固定式保定装置である．

(2) 装着時の指導内容と注意点

ワイヤーの下や歯頸部に歯石やプラークが沈着しやすいため，う蝕や歯周病が生じないよう，プラークコントロールを指導する必要がある．

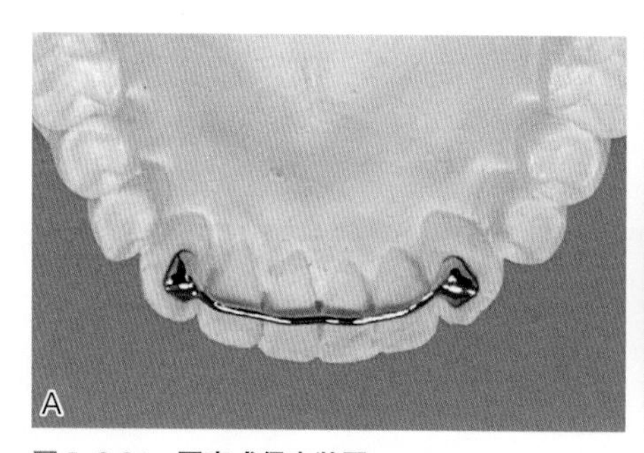

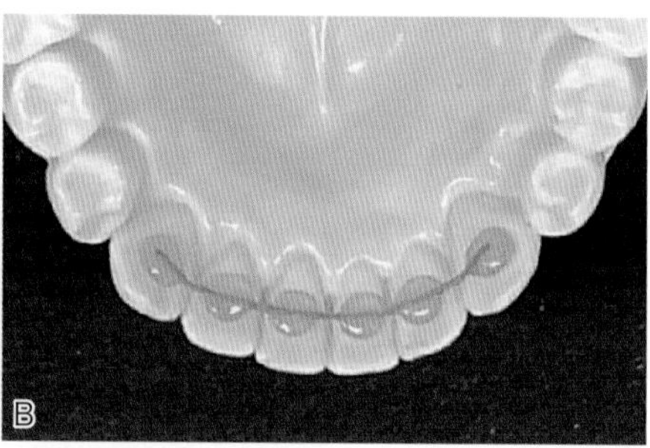

図Ⅰ-6-24　**固定式保定装置**
A：犬歯間保定装置　B：接着式犬歯間保定装置．

参考文献

1) Proffit WR, et al.：Contemporary Orthodontics. 4th ed. Elsevier-Mosby, St. Louis, 2007.
2) 後藤滋巳，石川博之，槇　宏太郎ほか編著：チェアサイド・ラボサイドの 新矯正装置ビジュアルガイド．医歯薬出版，2015.
3) Graber LW, et al.：Orthodontics：Current principles and techniques. 6th ed. Elsevier, St. Louis, 2017.
4) Proffit WR, et al.：Contemporary orthodontics. 5th ed. Elsevier-Mosby, St. Louis, 2013.
5) Haas AJ：Rapid expansion of the maxillary dental arch and nasal cavity by opening the midpalatal suture. Angle Orthod, 31 (2)：73-90, 1961.
6) Mershon JV：The removable lingual arch as an appliance for the treatment of malocclusion of the teeth. Int J Orthod, 4 (11)：578-587, 1918.
7) 日本矯正歯科学会：ポジションステートメント マウスピース型矯正装置による治療に関する見解．2022. https://www.jos.gr.jp/4348
8) 飯田順一郎ほか編：歯科矯正学 第6版．医歯薬出版，2019.
9) Proffit WR，高田健治訳：新版プロフィトの現代歯科矯正学．クインテッセンス出版，東京，2004.

7章 矯正歯科治療の実際

到達目標

❶ 叢生の特徴と治療を概説できる．
❷ 上顎前突の特徴と治療を概説できる．
❸ 下顎前突の特徴と治療を概説できる．
❹ 上下顎前突の特徴と治療を概説できる．
❺ 過蓋咬合の特徴と治療を概説できる．
❻ 開咬の特徴と治療を概説できる．
❼ 交叉咬合の特徴と治療を概説できる．
❽ 口唇裂・口蓋裂の特徴と治療を概説できる．
❾ 成人矯正歯科治療を概説できる．
❿ 顎変形症と外科的矯正治療を概説できる．
⓫ MTM（限局矯正）を概説できる．

矯正歯科にはさまざまな不正咬合を伴う患者が来院する．歯科衛生士は，矯正歯科治療の基本的な流れを理解することで，患者が矯正装置を使ったり管理したりする際の動機づけや指導に実際的な役割を果たし，円滑な治療に貢献することができる．また，歯科診療の補助や口腔筋機能療法〈MFT〉，そして口腔衛生管理を行う場面では，これらの知識が歯科医師や患者とのコミュニケーションの基本となる．

1 叢生

叢生
p.38

叢生（そうせい）とは，歯が数歯にわたって唇頬側と舌側に交互に転位し，隣在歯との接触関係に乱れが生じて歯列弓の連続性が失われている不正咬合である．口腔衛生管理が困難で，う蝕や歯周病を生じやすい．

上下顎骨の劣成長により歯槽基底弓幅径が狭窄すると，歯列弓幅径も狭窄し，前歯部に叢生が発現する．上顎骨の劣成長を伴う下顎前突や，下顎骨の劣成長を伴う上顎前突では，それぞれ上顎歯列と下顎歯列に叢生を呈していることが少なくない．

1．叢生の治療

1）乳歯列期・混合歯列期の治療

乳歯の早期喪失を防ぐとともに，早期喪失した場合にはその空隙を保隙すること

Link
連続抜去法
p.72

で，叢生の発現を予防するように努める．また，混合歯列前期において，将来の永久歯列期での著しい叢生が予想される場合には，まれに連続抜去法が選択されることがある．

2）永久歯列期の治療

永久歯列期で叢生を改善するためには，①狭窄した歯列弓の側方拡大，②舌側傾斜した前歯の唇側移動，③近心転位した大臼歯の遠心移動，④歯冠隣接面の削合（ストリッピングまたはディスキングという），もしくは⑤第一小臼歯などの抜去が選択される．

2. 叢生の治療の実際

患者

25 歳，女性

主訴

上下顎左側前歯部のブラッシングが難しい．

所見（図Ⅰ-7-1）

①**顔貌所見**：側貌は軽度の凸顔型（コンベックスタイプ）を示した．

②**口腔内所見**：Angle I 級不正咬合で，上下顎前歯部に叢生を認める．オーバージェットは＋3.0 mm，オーバーバイトは＋2.0 mm であった．また，顔面正中に対して上下顎歯列の正中が左側に偏位していた．

Link
アーチレングスディスクレパンシー
p.71-72

検査

①**口腔模型**：アーチレングスディスクレパンシー＝－6.1 mm と評価された．

②**側面頭部エックス線規格写真**：骨格系の計測項目には異常は認められず，歯系の計測項目では上下顎前歯がわずかに唇側傾斜していた．

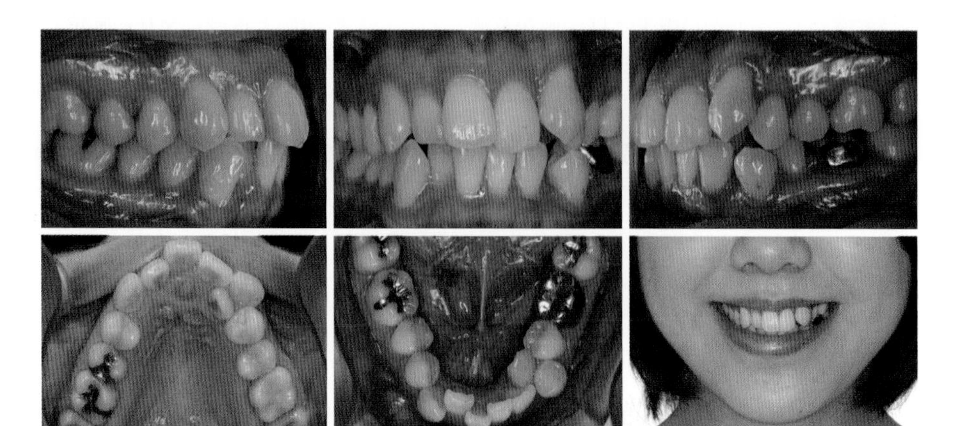

図Ⅰ-7-1　初診時の顔面写真と口腔内写真

診断

著しい叢生.

治療方針

上下顎両側第一小臼歯の抜去を伴う，マルチブラケット装置による本格矯正を選択した.

治療経過

上下顎両側第一小臼歯を抜去後（図Ⅰ-7-2），マルチブラケット装置を装着した.上顎では,左側犬歯を遠心移動して空隙を確保してから,ニッケルチタン合金製アーチワイヤーを用いて，同部位の側切歯を唇側移動した（図Ⅰ-7-3）．動的治療期間は２年４カ月で，その後，可撤式保定装置にて上下顎の保定を行った.

治療結果

叢生が改善し，顔面正中に対して上下顎歯列の正中がほぼ一致した（図Ⅰ-7-4）.

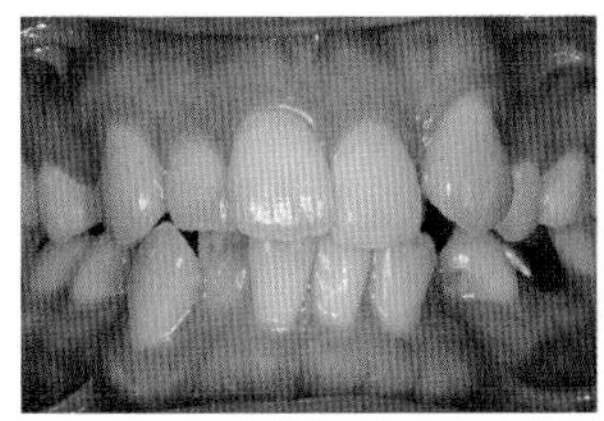
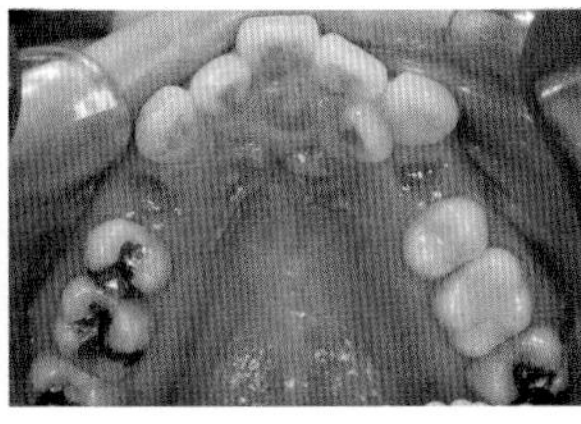
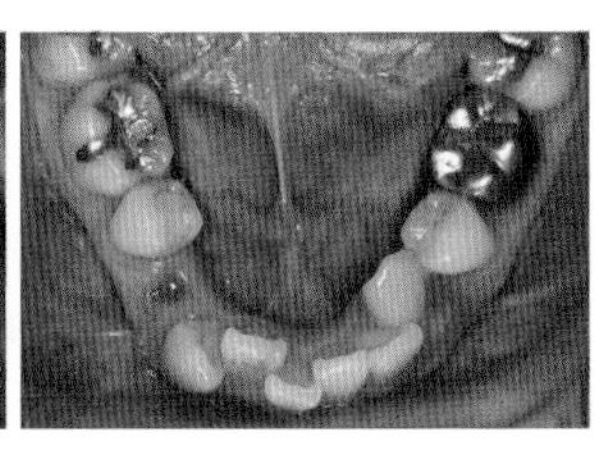

図Ⅰ-7-2　上下顎両側第一小臼歯（4 番）の抜去後の口腔内写真

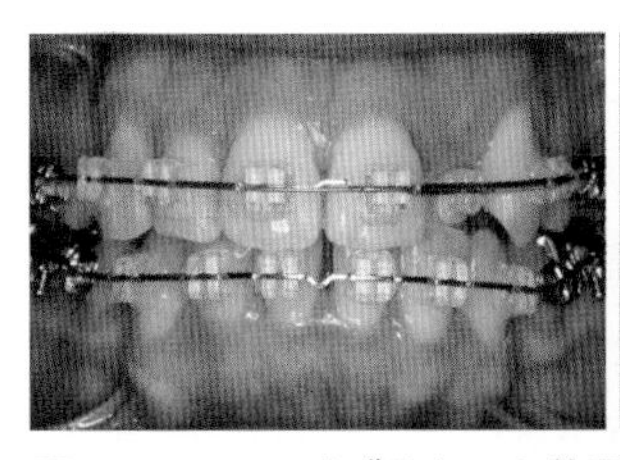
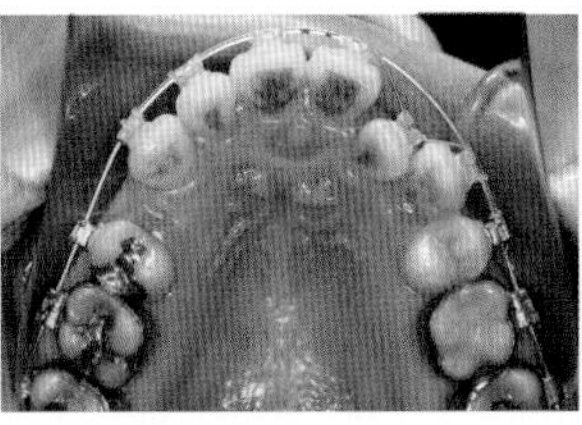
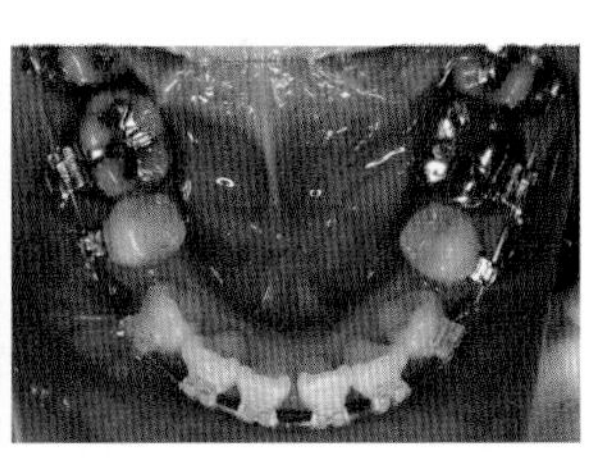

図Ⅰ-7-3　マルチブラケット装置による動的治療中の口腔内写真

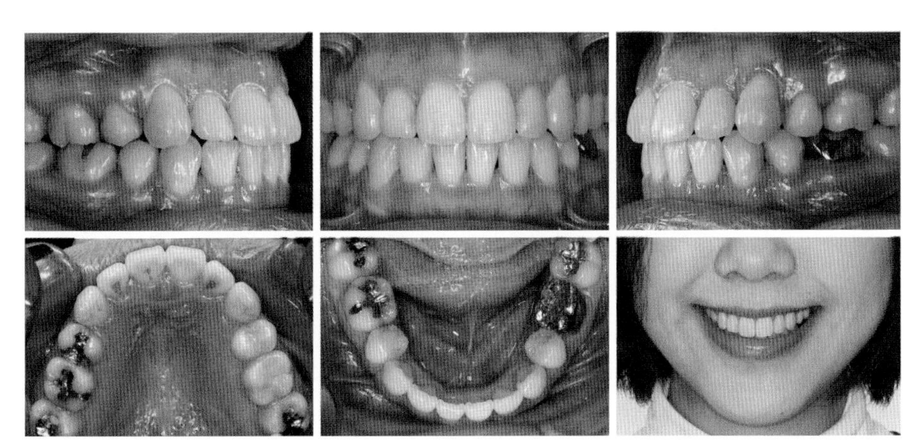

図Ⅰ-7-4　治療後の顔面写真と口腔内写真

2 上顎前突

Link
上顎前突
p.40

上顎前突は，俗に「出っ歯」と表現されるように，一般的には下顎前歯に対して上顎前歯が著しく前方に突出し，オーバージェットが+6 mm以上，あるいは+7〜8 mm以上ある不正咬合の総称とされる．通常，Angle II級1類不正咬合に該当する．前歯歯軸の傾斜や上下顎骨の前後的位置関係が，顔貌を介して観察することができるため，上顎前突では凸顔型（コンベックスタイプ）を示す．

1. 上顎前突の治療

上顎前突の治療において，一期治療では機能的矯正装置，二期治療ではマルチブラケット装置が主に用いられる．マルチブラケット装置には歯科矯正用アンカースクリューや，顎間固定にII級ゴムを併用する場合もある．

1）機能性上顎前突の治療

口腔習癖や鼻咽腔疾患は上顎前突の機能性要因となる．例えば，鼻閉による口呼吸が原因であれば，鼻疾患に対する治療を行う．口腔習癖に対しては，予防矯正ならびに抑制矯正が必要になり，口腔筋機能療法が行われる．矯正装置として，弄舌癖にはタングクリブ，咬唇癖にはリップバンパーなどが用いられる．

2）骨格性上顎前突の治療

成長期であれば，上顎の過成長に対しては成長抑制のためにヘッドギアを，下顎の劣成長に対しては成長促進のためにバイオネーターなどの機能的矯正装置が用いられる．一方，乳歯列期では，下顎に比べて上顎の成長が先行し，下顎後退位をとることが多いため，積極的な治療を行わず，経過観察とする場合が多い．

成長抑制あるいは成長促進の治療が奏功しなかった場合には，永久歯列期にマルチブラケット装置を用いる場合もある．一方で，骨格性の異常の程度が大きい場合には，外科的矯正治療が検討される（⑩参照）．

3）歯性上顎前突の治療

上顎前歯が過度に唇側傾斜していれば，舌側移動させることでオーバージェットの減少をはかり，下顎前歯が舌側傾斜していれば唇側移動をはかる．また，上顎大臼歯の遠心移動を目的としてヘッドギアが用いられることもある．

2. 上顎前突の治療の実際

患者

16歳，女子．

主訴

口元の突出感が気になる．

所見（図Ⅰ-7-5）

①**顔貌所見**：正貌は左右対象で，側貌は凸顔型（コンベックスタイプ）を呈し，上口唇の突出と，口唇閉鎖時にオトガイ部の緊張が認められた．

②**口腔内所見**：オーバージェットは＋11.5 mm，オーバーバイトは＋4.0 mmで，AngleⅡ級1類不正咬合であった．

検査

側面頭部エックス線規格写真：骨格系の計測項目から，上顎骨が大きいと判断された．歯系の計測項目からは，上顎前歯の唇側傾斜を認めた．

診断

叢生を伴う上顎前突．

治療方針

上下顎両側の第一小臼歯を抜去した後，マルチブラケット装置を用いて叢生の解消とⅠ級の臼歯関係の獲得を目指し，歯科矯正用アンカースクリューも併用することで上顎前歯を効率的に舌側移動させることにした．歯列排列後にはマルチブラケット装置を撤去し，後戻り防止のため保定を行う．

治療経過と治療結果

マルチブラケット装置による治療期間は3年で，その後Beggタイプリテーナーを2年間使用した．主訴の口元の突出感は解消され，叢生および上下顎大臼歯の近遠心的位置関係も改善し，良好な咬合状態を維持している（図Ⅰ-7-6）．

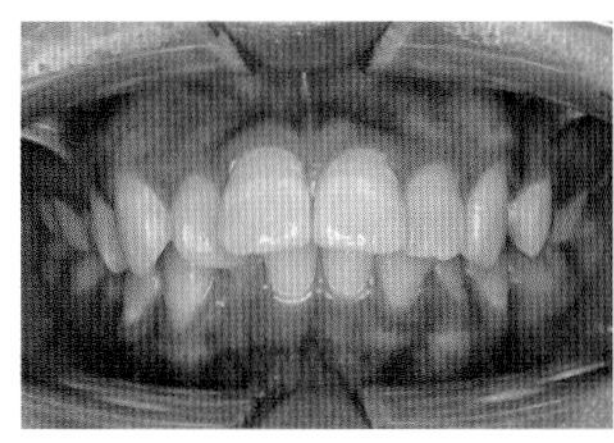
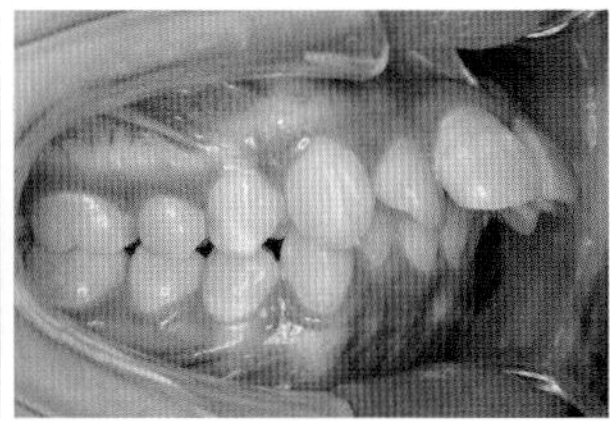
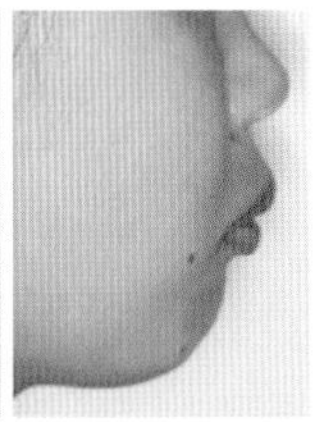

図Ⅰ-7-5　初診時の口腔内写真と顔面写真（側貌）

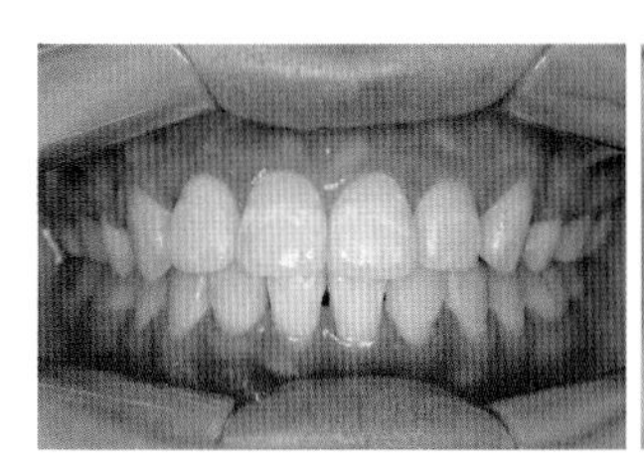
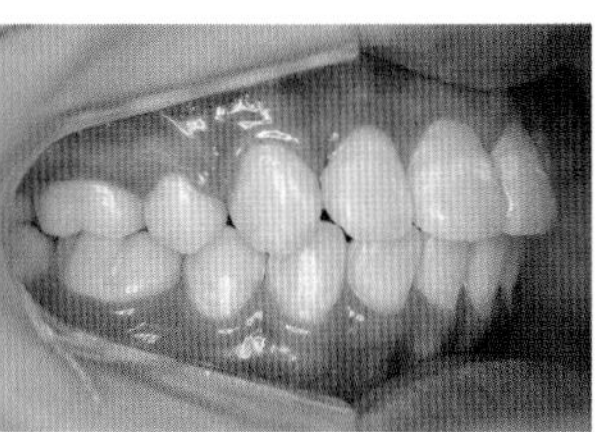
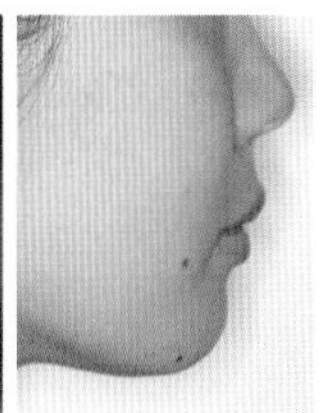

図Ⅰ-7-6　保定開始から1年後の口腔内写真と顔面写真（側貌）

③ 下顎前突

Link
下顎前突
p.40

下顎前突は，下顎前歯の切縁が上顎前歯よりも前方に咬合する不正咬合である．下顎前突は要因によって以下の３つに分けられ，これらの要因が単独あるいは複合的に存在することで起こる．

①**骨格性下顎前突**：上顎の劣成長または下顎の過成長，もしくはその両方により，下顎が前方に位置するものである．上下顎骨の位置や大きさの異常が原因で生じ，多くは舌や口唇圧の影響から上顎前歯は唇側傾斜，下顎前歯は舌側傾斜を呈する．

②**歯性下顎前突**：上下顎骨の大きさや位置にはほとんど異常がなく，上顎前歯の舌側転位や舌側傾斜，下顎前歯の唇側転位や唇側傾斜，またはこれらが合併することにより，上下顎前歯が逆被蓋（反対咬合）を呈するものである．

Link
機能性下顎前突
p.57

③**機能性下顎前突**：早期接触によって，下顎が本来の位置から前方移動して近心咬合位に誘導され，上下顎前歯が逆被蓋を呈するものである．

1．下顎前突の治療

1）成長期の治療

骨格性の場合，上下顎どちらに原因があるのかによって対応が異なる．原因が上顎骨の劣成長による場合は，上顎前方牽引装置で上顎骨の成長誘導を行う．原因が下顎骨の過成長による場合は，チンキャップで下顎骨の前下方成長の抑制を行う．上下顎骨の不調和が著しい場合には，外科的矯正治療を考慮して経過観察することもある．

歯性・機能性の場合は，リンガルアーチなどを用いた上顎前歯の唇側移動や，アクチバトールなどの機能的矯正装置による上顎前歯の唇側移動と下顎前歯の舌側移動を行う．

2）成人期の治療

骨格性の要素が強い場合には，外科的矯正治療が適応となることがある（⑩参照）．歯性・機能性，あるいは軽度の骨格性であると診断された場合には，抜歯か非抜歯かの判定を行い，マルチブラケット装置を用いた矯正歯科治療を行う．

2．下顎前突の治療の実際

患者

7 歳 11 カ月，女児．

主訴

前歯が反対に咬んでいることが気になり来院した．母親が前歯部反対咬合であり，矯正歯科治療の既往がある．

所見

①顔貌所見：正貌はほぼ左右対称で，側貌は凹顔型（コンケイブタイプ）を呈していた．

②口腔内所見：Hellmanの咬合発育段階（歯齢）はⅢA期で，AngleⅢ級不正咬合である．前歯部は反対咬合で，オーバージェットは−2.0 mmであった（図Ⅰ-7-7-A，B）．

検査

側面頭部エックス線規格写真：骨格系の計測項目から，上顎骨の劣成長が認められた．

診断

上顎骨の劣成長に伴う骨格性下顎前突．

治療方針

前歯の被蓋改善のため，上顎前方牽引装置（フェイスマスクタイプ）を用いて上顎の成長促進を行うこととした（図Ⅰ-7-7-C）．

治療結果

上顎前方牽引装置を約11カ月使用後，上顎の前方成長により前歯部の被蓋が改善した（図Ⅰ-7-8）．永久歯列咬合完成まで経過観察する．

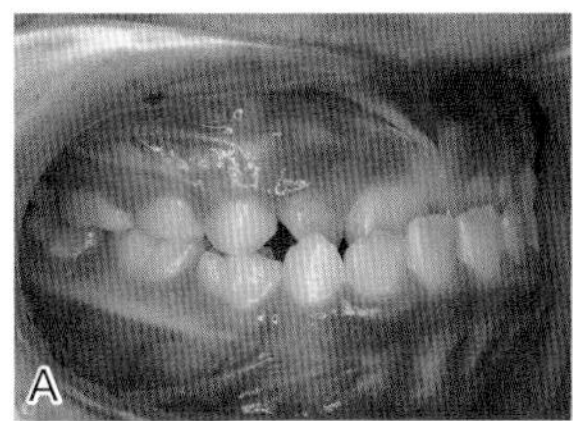

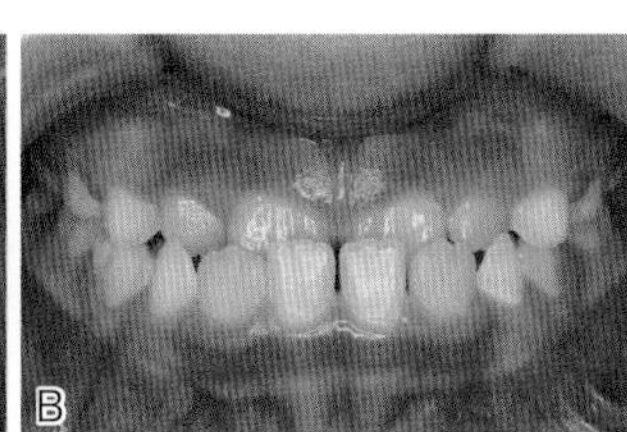

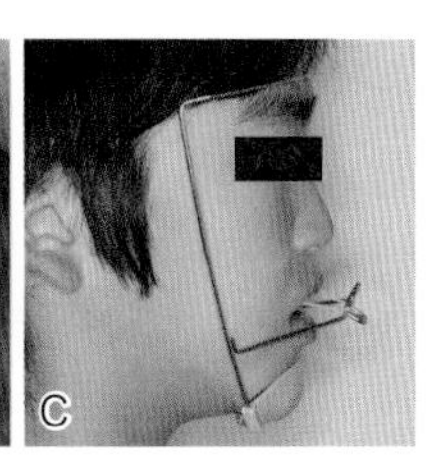

図Ⅰ-7-7　初診時の口腔内写真（AB）と，患者に装着した上顎前方牽引装置（C）

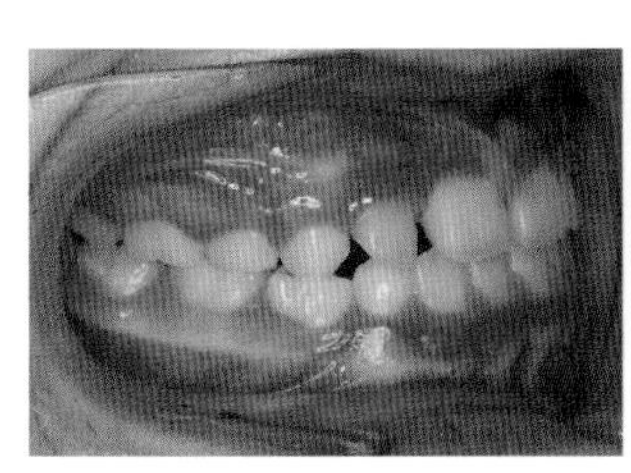

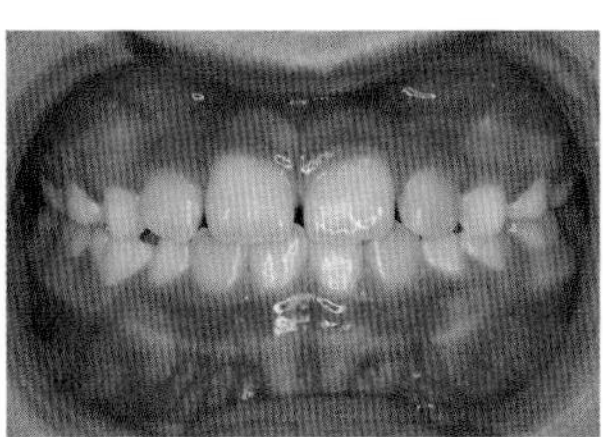

図Ⅰ-7-8　治療終了後の口腔内写真

4 上下顎前突

上下顎前突
p.40

上下顎前突には，骨格性のものと歯性のものがある．大臼歯の咬合関係は正常で，頭蓋に対して上顎骨・下顎骨がともに前突しているものを骨格性上下顎前突といい，上顎と下顎の前歯が唇側傾斜しているものを歯性上下顎前突という．

歯性上下顎前突の原因として，顎の大きさに比べて歯冠近遠心幅径の総和が大きいことがあげられ，叢生が少なく，上下顎の前歯が唇側傾斜しているときに認められる．また，舌が大きいために舌圧が口唇圧を上回り，上下顎の前歯が唇側傾斜した場合は，空隙歯列を伴う上下顎前突が認められる．

1．上下顎前突の治療

マルチブラケット装置による不正咬合の改善が一般的である．前歯部に空隙歯列が併発している場合は，その空隙を閉鎖するように前歯を舌側移動する．しかし，側貌で口元に突出感が残るようであれば，上下顎両側の第一小臼歯を抜去し治療する．空隙がなく叢生もある場合には，前歯を牽引し舌側移動させるスペースを確保する目的で，上下顎両側の第一小臼歯を抜去することが多い．

治療では積極的に前歯を舌側移動する場合が多く，最大の固定を必要とするために，大臼歯をヘッドギア，歯科矯正用アンカースクリュー，Nanceのホールディングアーチなどで加強固定する．

舌の突出などが原因で上下顎前突になっている場合は，治療後の保定とともに口腔筋機能療法などによる舌の位置の指導を行い，歯列の安定を試みる．保定には，閉鎖した空隙が再び開かないように，Beggタイプリテーナーや Hawleyタイプリテーナーを用いる．

2．上下顎前突の治療の実際

患者

19歳，女性．

主訴

口元が出ている．

所見（図Ⅰ-7-9）

①顔貌所見：正貌は左右対称，側貌は凸顔型（コンベックスタイプ）を呈し，上下口唇の突出と，口唇閉鎖時のオトガイ部の緊張が認められる．

②口腔内所見：オーバージェットは+3.0 mm，オーバーバイトは+0.5 mmであった．顔面正中に対して，上顎の正中は左側に1.0 mm偏位していたが，下顎の正中はほぼ一致していた．

検査

側面頭部エックス線規格写真：骨格系の計測項目では上下顎骨とも位置は標準であったが，歯系の計測項目から上下顎前歯の唇側傾斜を認めた．

診断

歯性上下顎前突．

治療方針

上下顎両側第一小臼歯を抜去し，マルチブラケット装置による上下顎前歯の舌側移動を行った後，保定を行うことにした．治療開始前の口腔清掃状況は良好であり，マルチブラケット装置の装着時に，ブラッシング指導を行った．

治療結果

マルチブラケット装置による治療期間は２年５カ月で，主訴であった口元の突出感，ならびに上下顎前歯の唇側傾斜は改善された（図Ⅰ-7-10）．その後，Beggタイプリテーナーを２年間使用した．咬合は良好な状態を維持し，安定している．

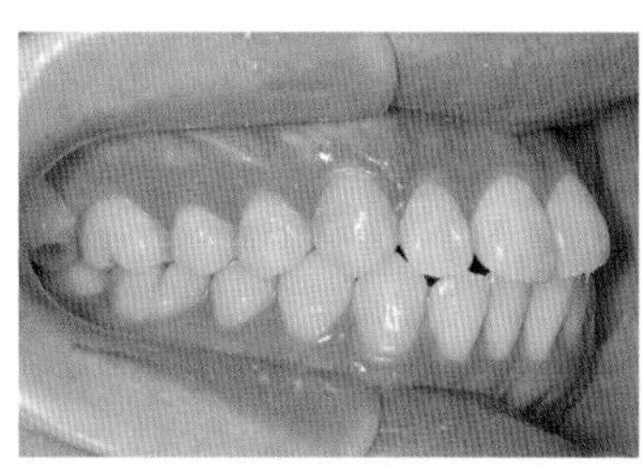
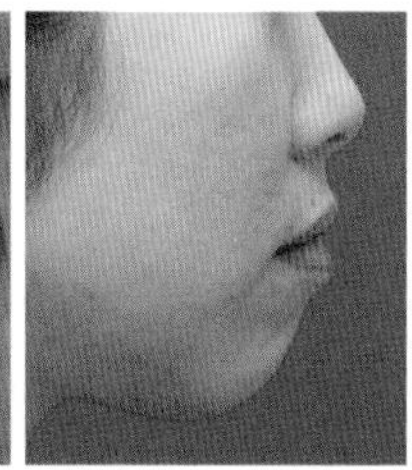

図Ⅰ-7-9　初診時の口腔内写真と顔面写真（側貌）

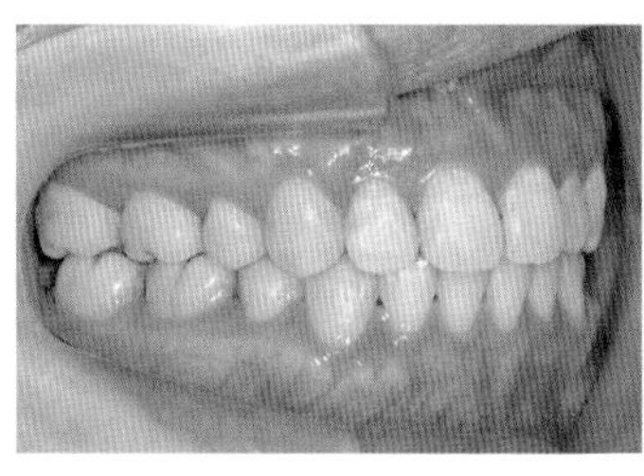
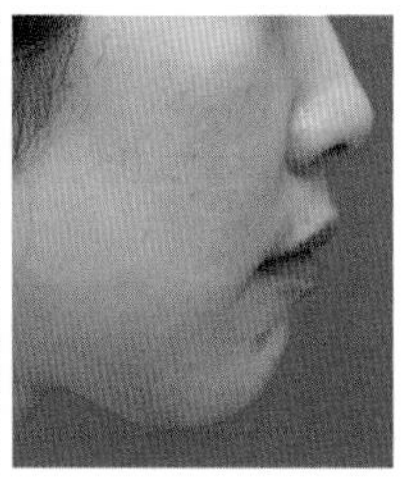

図Ⅰ-7-10　マルチブラケット装置撤去後の口腔内写真と顔面写真（側貌）

5 過蓋咬合

Link
過蓋咬合
p.41

過蓋咬合(かがいこうごう)には，骨格性要因と歯性要因がある．骨格性要因の場合は短顔傾向を示し，下顎下縁平面角や下顎角が小さい顎顔面形態に起因して過蓋咬合が生じる．また，Angle II 級 2 類不正咬合のように，咬合時に上下顎の歯が接触することで下顎が後方に機能的に誘導される症例では，顎関節症を伴うこともある．

歯性要因としては，前歯部の過度の挺出や臼歯の低位などがあげられる．

1．過蓋咬合の治療

1）乳歯列期の治療

乳歯列期の場合は，基本的に永久歯萌出期まで経過観察を行う．ただし，乳臼歯部の歯冠崩壊や早期喪失を原因とする過蓋咬合では，保隙装置などを用いて，永久歯の萌出スペースの確保と同時に咬合高径の回復をはかる．

2）混合歯列期の治療

混合歯列期は，顎骨の成長や永久歯の萌出力が期待できる時期であるため，積極的に咬合挙上が行える時期である．咬合挙上板や咬合斜面板，またはアクチバトールなどの機能的矯正装置を用いることで，臼歯の挺出や下顎骨の前方成長を促し，前歯部被蓋を浅くする．

顎外固定装置であるサービカルヘッドギアでは，上顎の大臼歯の挺出と遠心移動に伴う咬合挙上が期待できる．また，急速拡大装置や緩徐拡大装置を用いて歯列弓を拡大することにより，上下顎臼歯の咬合関係が変化して，オーバーバイトが減少する．

3）永久歯列期の治療

永久歯列期における過蓋咬合の治療では，マルチブラケット装置を用いて，上下顎前歯の圧下と臼歯の挺出を行う．近年では，補助的装置として歯科矯正用アンカースクリューを固定源に用いて，前歯の圧下を行うなどの治療法も選択される．重度の骨格性要因による過蓋咬合では，顎変形症として外科的矯正治療を選択する場合もある（⑩参照）．

2．過蓋咬合の治療の実際

患者

8 歳 3 カ月，女児．

主訴

前歯で食べ物が噛みづらい．

所見（図Ⅰ-7-11）

①顔貌所見：正貌は左右対称で，側貌は凸顔型（コンベックスタイプ）を呈していた．

②口腔内所見：オーバージェットは＋4.2 mm，オーバーバイトは＋9.0 mmであった．

検査

側面頭部エックス線規格写真：骨格系の計測項目から，上顎骨が大きいと判断された．歯系の計測項目からは，上顎前歯の舌側傾斜を認めた．

診断

過蓋咬合．

治療方針

ヘッドギア（サービカルヘッドギア）を用いて，上顎骨の成長抑制と，上顎第一大臼歯の遠心移動および挺出をはかることで過蓋咬合の改善を行うことにした．大臼歯の遠心移動後，マルチブラケット装置による治療と，その後に保定を行う．

治療経過と治療結果

ヘッドギアを1年6カ月使用した．その後，第二大臼歯の萌出を待ってマルチブラケット装置による治療に移行し，さらに2年後，Beggタイプリテーナーを3年間使用し保定を行った．過蓋咬合および上下顎大臼歯の近遠心的関係は改善され，咬合は良好な状態を維持している（図Ⅰ-7-12）．

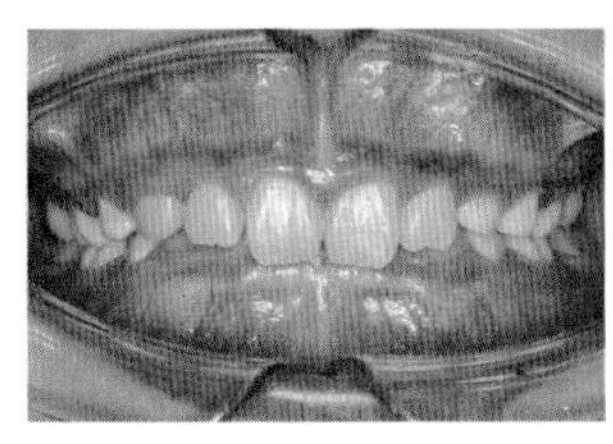
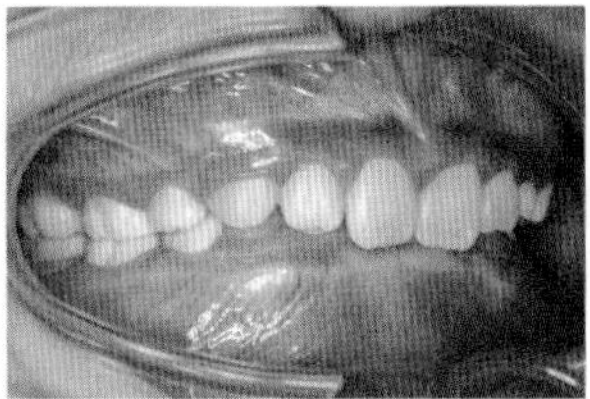
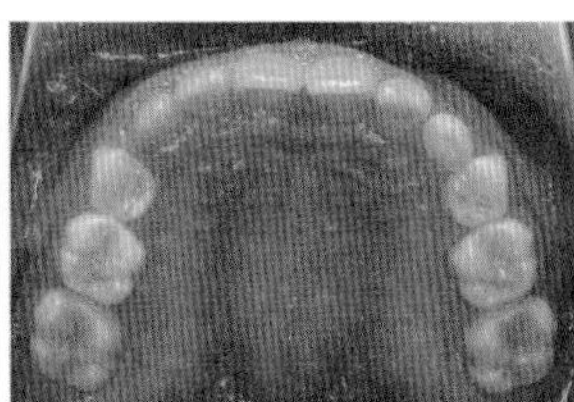

図Ⅰ-7-11　初診時の口腔内写真

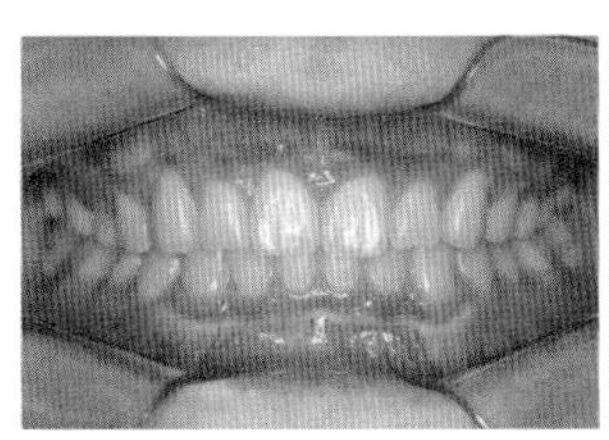
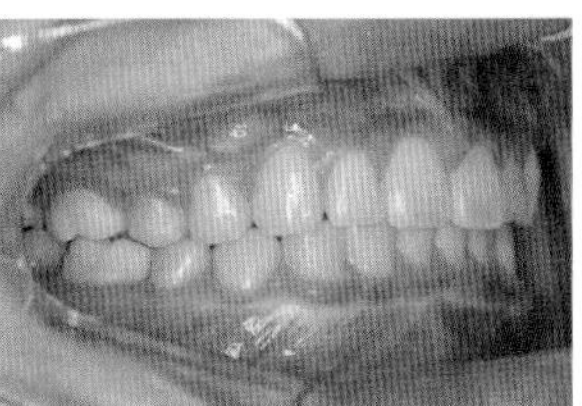
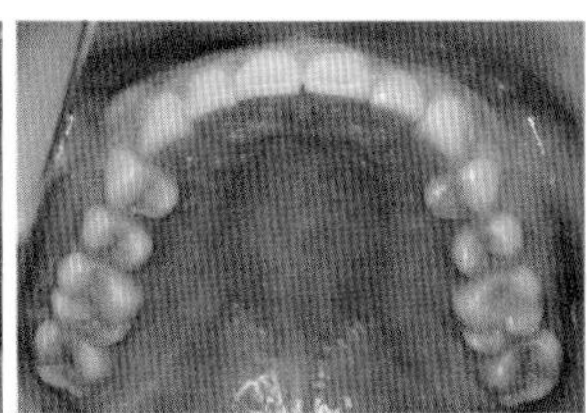

図Ⅰ-7-12　保定開始から1年後の口腔内写真

6 開咬

Link
開咬
p.41
口腔習癖
p.49-50

開咬(かいこう)は，その原因によって歯性と骨格性に分けられる．

歯性開咬は，前歯部の低位や臼歯部の高位によって生じるものである．原因としては，前歯の萌出異常，巨舌症などの形態異常があり，さらに口腔習癖（舌突出癖，異常嚥下癖，吸指癖など）によって生じる場合もある．

骨格性開咬は，上下顎骨の形態異常によって生じるもので，下顎骨オトガイ部の後下方への成長や，重度の下顎前突，小顎症といった，上下顎骨の形態異常のような遺伝的要因が多いと考えられている．

1. 開咬の治療

開咬は歯性，骨格性と単独の要因だけではなく，複数の要因が混在している場合も多い．そのため，できるだけ要因が何かを見きわめながら，治療を進める必要がある．

1）骨格性開咬の治療

混合歯列期の場合は，治療に顎整形力を適用する場合がある．ハイプルチンキャップを用いて，下顎前方部（オトガイ部）を上方に牽引する．しかし，重度の骨格性の異常がある場合は，あまり大きな治療効果は期待できない．

永久歯列期の場合は，顎骨はすでに成長を終えているという点で，乳歯列期や混合歯列期と異なる．永久歯列期の骨格性開咬に対しては，マルチブラケット装置を用いて治療を行う．上下顎骨の大きさや形態，位置関係の異常が大きい場合は，外科的矯正治療が適応となる（⑩参照）．

2）歯性開咬の治療

歯性開咬は，前歯部の低位や臼歯部の高位などが原因であるため，前歯の挺出，あるいは臼歯の圧下により治療する．近年では，歯科矯正用アンカースクリューによって臼歯を圧下することができるようになり，良好な治療結果が得られている．

2. 開咬の治療の実際

患者

14 歳 11 カ月，女子．

主訴

前歯部が咬み合わない．

所見

①顔貌所見：特記事項なし．

②口腔内所見：前歯部の開咬と（図Ⅰ-7-13），嚥下時の舌突出癖が認められる．

検査

①口腔模型：オーバージェットが+4.5 mm, オーバーバイトが−3.0 mm であった．

②側面頭部エックス線規格写真：SNA 角＝83.0°，SNB 角＝80.0°，ANB 角＝3.0° と特に問題はないが，上顎中切歯が唇側傾斜を示した．

診断

口腔習癖を伴う前歯部開咬．

治療方針

舌突出癖および口唇閉鎖不全がみられるため，口腔筋機能療法を行い，舌突出癖および口唇閉鎖不全を改善し，口腔習癖の除去を行うこととした．また口腔筋機能療法と並行して，マルチブラケット装置を使用する．

治療経過と治療結果

口腔筋機能療法を 1 年間行い，口腔習癖の除去を行った．並行して装着したマルチブラケット装置による治療期間は 2 年 1 カ月であった．口腔筋機能療法により口腔筋機能の回復もみられ，予後は良好である（図Ⅰ-7-14）．

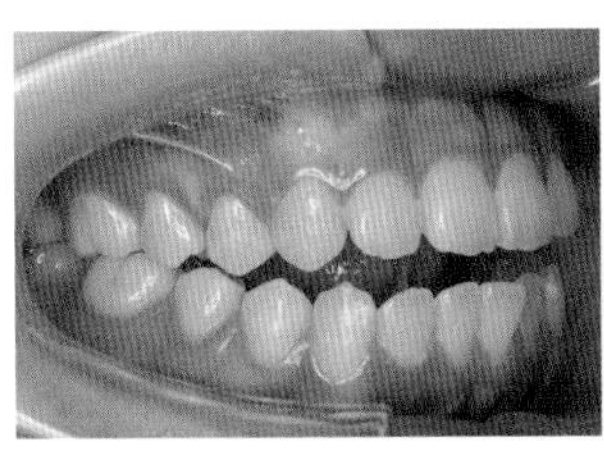
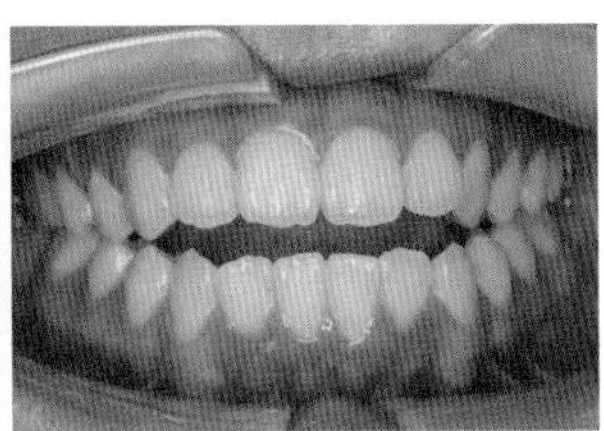

図Ⅰ-7-13　初診時の口腔内写真

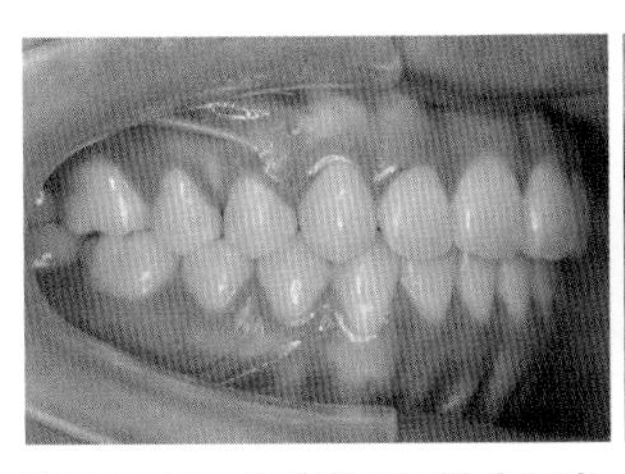
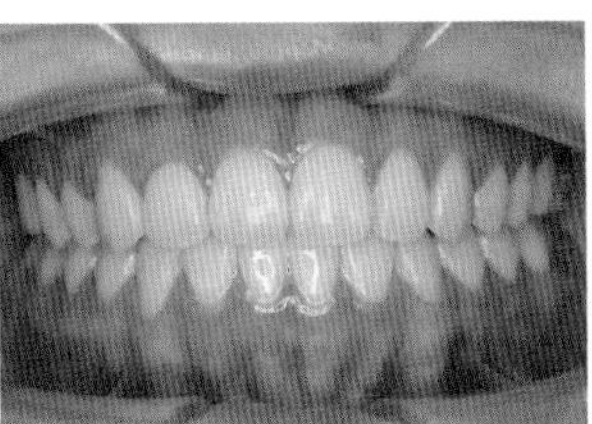

図Ⅰ-7-14　治療後の口腔内写真

7 交叉咬合

Link
交叉咬合
p.42

臼歯部の交叉（こうさ）咬合では，骨格性要因として上顎歯列弓の狭窄を伴うことが多く，しばしば下顎の側方偏位がみられる．また，上顎歯列弓が狭窄していない場合でも，機能性要因として早期接触・咬頭干渉によって下顎の側方偏位が生じ，交叉咬合となることがあり，上下の正中の不一致や，大臼歯の近遠心関係のずれが認められる．

一方，歯性要因としては，患側における上顎臼歯の舌側転位・傾斜，下顎臼歯の頬側転位・傾斜があげられる．

1. 交叉咬合の治療

交叉咬合の治療においては，交叉咬合の要因を骨格性，歯性，および機能性それぞれの観点から検討する必要がある．骨格性要因である下顎の偏位の有無や上顎歯列弓の狭窄の程度，下顎骨の変形の程度のほか，歯の位置異常といった歯性要因や，機能性要因の有無を評価する．

1）乳歯列期の治療

乳歯列期における交叉咬合は，早期に改善することが望ましい．とりわけ，機能性の交叉咬合は，早期治療（一期治療）による咬合の改善が有効であり，重篤化の予防につながる．歯の位置異常などによる早期接触・咬頭干渉が原因となって下顎の側方偏位が生じている場合には，これを除去することにより，偏位の改善がはかられる．吸指癖などの口腔習癖が関与している場合には，これを除去する．

2）混合歯列期の治療

上顎歯列弓の狭窄を伴う臼歯部交叉咬合では，上顎歯列弓の側方拡大が適応となり，緩徐拡大あるいは急速拡大が行われる．吸指癖などの口腔習癖が関与している場合には，これを除去する．早期接触・咬頭干渉が原因となって下顎の側方偏位が生じている場合には，これを除去することにより，偏位の改善がはかられる．

3）永久歯列期の治療

成長終了後の永久歯列期における治療では，マルチブラケット装置などを用いた治療が行われるが，骨格性要因が大きい場合には，外科的矯正治療の併用が検討される（⑩参照）．外科的矯正治療を適用するかどうかは，患者の顔貌改善への希望の有無などを含めて総合的に判断される．

2. 交叉咬合の治療の実際

患者

10歳11カ月，男児.

主訴

前歯の歯並びが気になる.

所見

①顔貌所見：正貌の非対称はみられない．側貌は直線型（ストレートタイプ）であった.

②口腔内所見：オーバージェットは+5.5 mm，オーバーバイトは+2.0 mmであった．左側臼歯部は交叉咬合を呈している（図Ⅰ-7-15）.

検査

①口腔模型：歯冠近遠心幅径は標準値に対してやや大きな値を示している．上顎の歯列弓幅径は正常範囲を超えて小さい.

②側面頭部エックス線規格写真：骨格系の計測項目から上顎の過成長と狭窄が認められた．歯系の計測項目は標準であった.

診断

上顎歯列弓の狭窄を伴う交叉咬合.

治療方針

急速拡大装置を用いて上顎歯列弓を側方拡大することにより，交叉咬合を改善することとした.

治療結果

1カ月間の急速拡大を行い，交叉咬合が改善した（図Ⅰ-7-16）.

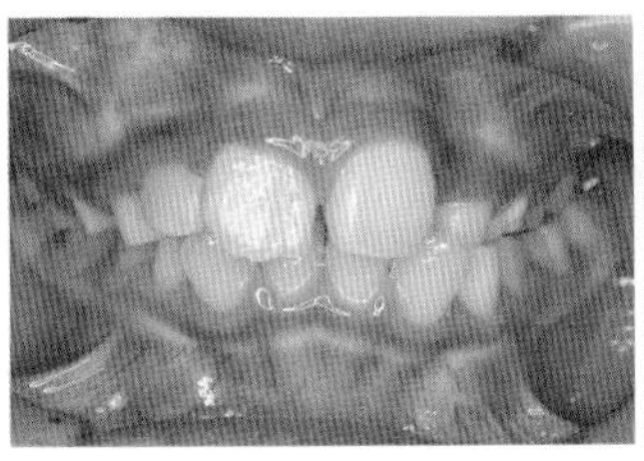
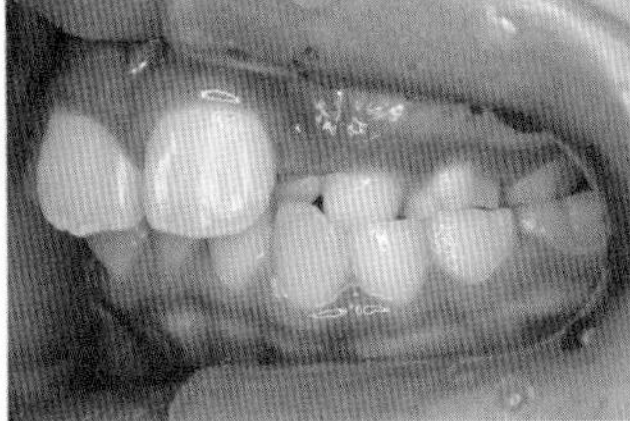
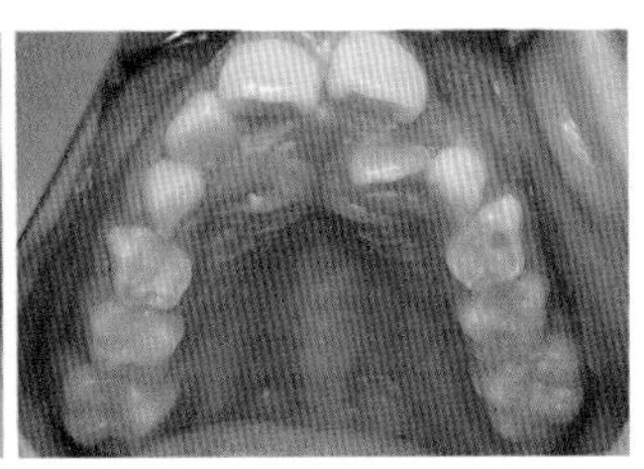

図Ⅰ-7-15　初診時の口腔内写真

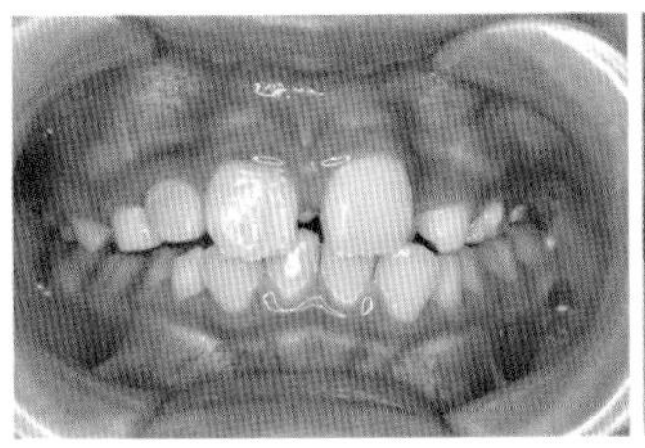
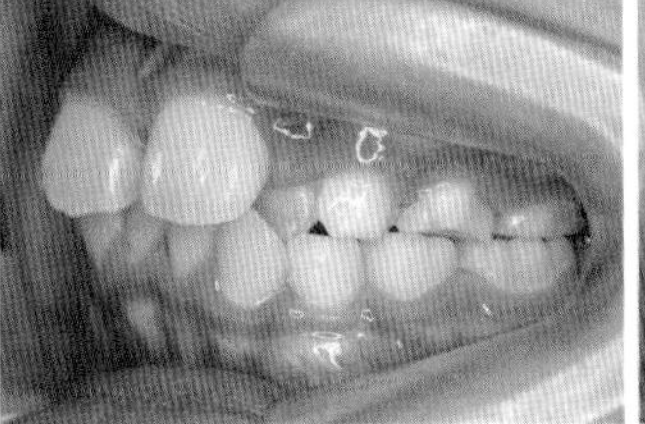
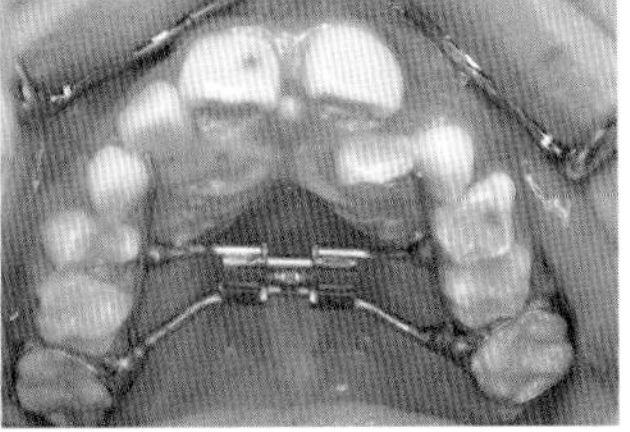

図Ⅰ-7-16　急速拡大中の口腔内写真

8 口唇裂・口蓋裂

Link
口唇裂・口蓋裂
『口腔外科学・歯科麻酔学 第2版』

1. 口唇裂・口蓋裂とは

口唇裂(こうしんれつ)・口蓋裂(こうがいれつ)は，日本人では400～500人に1人の割合で発生する，最も頻度の高い先天異常の1つである．発症原因としては，環境要因と遺伝的要因が複合していると考えられており，何らかの症候群に合併して現れるものと，非症候性に認められるものがある．裂(れつ)の発生部位により両側性，片側性に分けられ，口唇裂，唇顎裂(しんがくれつ)，唇顎口蓋裂(しんがくこうがいれつ)，口蓋裂，軟口蓋裂などの裂型(れつけい)に分けられる（図Ⅰ-7-17）．また，肉眼で裂が確認できない粘膜下口蓋裂も含まれる．

2. 口唇裂・口蓋裂の治療

1）今日における治療の実際

口唇裂・口蓋裂は顔面や口腔領域に裂が生じることから，形態的な審美障害のみならず，哺乳障害，咀嚼障害，言語障害などの機能障害や，それらに起因した心理社会的障害など，影響は多岐にわたる．そのため，出生直後から医師，歯科医師，看護師，歯科衛生士，言語聴覚士など多職種による連携治療が不可欠となる．医科領域では産科，形成外科，耳鼻咽喉科が，歯科領域では口腔外科，矯正歯科，小児歯科，予防歯科，保存歯科，補綴歯科などが治療に参画することが多い．歯科衛生士もこのメンバーの一役を担うことが求められ，口腔衛生管理はもちろん，各科の連携をスムーズに行うための情報共有のほか，長期にわたる治療における歯科医師と患者間の信頼関係構築において重要な役割を果たしている．

また，口唇裂・口蓋裂の治療期間は，出生直後から成人に至るまでの長期間にわたることが多く，患者の成長に合わせて一貫した治療を継続していくことも，良好な治療結果を得るためには不可欠である．そのため口唇裂・口蓋裂の治療には，保護者のみならず，療育に関わるすべての人々の理解と協力を得ることが重要である．

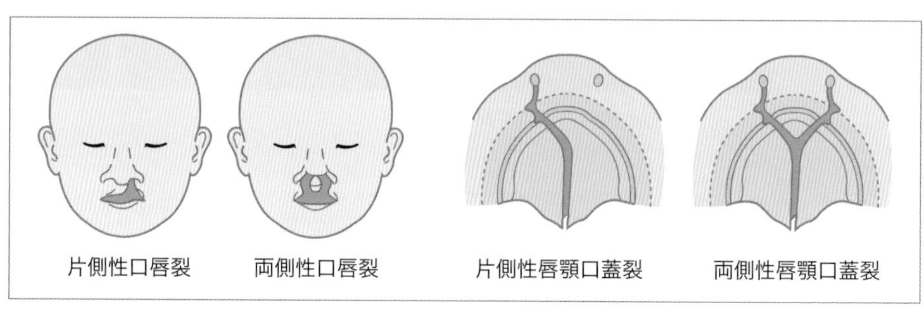

図Ⅰ-7-17 口唇裂と唇顎口蓋裂

2）治療の流れ

口唇裂・口蓋裂は，その裂型によって治療の方法が異なるが，ここでは最も頻度の高い片側性唇顎口蓋裂に対する治療の流れを概説する．

（1）哺乳床作成と哺乳指導（出生後〜）

出生直後，哺乳床の作成を行う．現在では，Hotz〈ホッツ〉床が一般的に用いられる（図Ⅰ-7-18）．この哺乳床を用いて，哺乳指導を行う．

（2）口唇形成術（生後3〜6カ月）

出生後3〜6カ月を目安に，口唇形成術を行う．これにより，口唇と外鼻の形態が整えられる（図Ⅰ-7-19）．

（3）う蝕予防と口腔衛生管理

口唇形成術後は乳歯の萌出が開始するため，う蝕予防を主体とした口腔衛生管理を開始する．特に顎裂部に隣接する部位の乳歯は，過剰歯などの歯数異常，矮小歯などの形態異常，萌出方向異常が認められることが多く，ブラッシングが難しいため，う蝕に罹患しやすい（図Ⅰ-7-20）．

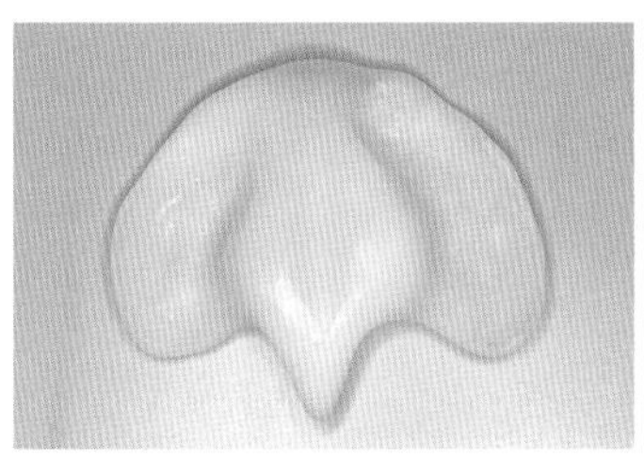
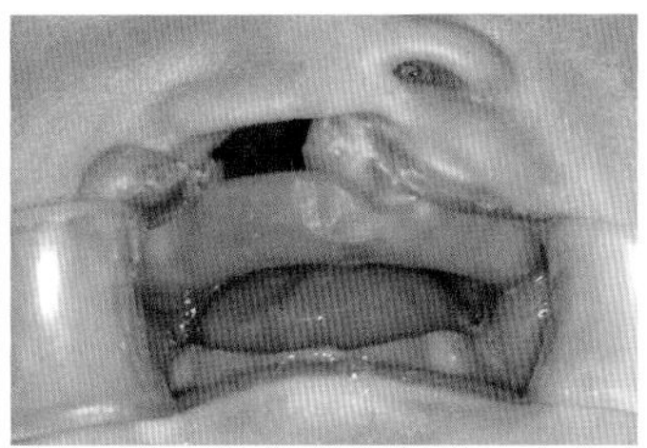

図Ⅰ-7-18 **Hotz床**
Hotz床を装着することで，鼻腔へミルクが流入することを防ぎ，哺乳がしやすくなる．

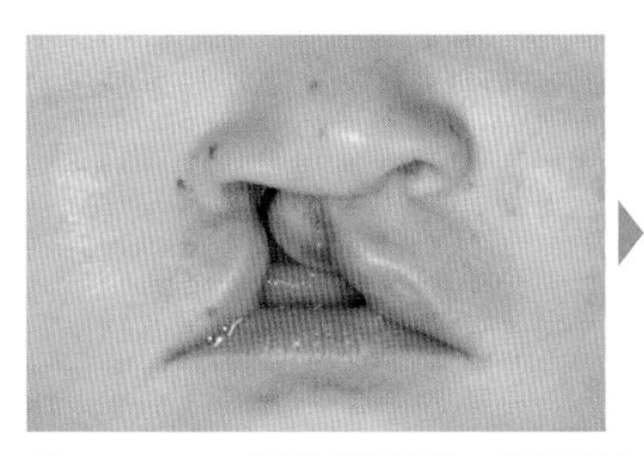
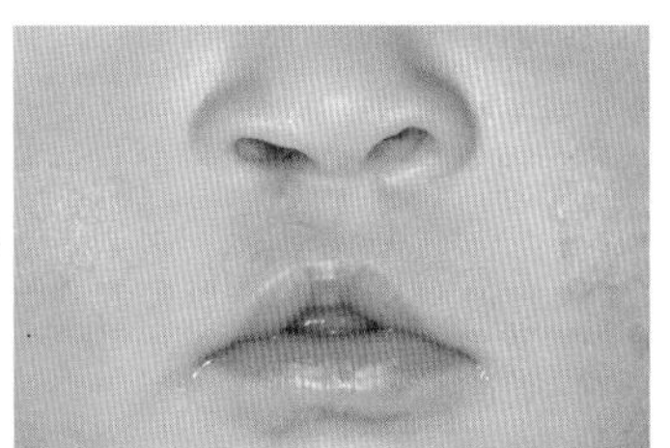

図Ⅰ-7-19 **口唇形成術前後の顔面写真**

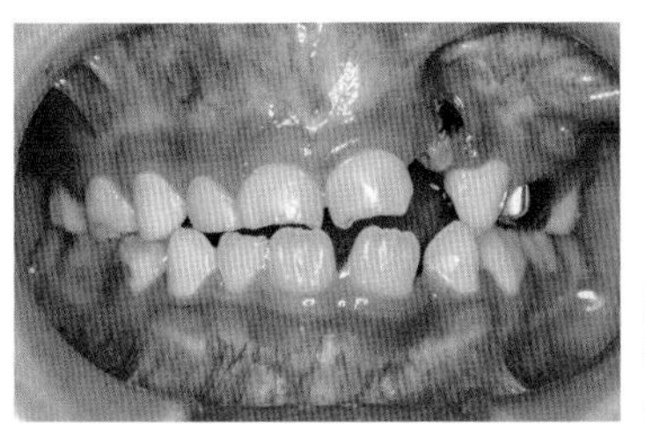

図Ⅰ-7-20 **左側唇顎口蓋裂患児の口腔内写真**
顎裂部に隣接する上顎左側乳側切歯（|B）の萌出方向の異常と，う蝕が認められる．

(4) 言語治療（1 歳頃〜）

口蓋形成術に前後して，適切な言語機能の獲得を目指して言語治療を行う．

(5) 口蓋形成術（1 歳 6 カ月頃）

言語機能が発達する 1 歳 6 カ月頃を目安に，口蓋形成術を行う（図Ⅰ-7-21）．これにより口蓋部の裂を閉鎖し，言語機能と鼻咽腔閉鎖機能の獲得を目指す．

(6) 顎裂部骨移植術と一期治療（7 歳頃〜）

歯槽部の顎裂に対して，歯列の連続性の確保と犬歯の萌出を目的に，顎裂部骨移植術を行う（図Ⅰ-7-22）．腸骨海綿骨（骨盤の一部）を採取し，顎裂部に移植することが多い．また，顎裂部の形態や顎裂周囲の歯の萌出状態に応じて，術前後にセクショナルアーチ*やクワドヘリックス装置などを用いた一期治療を行う場合もある（図Ⅰ-7-23）．

*セクショナルアーチ
マルチブラケット装置のブラケットとアーチワイヤーを部分的に用いた矯正装置のことで，主に一期治療で使用されます．

(7) 経過観察（〜永久歯列完成まで）

一期治療後は，永久歯列完成まで経過観察を行う．上顎骨の劣成長が著しい場合には，上顎の成長が盛んな時期に，上顎前方牽引装置を用いた治療を行うこともある．

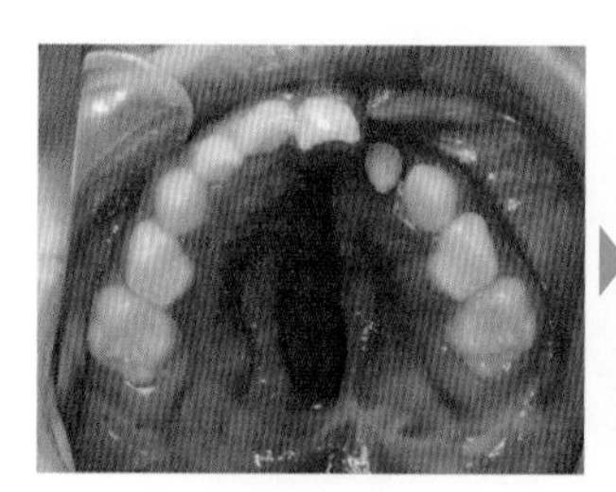
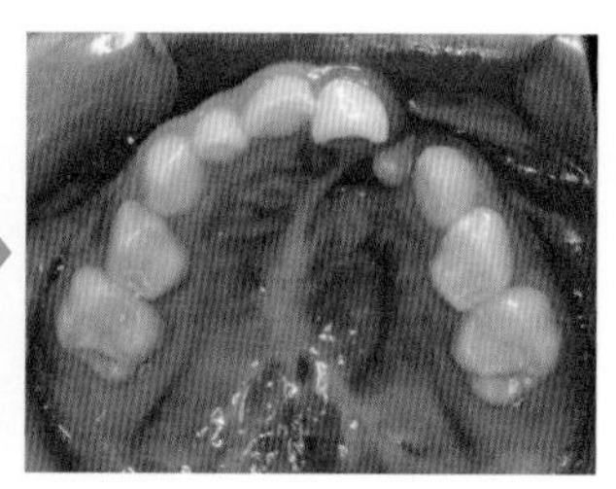

図Ⅰ-7-21　口蓋形成術前後の口蓋の写真

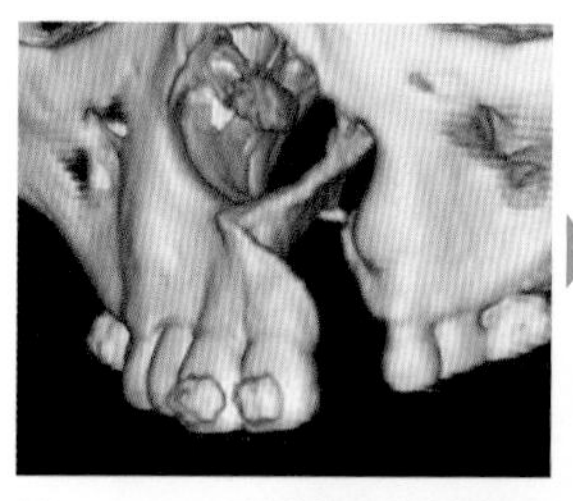
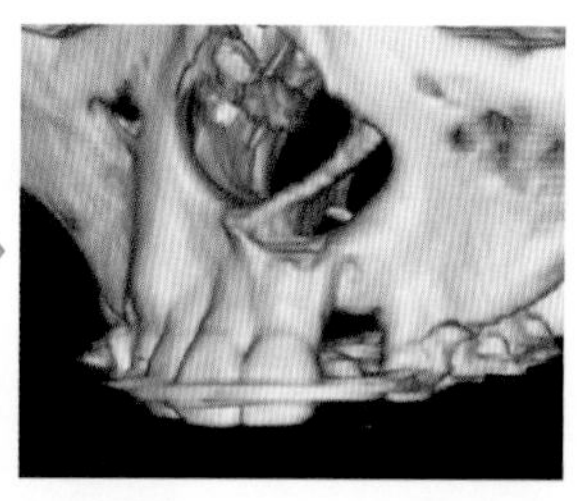

図Ⅰ-7-22　顎裂部骨移植術前後の CT 画像
左側の顎裂部に移植骨が生着し，歯槽骨の連続性が確認できる．

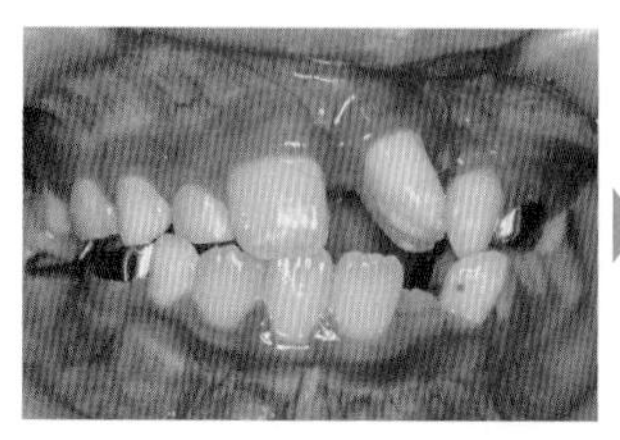
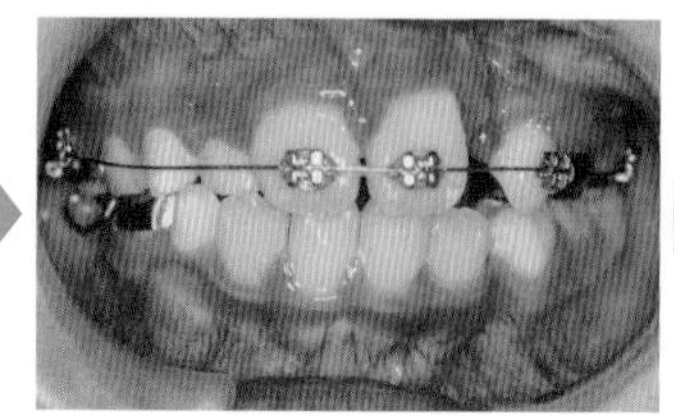
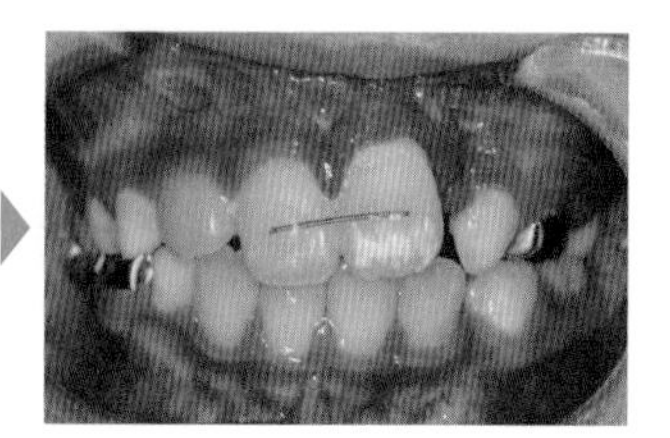

図Ⅰ-7-23　顎裂部骨移植術の後に行う一期治療
顎裂部への骨移植後に，切歯の排列を行った．

(8) 二期治療（永久歯列完成〜）

永久歯列における個性正常咬合の確立を目的に，二期治療（動的治療）を行う（図Ⅰ-7-24）．顎裂部周囲の永久歯の先天性欠如や矮小歯などの歯数・形態の異常や，上顎骨の劣成長による上下顎間関係の前後的・水平的な不調和を認めることが多く，抜歯を併用して，マルチブラケット装置による全顎的な治療が必要となることが多い．また，歯数異常に対してはブリッジやインプラントなどの補綴治療を併用することもある．上下顎間関係の不調和が著しい場合には，外科的矯正治療が選択される．

(9) 保定観察と治療結果の評価

2期治療終了後，保定観察を行い，さらにこれまで行ってきた一連の治療について評価を行う．症例によっては長期に保定・観察を要することもある．

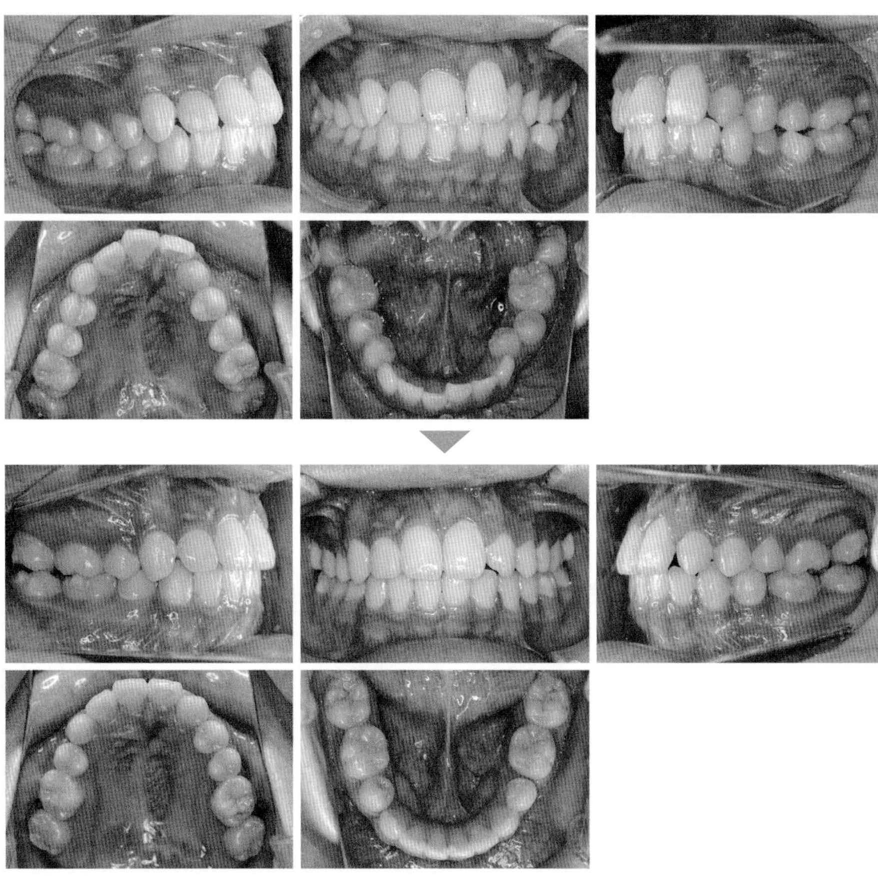

図Ⅰ-7-24　マルチブラケット装置による二期治療（動的治療）前後の口腔内写真

9 成人矯正歯科治療

1. 成人矯正歯科治療とは

成人患者は歯の欠損や歯周病など，さまざまな問題を抱えていることが多いため，成人矯正歯科治療では包括的歯科医療として，矯正歯科治療による不正咬合の改善とともに，歯周病や歯の欠損部分に対する処置なども含めて，歯周病科や補綴歯科などさまざまな診療科と連携して治療を進めることが重要である．

また成人患者においては，矯正歯科治療を行う前に，具体的な治療の選択肢や考えられる予後などを説明し，包括的歯科医療についてのインフォームド・コンセントを得ることが重要である．

2. 成人矯正歯科治療の実際

患者

63歳，女性．

主訴

歯のすき間が気になる．

所見（図Ⅰ-7-25）

①**口腔内所見：**上顎両側第二乳臼歯が残存し，下顎歯列は空隙歯列弓を呈し，下顎両側第一大臼歯の近心傾斜が認められた．一般歯科にて歯周治療を受けており，おおむね良好な歯周状態が維持されている．

②**パノラマエックス線写真：**下顎両側側切歯，上顎右側第一小臼歯，上下顎両側第二小臼歯の計7歯の先天性欠如が認められた．

診断

先天性部分無歯症による下顎両側大臼歯の近心傾斜を伴う空隙歯列．

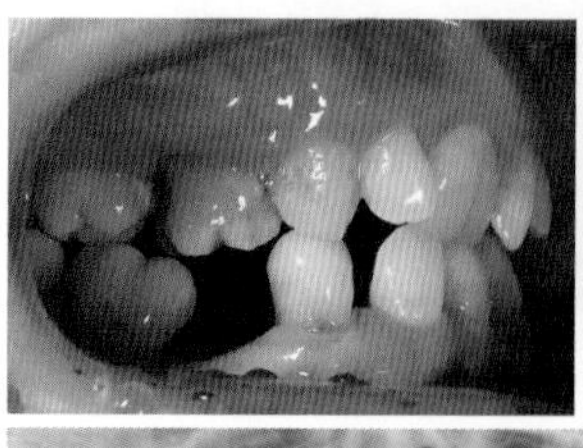
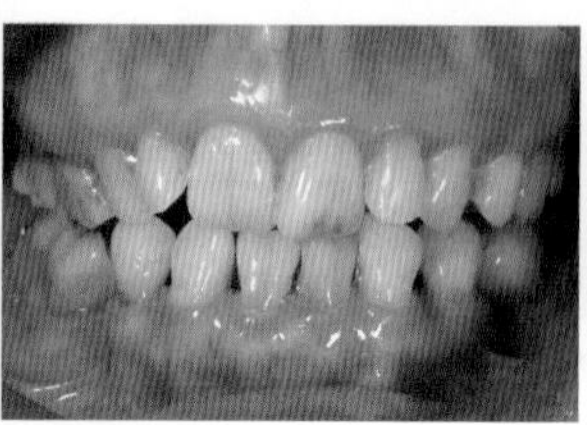
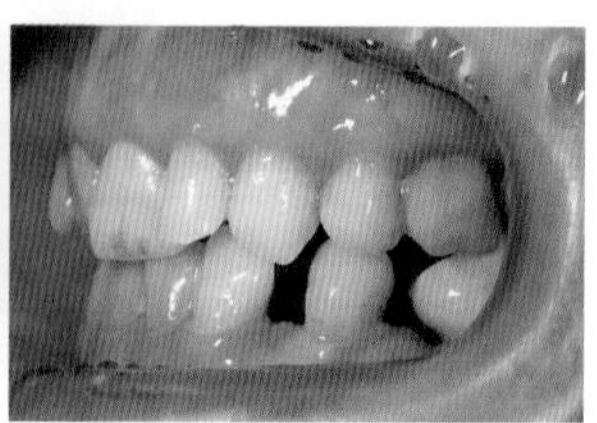
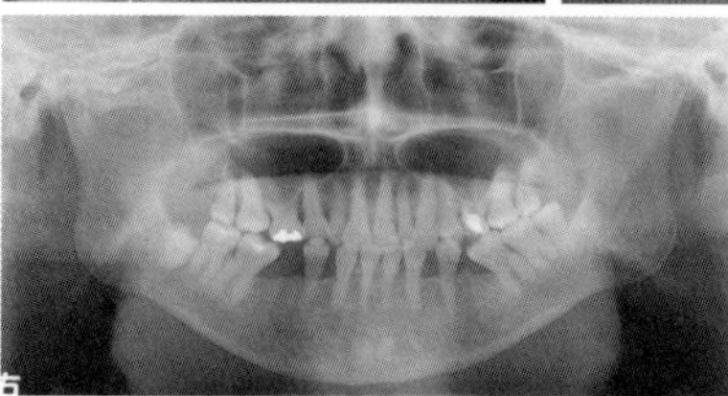

図Ⅰ-7-25 **初診時の口腔内写真とパノラマエックス線写真**

治療方針

下顎右側第三大臼歯を抜去後，マルチブラケット装置により下顎前歯部の空隙閉鎖と，近心傾斜している下顎大臼歯の整直*を行い，空隙は補綴治療で対応することとした．

*整直
傾斜歯の歯軸を，咬合平面に対して垂直に起こす処置のことです．

治療経過

上下顎歯列をマルチブラケット装置で排列後，下顎両側大臼歯部を整直し，空隙を第一大臼歯近心に集中させた（図Ⅰ-7-26）．マルチブラケット装置の撤去後，補綴歯科にて下顎左側臼歯部はブリッジ，下顎右側臼歯部は部分床義歯にてそれぞれ補綴治療を行った（図Ⅰ-7-27，28）．

治療結果

補綴治療にて適切な咬合状態が獲得され，歯周組織の状態も良好な状態が維持されている．動的治療後，保定装置としてBeggタイプリテーナーを装着した．

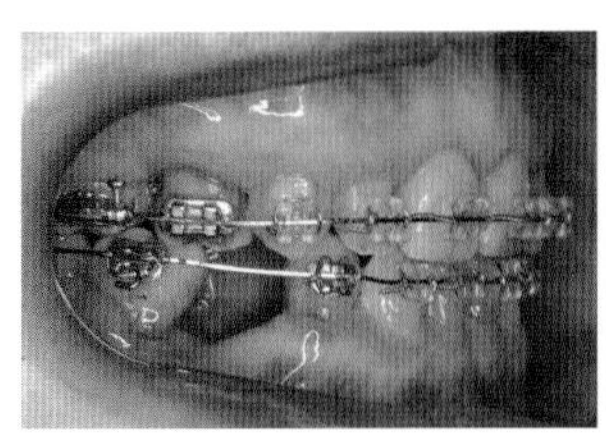
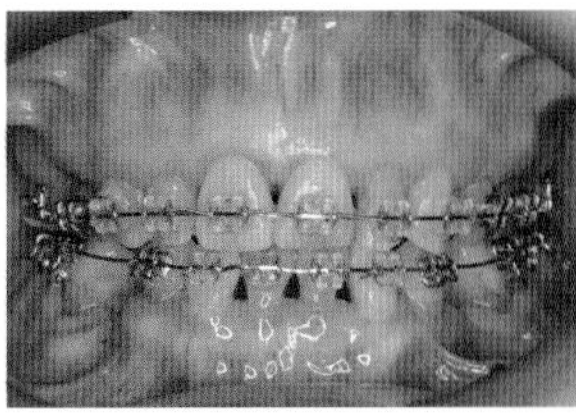
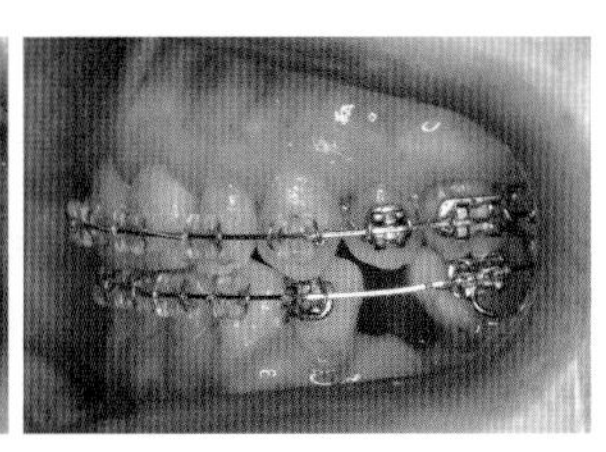

図Ⅰ-7-26　マルチブラケット装置による下顎両側大臼歯の整直後の口腔内写真

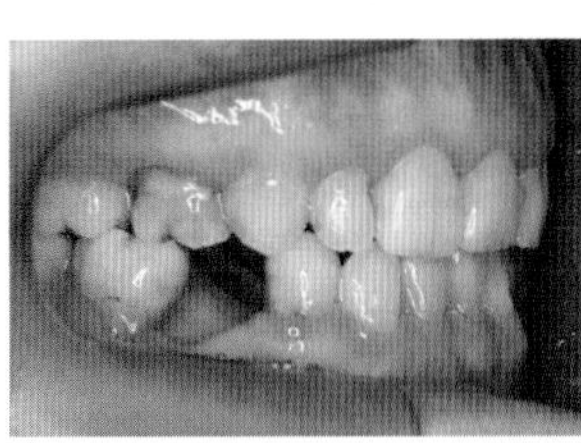
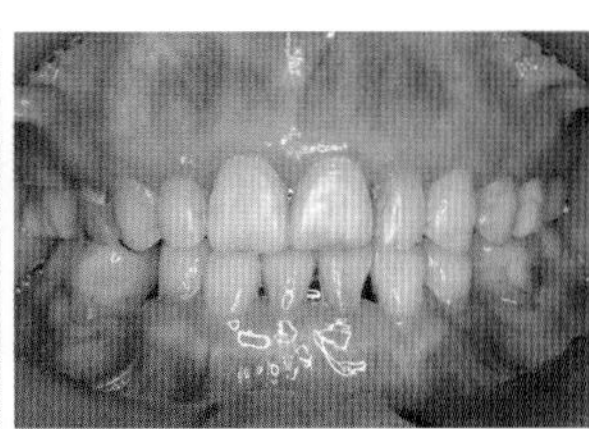
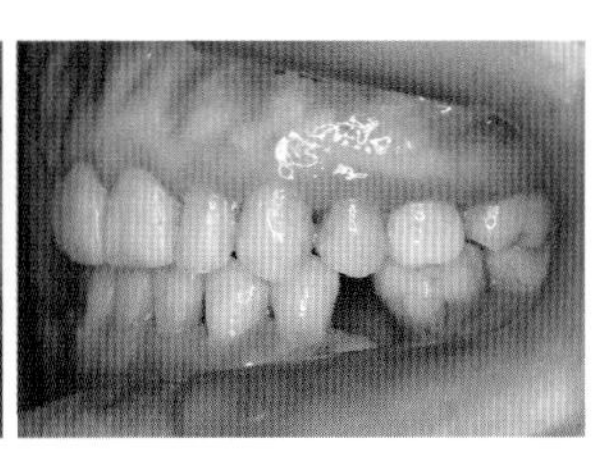
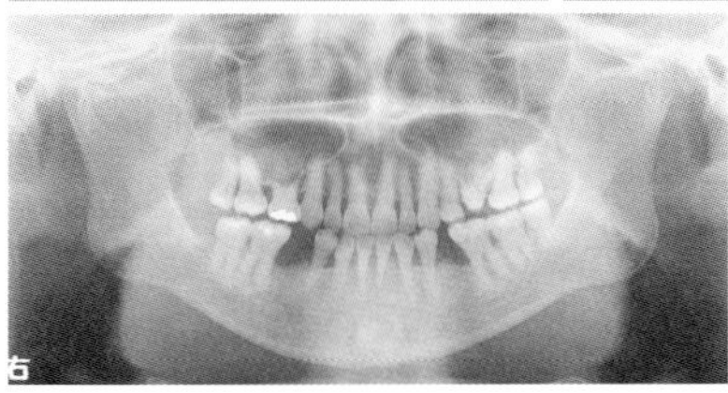

図Ⅰ-7-27　マルチブラケット装置撤去時の口腔内写真とパノラマエックス線写真

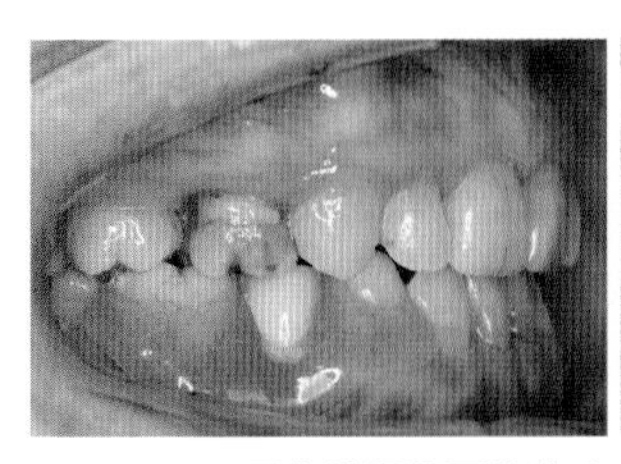
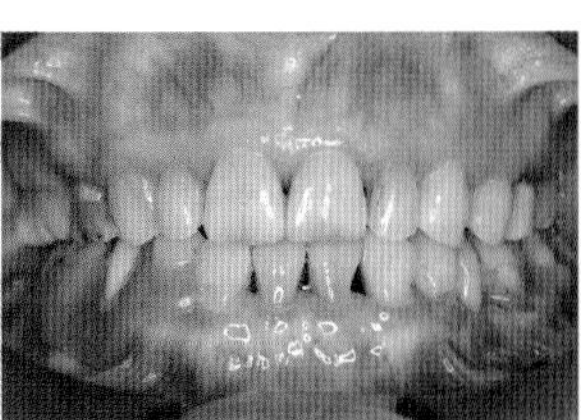
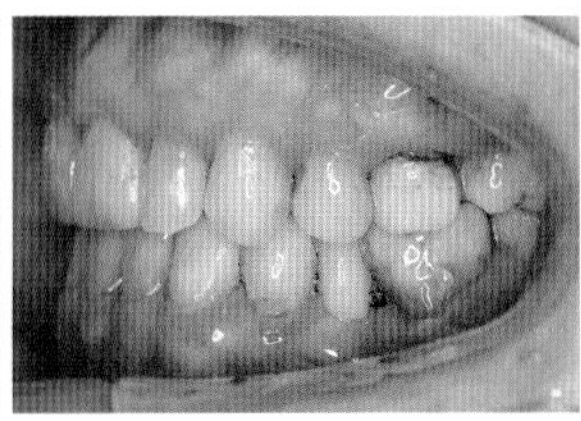

図Ⅰ-7-28　最終補綴装置装着時の口腔内写真
下顎右側臼歯部には部分床義歯（ノンメタルクラスプデンチャー），左側臼歯部にはブリッジが装着された．

10 顎変形症と外科的矯正治療

Link
顎変形症
『口腔外科学・歯科麻酔学 第2版』

1. 顎変形症とは

顎変形症は，上顎骨・下顎骨の形態的不調和，あるいは前後的・垂直的・水平的な位置関係の異常により，不正咬合，咀嚼，嚥下，発音などの機能障害，および顔貌の美的不調和を伴う疾患である．上顎前突症，上顎後退症，下顎前突症，下顎後退症，開咬症あるいは顔面非対称に分類されるが，複合して生じていることが多い．

2. 顎変形症に対する外科的矯正治療

1）外科的矯正治療の目的

顎変形症では，上下顎間関係の不調和が著しく，矯正歯科治療単独での改善は困難なことから，外科的矯正治療を適用する．外科的矯正治療の目標は，①顎間関係の改善による適正な咬合関係の確立，②顔貌の調和の獲得，③顎口腔機能の改善，④心理社会的障害の排除と社会への適応性の向上である．

外科的矯正治療は矯正歯科医と口腔外科医あるいは形成外科医によるチーム医療であり，咬合関係とともに顎顔面形態も大きく変化するため，歯科衛生士も治療による効果とリスクを十分に理解する必要がある．

2）外科的矯正治療の流れ

外科的矯正治療は，以下の手順で進められる（図Ⅰ-7-29）．

(1) 初診・医療面接

主訴，現病歴，家族歴，全身疾患の既往，ならびに未成年の場合には保護者の意向などを聴取し，治療手順や必要な検査，および予想される治療結果について説明し，理解を得る．

(2) 診察・検査

診察では患者の現症を的確に把握し，顎顔面の三次元構造の把握を目的とした

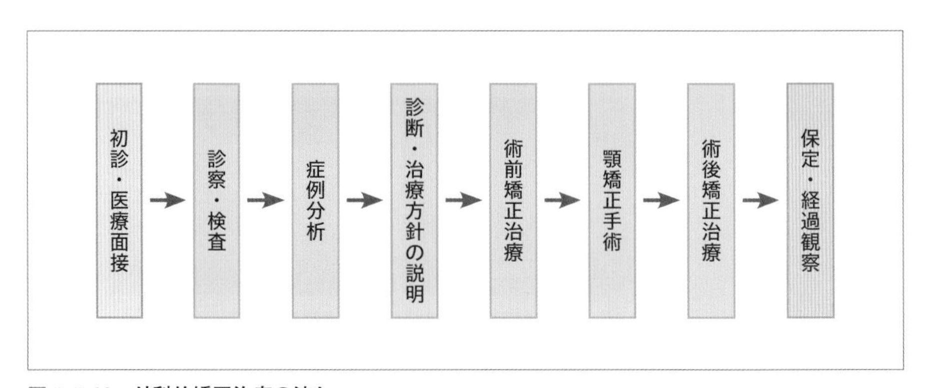

図Ⅰ-7-29 外科的矯正治療の流れ

CT 撮影および顎運動検査，筋電図検査も行う．また，全身麻酔の適否を確認するための血液検査なども実施する．

(3) 診断・治療方針の説明

形態的・機能的検査の分析結果をもとに問題点を抽出し，治療目標を設定する．治療の流れや顎矯正手術の方法について十分に説明し，インフォームド・コンセントを得る．

(4) 術前矯正治療

術前矯正治療は，マルチブラケット装置を用いて，顎矯正手術後における適正な歯列・咬合関係の確立を目的として行われる．具体的には叢生の解消，上下顎歯列弓幅径の不調和およびデンタルコンペンセーション*の改善をはかる．術前矯正治療には 1 ～ 2 年程度必要である．

*デンタルコンペンセーション
骨格性下顎前突でみられる，上顎前歯の唇側傾斜および下顎前歯の舌側傾斜のことです．骨格性下顎前突が重度だと，デンタルコンペンセーションも大きくなる傾向にあります．

(5) 顎矯正手術

顎矯正手術は，症例によって，上顎あるいは下顎のどちらか一方に適用する場合と，上下顎両方に適用する場合（上下顎移動術）がある．顎矯正手術の施行後は，通常 7 ～ 10 日程度，上下顎のアーチワイヤーにフックを装着し，主に結紮線による顎間固定を行う．

(6) 術後矯正治療

術後矯正治療は，結紮線による顎間固定の解除後に顎間ゴムを併用して行う治療で，緊密かつ安定した咬頭嵌合の確立，および適切な咀嚼機能の獲得を目的として行う．術後矯正治療の期間はおよそ半年～ 1 年である．

(7) 保定・経過観察

適切な咬合状態と咀嚼機能が獲得されたら，マルチブラケット装置を撤去し，保定に移行する．保定装置装着後，咬合および咀嚼機能の安定性について経過観察を行う．

3. 顎変形症に対する外科的矯正治療の実際

患者

16 歳，女子．

主訴

下顎の前突感と前歯部の反対咬合を主訴として来院した．母親も下顎前突で矯正歯科治療の経験があった．

所見（図 I -7-30）

①顔貌所見：側貌では，下唇からオトガイ部の前突感が顕著で，口唇閉鎖時にオトガイ部軟組織の軽度緊張とオトガイ唇溝の消失を認めた．

②口腔内所見：下顎前突，上下顎前歯部の叢生および低位舌が観察された．口腔内の清掃状態はおおむね良好で，う蝕や歯肉炎は認めなかった．

③全身所見：特記すべき事項は認めなかった．

検査

①口腔模型：AngleⅢ級不正咬合，オーバージェットは−5.0 mm，オーバーバイトは+2.0 mm，アーチレングスディスクレパンシーは上顎で−4.0 mm，下顎で−3.0 mm であった．

②側面頭部エックス線規格写真：下顎骨の過成長・近心咬合により，上下顎の前後的位置関係の不調和が顕著であった．また，上顎中切歯の著しい唇側傾斜と，下顎中切歯の軽度の舌側傾斜を認めた（図Ⅰ-7-30）．

③パノラマエックス線写真：歯数の異常や歯根形態の異常はなく，上下顎両側第三大臼歯の歯胚形成が観察された．

診断

顎変形症（叢生を伴う骨格性下顎前突）．

治療方針

外科的矯正治療を適用し，オーバージェットとオーバーバイトの適正化，Ⅰ級の臼歯関係と緊密な咬頭嵌合の確立，および下顎の突出感の改善を治療目標とした．

術前矯正治療では，上顎両側第一小臼歯，下顎両側第二小臼歯を抜去後，マルチブラケット装置を装着し，叢生の改善，上下顎中切歯歯軸傾斜の適正化，および上下顎歯列弓幅径の調和をはかることとした（図Ⅰ-7-31）．顎矯正手術は，下顎枝矢状分割法により下顎骨を 7.0 mm 後退させる方針とした．

また，低位舌に対しては口腔筋機能療法を継続して行うことにした．

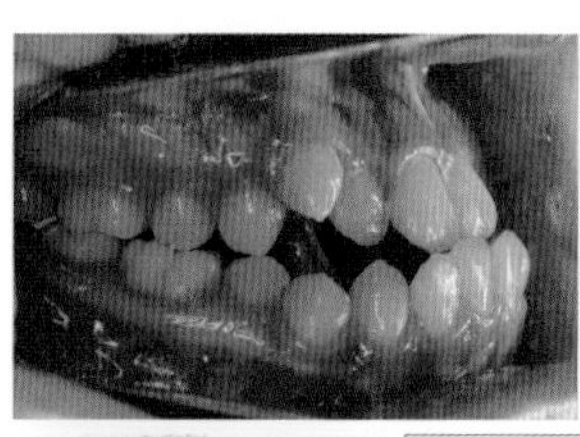
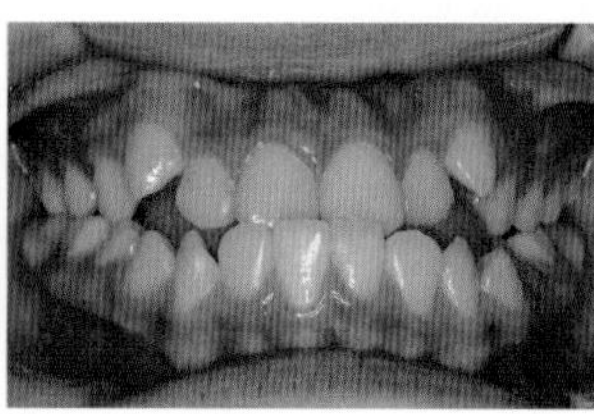
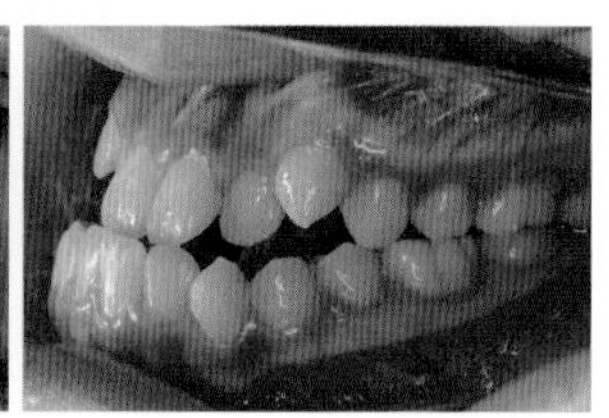
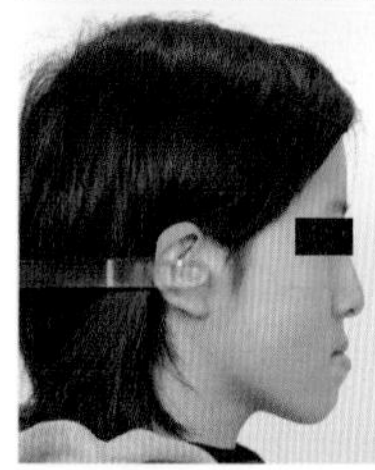
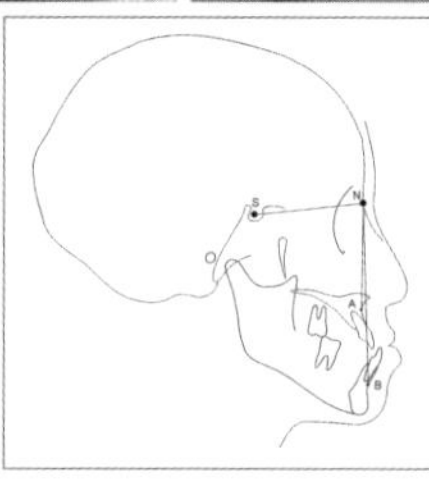

図Ⅰ-7-30　初診時の口腔内写真と顔面写真（側貌），および側面頭部エックス線規格写真のトレース

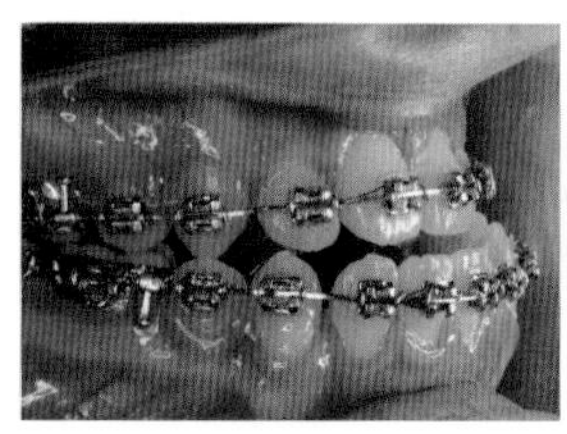
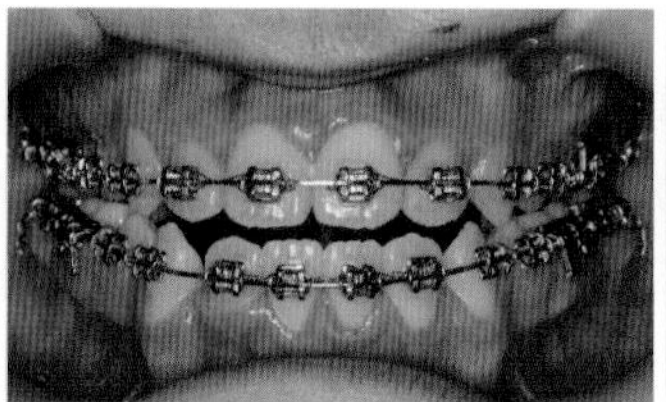
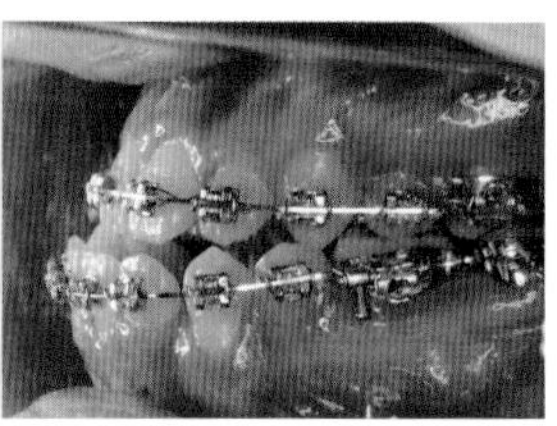

図Ⅰ-7-31　術前矯正治療中の口腔内写真

治療経過

下顎両側第三大臼歯は，術前矯正治療の開始後，早期に抜去した．

顎矯正手術の直前に，マルチブラケット装置の上下顎アーチワイヤーに顎間固定用のフックを装着した（図Ⅰ-7-32）．手術後に顎間固定を行い，その後前歯部に垂直ゴムを併用して術後矯正治療を８カ月間実施した（図Ⅰ-7-33）．緊密かつ安定した咬頭嵌合が得られた時点で，マルチブラケット装置を撤去し，保定装置を装着した．

治療結果（図Ⅰ-7-34）

下顎の後退により，下唇からオトガイ部の前突感が改善し，調和のとれた側貌へと変化した．口腔内では，叢生および前歯部反対咬合が改善して，緊密な咬頭嵌合が獲得された．また，口腔筋機能療法への患者協力が良好で，低位舌が改善したことから，保定観察中も安定した咬合状態が維持された．

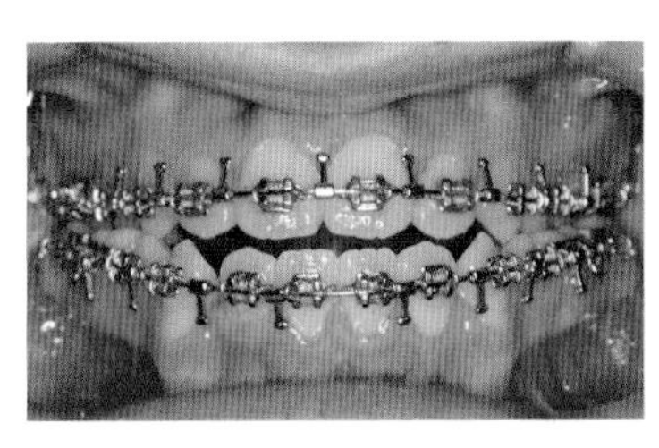

図Ⅰ-7-32　顎矯正手術直前の口腔内写真
術後の結紮線による顎間固定のため，上下顎のアーチワイヤーにフックを装着した．

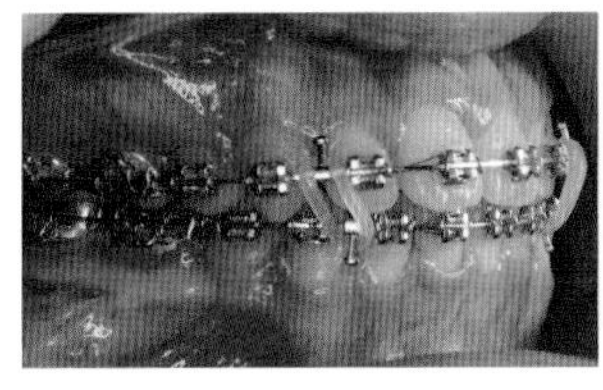
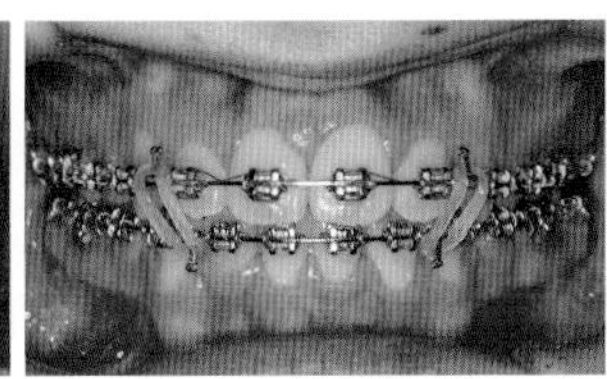
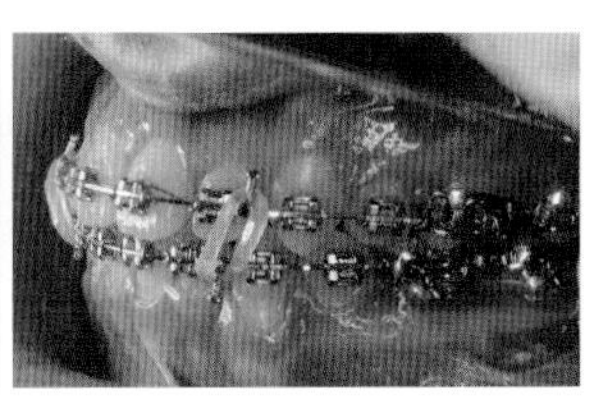

図Ⅰ-7-33　術後矯正治療中の口腔内写真
前歯部に垂直ゴムを併用し，緊密かつ安定した咬頭嵌合の獲得を目指している．

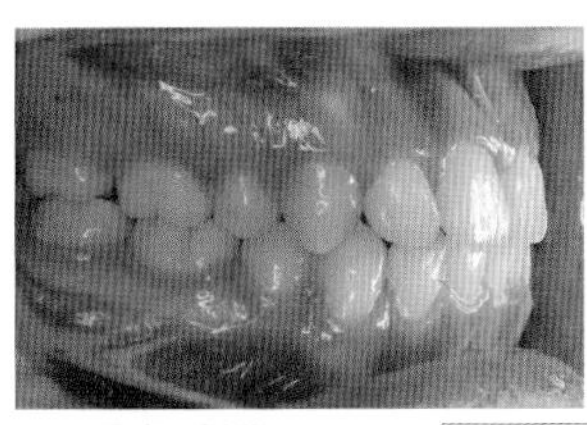
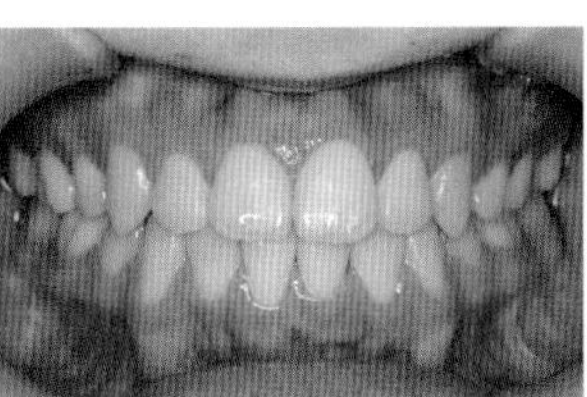
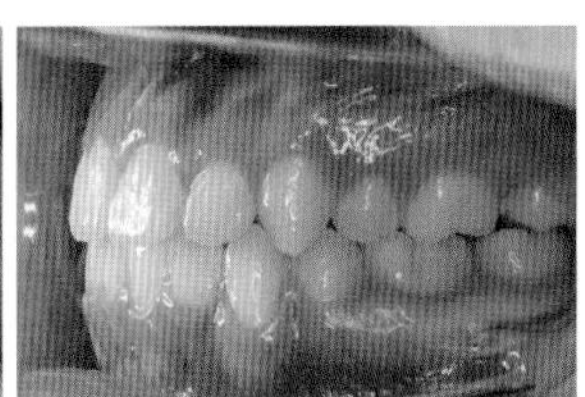
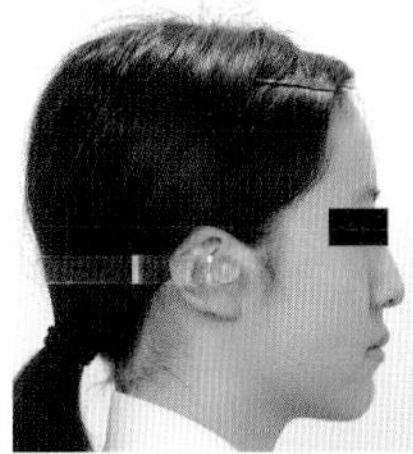
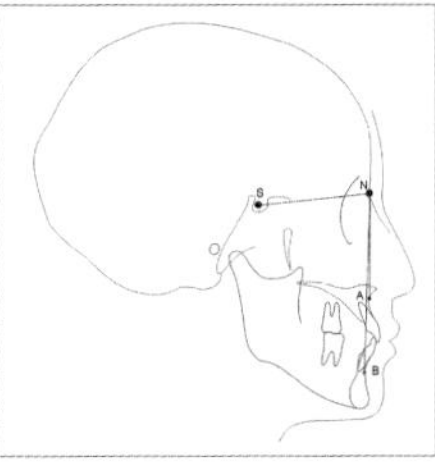

図Ⅰ-7-34　保定開始時の口腔内写真と顔面写真（側貌），および側面頭部エックス線規格写真のトレース

11 MTM（限局矯正）

1. MTMとは

1）MTMの目的

MTM〈Minor Tooth Movement〉とは，部分的な歯の移動を目的とした治療で，「限局矯正」ともいわれる．

MTMは，不正咬合の改善を目的とする以外に，歯周治療や補綴治療をより効果的に行うための前準備としても実施される．例えば永久歯の喪失を放置し，隣在歯が傾斜したり，対合歯が欠損部へ挺出したりしてきた場合，補綴治療の前準備として，MTMによって傾斜した隣在歯を整直したり，挺出した対合歯を圧下させたりすることができる．

2）MTMに用いる主な矯正装置

①固定式装置

- マルチブラケット装置（図Ⅰ-7-35）
- リンガルアーチ
- クワドヘリックス装置
- 歯科矯正用アンカースクリュー（図Ⅰ-7-36）

②可撤式装置

- 床矯正装置など

2. 歯周病患者へのMTM

叢生状態で歯周病が生じるとブラッシングが困難になり，歯周病が急激に進行する可能性が高まる．そこでMTMを行うことにより，歯を排列すると，歯間部の清掃性が向上し，歯周病の進行を防止できる．しかし，矯正装置を装着している間はブラッシングが困難となり，口腔衛生状態不良に陥りやすいため，十分な指導が必要である．

1）歯周病への対応

プロフェッショナルケアとあわせてブラッシング指導を行い，患者自身のセルフケアに対するモチベーションを高く保つ必要がある．適切なプラークコントロール下では，矯正力による歯周病の悪化や付着歯肉の喪失が起きる確率は低くなる．

2）通院間隔

一般的な矯正歯科治療と同様に，4～6週間の通院間隔になるが，歯の動揺や歯槽骨の状態によっては通院間隔を短くする必要がある．

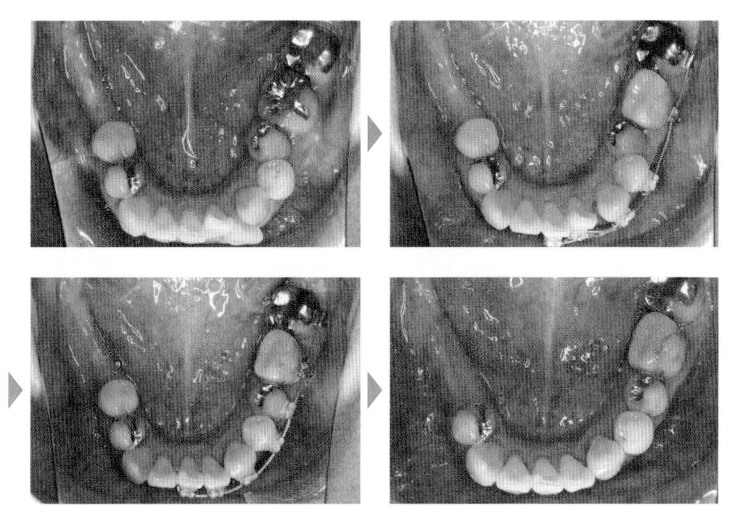

図Ⅰ-7-35　**マルチブラケット装置を用いたMTM**
下顎歯列の叢生を改善するため，下顎左側側切歯（┌2）を抜歯し，そのスペースを利用して，マルチブラケット装置を用いて下顎左側第二小臼歯（┌5）を歯列に取り込んだ．

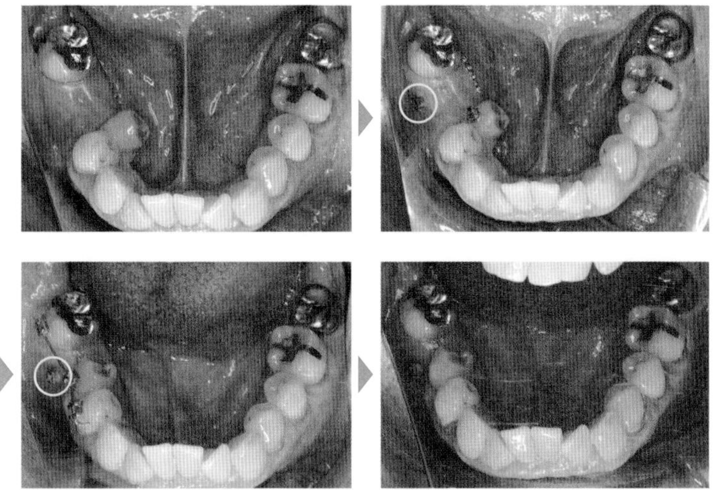

図Ⅰ-7-36　**歯科矯正用アンカースクリューを用いたMTM**
舌側転位した下顎右側第二小臼歯（5┐）を，マルチブラケット装置と歯科矯正用アンカースクリュー（丸印）を用いて歯列に取り込んだ．

3）MTM後の保定

歯周病患者では，著しい歯の動揺を伴う場合があるため，可撤式保定装置とあわせて固定式保定装置の装着が必要となることがある．欠損部がある場合では，ブリッジを保定装置として永久保定を行うこともある．

参考文献

1）飯田順一郎ほか編：歯科矯正学 第 6 版．医歯薬出版，2019.
2）全国歯科衛生士教育協議会監修：歯科衛生学シリーズ 歯科矯正学．医歯薬出版，2023.
3）葛西一貴，新井一仁，須田直人ほか編：新・歯科衛生士教育マニュアル 歯科矯正学．クインテッセンス出版，東京，2015.
4）日本矯正歯科学会：矯正歯科診療のガイドライン 上顎前突編．2014（第 2 版）．https://www.jos.gr.jp/asset/guideline_maxillary_protrusion.pdf
5）Koroluk LD, Tulloch JF, Phillips C：Incisor trauma and early treatment for Class II Division 1 malocclusion. Am J Orthod Dentofacial Orthop. 23（2）：117-125, 2003.
6）本橋康助，岩澤忠正編：歯科矯正臨床アトラスⅠ．医歯薬出版，1987.
7）本橋康助，岩澤忠正編：歯科矯正臨床アトラスⅡ．医歯薬出版，1988.
8）Baumrind S et al.：Quantitative analysis of the orthodontic and orthopedic effects of maxillary traction. Am J Orthod, 84（5）：384-398, 1983.
9）Graber LW：Chin cup therapy for mandibular prognathism. Am J Orthod, 72：23-41, 1977.
10）Woon SC et al.：Early orthodontic treatment for Class Ⅲ malocclusion：A systematic review and metaanalysis. Am J Orthod Dentofacial Orthop, 151：28-52, 2017.
11）Leonardi R et al.：Soft Tissue Changes Following the Extraction of Premolars in Nongrowing Patients with Bimaxillary Protrusion：A Systematic Review. Angle Orthod, 80：211-216, 2010.
12）Proffit WR et al.：Contemporary Orthodontics. 5th ed. Elsevier-Mosby, St. Louis, 2013, 403-412.
13）高橋庄二郎：口唇裂・口蓋裂の基礎と臨床．ヒョーロン・パブリッシャーズ，東京，1996.
14）戸塚靖則，髙戸　毅 監修：口腔科学．朝倉書店，東京，2013.
15）村松裕之，赤松　正，清水典佳：顎裂部骨移植．小児口腔外科，21（1）：1～24，2011.
16）Mano M, Ishiwata Y, Asahito T, et al.：A collaborative survey on occlusion after orthodontic treatment in patients with unilateral cleft lip and palate in Japan. Orthodontic Waves, 77（2）：101-110, 2018.
17）Proffit WR et al.：Contemporary Orthodontics. 6th ed. Elsevier-Mosby, St. Louis, 2018, 599-656.
18）日本顎変形症学会編：顎変形症治療の基礎知識．クインテッセンス出版，東京，2022.
19）戸塚靖則，髙戸　毅 監修：口腔科学．朝倉書店，東京，2013.
20）山本英之 編著：たったこれだけ！　MTM 写真でマスターする基本の「き」．ヒョーロン・パブリッシャーズ，東京，2010.
21）W. R. Proffit 著，高田健治 訳：新版 プロフィトの現代歯科矯正学．クインテッセンス出版，東京，2004.

8章 矯正歯科治療に伴うリスク（偶発症・併発症）とその対応

到達目標
❶ 矯正歯科治療に伴うリスクを説明できる．
❷ 偶発症・併発症への対応を説明できる．

*偶発症と併発症
偶発症は「手術や検査などの際，偶然に起こった症候あるいは事象で，因果関係がない，もしくは不明なもの」，併発症は「手術や検査などの後，それらがもとになって起こることがある症候あるいは事象」とされています．

矯正歯科治療は，治療過程におけるリスク（偶発症・併発症*）の可能性を十分に考慮し，常に予防と対策を視野に入れて行われることが重要である．

1. 歯根吸収

歯根吸収には，矯正歯科治療だけではなく，外傷や，顎骨内での歯冠と歯根の接触，舌癖などの要因も関与している．発症機序の詳細は明確ではないが，歯根吸収を生じやすい体質や，歯根の形状・長さなどのリスク因子が知られている．そのため，矯正歯科治療を開始する前には，既往歴や歯根の状態の確認が必要となる．

2. エナメル質の白濁・う蝕

Link
矯正歯科治療における口腔衛生管理
p.190-197

矯正装置を装着する際には，患者や家族に口腔清掃の重要性について十分に説明し，口腔衛生管理の徹底を促す．また，必要に応じてPMTCやフッ化物の応用を検討する．

とりわけ，患者自身が取り外すことのできない固定式矯正装置は，可撤式矯正装置に比べてエナメル質の白濁やう蝕発生のリスクが高くなるので，注意が必要である．マルチブラケット装置は広く用いられている固定式矯正装置であるが，ブラケット周囲やアーチワイヤー下部の自浄性が低いことに留意する．また，臼歯にバンドが装着されている場合，バンドの内側で生じたう蝕を発見しにくいため，注意を要する．

来院時には，バンドの緩みやセメントの劣化の有無，周辺の清掃状態を確認する．矯正歯科治療中にう蝕が発生した場合には，う蝕治療が優先して行われる．

3. 歯周病

歯周病の予防の観点からも，口腔清掃指導を徹底する必要がある．矯正装置の装着によって不潔域が生じると，歯肉炎や歯周炎などを引き起こす要因となる．

また，歯周組織に炎症が生じている状態で矯正歯科治療が行われると，歯周ポケットの深さ（PPD）や歯の動揺度が増大し，さらに炎症が悪化することになる．矯正歯科治療前に歯周病が認められた場合，歯周治療により歯周組織の炎症を消退させた後，十分な管理のもとで矯正歯科治療が開始される．

4. 顎関節症

矯正歯科治療を開始する際に，患者が顎関節症を有している場合，病態に応じた対応が求められる．疼痛や重篤な顎運動障害などがある場合には症状の鎮静化をはかり，これを確認したうえで矯正歯科治療が開始される．

また初診時はもちろん，治療中や治療後も顎関節の雑音・痛み・顎運動障害などの症状の発現や変化に注意し，適切に対応する必要がある．動的治療中にこれらの症状の発現や変化が生じた場合，状況によっては治療を一時中断し，顎関節症への対応が優先して行われる．

5. アレルギー（金属）

矯正歯科用材料に含まれるニッケル，クロム，コバルトなどの金属が原因で，金属アレルギーが生じることがある．そのため，初診時の医療面接および診察が重要となる．金属アレルギーが疑われた場合には，原因の特定のためパッチテストが広く行われている．矯正装置の装着後に金属アレルギー症状が認められた場合は，原因となる装置を撤去するとともに，装置の材料や治療方針の再検討が必要となる．

6. 矯正装置の装着・調整による痛み

矯正装置を装着した直後や調整後には，一過性の痛みが生じやすい．この痛みは通常，数日～1週間程度で消失するが，長期にわたる場合は来院するよう説明する．必要に応じて鎮痛薬（アセトアミノフェン）が処方されることもある．

7. ワイヤーによる口腔粘膜への傷害

マルチブラケット装置による治療中に，アーチワイヤーの末端や結紮線が突出して，粘膜を損傷することがある（図Ⅰ-8-1）．このため，アーチワイヤーの装着時に末端がチューブから出ていないか，結紮線が粘膜を損傷しないように折り曲げられているかを確認する．

口腔周囲筋の緊張が強い患者では，ブラケットやアーチワイヤーによって粘膜に圧痕や炎症が生じることがある．装置の調整が必要な場合もあるが，応急処置として，装置の刺激の原因となっている部分にワックスなどを貼り付けて，一時的に粘膜刺激を回避する方法もある．

クワドヘリックス装置など，ワイヤーが口蓋粘膜や歯肉と接触しないよう距離がとられている装置では，舌がワイヤーと接触しやすいため，舌に傷や潰瘍が生じることがある．また床矯正装置では，レジン床と接している粘膜に傷や潰瘍を生じることがある．このような場合は，粘膜の治療や装置の調整のための来院を指示する．

Link
粘膜保護用の材料
p.198

クワドヘリックス装置
p.91

床矯正装置
p.93

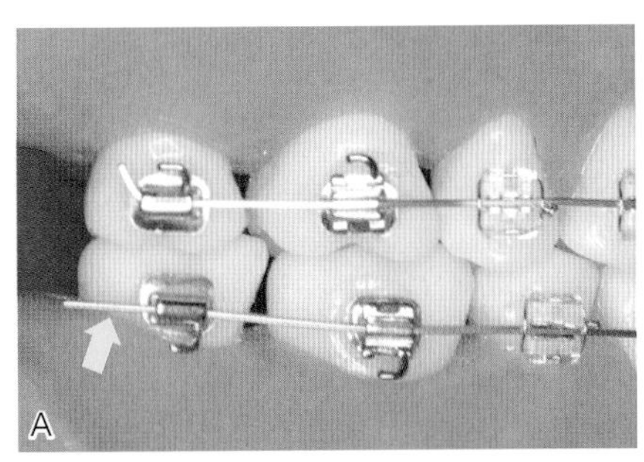

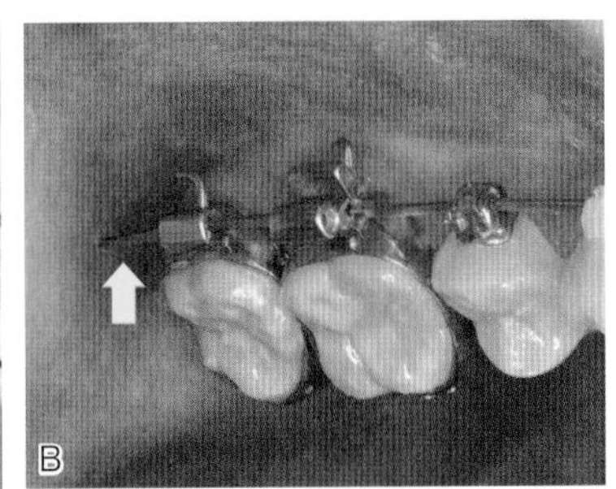

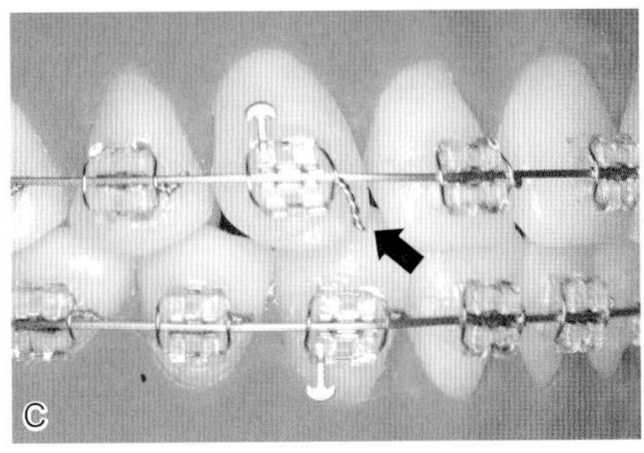

図Ⅰ-8-1　**ワイヤーによる口腔粘膜への傷害**
AB：アーチワイヤーの末端がチューブから突出していると，最後臼歯の遠心部頬粘膜を損傷する可能性がある．
C：結紮線が突出していると，頬粘膜や歯肉を損傷する可能性がある．

8. 矯正装置の破損・脱離

矯正装置の破損や脱離が生じた場合は，ただちに連絡するよう患者や家族に指示する（図Ⅰ-8-2）.

診療室での治療中には，ブラケットなどの口腔内への落下に注意する．落下した際，慌てて背もたれを起こして急激に頭位を変化させると，誤飲や誤嚥のきっかけとなり，誤飲や誤嚥が生じた場合は，より高次の医療機関に対応を依頼する必要がある．特に，気道閉塞が生じた場合は，速やかに対応しなければならない.

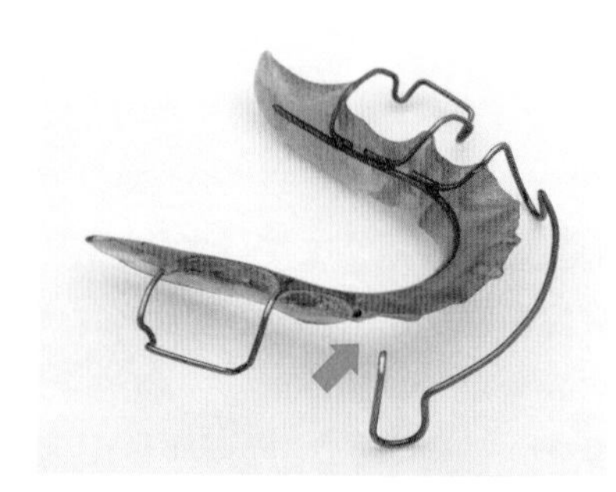

図Ⅰ-8-2 矯正装置の破損の例

9. 歯科矯正用アンカースクリューによるトラブル

近年，歯科矯正用アンカースクリューが広く用いられているが，動揺や脱落が生じることもある．このため，来院時には歯科矯正用アンカースクリューの緩みや動揺がないか，周囲の粘膜に炎症が生じていないかを確認する（図Ⅰ-8-3）.

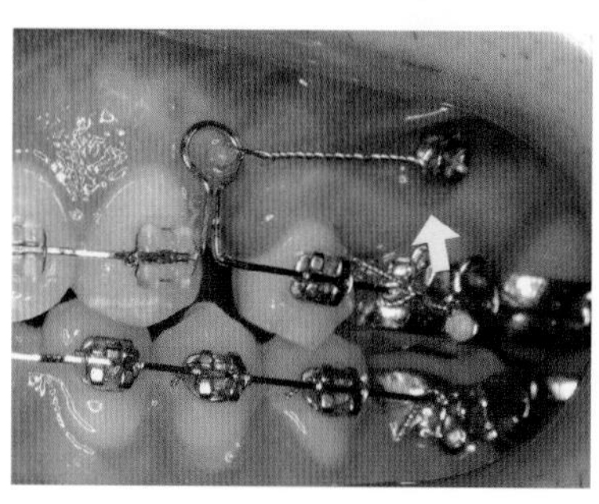

図Ⅰ-8-3 歯科矯正用アンカースクリュー周囲の炎症

II編

矯正歯科治療と歯科衛生士の役割

1章 矯正歯科治療に用いる器材と使用の手順

到達目標

❶ 矯正歯科治療に用いる器材を説明できる.
❷ マルチブラケット装置の装着・撤去の手順を説明できる.
❸ 矯正歯科治療に用いる器材の再生処理を説明できる.

矯正歯科治療ではさまざまな器材（器具・材料）を用いる. ①矯正装置の装着時, ②治療中の調整時, ③治療後の撤去時に用いるものがあり, それぞれ種類が多く, 複数の用途に用いるものもある.

本章では, 臨床で遭遇する機会が多いマルチブラケット装置の装着・調整・撤去に用いる器材を中心に, その他の固定式矯正装置（リンガルアーチなど）や可撤式矯正装置（床矯正装置など）を製作する技工操作に用いる器材も紹介する.

1 マルチブラケット装置を構成する器材

Link
マルチブラケット装置
p.87-88

マルチブラケット装置は, 主に歯面に接着するブラケット, 大臼歯部に用いるバンド, バンドに溶接するチューブ, ブラケットやチューブに装着して矯正力を発揮するアーチワイヤー, アーチワイヤーをブラケットに結紮（けっさつ）する結紮線やエラスティックモジュールなどで構成されている（図Ⅱ-1-1).

1. ブラケット

1）用途

ブラケットは矯正用アタッチメントの一種で, 個々の歯の表面に直接接着して, アーチワイヤーが発揮する矯正力を歯に伝達する.

2）特徴

ブラケットには, アーチワイヤーを通すスロット（四角い溝）と, 結紮線やエラスティックモジュールを装着するためのウイングがあり, 接着材が維持されるよう

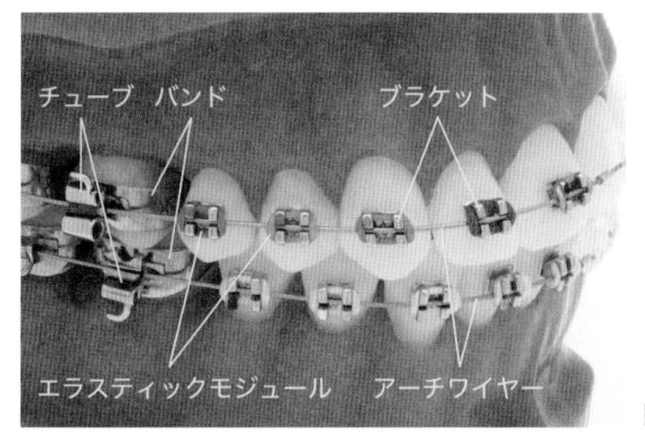

図Ⅱ-1-1　**マルチブラケット装置の構成**

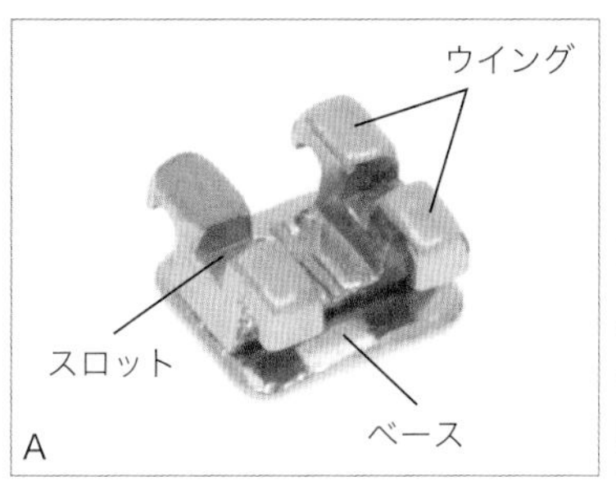

図Ⅱ-1-2　**ステンレス製のブラケット**
A：ブラケットの各部の名称，B：ブラケットのベース面（裏面）．

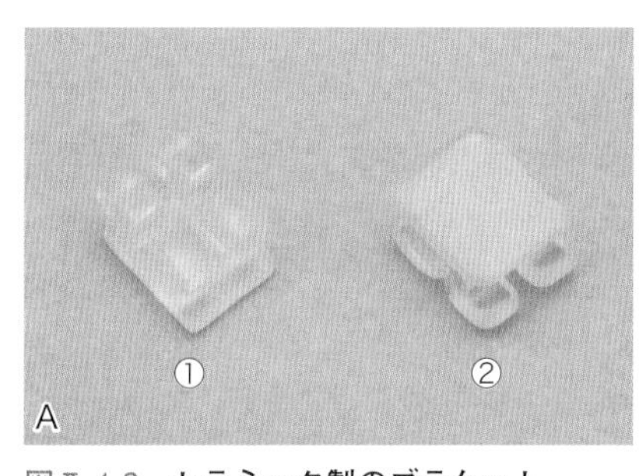

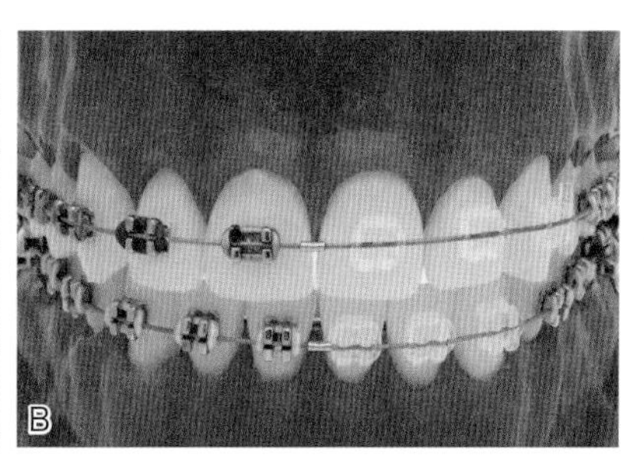

図Ⅱ-1-3　**セラミック製のブラケット**
A：①唇側面，②ベース面（裏面）．
B：ステンレス製のブラケット（右側）とセラミック製のブラケット（左側）．セラミック製のほうが審美性にすぐれている．

にベース面（裏面）には網目状のメッシュ構造が施されている（図Ⅱ-1-2）．

ブラケットは主にステンレス製と，審美性にすぐれたセラミック製に分類される（図Ⅱ-1-3）．

2. チューブ（バッカルチューブ）

アーチワイヤーを維持するために，固定源となる大臼歯の頬側に取り付ける，筒状の矯正用アタッチメントの一種である（図Ⅱ-1-4）．

バンドに溶接するウェルド用，歯に直接接着するボンディング用がある．

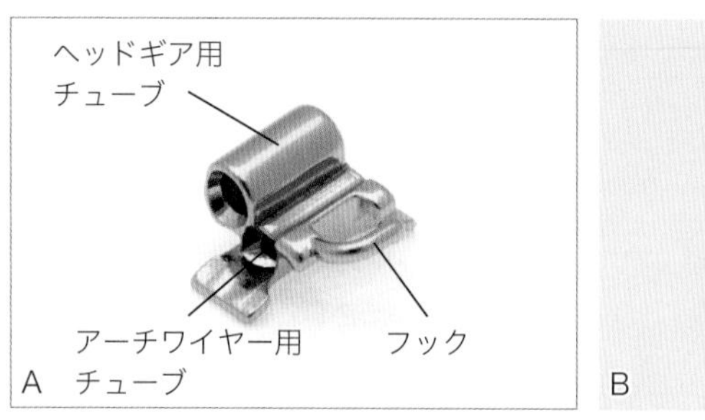

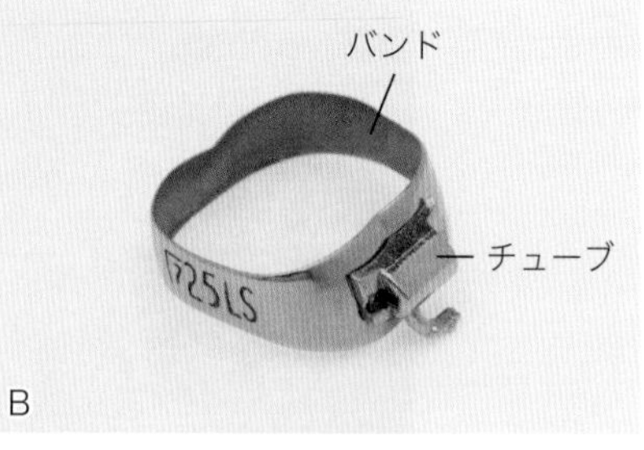

図Ⅱ-1-4　**チューブ**
A：チューブ（上顎第一大臼歯用）の各部の名称，B：バンドに溶接されたチューブ．

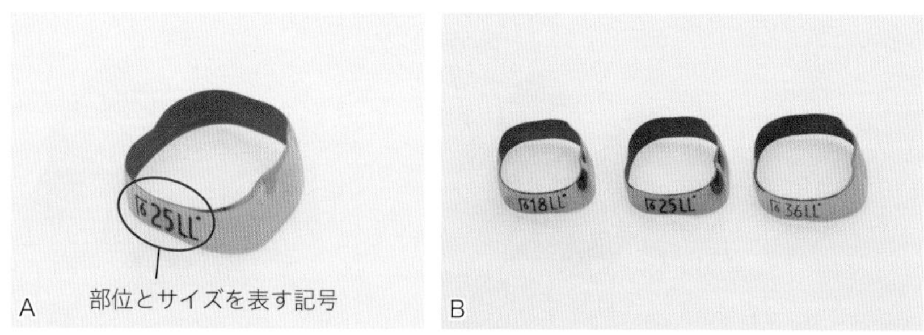

図Ⅱ-1-5　**バンド**
A：バンド（下顎左側第一大臼歯用），B：大きさの異なるバンドの例．

3．バンド（帯環）

1）用途

金属製の帯状の板からなるバンドは，咬合力が加わりやすい大臼歯にチューブを装着するために用いる．

2）特徴

バンドには，歯種と上下顎・左右側の部位ごとにその平均的な解剖学的形態が付与されており，それぞれ約20～30種類の大きさ（サイズ）が異なったバンドがある．大きさごとに番号がついており，番号順にケースに収納されている．口腔模型上や口腔内で試適して，個々の歯の大きさに合ったバンドを選択したうえで，調整して用いる（図Ⅱ-1-5）．

4．矯正用ワイヤー

基本的に，歯に矯正力を作用させるためには，ワイヤーが変形した後の復元力を利用する．矯正歯科治療に用いるワイヤー（金属製の線材料）は，断面形態，組成（合金の成分），用途に応じて分類される．

1）断面形態による分類

断面形態が円形の丸線（ラウンドワイヤー）と四角い角線があり，角線はさらに断面が正方形のスクエアワイヤーと，長方形のレクタンギュラーワイヤーに分類される．また，何本かのラウンドワイヤーをねじったツイストワイヤーもある（図Ⅱ-1-6）．

ワイヤーの太さについては，丸線は直径をミリメートル（mm）またはインチ*で表し，角線は厚さ×幅をそれぞれインチで表す．

*1インチ＝25.4 mm.

2）組成による分類

ワイヤーの組成は，ステンレススチール，コバルトクロム合金，ニッケルチタン合金などがあり，それぞれで金属の機械的特性（硬さや弾性）が異なる．

3）用途による分類

(1) アーチワイヤー

歯列弓の形に屈曲したワイヤーで，ブラケットやチューブに結紮して固定することで，マルチブラケット装置において主要な矯正力を発揮する．アーチワイヤーの太さはインチで表され，丸線は0.010～0.020インチのものが，角線では0.016×0.022～0.0215×0.028インチのものがそれぞれ用いられている．

通常は直線状のワイヤーを屈曲して用いるが，あらかじめ屈曲されている製品（プリフォームド・アーチワイヤー）も市販されており，1本ずつ滅菌処理して包装されている（図Ⅱ-1-7）．

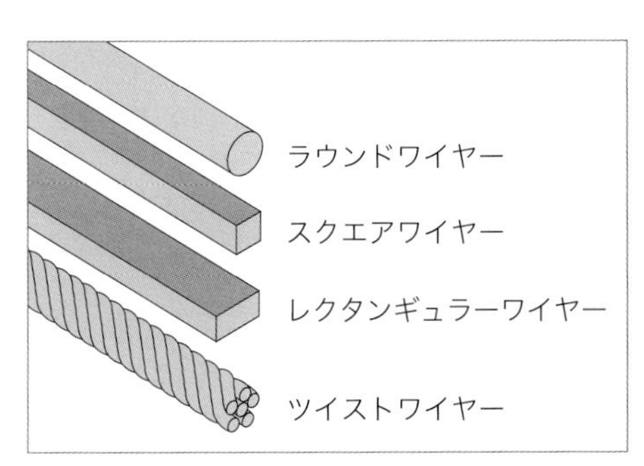

図Ⅱ-1-6 ワイヤーの断面形態による分類

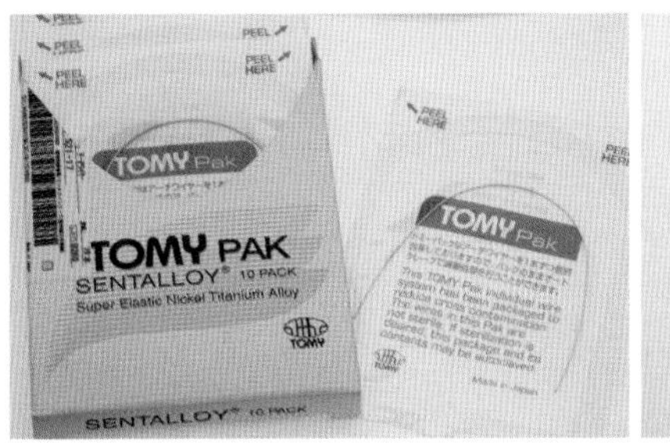

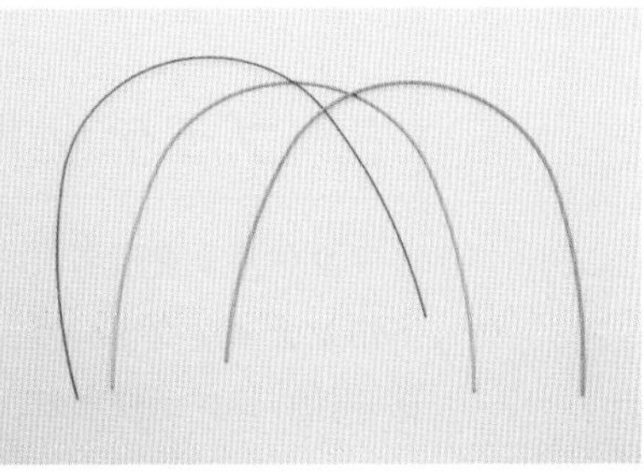

図Ⅱ-1-7 プリフォームド・アーチワイヤー
合金の種類，断面形態，太さ，アーチの形態などさまざまな種類のものがある．

図Ⅱ-1-8 **結紮線**
A：結紮線の例（青：直径 0.010 インチ，黒：直径 0.012 インチ）.
B：結紮線でアーチワイヤーをブラケットのスロットに結紮している様子.

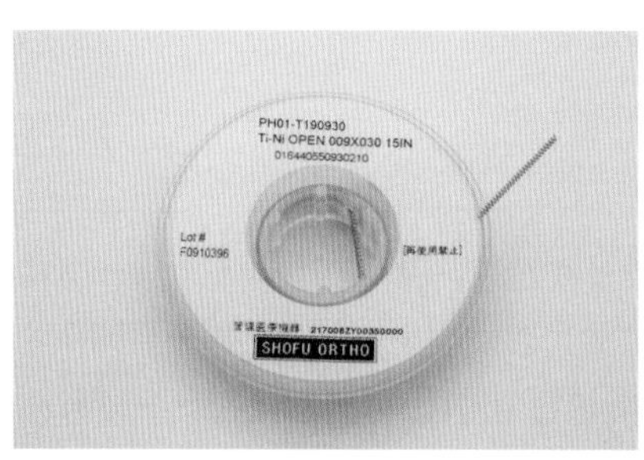

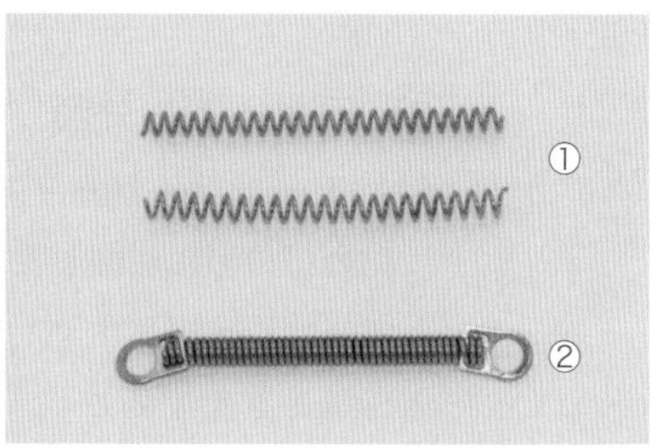

図Ⅱ-1-9 **コイルスプリング**
①オープンコイルスプリング，②クローズドコイルスプリング.

(2) 結紮線（リガチャーワイヤー，図Ⅱ-1-8）

ステンレススチールの細くて軟らかいワイヤーである．ブラケットにアーチワイヤーを結紮する（アーチワイヤーをブラケットのスロットに固定する）ために用いる．

(3) コイルスプリング（図Ⅱ-1-9）

らせん状に巻かれたバネで，付加的な矯正力を発揮する．

①**オープンコイルスプリング**：スプリング（バネ）を圧縮して装着する．縮められたバネが広がるときの力を矯正力として利用して，歯間に空隙を作るのに用いる．

②**クローズドコイルスプリング**：スプリングを引き伸ばした状態で装着する．引き伸ばされたバネが縮まるときの力を矯正力として利用して，歯間の空隙を閉鎖するのに用いる．

5. ブラケット用の接着材（ボンディング材）

ブラケットを接着材（ボンディング材）で歯面に直接接着することを，**ダイレクトボンディング**という．主に化学重合型の MMA 系と，光重合型の Bis-GMA 系の接着性レジンが使われ，ブラケット周囲のう蝕の発生を防ぐためのフッ化物徐放性ボンディング材など，さまざまな種類がある（図Ⅱ-1-10）.

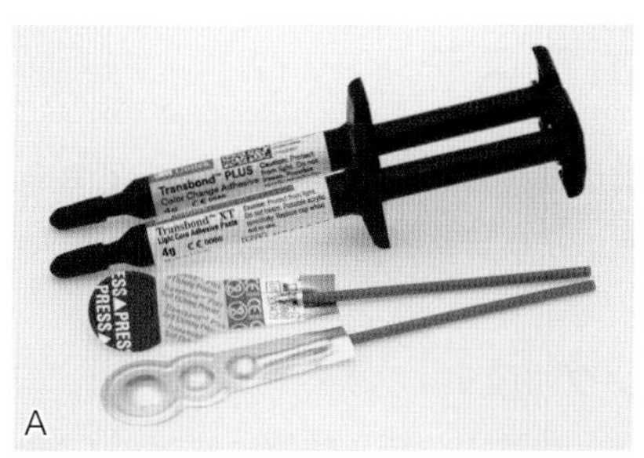

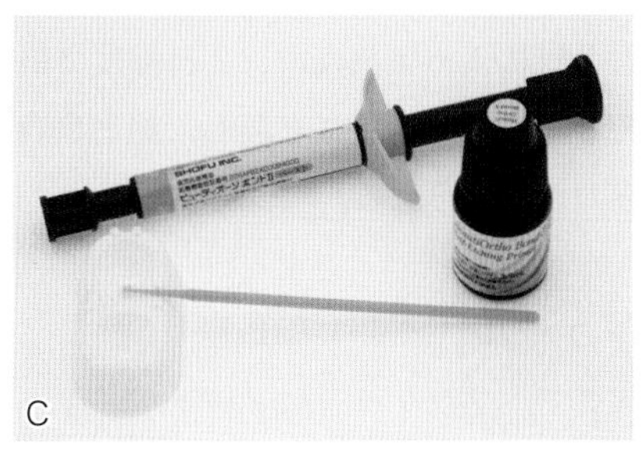

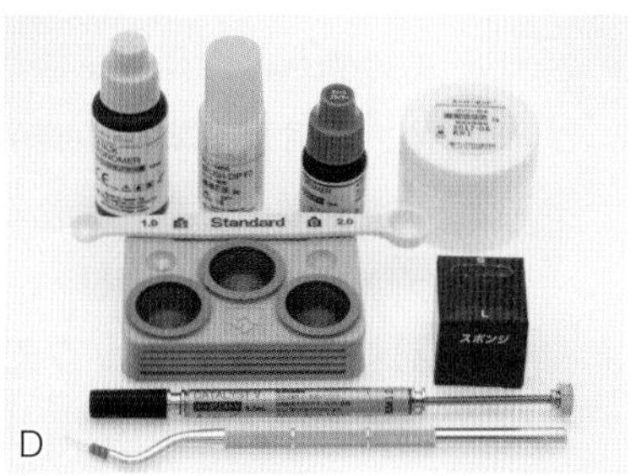

図Ⅱ-1-10　**ブラケット用の接着材（ボンディング材）**
AB：光重合型の接着材（Bis-GMA 系）．ブラケットの裏面（ベース面）に塗布して用いる．
C：光重合型の接着材（Bis-GMA 系）で，う蝕リスクに配慮してフッ化物徐放性を有する．
D：化学重合型の接着材（MMA 系）．

6. バンド用の合着材（セメント）

主にセメント系の合着材が用いられる．バンド用の合着材も，光重合型と化学重合型に分類される（図Ⅱ-1-11）．

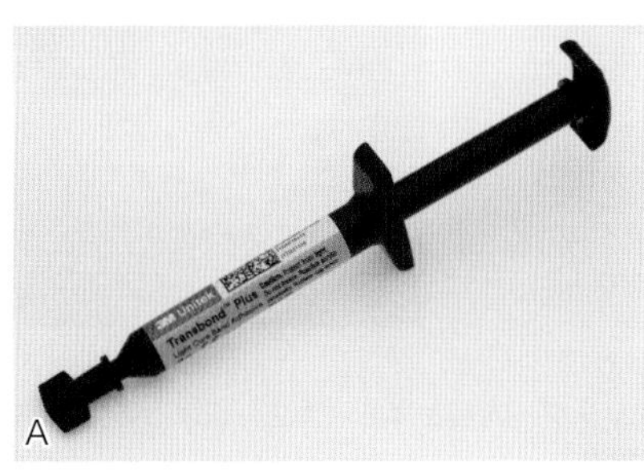

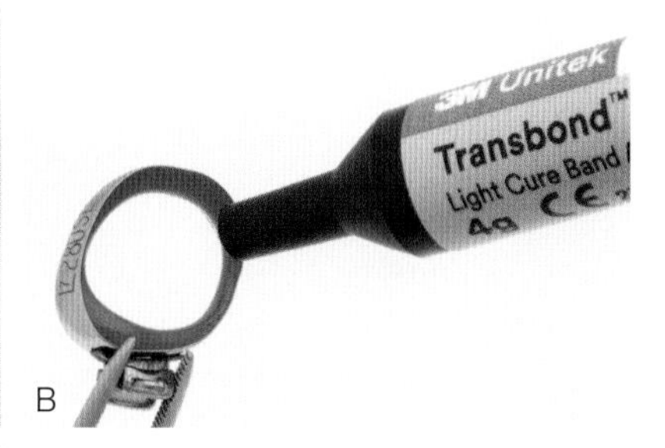

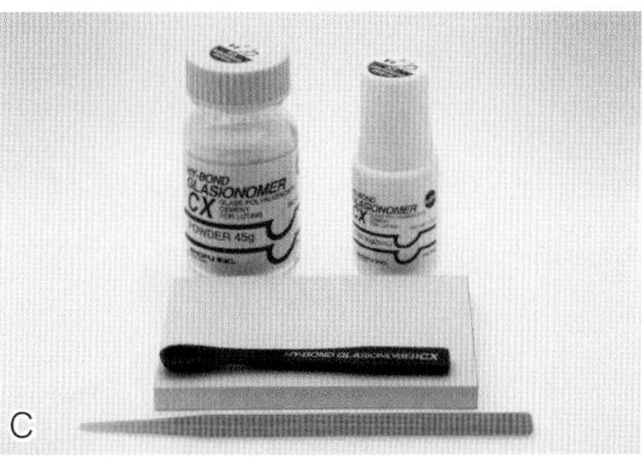

図Ⅱ-1-11　**バンド用の合着材（セメント）**
AB：光重合型の合着材．バンド内面にペーストを塗布して用いる．
C：化学重合型の合着材．

7. 弾性材料（エラスティック）

エラスティックとは，矯正歯科治療に用いるゴム製品の総称で，素材はラテックス（天然ゴム）や熱硬化性ポリウレタンゴムである．

1）エラスティックリング（図Ⅱ-1-12）

Link
顎間ゴム
p.80-81

エラスティックリングは，口腔内で矯正装置に装着する顎間ゴムなどに用いる．力の強さは内径や厚さ（太さ）によって異なり，2日程度で最初の力が半減するため，毎日交換する必要がある．患者には袋ごと渡し，患者自身で交換しながら使用してもらうため，患者の協力が重要となる．

2）エラスティックモジュール（図Ⅱ-1-13）

弾力性のある小さなリングで，ブラケットにアーチワイヤーを結紮するのに用いる．透明なものも含め，カラーバリエーションが豊富である．

3）エラスティックチェーン（図Ⅱ-1-14）

小さなリングが鎖状に連結されているエラスティックであり，主にマルチブラケット装置の隣在するブラケット間に装着して，エラスティックの弾性を利用して歯間の空隙を閉鎖する．また，位置異常を起こしている歯の移動や，埋伏歯の牽引にも

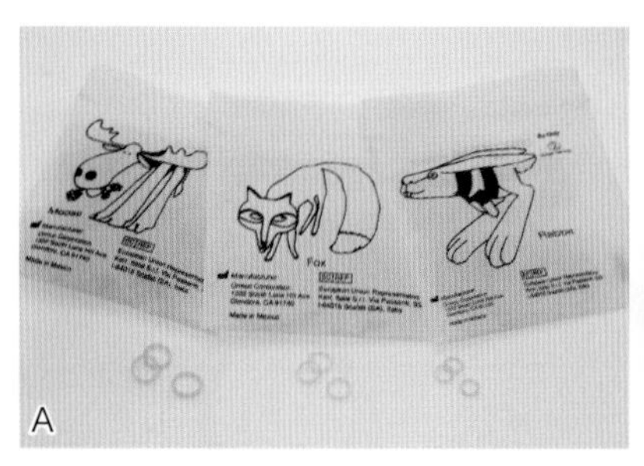

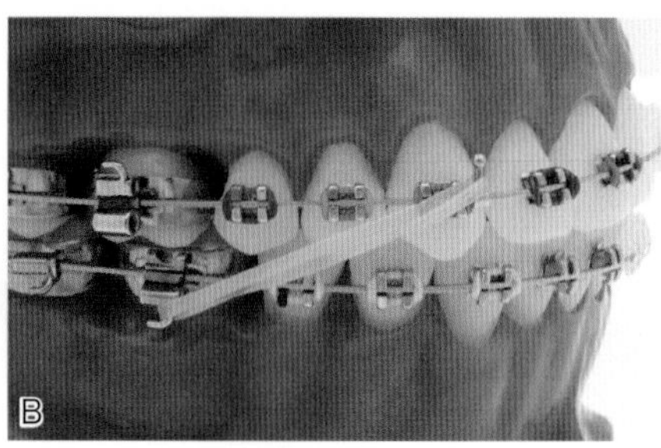

図Ⅱ-1-12 エラスティックリング
A：顎間ゴム用のエラスティックリング．内径と厚さ（太さ）によって発揮する矯正力が異なる．
B：顎間ゴム（Ⅱ級ゴム）の装着例．

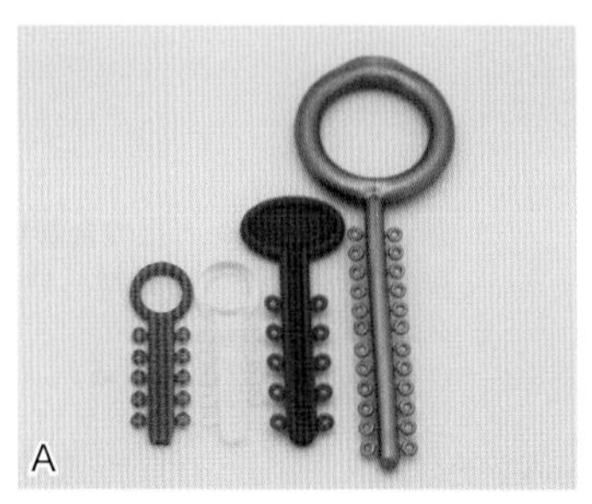

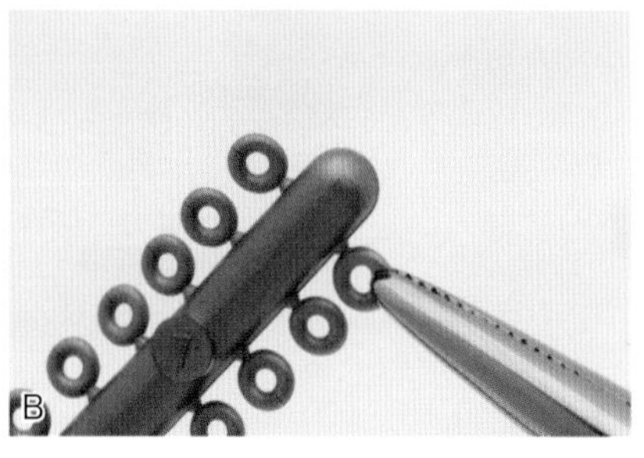

図Ⅱ-1-13 エラスティックモジュール
A：さまざまなカラーバリエーションがある．B：1つずつ取って使用する．

用いる．厚さやリングの間隔が異なる製品が用意されており，矯正力が調節できる．

4）エラスティックセパレーター（図Ⅱ-1-15）

リング状のゴムで，大臼歯にバンドを挿入するために，歯と歯の間に空隙をつくる**歯間分離**を目的として用いる．バンドを装着する歯の隣接面に，エラスティックセパレーティングプライヤーを用いて装着する（p.150～151参照）．

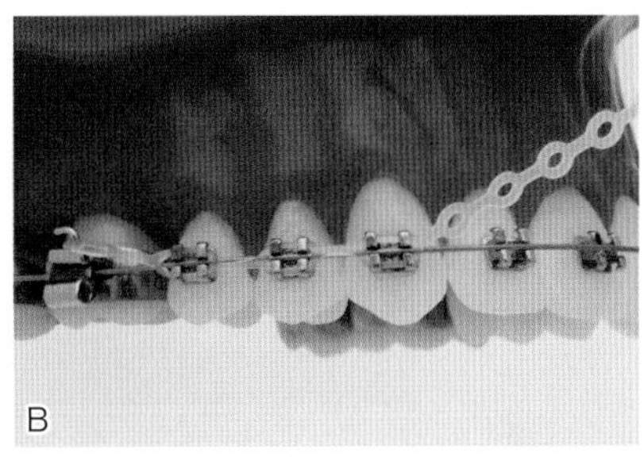

図Ⅱ-1-14　**エラスティックチェーン**
A：エラスティックチェーン．リングの間隔の違いによって，矯正力の強さが異なる．
B：マルチブラケット装置のブラケットへの装着．

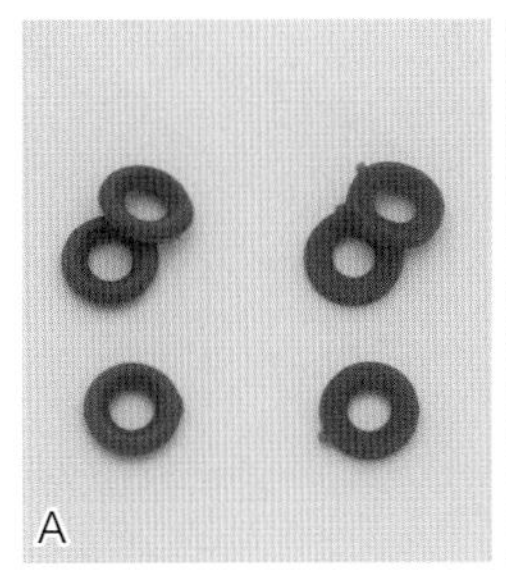

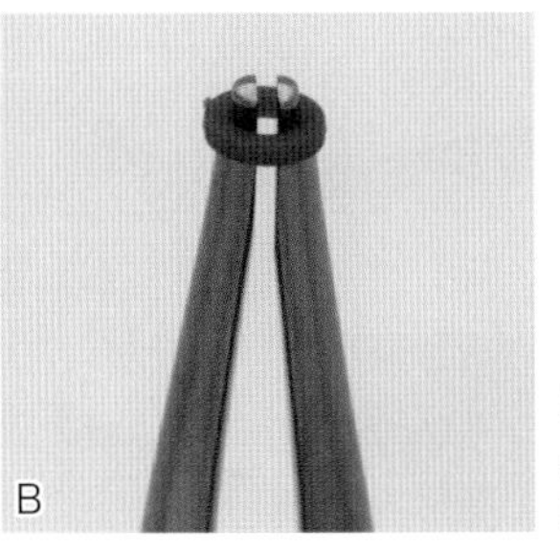

図Ⅱ-1-15　**エラスティックセパレーター**
A：エラスティックセパレーター．
B：エラスティックセパレーターの把持．

2　マルチブラケット装置の装着・調整・撤去に用いる器具

1．ブラケットの装着・撤去に用いる器具

1）ブラケットポジショニングゲージ（図Ⅱ-1-16）

ブラケットを歯面に接着する際や，バンド上にチューブを溶接する際に，その垂直的位置（高さ）の設定に用いる．

2）ブラケットリムービングプライヤー（図Ⅱ-1-17）

接着したブラケットを歯面から撤去するのに用いる．ビーク*の両先端部に，歯面とブラケットのベース面との間に入り込むための鋭利な刃が付与されている．

*ビーク
ビーク（beak）とは鳥のとがったくちばしのことで，プライヤーの先端を意味します．

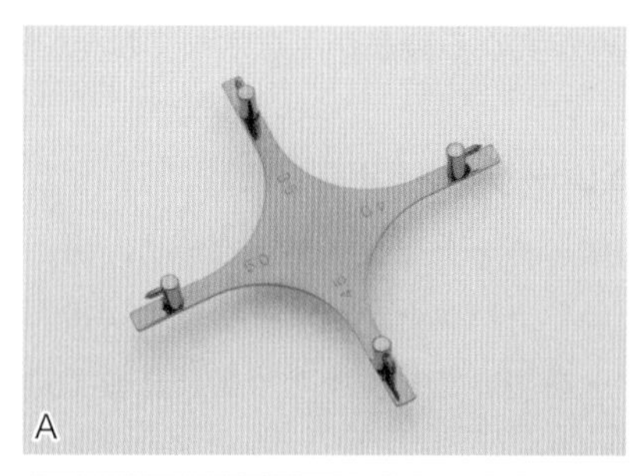

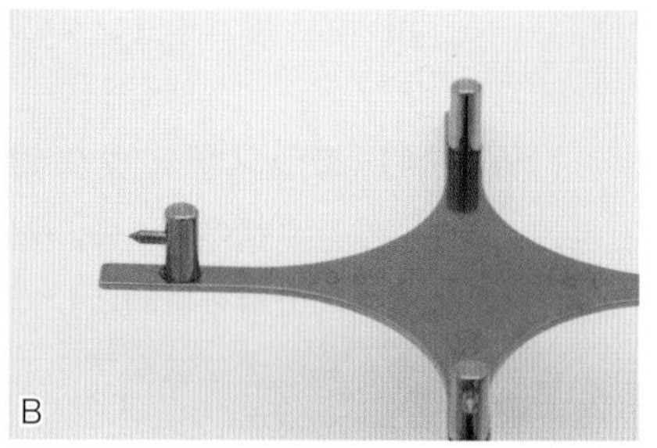

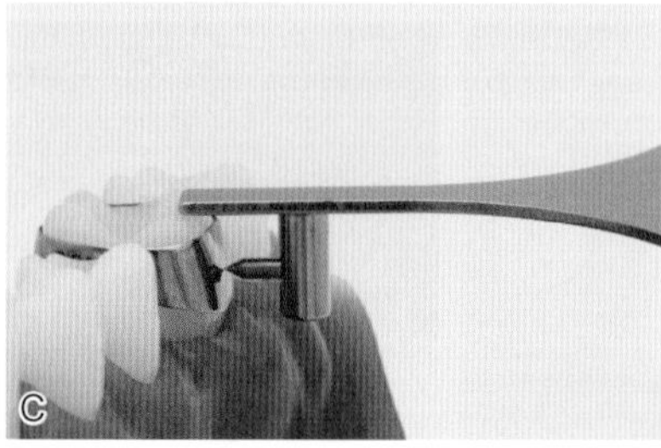

図Ⅱ-1-16　ブラケットポジショニングゲージ
A：ブラケットポジショニングゲージ．
B：先端の拡大図．
C：バンド上に溶接するチューブの垂直的位置（高さ）を計測し，印記している様子．

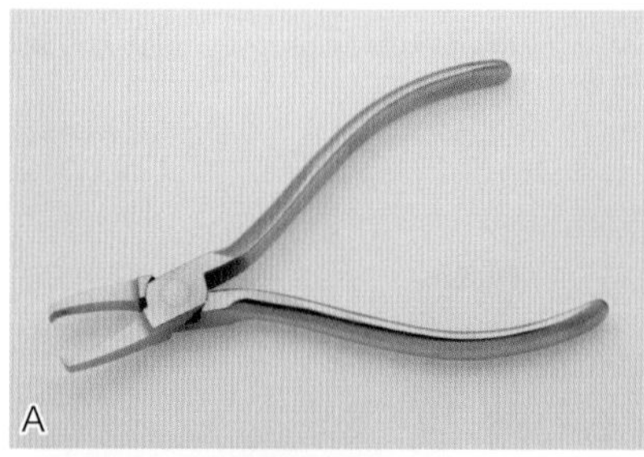

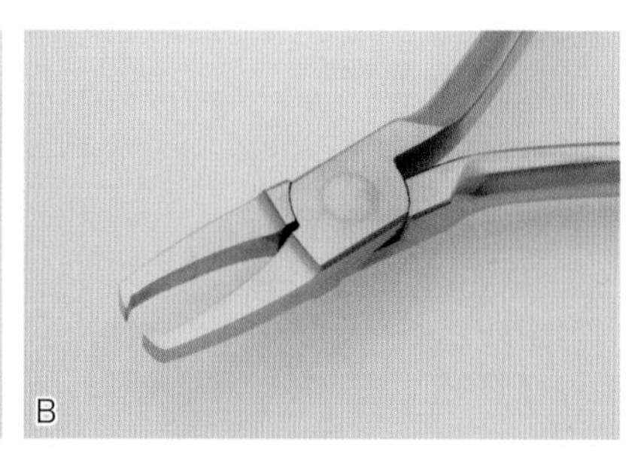

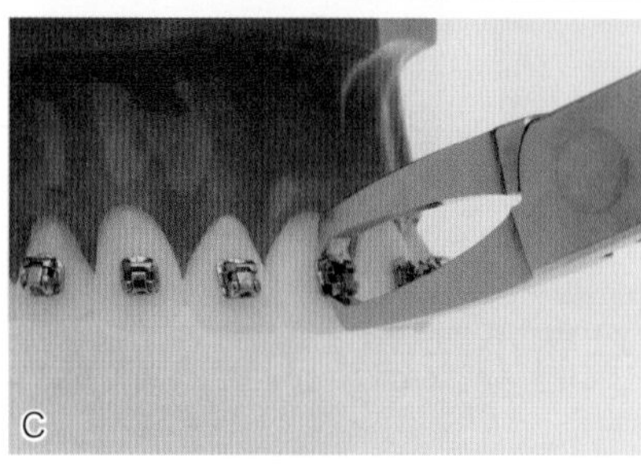

図Ⅱ-1-17　ブラケットリムービングプライヤー
A：ブラケットリムービングプライヤー．
B：先端の拡大図．鋭利な刃が付与されている．
C：ブラケットを歯面から撤去している様子．

3）レジンリムーバー（図Ⅱ-1-18）

ブラケットを撤去した直後の歯面に残った接着材を除去するのに用いる．ビークの一方は，咬合面に当てるためプラスチック製のパッドが装着され，他方の先端には，歯面に残った接着材を除去するためのカーバイドチップが付いている．

2．バンドの装着・撤去に用いる器具

1）エラスティックセパレーティングプライヤー（図Ⅱ-1-19）

エラスティックセパレーターを歯間に挿入して空隙をつくるために用いる（p.149

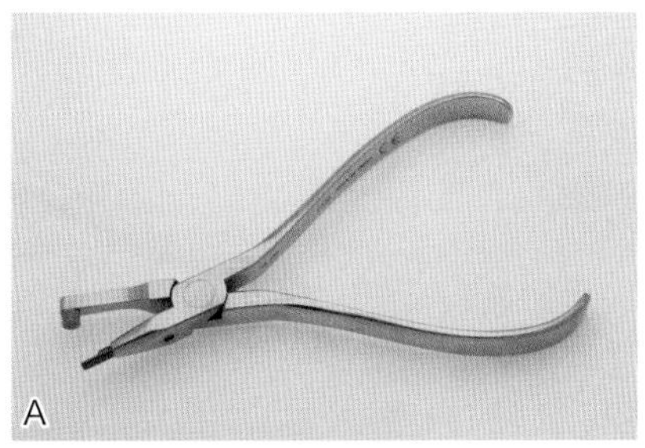

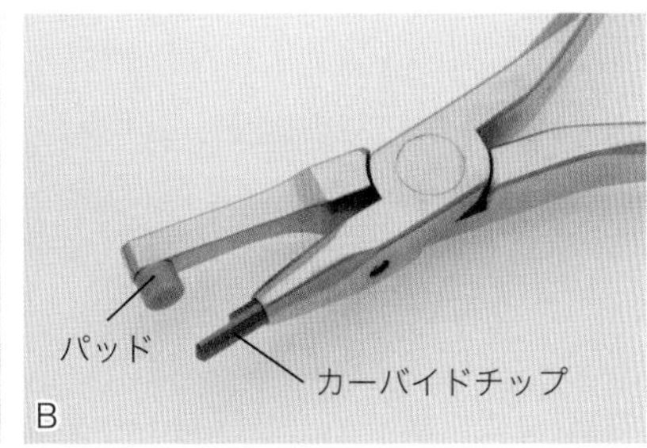

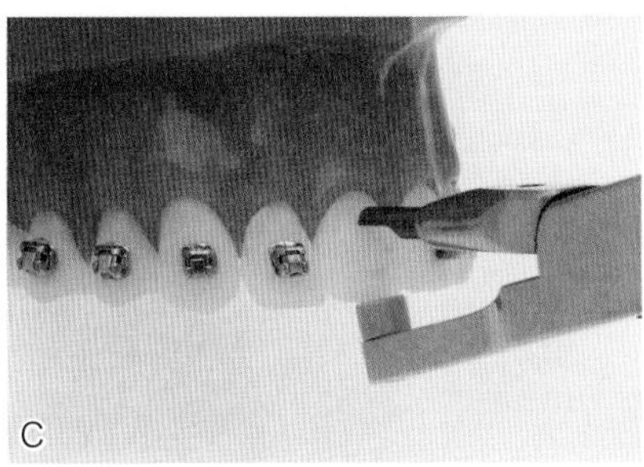

図Ⅱ-1-18 レジンリムーバー
A：レジンリムーバー.
B：先端の拡大図.
C：歯面に残存した接着材を除去している様子.

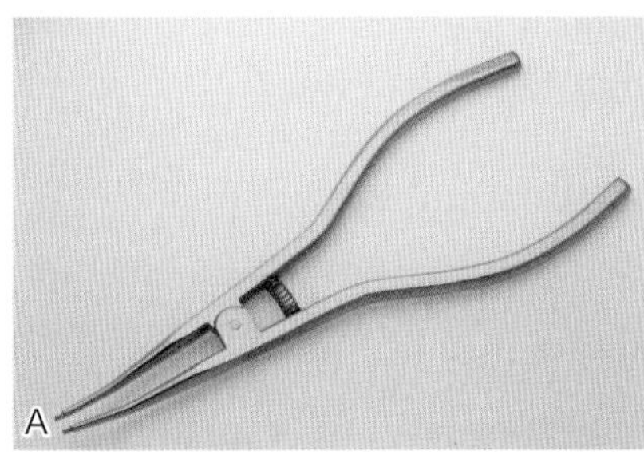

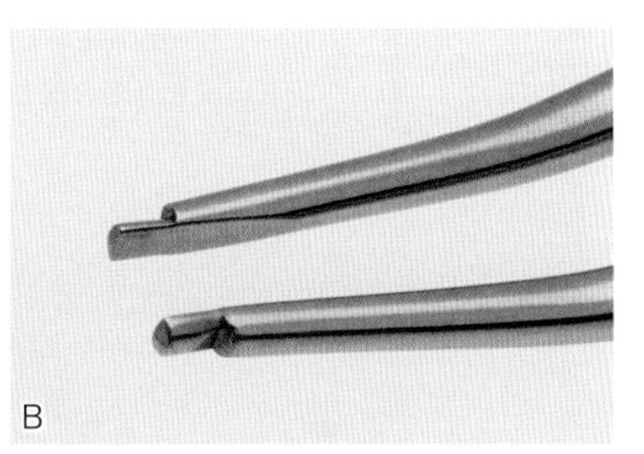

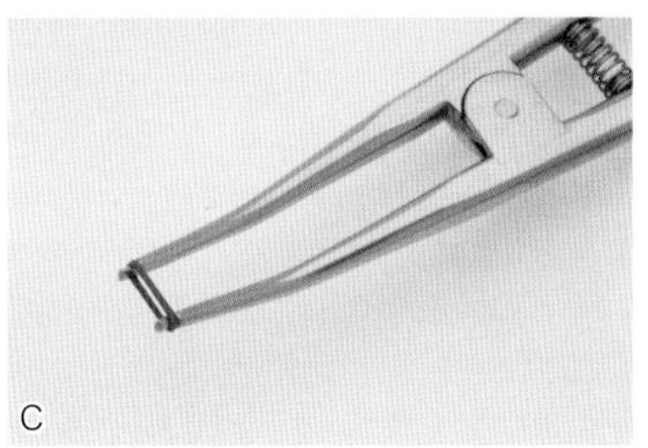

図Ⅱ-1-19 エラスティックセパレーティングプライヤー
A：エラスティックセパレーティングプライヤー.
B：先端の拡大図. ビークの外側に“きざみ”がある.
C：エラスティックセパレーターを把持している様子.

参照). ビークの外側に，エラスティックセパレーターをかける“きざみ”がある.

2）バンドプッシャー（図Ⅱ-1-20）

バンドを歯頸部方向に圧入したり，バンドの辺縁を歯面の彎曲(わんきょく)に合わせて圧接したりするのに用いる. 先端部は“くの字”型で，表面には滑り止めのための溝がある.

3）バンドシーター（図Ⅱ-1-21）

患者の咬合圧を利用してバンドを圧入する際に用いる. 三角柱状の金属の突起が先端近くに付いている.

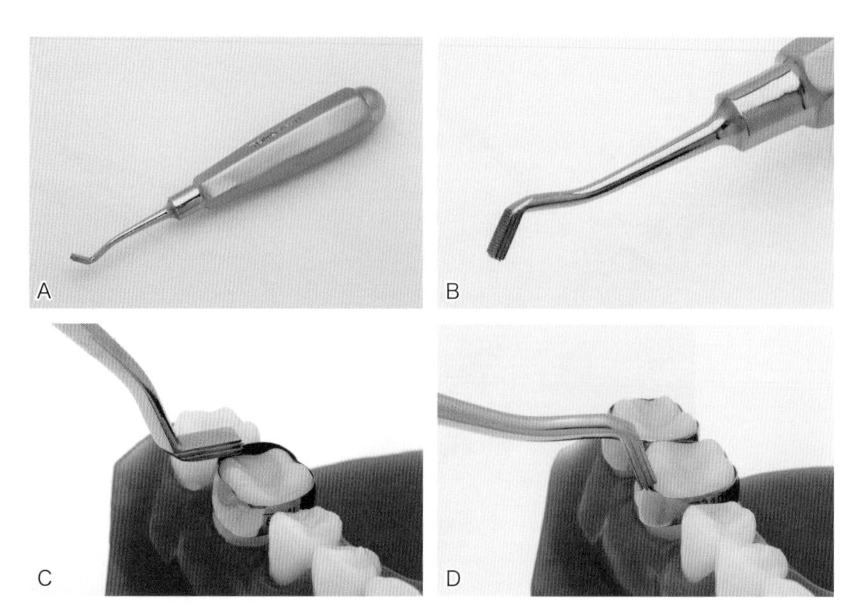

図Ⅱ-1-20　**バンドプッシャー**
A：バンドプッシャー，B：先端の拡大図.
C：バンドを歯頸部方向に圧入している様子.
D：バンド辺縁を歯面の彎曲に合わせて圧接している様子.

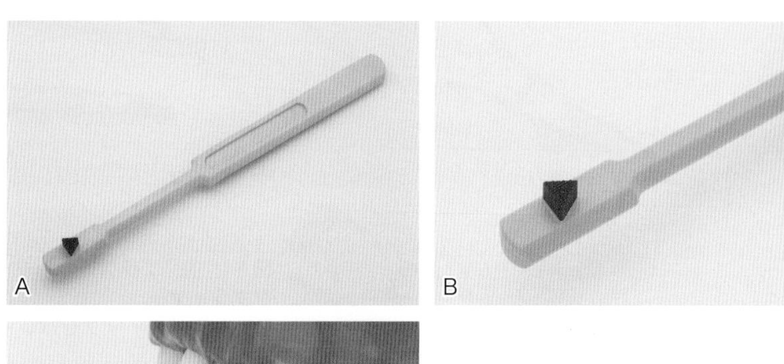

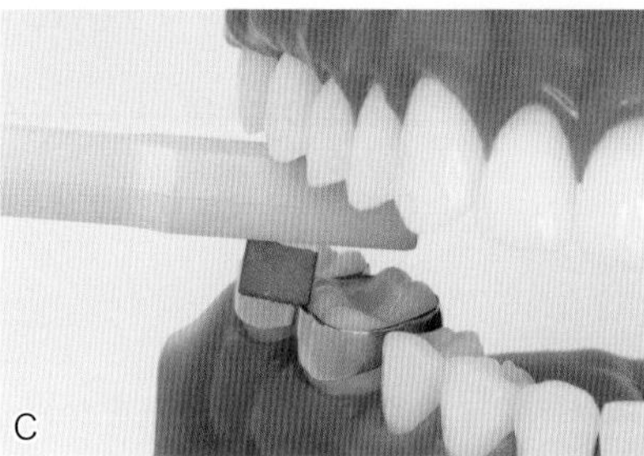

図Ⅱ-1-21　**バンドシーター**
A：バンドシーター.
B：先端の拡大図.
C：患者の咬合圧によってバンドを圧入している様子.

動画 Ⅱ-1-①

4）バンドコンタリングプライヤー（図Ⅱ-1-22，▶**動画Ⅱ-1-①**）

バンドに豊隆を付与したり，辺縁を彎曲したりして歯面に適合させるのに用いる．一方の先端の内面がへこみ，反対側が膨らんでいることから，先端でバンドを挟むことで，彎曲の位置や程度を調節できる．バンド賦形（ふけい）鉗子ともよばれる．

5）バンドリムービングプライヤー（図Ⅱ-1-23）

バンドを歯冠から撤去するのに用いる．先端の長さが異なり，長い方は咬合面に当てるために軟らかい金属，もしくはプラスチックの突起があり，短い方はバンドの歯頸部の辺縁に当てるために鋭くなっている．バンドリムーバーともよばれる．

6）スポットウェルダー（図Ⅱ-1-24）

電気抵抗熱によって，チューブなどの矯正用アタッチメントをバンドに電気溶接するために用いる．

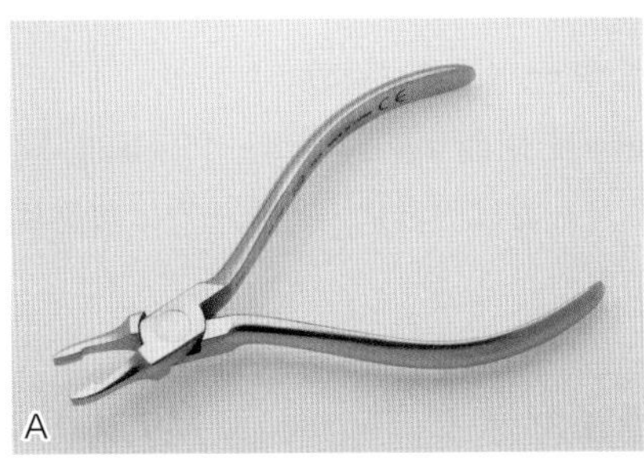

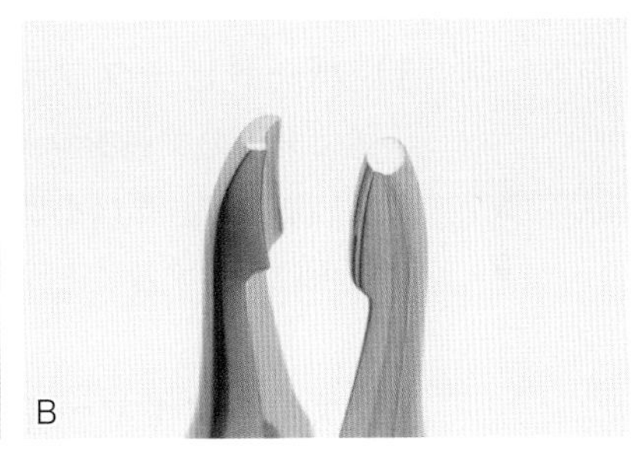

図Ⅱ-1-22　**バンドコンタリングプライヤー**
A：バンドコンタリングプライヤー．
B：先端の拡大図．
C：先端でバンドを挟み，バンドの形態を修正している様子．

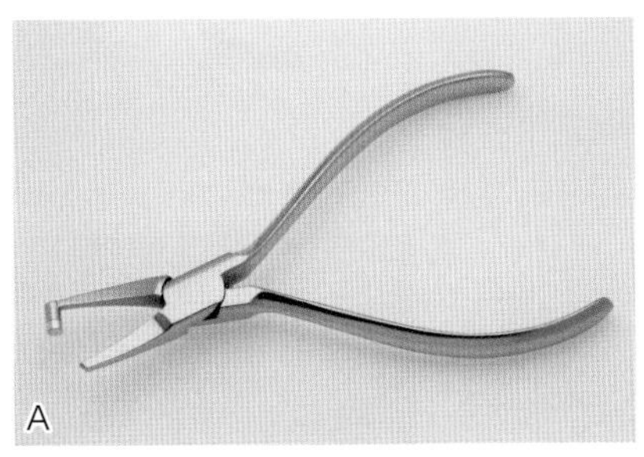

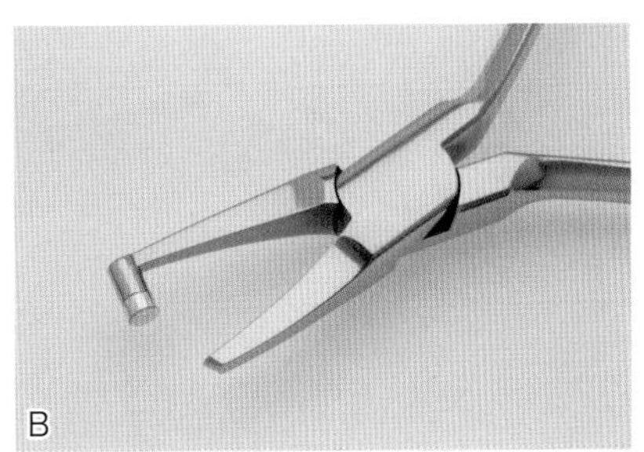

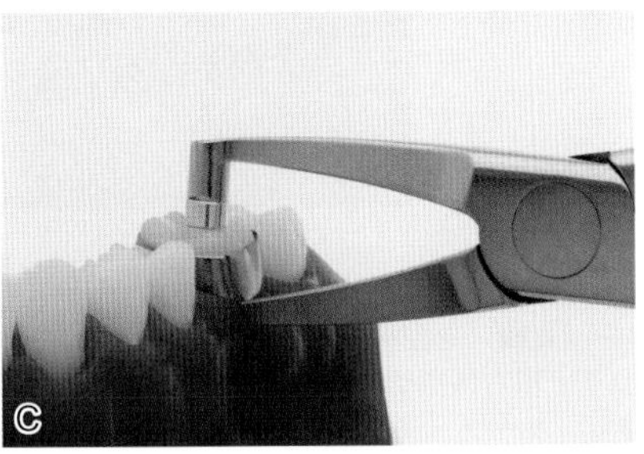

図Ⅱ-1-23　**バンドリムービングプライヤー**
A：バンドリムービングプライヤー．
B：先端の拡大図．
C：バンドを歯冠から撤去している様子．

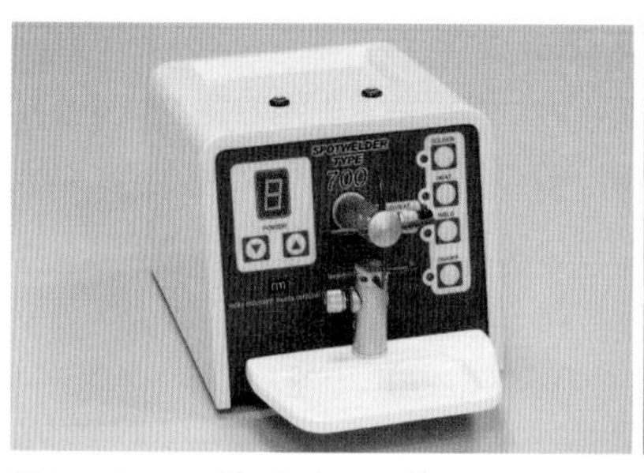

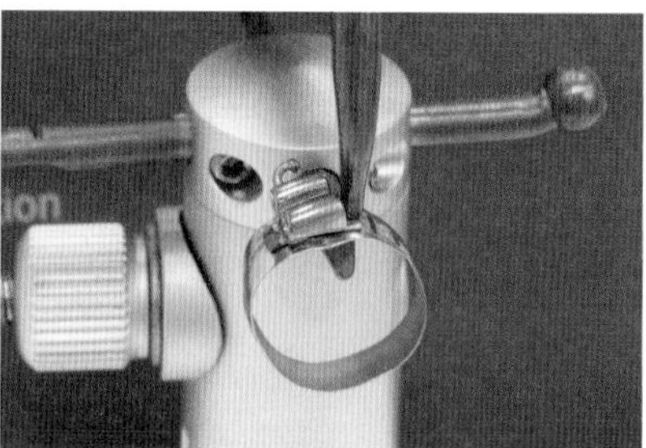

図Ⅱ-1-24 **スポットウェルダー**
チューブを電極で挟んで電気を流し，バンドに電気溶接する（右写真）.

3. 矯正用ワイヤー（金属線）の屈曲に用いる器具

1）バードビークプライヤー（図Ⅱ-1-25）

主に丸線のアーチワイヤーを屈曲し，各種ループ（図Ⅱ-1-25-D）を付与するのに用いる．ビークは小型で，一方は円錐状，もう一方は角錐状で，ワイヤーを曲線や直角に屈曲することができる．

2）ライトワイヤープライヤー（図Ⅱ-1-26，▶動画Ⅱ-1-②）

比較的細いアーチワイヤーを屈曲したり，ループを付与したりするのに用いる．ビークは一方が円錐状，他方が角錐状で，ビークの根元にワイヤーを切断するためのカッターが付いているものもある．

*ライトワイヤーとは，弱い矯正力を発揮する比較的細いワイヤーを意味します．

動画
Ⅱ-1-②

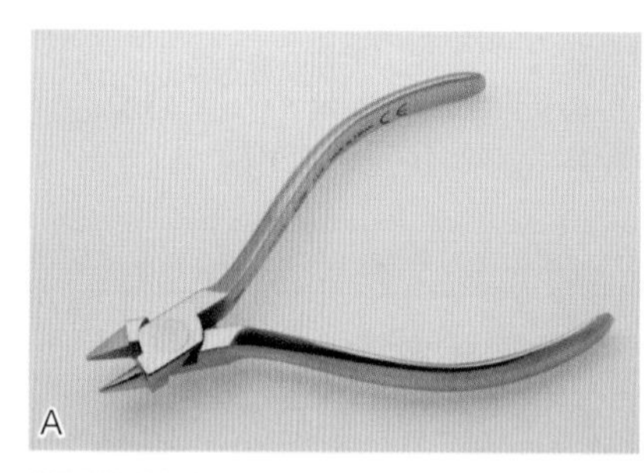

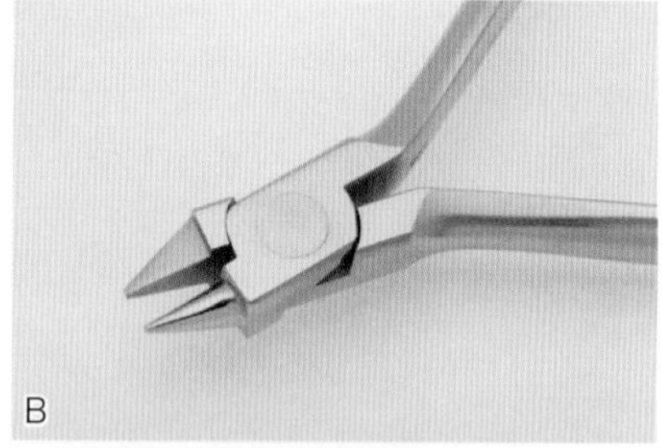

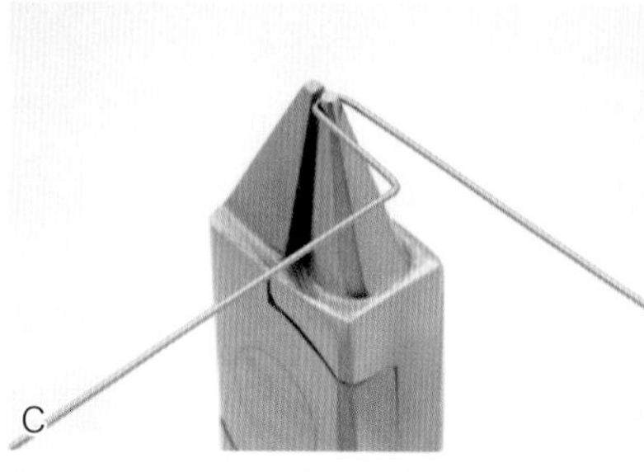

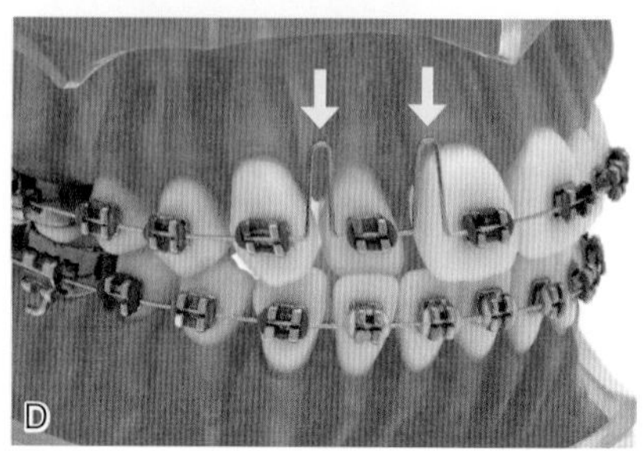

図Ⅱ-1-25 **バードビークプライヤー**
A：バードビークプライヤー，B：先端の拡大図.
C：円錐状のビークで，ワイヤー（丸線）を屈曲している様子.
D：ループの例．舌側転位している上顎右側側切歯（2|）を唇側に傾斜移動させる目的で，アーチワイヤー（丸線）を屈曲し，ループ（矢印）を付与している.

3）Jarabak〈ジャラバック〉プライヤー（図Ⅱ-1-27）

細い丸線の屈曲に用いる．ビークは細く小型で，一方は円錐状で内面に３本の溝が刻まれている．もう一方は角錐状で，内面が平坦で１本の溝がある．

4）Tweed〈ツイード〉アーチベンディングプライヤー（図Ⅱ-1-28）

Link
トルク
p.79

角線のアーチワイヤーをねじるように屈曲して，トルクを生じさせるのに用いる．２つのビークは同形で，角線を保持したときにビークの内面がほぼ平行になる．

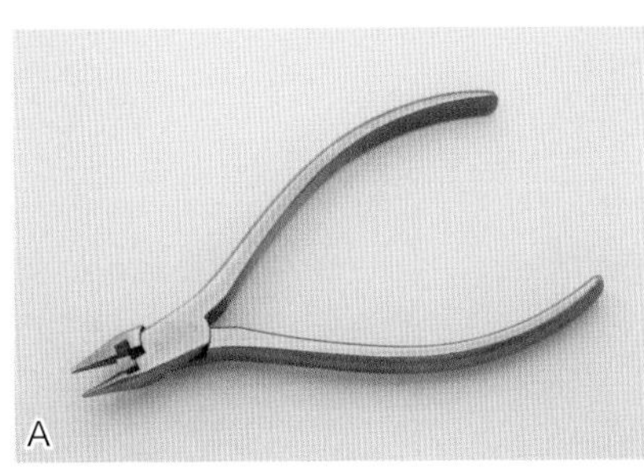

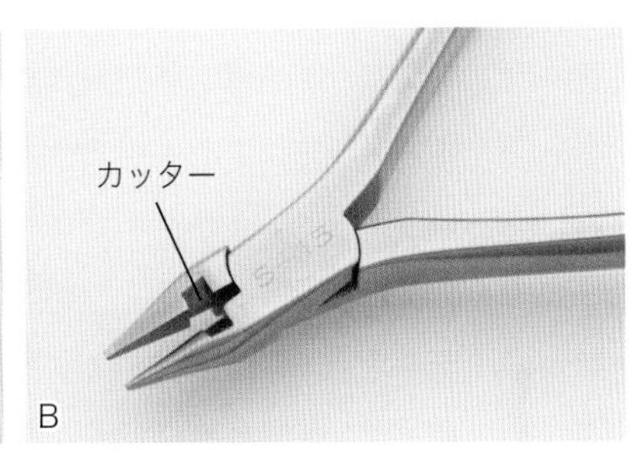

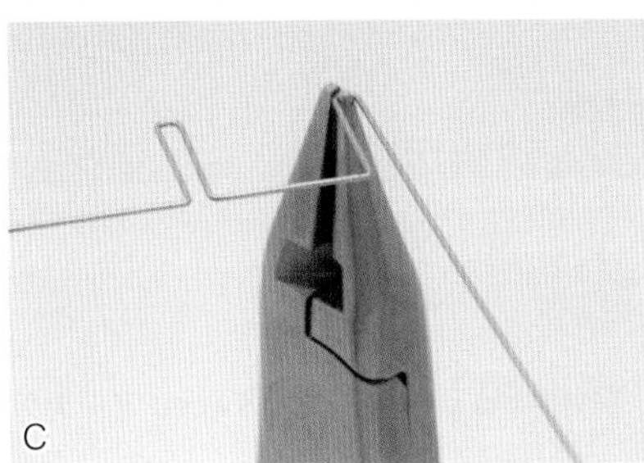

図Ⅱ-1-26　ライトワイヤープライヤー
A：ライトワイヤープライヤー．
B：先端の拡大図．
C：ワイヤーを屈曲し，ループを付与している様子．

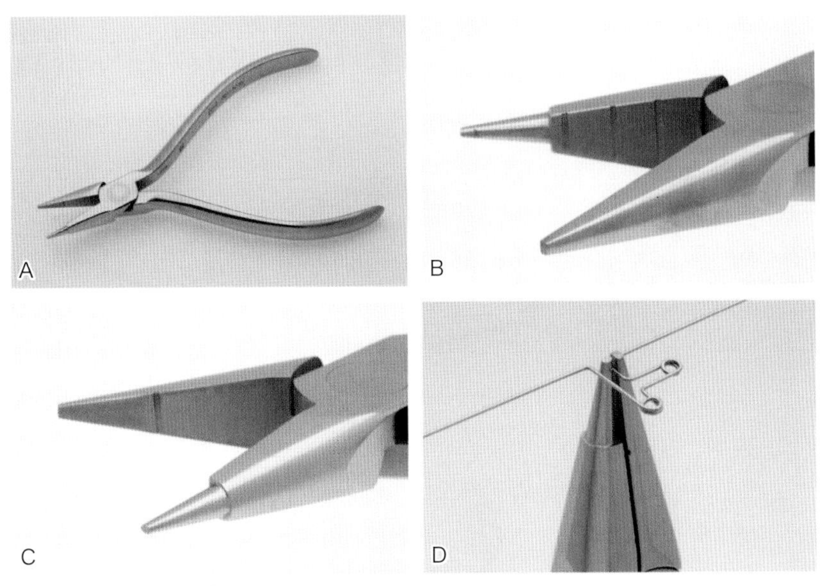

図Ⅱ-1-27　Jarabak プライヤー
A：Jarabak プライヤー，B：円錐状のビークには内面に３本の溝が刻まれている．
C：角錐状のビークは内面が平坦で，１本の溝がある．
D：アーチワイヤー（細い丸線）を屈曲し，ループを付与している様子．

5）Tweed〈ツイード〉ループフォーミングプライヤー（図Ⅱ-1-29）

角線や丸線のアーチワイヤーにループを付与するのに用いる．ビークの一方は円錐状または３段階の円柱状で，他方は内面が凹面になっている．

6）アーチフォーミングタレット（図Ⅱ-1-30）

直線状の角線を歯列弓の形に合わせて屈曲し，アーチワイヤーを形成するのに用いる．角線を中央の溝（スロット）に挿入し，本体を回転させることでアーチ状に屈曲する．ワイヤーの太さに合わせて，数種類の溝が刻まれている．

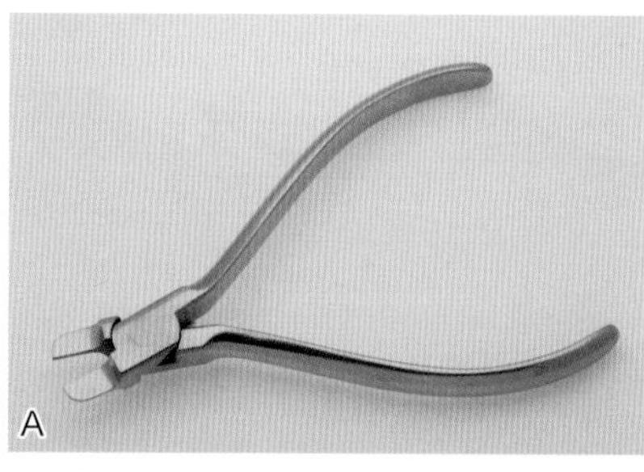

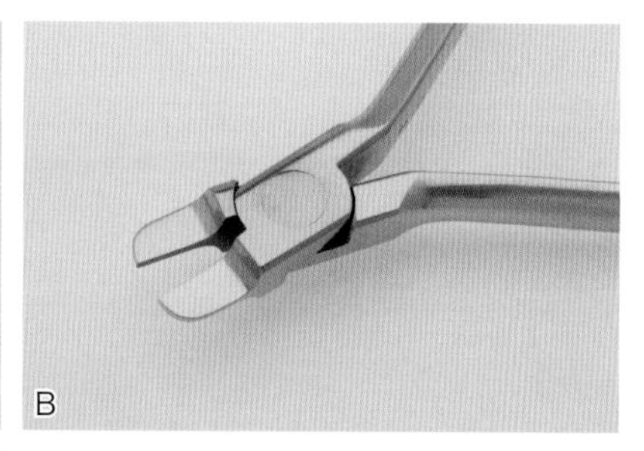

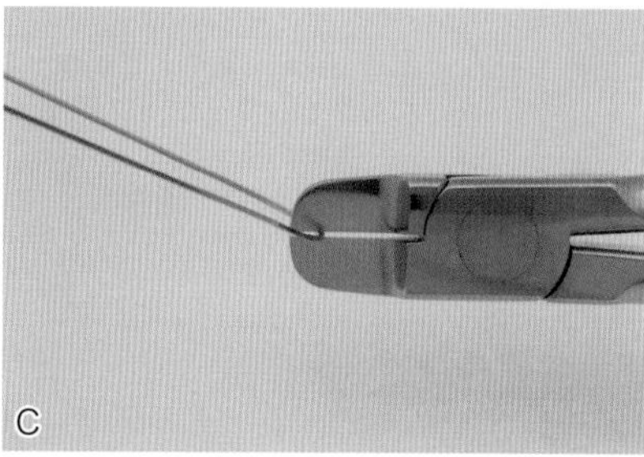

図Ⅱ-1-28　**Tweed アーチベンディングプライヤー**
A：Tweed アーチベンディングプライヤー.
B：先端の拡大図.
C：アーチワイヤー（角線）にトルクを生じさせるために“ねじり”を与えている.

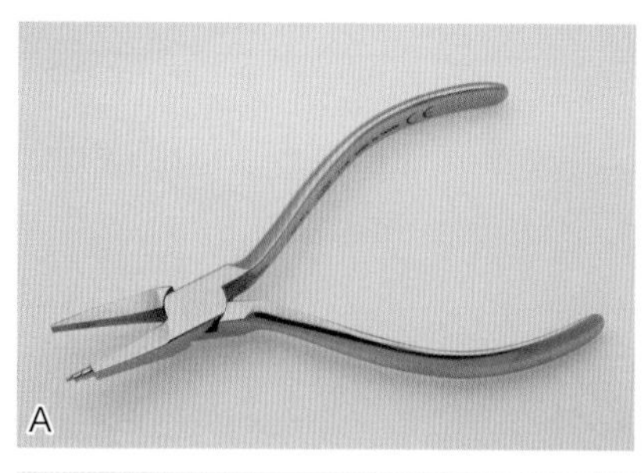

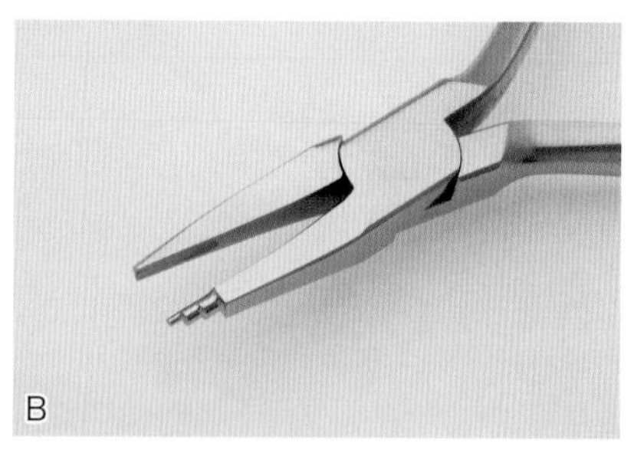

図Ⅱ-1-29　**Tweed ループフォーミングプライヤー**
A：Tweed ループフォーミングプライヤー.
B：先端の拡大図.
C：アーチワイヤー（角線）にループを付与している様子.

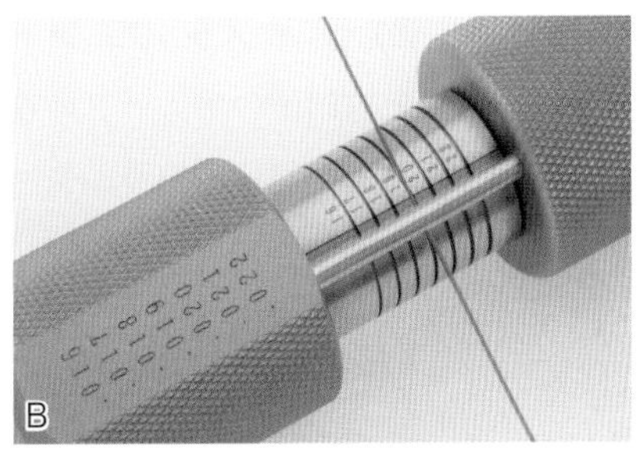

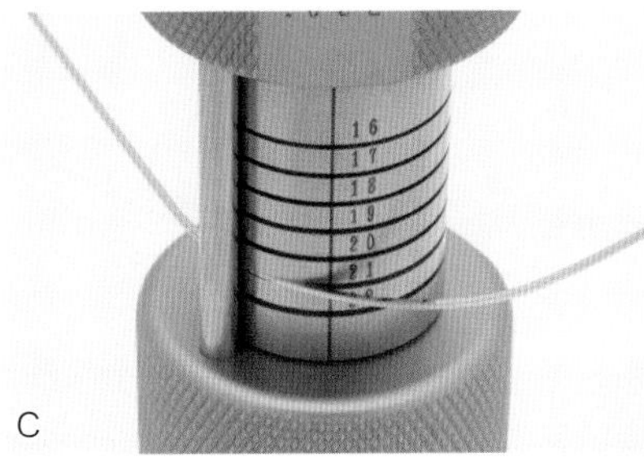

図Ⅱ-1-30　**アーチフォーミングタレット**
A：アーチフォーミングタレット.
B：溝（スロット）にワイヤーを挿入する.
C：タレット本体を回転させて，アーチ状に屈曲し，アーチワイヤーを形成する.

4. 矯正用ワイヤー（金属線）の切断に用いる器具

1）ピンアンドリガチャーカッター（図Ⅱ-1-31，▶動画II-1-③）

主に結紮線の切断に用いる．ビークの先端部の刃は小さく，鋭利である．硬い金属でつくられているが，比較的もろいため，無理な力がかかると破損しやすいことに注意する．

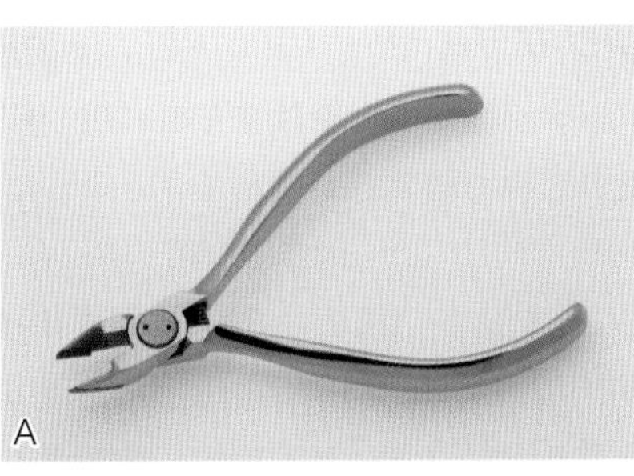

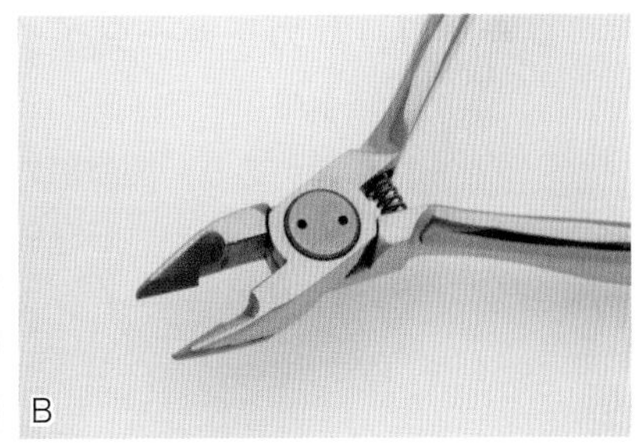

図Ⅱ-1-31　**ピンアンドリガチャーカッター**
A：ピンアンドリガチャーカッター.
B：先端の拡大図.
C：結紮線を切断している様子.

2）ディスタルエンドカッター（図Ⅱ-1-32，▶動画Ⅱ-1-④）

*ディスタルとは「遠心」を意味します．

動画
Ⅱ-1-④

大臼歯のチューブの遠心端から出た余分なアーチワイヤーの末端を，口腔内で切断するのに用いる．ビークの先端部はL字型になっており，切り離されたワイヤーが飛ばないように把持されるため，セーフティーエンドカッターともよばれる．

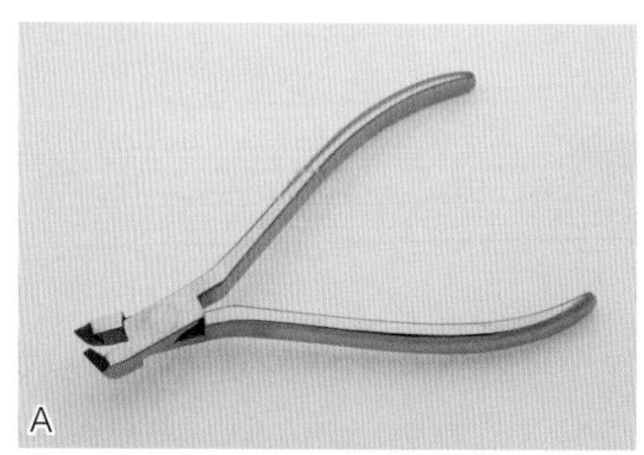

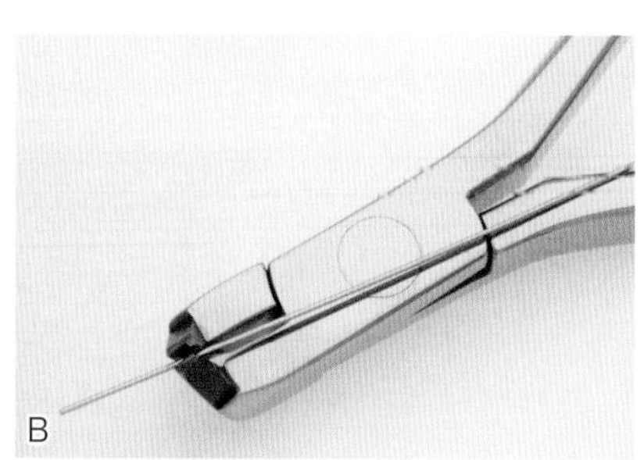

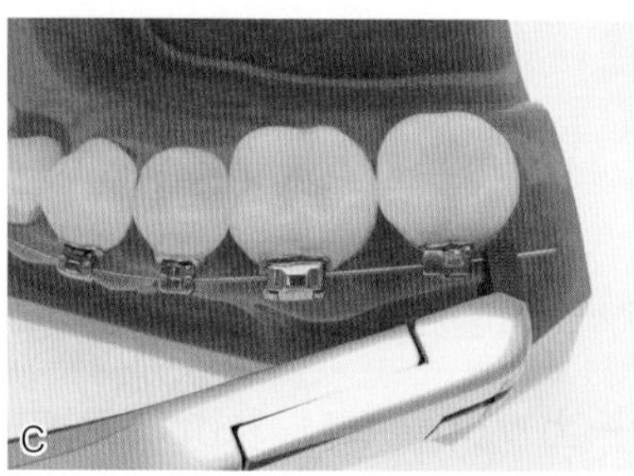

図Ⅱ-1-32　ディスタルエンドカッター
A：ディスタルエンドカッター.
B：先端の拡大図.
C：大臼歯のチューブ遠心端から出た余分なアーチワイヤーを切断している様子.

動画
Ⅱ-1-⑤

5．アーチワイヤーの結紮に用いる器具

1）リガチャータイイングプライヤー（図Ⅱ-1-33，▶動画Ⅱ-1-⑤）

結紮線でブラケットとアーチワイヤーを結紮するのに用いる．両方のビークの先端に溝があり，関節部の切れ込みで結紮線が固定できるようになっている．

動画
Ⅱ-1-⑥

2）リガチャーインスツルメント（図Ⅱ-1-34，▶動画Ⅱ-1-⑥）

結紮線の結紮，および切断後の断端の処理に用いる．一方の先端（ツイスター）には，結紮線を通して把持部を回転（ツイスト）し，結紮する機能がある．反対側の先端（ディレクター）には溝があり，切断した結紮線の断端が飛び出さないようアーチワイヤーの歯面側に屈曲し，ブラケットの横に折り込む際に用いる．

3）持針器（図Ⅱ-1-35，▶動画Ⅱ-1-⑦）

アーチワイヤーをブラケットに結紮するときに，エラスティックモジュールや結紮線を把持するのに用いる．先端の内面には把持しやすいように溝がついている．

動画
Ⅱ-1-⑦

4）モスキートフォーセップス（図Ⅱ-1-36）

持針器と同様に，アーチワイヤーをブラケットに結紮するとき，エラスティック

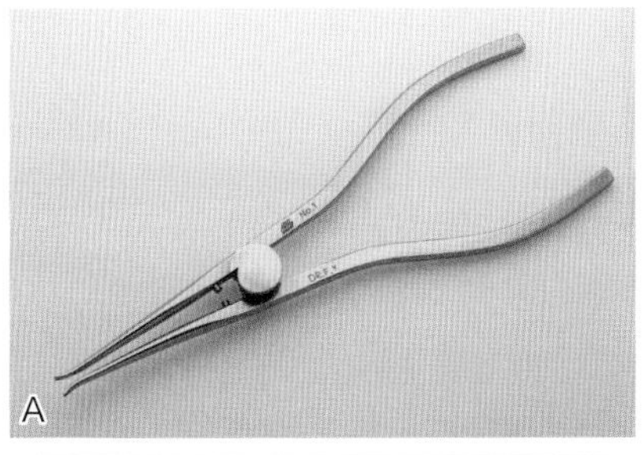

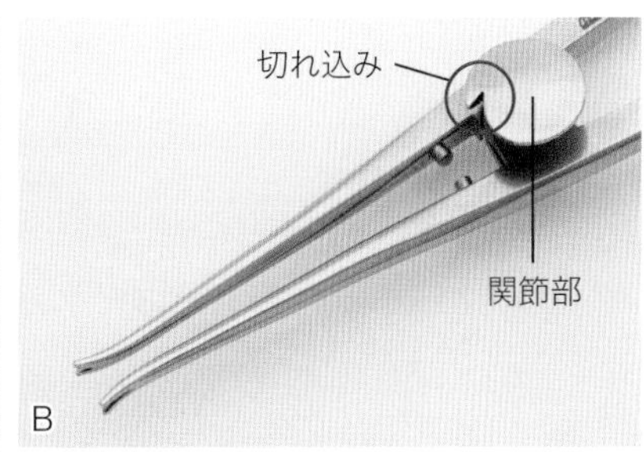

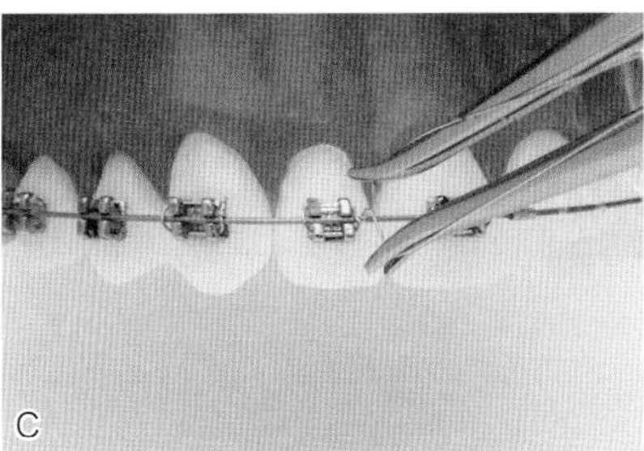

図Ⅱ-1-33　**リガチャータイイングプライヤー**
A：リガチャータイイングプライヤー.
B：溝のついた先端と，結紮線を固定するための切れ込みのある関節部.
C：結紮線でアーチワイヤーをブラケットに結紮している様子.

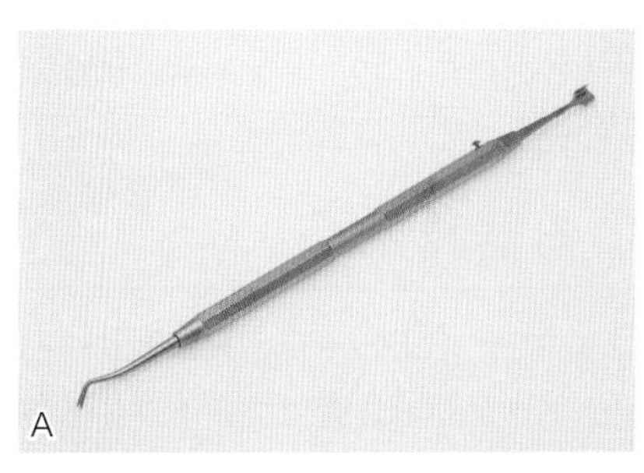

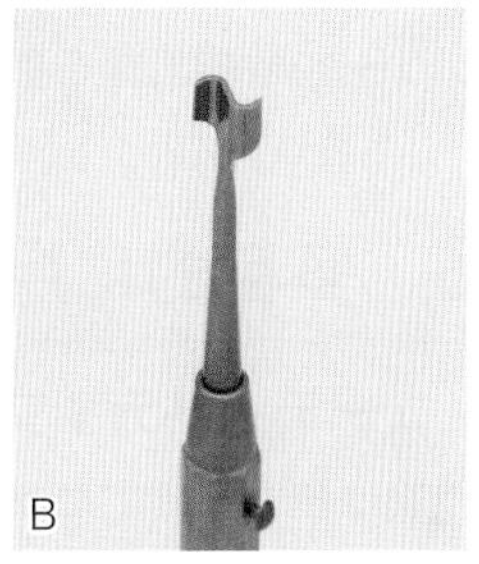

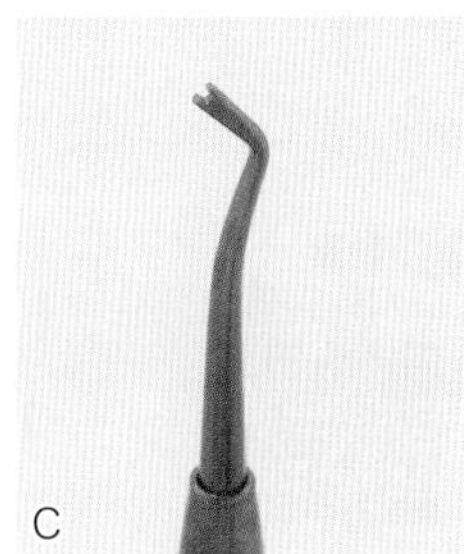

図Ⅱ-1-34　**リガチャーインスツルメント**
A：リガチャーインスツルメント.
B：先端（ツイスター）の拡大図，C：先端（ディレクター）の拡大図.

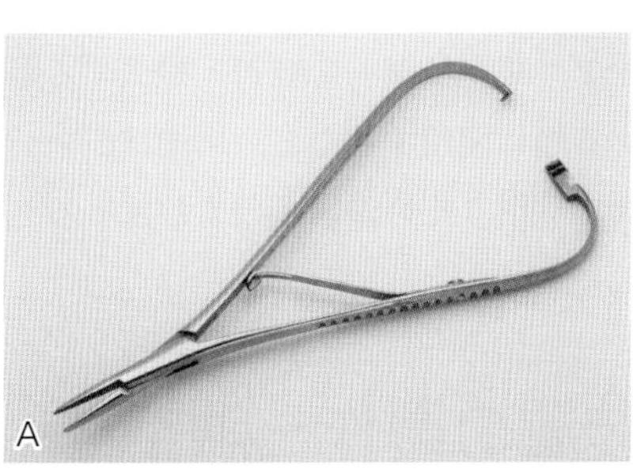

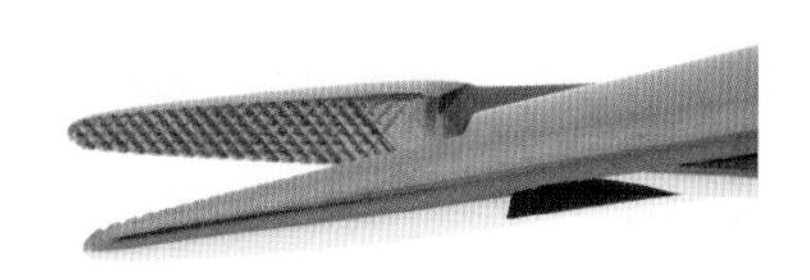

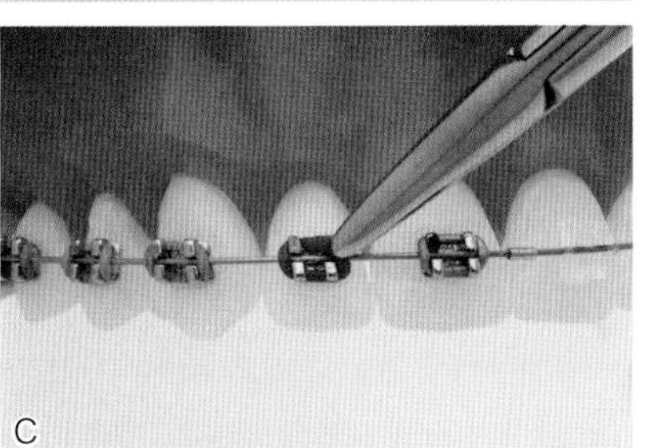

図Ⅱ-1-35　**持針器**
A：持針器.
B：先端の拡大図.
C：エラスティックモジュールを把持してアーチワイヤーをブラケットに結紮している様子.

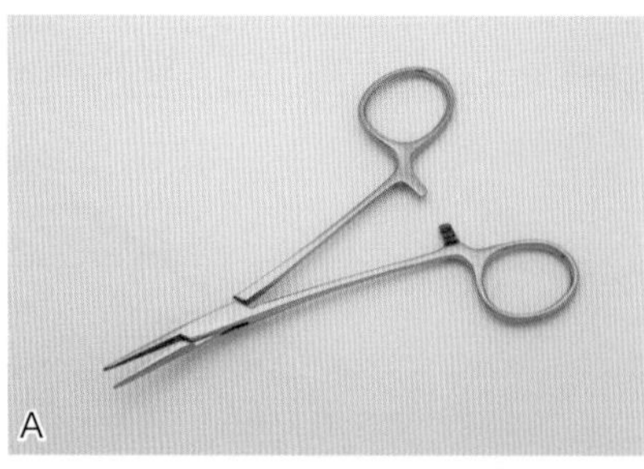

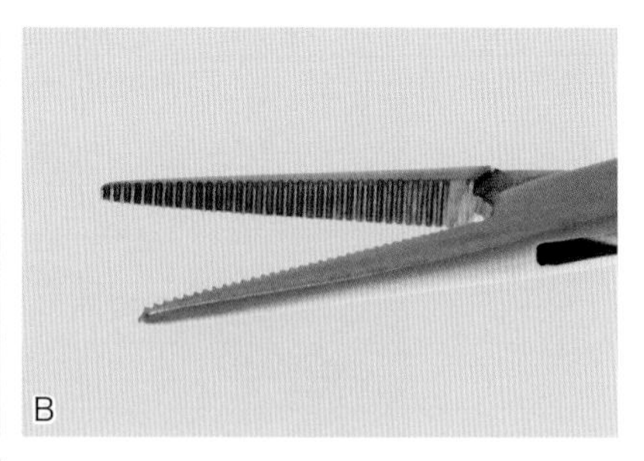

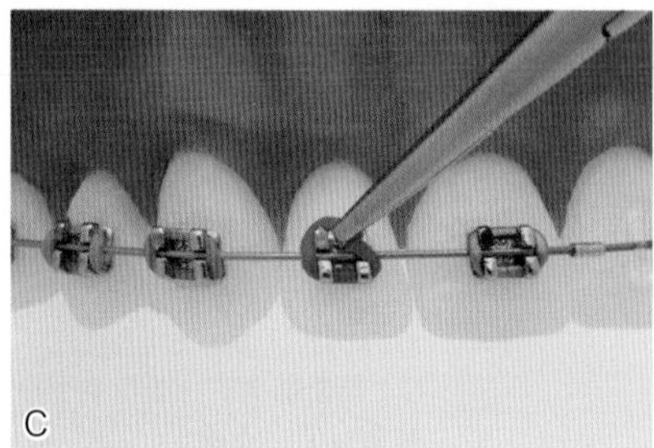

図Ⅱ-1-36 **モスキートフォーセップス**
A：モスキートフォーセップス.
B：先端の拡大図.
C：エラスティックモジュールを把持してアーチワイヤーをブラケットに結紮している様子.

モジュールや結紮線を把持するのに用いる．モスキートプライヤーともよばれる．

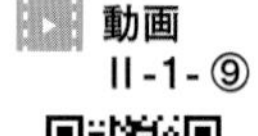
動画 II-1-⑧

6．多目的に用いる器具

1）ユーティリティプライヤー（図Ⅱ-1-37，▶動画 II-1-⑧）

用途は多いが，主にマルチブラケット装置でアーチワイヤーの装着・撤去などに用いる．ビークの先端は細く，緩やかに彎曲し，内面には滑り止めの溝がある．Weingart〈ワインガルト〉のユーティリティプライヤーともよばれる．

2）How〈ホウ〉プライヤー（図Ⅱ-1-38，▶動画 II-1-⑨）

動画 II-1-⑨

マルチブラケット装置でアーチワイヤーを装着・撤去する際や，結紮線を把持してアーチワイヤーを結紮する際に使用するなど，用途は広い．ビークの先端は小さい円形になっており，内面には滑り止めの溝が刻まれている．

3 その他の矯正装置の製作・調整に用いる器材

1．技工用ワイヤー（金属線）

Link
リンガルアーチ
p.88-90
床矯正装置
p.93

矯正装置を製作する技工用ワイヤーには，リンガルアーチの主線や補助弾線，床矯正装置のクラスプなどがあげられる．技工用ワイヤーの太さは mm で表され，直径 0.9 mm（0.036 インチに相当する）と 0.5 mm（0.020 インチに相当する）のステンレススチール製の丸線（ラウンドワイヤー）が用いられる（図Ⅱ-1-39）．

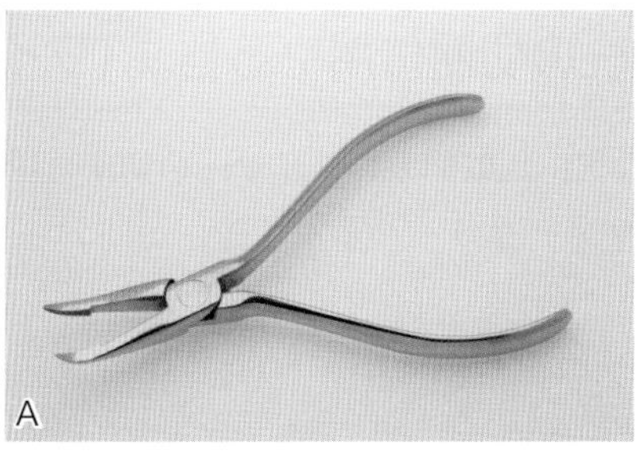

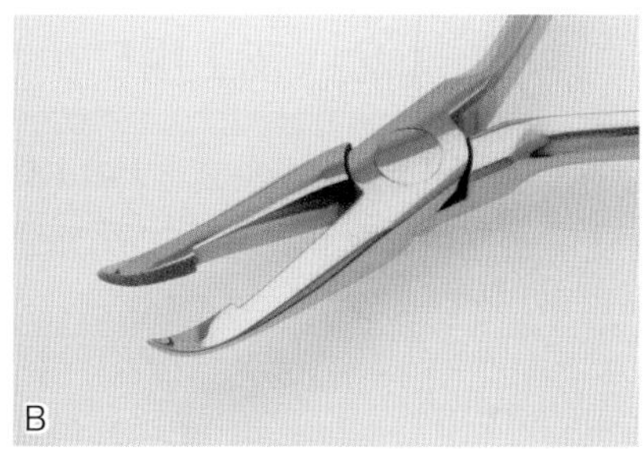

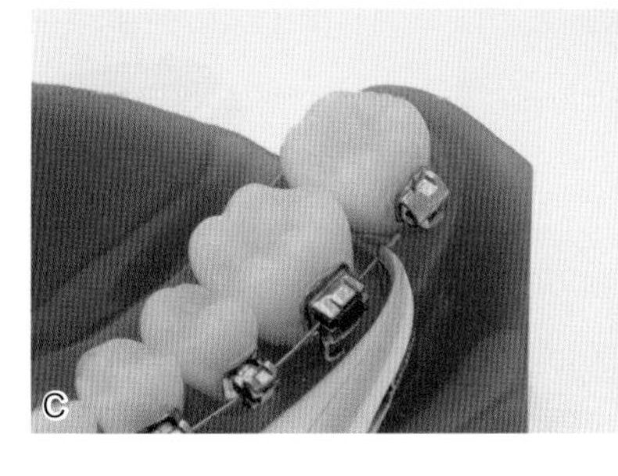

図Ⅱ-1-37 **ユーティリティプライヤー**
A：ユーティリティプライヤー.
B：先端の拡大図.
C：アーチワイヤーを把持してブラケットとチューブに装着している様子.

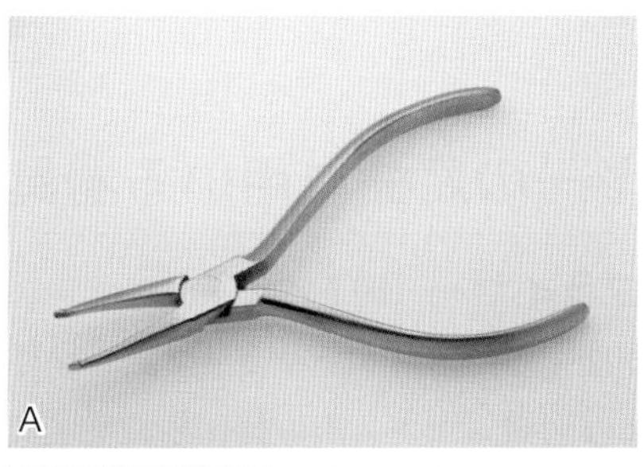

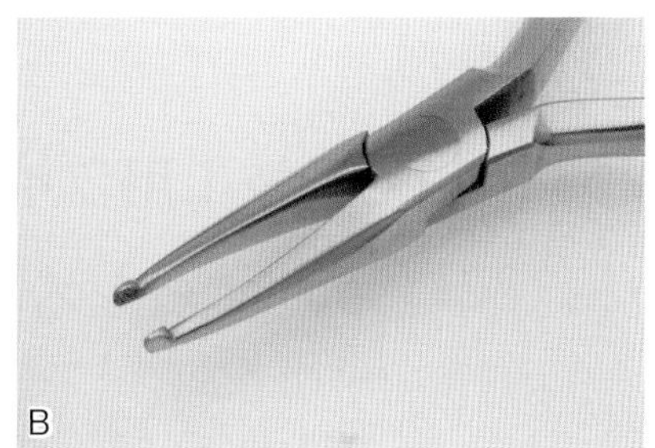

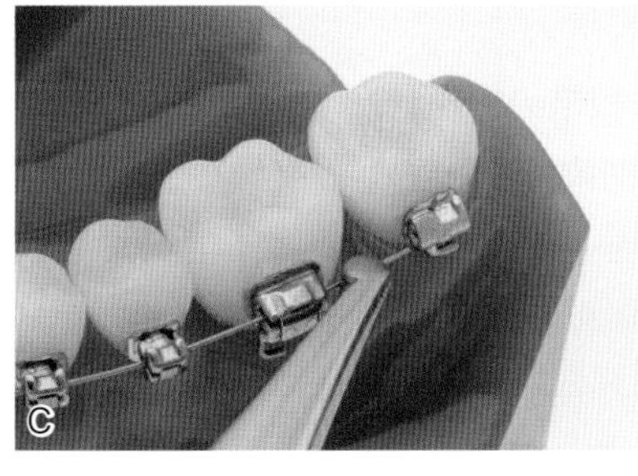

図Ⅱ-1-38 **How プライヤー**
A：How プライヤー.
B：先端の拡大図.
C：アーチワイヤーを把持してブラケットとチューブに装着している様子.

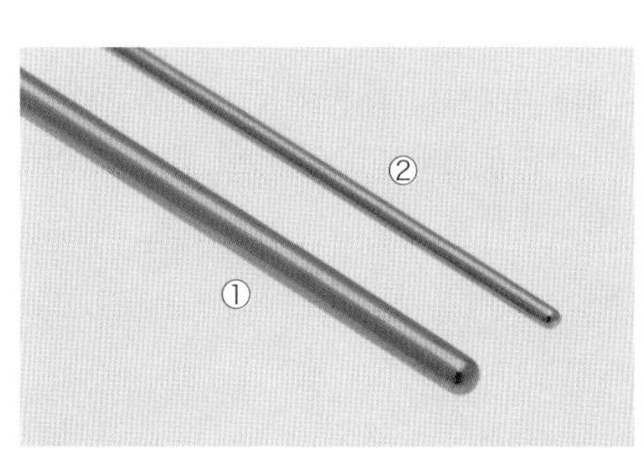

図Ⅱ-1-39 **技工用ワイヤーの例**
① 0.9 mm 線，② 0.5 mm 線.

2. 技工用ワイヤーの切断に用いる器具（ワイヤーカッター）

リンガルアーチの主線など，比較的太いワイヤーの切断に用いる．矯正歯科だけでなく，歯科全般で使用する．ニッパーやワイヤーニッパーともよばれる（図Ⅱ-1-40）．

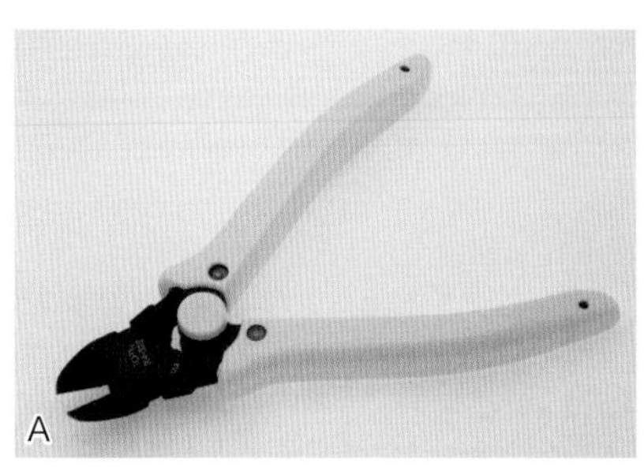

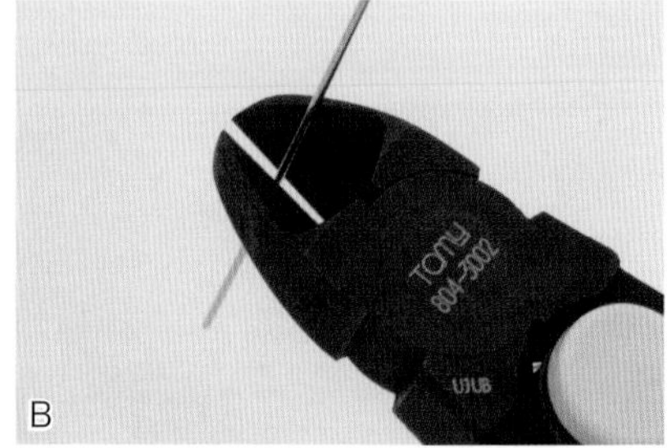

図Ⅱ-1-40　**ワイヤーカッター**
A：ワイヤーカッター，B：0.9 mm 線を切断している様子．

3. 技工用ワイヤーの屈曲に用いる器具

1）Young〈ヤング〉プライヤー（図Ⅱ-1-41）

比較的太いワイヤーを屈曲するためのプライヤーで，リンガルアーチの主線や補助弾線の屈曲や調整，および可撤式矯正装置の製作や調整，床矯正装置のクラスプの屈曲や調整などに用いる．

一方のビークは太さが３段階の円柱状，もう一方は内面が平坦な四角錐で，それぞれ内面にはワイヤーを把持するための溝が付いている．ワイヤーを溝の部分で挟み，曲線状に屈曲したいときには円柱状の側で，曲線の強さに応じて円柱の太さを選択し，角をつけて屈曲したいときには四角錐側に曲げる．

2）スリージョープライヤー（図Ⅱ-1-42）

クラスプなどの比較的太いワイヤーに，急角度の屈曲を付与するときに用いる．ビークの先端は一方が２枝に分かれ，他方のビークが２枝の間にはまり込むような構造になっており．ワイヤーを先端に挟んで閉じることで屈曲できる．三嘴（さんし）プライヤーまたは三叉（みつまた）鉗子ともよばれる．

4. 床用レジン

主に即時重合レジンで，液と粉を混和して使用する．可撤式矯正装置，床矯正装置，可撤式保定装置などの製作に用いるほか，床の修理にも使用する（図Ⅱ-1-43）．

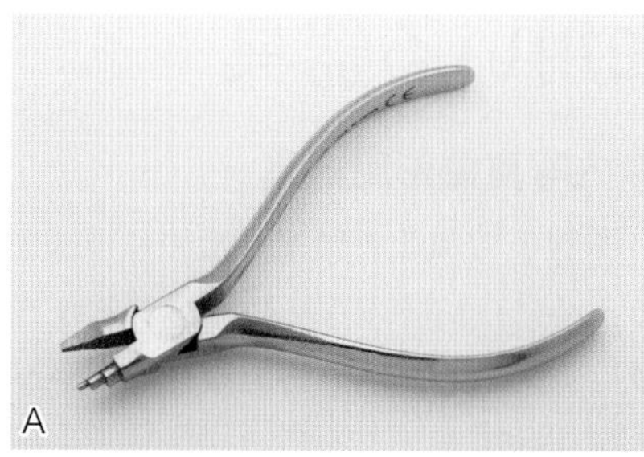

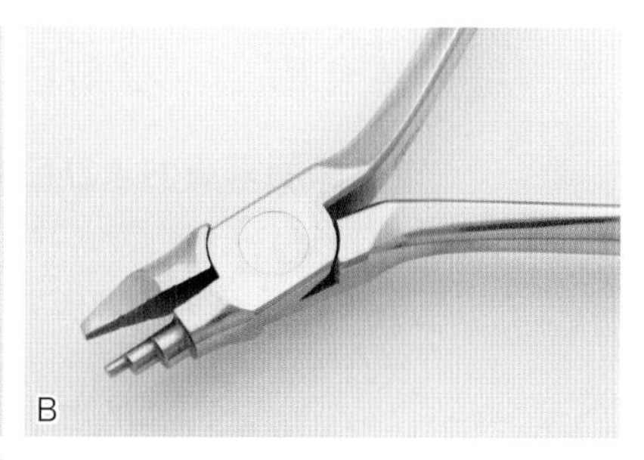

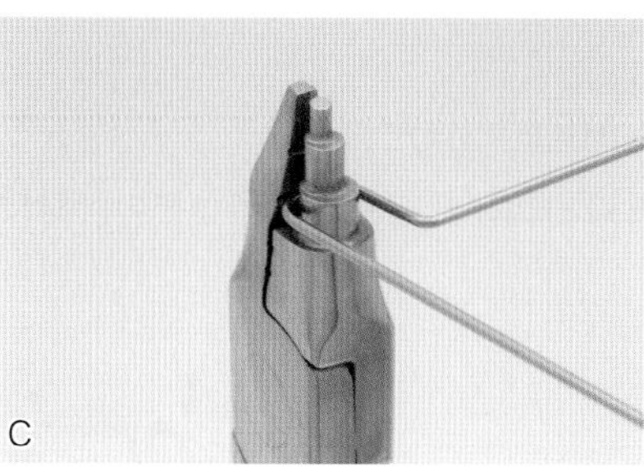

図Ⅱ-1-41　**Youngプライヤー**
A：Youngプライヤー.
B：先端の拡大図.
C：0.9 mm線を曲線状に屈曲している様子.

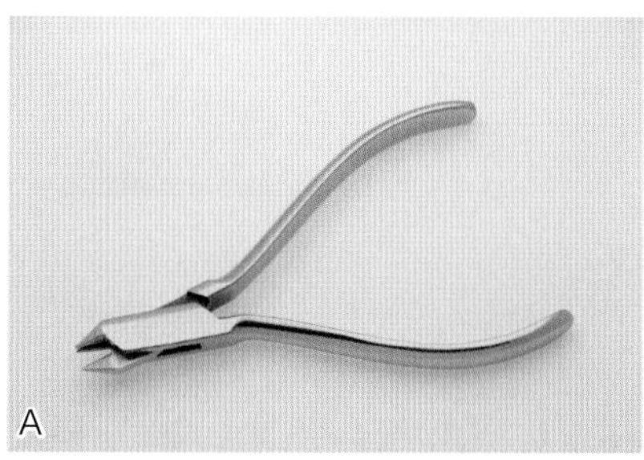

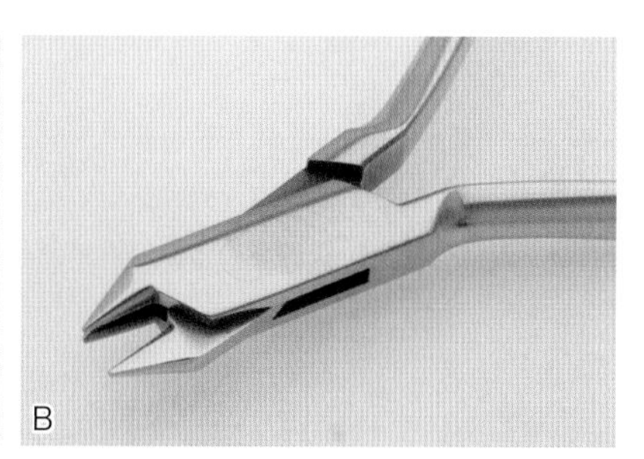

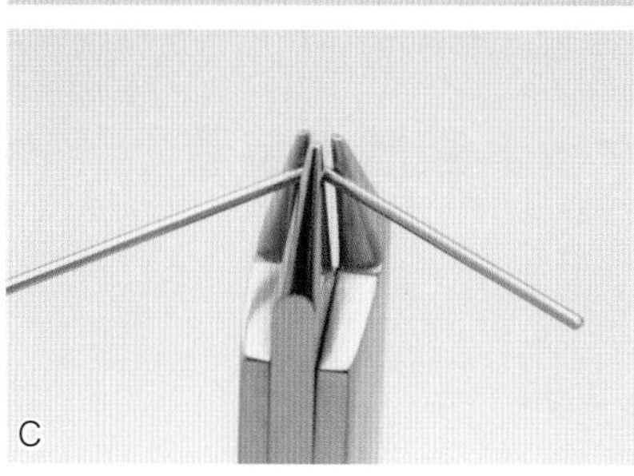

図Ⅱ-1-42　**スリージョープライヤー**
A：スリージョープライヤー.
B：先端の拡大図.
C：0.9 mm線を屈曲している様子.

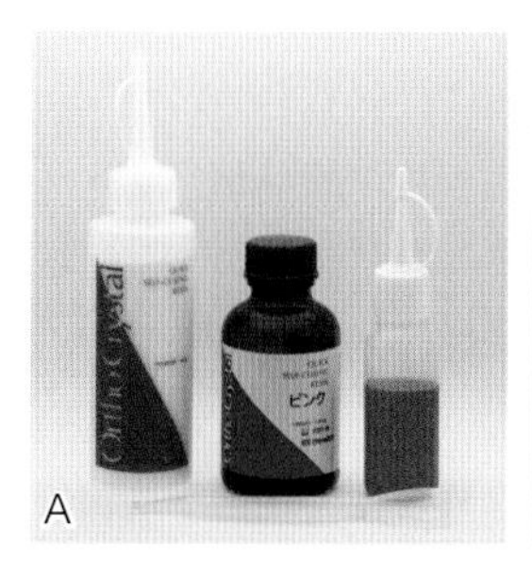

図Ⅱ-1-43　**床用レジン**
A：床用レジン，B：可撤式保定装置を製作している様子.

4 検査・分析に用いる器具

1）顔面写真および口腔内写真撮影用器具

Link
検査と診断に関わる歯科診療の補助
p.73-74

矯正歯科治療において，顔貌の特徴を評価するためには顔面写真の撮影が，歯・歯列・咬合関係を評価するためには口腔内写真の撮影がそれぞれ必要である．撮影にはカメラ，口角鉤，ミラーを用いる．初診時の検査だけでなく，治療経過も記録して，患者や保護者への説明に活用する．

2）ノギス（デジタル）（図Ⅱ-1-44）

Link
口腔模型分析
p.61-63

口腔模型分析で，歯冠近遠心幅径や歯列弓幅径などの計測に用いる．

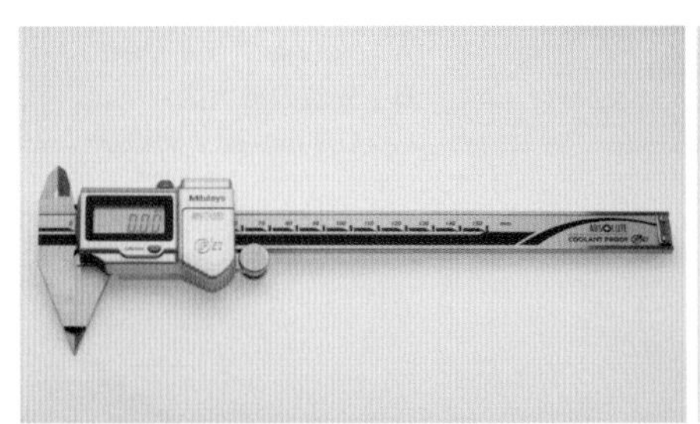

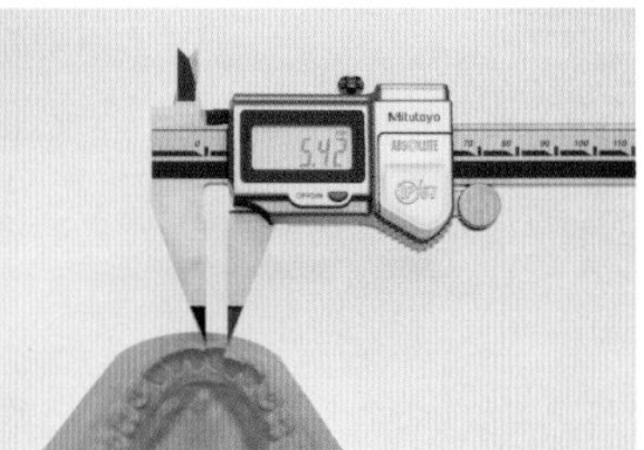

図Ⅱ-1-44　ノギス（デジタル）

5 マルチブラケット装置の装着・撤去の手順

1. マルチブラケット装置の装着

1）バンドの装着

（1）必要な器材

・エラスティックセパレーター
・エラスティックセパレーティングプライヤー
・歯面研磨用器材（ポリッシングブラシ，研磨用ペーストなど），デンタルフロス
・バンド　・バンドプッシャー　・バンドシーター
・バンドリムービングプライヤー　・バンドコンタリングプライヤー
・チューブ　・ブラケットポジショニングゲージ　・スポットウェルダー
・ロールワッテ　・アルコール綿
・バンド用合着材（セメント）
　※光重合型の場合：光照射器／化学重合型の場合：練和紙，スパチュラ
・余剰セメントの除去に用いる器材（ガーゼ，綿球，探針，スケーラーなど）

(2) バンドの装着の手順

❶歯間分離（セパレーティング，図Ⅱ-1-45）

1）デンタルフロスで歯間部の清掃を行う．

2）エラスティックセパレーティングプライヤーでエラスティックセパレーターを把持し，引き伸ばした状態で歯間に挿入する．およそ1週間で歯間は分離される．

❷バンドの試適

1）エラスティックセパレーターを探針で外し，歯面研磨用器材でバンドを装着する歯面の清掃と，デンタルフロスで歯間部の清掃を行う．

2）バンドを試適し，サイズの合ったバンドを選択する．

3）バンドプッシャーでバンドを歯頸部方向に圧入する（図Ⅱ-1-46-①）．

4）バンドシーターをバンド辺縁に置き，患者に咬ませてバンドをさらに圧入し，適合させる（図Ⅱ-1-46-②）．

5）バンドの位置が決まったところで，バンドプッシャーを用いてバンドの咬合面側の辺縁の形を歯面に適合させる（図Ⅱ-1-46-③）．

6）ブラケットポジショニングゲージを用いて，チューブの溶接位置をバンド表面に印記する（図Ⅱ-1-46-④）．

7）印記後，バンドリムービングプライヤーでバンドを撤去する（図Ⅱ-1-46-⑤）．

8）必要に応じて，バンドコンタリングプライヤーでバンドの形を整える．

9）バンドの印記された位置に，スポットウェルダーでチューブを電気溶接する（図Ⅱ-1-46-⑥）．

❸バンドの合着

1）バンドを合着する歯の頬舌側にロールワッテを置いて簡易防湿を行い，歯面を乾燥させる．

2）バンド内面をアルコール綿で清拭し，乾燥させる．

3）バンド用合着材（セメント）をバンド内面に盛る（図Ⅱ-1-47-①）．

4）試適時と同様にバンドプッシャーでバンドを歯間部に圧入し，その後バンドシーターを咬ませて適合させる（図Ⅱ-1-47-②）．

5）試適した位置と同じであることを確認したら，咬合面および歯頸部の余剰セメントをガーゼや綿球で拭き取る（図Ⅱ-1-47-③）．

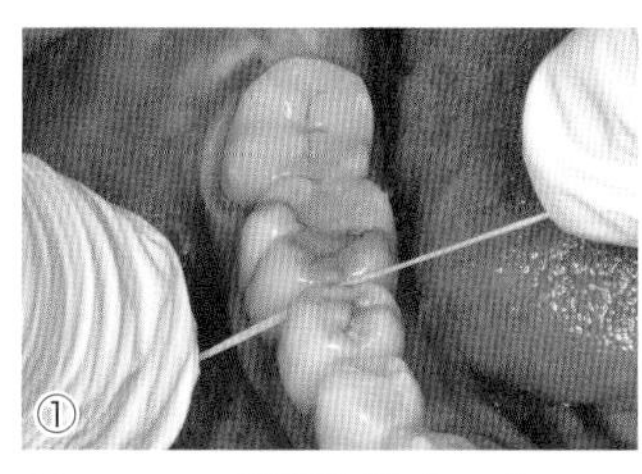

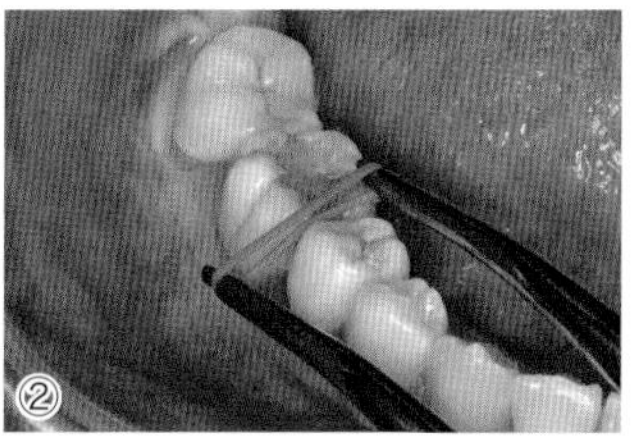

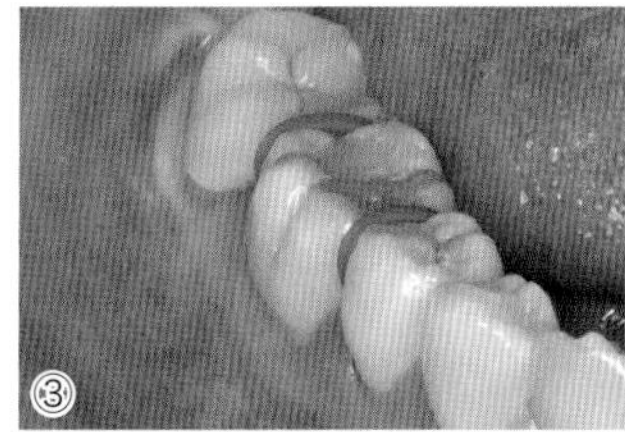

図Ⅱ-1-45 **歯間分離（セパレーティング）**
①デンタルフロスで歯間部の清掃を行う．
②エラスティックセパレーティングプライヤーでエラスティックセパレーターを歯間に挿入する．
③エラスティックセパレーターの挿入後．

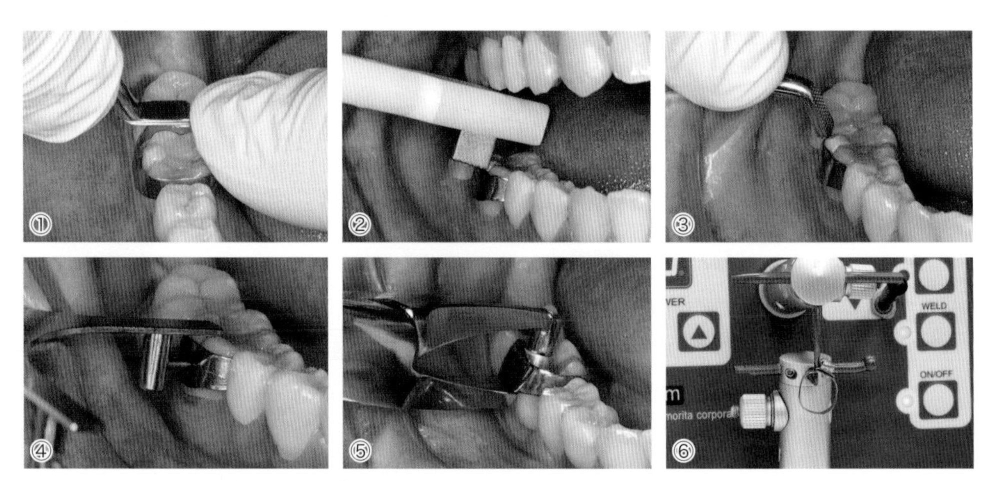

図Ⅱ-1-46　バンドの試適とチューブの溶接
①バンドプッシャーでバンドを圧入する．
②バンドシーターを咬ませてバンドをさらに圧入し，適合させる．
③バンドプッシャーでバンドの咬合面側の辺縁の形を適合させる．
④ブラケットポジショニングゲージでチューブの溶接位置を印記する．
⑤バンドリムービングプライヤーでバンドを撤去する．
⑥スポットウェルダーでバンドにチューブを溶接する．

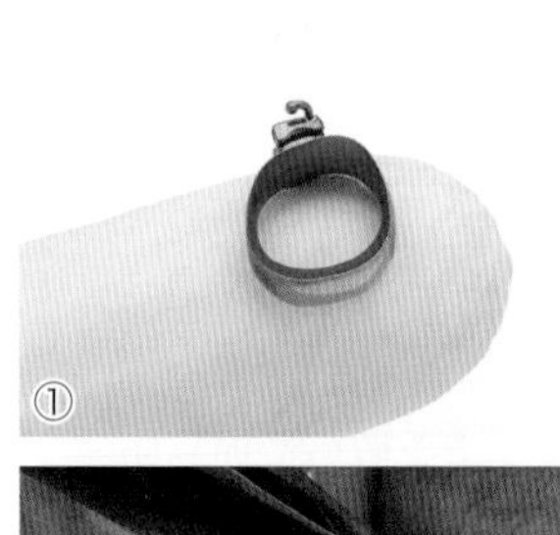
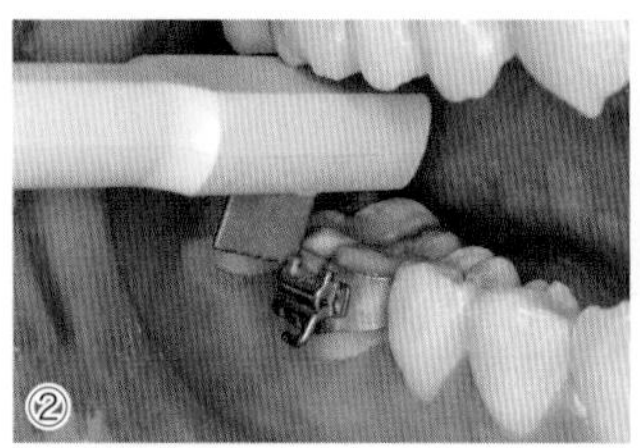
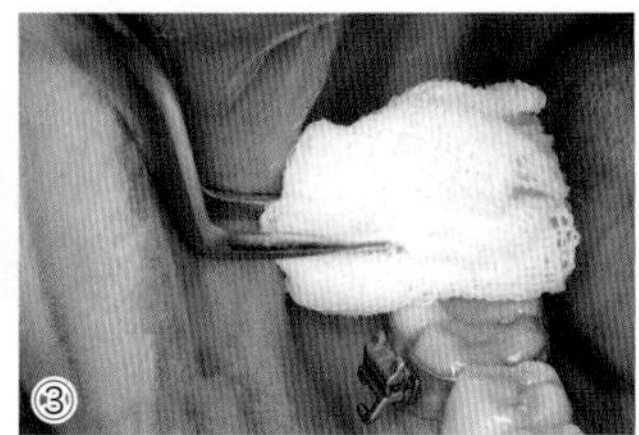
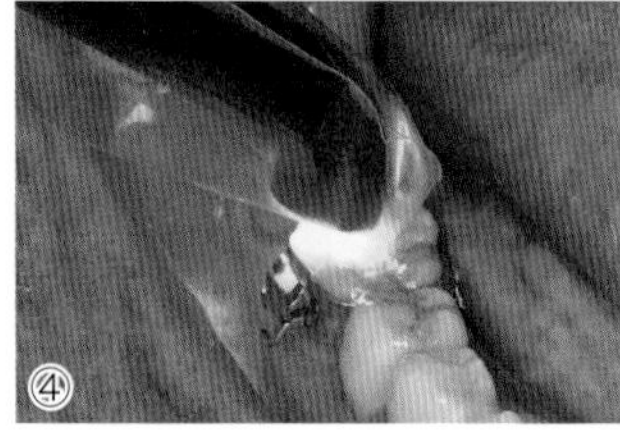

図Ⅱ-1-47　バンドの合着
①セメントをバンド内面に盛る．
②試適時と同様に，バンドを圧入し適合させる．
③余剰セメントをガーゼで拭き取る．
④光照射器で光を当て，セメントを硬化させる．

6）光重合型セメントの場合は，光照射器で光を当てて硬化させる（図Ⅱ-1-47-④）．
7）セメント硬化後，余剰セメントを探針や手用スケーラー，超音波スケーラーで除去する．

2）ブラケットの装着

(1) 必要な器材

・歯面研磨用器材，デンタルフロス　・ブラケット　・エッチング材
・接着材（ボンディング材）　※光重合型の場合は光照射器
・ブラケットポジショニングゲージ
・探針，歯科用ピンセット，デンタルミラー

(2) ブラケットの装着の手順

❶歯面清掃と前処理

1) 歯面研磨用器材(ポリッシングブラシなど)を用いて,ブラケットを接着する歯面を清掃し,隣接面をデンタルフロスで清掃する(図Ⅱ-1-48-①).
2) 歯面をエッチング(酸処理)する.エッチング材を歯面の必要な部位に塗布し,水洗・乾燥する(図Ⅱ-1-48-②③).
3) 歯面にプライマーや接着材(ボンディング材)を塗布する.

❷ブラケットの接着

1) ブラケットのベース面にボンディング材を塗布する.
2) 歯科用ピンセットを用いてブラケットを歯面に圧接する.
3) ブラケットの垂直的位置(高さ)をブラケットポジショニングゲージで,近遠心的位置はデンタルミラーでそれぞれ確認する(図Ⅱ-1-48-④⑤).
4) 余剰のボンディング材を探針や歯科用ピンセットなどで除去する.
5) 光重合型のボンディング材の場合は,光照射によりボンディング材を硬化させる(図Ⅱ-1-48-⑥).

(3) ブラケット装着時の患者と保護者への指導

矯正歯科治療における口腔衛生管理と指導
p.190-201

・装置装着後に起こりうる痛み,違和感,口内炎,装置の脱離などについて説明する.
・ブラッシング方法を指導する.
・食生活,食事の摂り方を指導する.

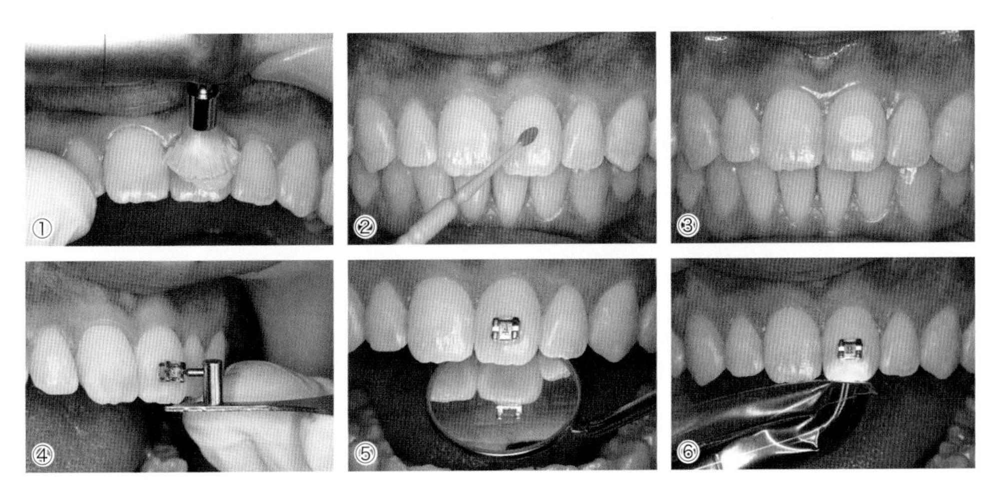

図Ⅱ-1-48 ブラケットの装着
①ブラケットを接着する歯面を清掃する.
②歯面をエッチング(酸処理)する.
③エッチング後の歯面.エッチングした部分が白濁している.
④ブラケットポジショニングゲージでブラケットの垂直的位置を確認する.
⑤デンタルミラーでブラケットの近遠心的位置を確認する.
⑥光照射器で光を当て,ボンディング材を硬化させる.

3）アーチワイヤーの装着

(1) 必要な器材

・アーチワイヤー
・ユーティリティプライヤー または How プライヤー
・ディスタルエンドカッター
・結紮線 または エラスティックモジュール
・持針器 または モスキートフォーセップス
・リガチャータイイングプライヤー
・ピンアンドリガチャーカッター　・リガチャーインスツルメント

(2) アーチワイヤーの装着の手順

❶アーチワイヤーの挿入

1）アーチワイヤーをユーティリティプライヤーまたは How プライヤーで把持し，チューブとブラケットのスロットに挿入する（図Ⅱ-1-49-①）.
2）チューブの遠心端から出た余分なアーチワイヤーを，ディスタルエンドカッターで切断する.

❷結紮

A. 結紮線を用いる場合

1）持針器またはモスキートフォーセップスで結紮線を把持し，結紮線をブラケットのウイングに引っかけるように巻く.
2）リガチャータイイングプライヤーを用いてアーチワイヤーをブラケットに結紮する（図Ⅱ-1-49-②）.
3）ピンアンドリガチャーカッターで結紮線を2～3 mm 程度残して切断する（図Ⅱ-1-49-③）.
4）リガチャーインスツルメントで結紮線の断端をブラケットの横に折り込む（図Ⅱ-1-49-④）.

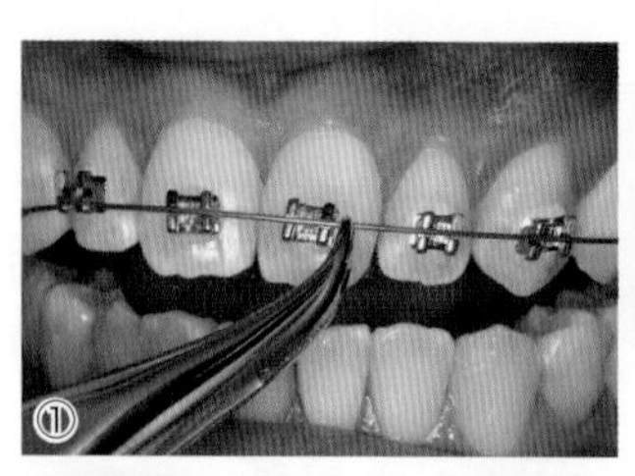

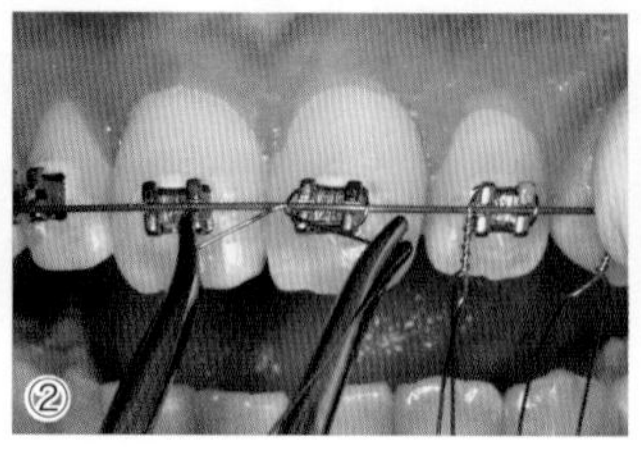

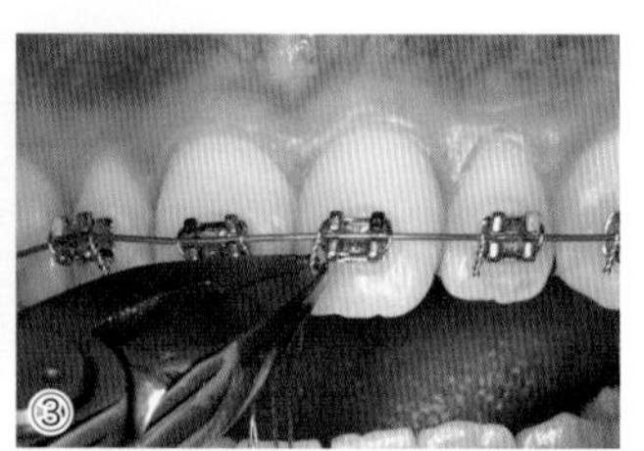

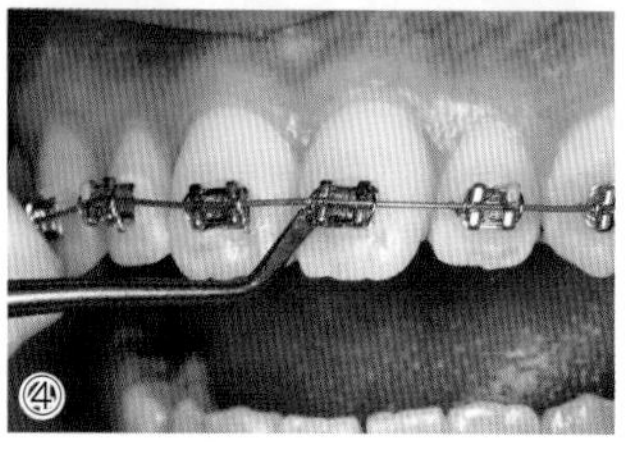

図Ⅱ-1-49　アーチワイヤーの装着（結紮線を用いる場合）
①ユーティリティプライヤーでアーチワイヤーをブラケットのスロットに挿入する.
②リガチャータイイングプライヤーを用いて，結紮線で結紮する.
③ピンアンドリガチャーカッターで結紮線を切断する.
④リガチャーインスツルメントで結紮線の断端をブラケットの横に折り込む.

B. エラスティックモジュールを用いる場合

エラスティックモジュールをモスキートフォーセップスまたは持針器で挟み，ブラケットのウイングに引っかけてアーチワイヤーを固定する（図Ⅱ-1-50）．

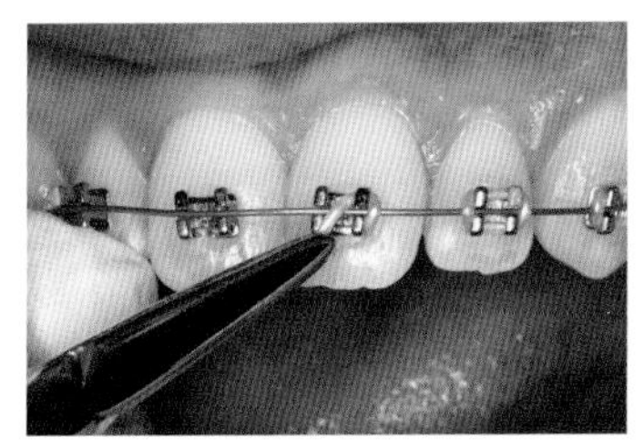

図Ⅱ-1-50 **アーチワイヤーの装着（エラスティックモジュールを用いる場合）**
アーチワイヤーをブラケットのスロットに挿入した後，持針器を用いて結紮している．

2. マルチブラケット装置の撤去

1）バンドの撤去

(1) 必要な器材

・バンドリムービングプライヤー

・探針，超音波スケーラー，デンタルフロス　・歯面研磨用器材

(2) バンドの撤去の手順

1）咬合面にバンドリムービングプライヤーの突起を当て，もう一方の鋭い先端をバンドの歯頸部の辺縁に当てて，プライヤーを閉じることでバンドを撤去する．上顎は口蓋側，下顎は頬側からプライヤーの先端を当てる（図Ⅱ-1-51-①②）．

2）歯面に残ったセメントは探針や超音波スケーラーなどで，隣接面に残ったセメントはデンタルフロスで除去する（図Ⅱ-1-51-③）．

3）歯面研磨用器材を用いて歯面を清掃する．

(3) バンド撤去時の注意点

・撤去する際は痛みが生じる可能性があることを患者に説明する．

・撤去する際はバンドリムービングプライヤーが口腔内で滑らないように把持する．

・できるだけ痛みが生じないよう，少しずつ撤去する．

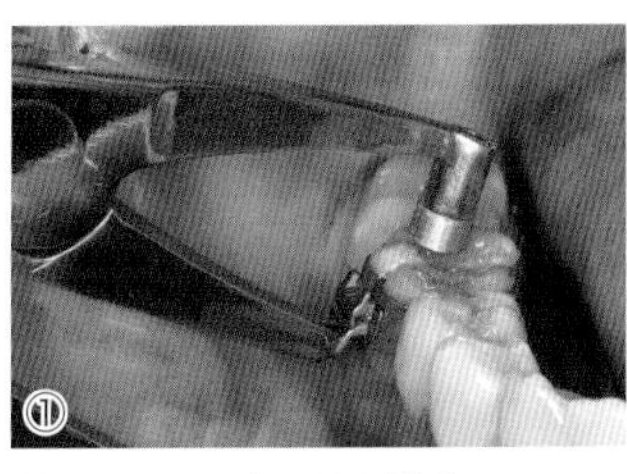

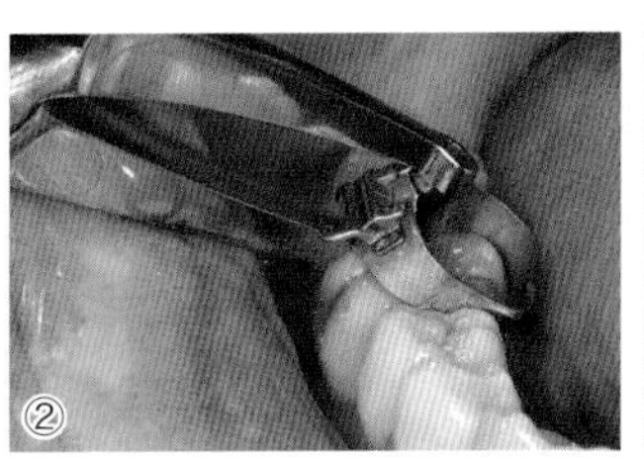

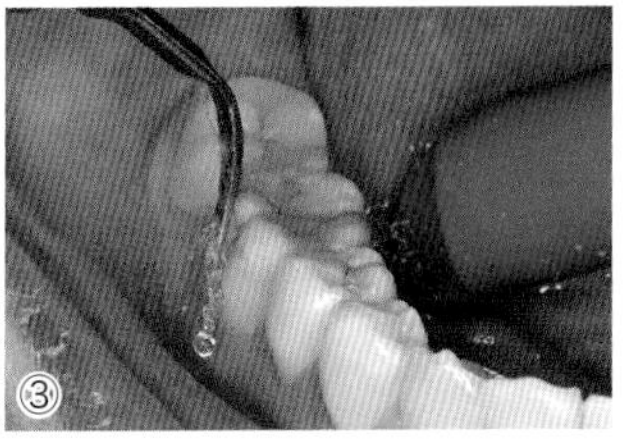

図Ⅱ-1-51 **バンドの撤去**
①②バンドリムービングプライヤーの突起を咬合面に当て，もう一方の鋭い先端はバンドの歯頸部の辺縁に当ててプライヤーを閉じ，バンドを撤去する．
③超音波スケーラーなどを用いて，歯面に残ったセメントを除去する．

・撤去する際に歯冠を破折させないよう注意する．

2）ブラケットの撤去（ディボンディング）

ブラケットを歯面から撤去する操作をディボンディングといい，ブラケット撤去後の歯面に残ったボンディング材も除去する．

（1）必要な器材

・ブラケットリムービングプライヤー　・レジンリムーバー
・カーバイドバー，マイクロモーターハンドピース　・歯面研磨用器材

（2）ブラケットの撤去（ディボンディング）の手順

1）ブラケットのベース面をブラケットリムービングプライヤーで把持し，撤去する（図Ⅱ-1-52-①）．
2）歯面に残ったボンディング材をレジンリムーバーで除去する（図Ⅱ-1-52-②）．
3）取り切れなかったボンディング材を専用のカーバイドバーとマイクロモーターハンドピースで除去する（図Ⅱ-1-52-③）．
4）歯面研磨用器材で歯面を研磨・清掃する．

（3）ブラケット撤去時の注意点

・撤去する際は痛みが生じる可能性があることを患者に説明する．
・撤去時はブラケットリムービングプライヤーが口腔内で滑らないように把持する．
・歯冠を指で押さえながら，できるだけ痛みが大きくならないように少しずつ撤去する．
・歯面に残ったボンディング材を除去する際に歯面を損傷しないよう慎重に行う．

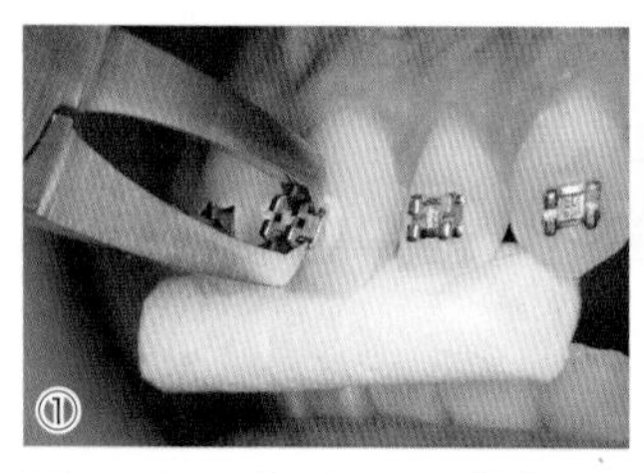

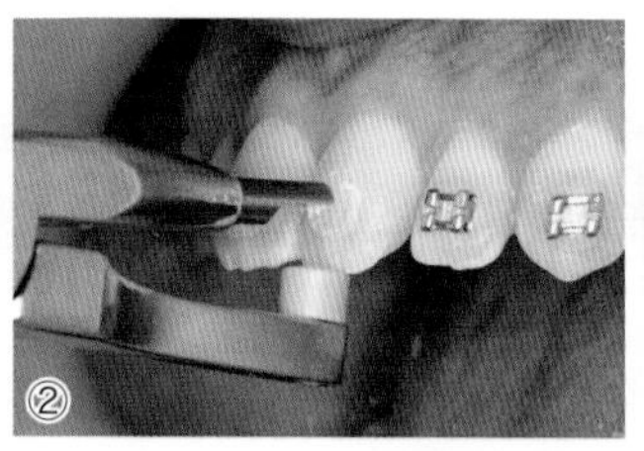

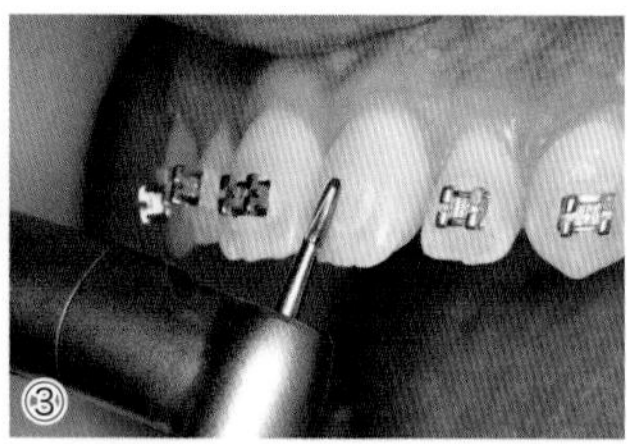

図Ⅱ-1-52　ブラケットの撤去
①ブラケットリムービングプライヤーを用いてブラケットを撤去する．
②歯面に残ったボンディング材をレジンリムーバーで除去する．
③さらに残ったボンディング材は，低速のカーバイドバーで除去する．

6　矯正歯科治療における器材の再生処理

矯正歯科治療では，多くの器材を使用し，処置の内容によって感染リスクのレベル（他の患者や術者を感染させてしまう危険性の程度）が異なる．そのため，使用した器材の洗浄・消毒・滅菌という再生処理にあたっては，感染リスクのレベルに応じた対応が必要である．

1. 再生処理とは

①洗浄：流水と洗剤などを用いて，目視できる汚れを洗い流すこと．
②消毒：人体に有害な微生物の感染性をなくすか，菌量を少なくすること．
③滅菌：すべての微生物を死滅させるか，完全に除去し無菌状態にすること．
いずれも感染リスクのレベルや対象物に応じて，処理法を選択する．

2. 矯正歯科治療に用いた器材の再生処理の流れ

使用後の器材は感染のリスクに応じて分別し，それぞれ適切な方法で洗浄・消毒・滅菌の再生処理を施したうえで保管する（図Ⅱ-1-53）．

1）感染リスクの分類に応じた対応

感染リスクのレベルは「クリティカル」「セミクリティカル」「ノンクリティカル」の３つに分類される．各レベルに応じて選択すべき再生処理の方法を以下に示す．

(1) クリティカル

口腔軟組織や骨に挿入したり，貫通したりする観血的処置に使用した器材で，感染リスクのレベルが高い．基本的には十分な洗浄と滅菌が必要である．

矯正歯科治療に用いたクリティカルの器材は，主にオートクレーブにより滅菌処理する．

(2) セミクリティカル

口腔粘膜や傷のある皮膚と接触する器材で，中水準から高水準の消毒薬を用いて消毒する．これらの消毒薬を用いた消毒後は，消毒薬の毒性を考慮して，残留薬剤の除去が必要である．もしくは，中水準レベルの消毒薬と同程度の効果が期待できるウォッシャーディスインフェクターで消毒する（後述）．

矯正歯科治療で用いたセミクリティカルの器材では，器材の特徴に応じて異なる対応が必要となる．分別後はそれぞれの工程にて処理する．

(3) ノンクリティカル

傷のない皮膚と接触する器材で，低水準の消毒薬，または清拭清掃で消毒する．

2）洗浄

(1) 用手洗浄

洗浄剤を使った，手洗いによる洗浄方法である．器材にはワイヤーの断端などの鋭利な危険物が残存している可能性があり，作業者の感染機会を減らすためにも，必要最低限にとどめるべきである．矯正歯科治療では，口腔内写真撮影用ミラーをスポンジと専用の洗浄剤で洗浄する．

(2) 超音波洗浄器による洗浄

超音波洗浄器による洗浄は，器材に付着した血液・体液などの有機物の除去に有

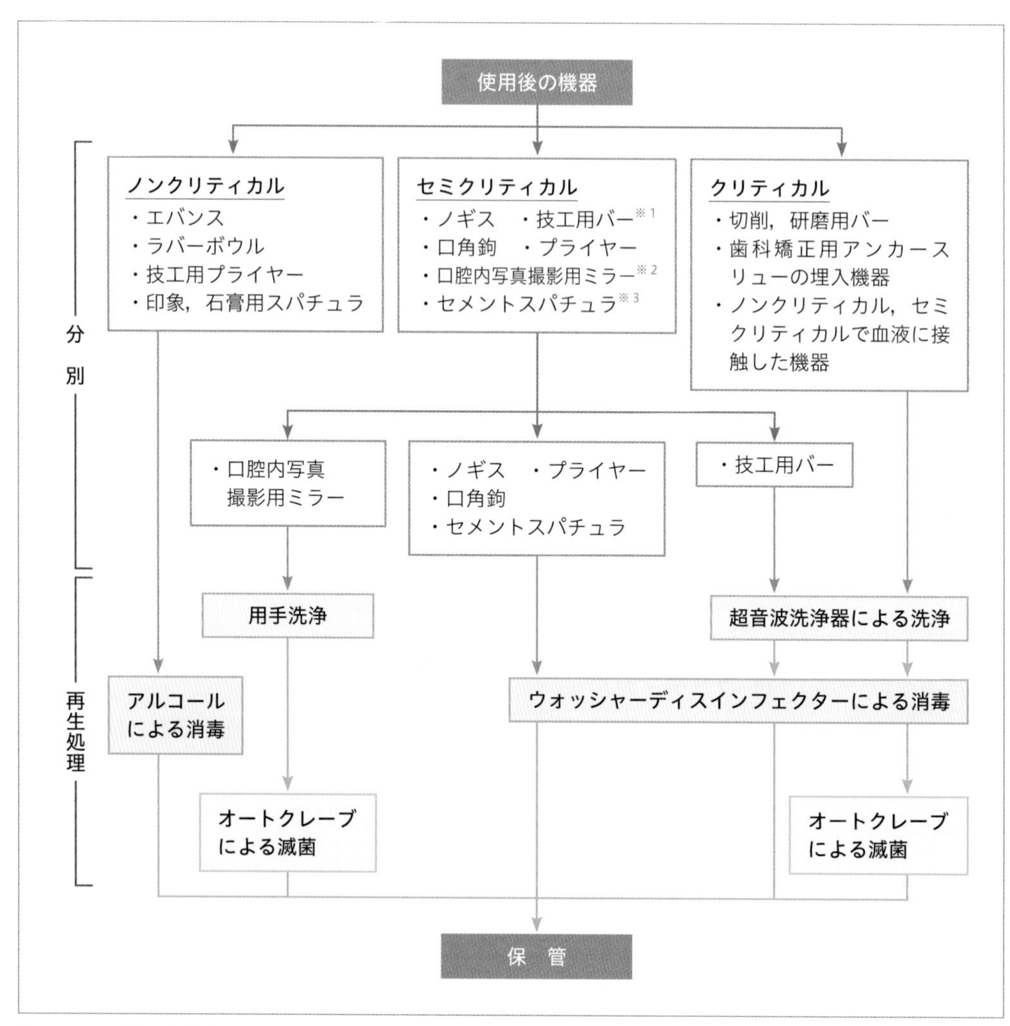

図Ⅱ-1-53 矯正歯科治療に用いた器材の再生処理の流れ（文献13）より改変）

※1 技工用バーは超音波洗浄器による洗浄にて切削片を除去した後に，ウォッシャーディスインフェクターによる消毒を行う．

※2 口腔内写真撮影用ミラーは損傷を避けるため，手洗いによる洗浄後に個別にパッキングし，オートクレーブによる滅菌を行う．

※3 セメントスパチュラは口腔内に試適した器材と接触することがあるため，セミクリティカルに分別する．

効である．ただし，有機物の除去効果はあっても，消毒効果はない．また，超音波洗浄器内で洗浄中に器材が触れ合うことによって，器材が損傷する可能性がある．

矯正歯科治療では，技工用バー，切削・研磨用バー，歯科矯正用アンカースクリューの埋入に用いた機器などの処理に用いる．

3）消毒

(1) 消毒薬による消毒

消毒薬の種類，特徴，保管条件，使用条件（濃度，温度，時間），および使用上の注意を理解したうえで，器材と消毒薬の取扱説明書を確認して，適切な消毒薬を選択する．器材の取扱説明書に記載されていない消毒薬の使用は，消毒効果が得られないだけでなく，器材の損傷につながる可能性もあるので注意を要する．

矯正歯科治療では，主にアルコール類を用いて，ノンクリティカルのエバンス，ラバーボウル，技工用プライヤー，印象・石膏用スパチュラなどの消毒を行う．

(2) ウォッシャーディスインフェクターによる消毒

高温の水流で一定時間，器材を洗浄する器具除染用洗浄器である．B 型肝炎ウイルスを不活化できる中水準以上の消毒効果が期待できる機種もある．ウォッシャーディスインフェクターは，処理したい器材に熱水が適切にかかる必要があるため，洗浄器内での器材の配置や重なりなどに注意し，器材に付着した固形物（セメント，レジンなど）は除去してから使用する必要がある．

矯正歯科治療では，ノギス（デジタルノギスを除く），口角鉤（耐熱性），プライヤー，技工用バー，セメントスパチュラなどの処理に用いる．

4) 滅菌

高圧蒸気滅菌器（オートクレーブ）は，器材を高圧の蒸気に曝露し，存在する微生物に蒸気を直接接触させることで滅菌を行う機器で，一般的に 121 ～ 134℃，10 ～ 50 分間の条件に設定する．安全性が高く，低コストなため最も普及している方法の 1 つで，高温・高圧・水蒸気に耐えるほとんどの器材に使用できる．

矯正歯科治療では，口腔内写真撮影用ミラー，切削・研磨用バー，歯科矯正用アンカースクリューの埋入に用いた機器を含め，血液に汚染された器材の滅菌に用いられる．

参考文献

1) 飯田順一郎ほか編：歯科矯正学 第 6 版．医歯薬出版，2019.
2) 全国歯科衛生士教育協議会監修：歯科衛生学シリーズ 歯科矯正学．医歯薬出版，2023.
3) 葛西一貴，新井一仁，須田直人ほか編：新・歯科衛生士教育マニュアル 歯科矯正学．クインテッセンス出版，東京，2015.
4) 日本矯正歯科学会編：歯科矯正学専門用語集．医歯薬出版，2008.
5) 日本歯科医学会編：日本歯科医学会学術用語集 第 2 版．医歯薬出版，2018.
6) Spaulding EH：Chemical disinfection of medical and surgical materials. Disinfection, sterilization and preservation, 517-531, 1968.
7) World Health Organization and Pan American Health Organization：Decontamination and reprocessing of medical devices for health care facilities. 2016.
8) 大久保　憲，尾家重治，金光敬二編：2020 年版 消毒と滅菌のガイドライン．へるす出版，東京，2020.
9) 吉川博政，前田憲昭，溝部潤子：歯科医師・歯科衛生士のための滅菌・消毒・洗浄・バリアテクニック．食い鉄線酢出版，東京，2018.
10) 日本医療機器学会：医療現場における滅菌保証のガイドライン 2021．日本医療機器学会，2021.
https://www.jsmi.gr.jp/wp/docu/2021/10/mekkinhoshouguideline2021.pdf
11) ICHG 研究会編：感染予防対策テキスト滅菌・消毒・洗浄．医歯薬出版，2022.
12) 全国歯科衛生士教育協議会監修：歯科衛生学シリーズ 歯科診療補助論．医歯薬出版，2023.
13) 日本歯科大学附属病院 院内感染予防対策委員会編：院内感染予防対策マニュアル．

2章 口腔筋機能療法〈MFT〉

到達目標

❶ 口腔筋機能療法の目的を説明できる.
❷ 口腔機能の観察と検査の項目を説明できる.
❸ 口腔筋機能療法の訓練計画の立案を説明できる.
❹ 口腔筋機能療法の訓練を説明できる.
❺ 口腔筋機能療法の動機づけを説明できる.
❻ 口腔筋機能療法の効果を説明できる.

1 口腔筋機能療法〈MFT〉とは

口腔筋機能療法〈MFT〉は，安静時に舌や口唇を正常な位置（姿勢位）に保持することと，咀嚼・嚥下・発音時における**口腔周囲筋**＊の正常な機能を獲得することを目的とした訓練法である.

＊**口腔周囲筋**
頬筋，口輪筋，オトガイ筋，舌などを指します.

歯列弓は，内側からは舌，外側からは口唇や頬などの口腔周囲筋に取り囲まれており，咬合力が作用する機能時はもちろん，安静時でも歯には周囲からの圧力が作用している（バクシネーターメカニズム）．そのため，内外側からのこうした圧力の均衡が保たれている環境であることが，歯列・咬合の適切な形態や位置の獲得に重要な要素の1つとなる.

Link
バクシネーターメカニズム
p.35-36

口腔筋機能療法の歴史

口腔筋機能療法は，米国の矯正歯科医であるRogers〈ロジャース〉が，1918年に口腔周囲筋の不調和に注目し，筋訓練法を提唱したことに始まります．1960年代に入り，Straub〈スターブ〉が開咬の治療の困難性を指摘し，口腔周囲筋がその原因であると指摘しました．そして1960～1970年代にかけて，言語聴覚士のBarrett〈バレット〉は口腔周囲筋に特化した口腔筋機能療法の理論を体系化しました．その後，BarrettやZickefoose〈ジックフーズ〉らが訓練法をそれぞれ考案し普及に努め，その臨床的な訓練体系が今日のわが国における口腔筋機能療法の基礎となっています.

MFT：oral Myofunctional Therapy（口腔筋機能療法）

ところが不正咬合の患者では，安静時の低位舌や口唇閉鎖不全，嚥下時の舌突出癖など，口腔周囲筋の機能異常がしばしば見受けられる．こうした口腔周囲筋の機能異常は，歯列内外からの機能的な圧力の均衡が崩れている状態を示し，不正咬合の環境的な要因の1つとして考えられている．口腔筋機能療法によって，口腔周囲筋の機能が改善し，顎骨や歯列の形態と調和した環境を整えることで，不正咬合の抑制はもちろん，矯正歯科治療の円滑な進行を助け，治療後に継続的に実施すれば長期の安定性につなげることが期待される．

わが国の歯科医療において，口腔機能管理として口腔筋機能療法を主に担当しているのは歯科衛生士である．国民の口腔機能の育成や健康の増進に携わる主役として，他の職種と連携しつつ，さらに活躍の場が広がることが期待されている．

2 口腔筋機能療法の進め方

1．口腔機能の観察・検査・評価

1）医療面接と観察・検査

患者や保護者に対する質問票と医療面接から，主訴や現病歴などの主観的な情報を聴取する．さらに，口腔内外の観察と，必要な場合は検査で客観的な情報を収集する（図Ⅱ-2-1）．

舌癖患者用診査用紙　年　月　日　担当
患者名　才

舌癖のタイプ
1. 前方突出
2. 上下顎突出
3. 片側性側方突出
4. 両側性側方突出
5. 全突出
6. 下顎突出
7. その他

オーバージェット____mm
オーバーバイト ____mm

既往歴

現　症
a. 指しゃぶり　（有________　無）
b. その他の口腔習癖　（有________　無）
c. 口呼吸　（有________　無）
d. アレルギー　（有________　無）
e. 扁桃肥大、アデノイド　（有________　無）
f. 嘔吐反射　（強い、弱い、無し）
g. 舌の状態　（うごきが鈍い、普通）（大きい、普通）
（舌小帯付着異常、舌縁に圧痕）
h. 発音　（不明瞭________　明瞭）
i. オトガイ筋の緊張　口唇閉鎖時（有、無）
嚥　下　時（有、無）
j. 咬合時の咬筋　（強い、弱い）
k. 硬口蓋の状態　（高い、低い、狭い、普通）
l. 軟口蓋の状態　（うごきが鈍い、普通）
m. 口唇の状態　上唇（短い、弛緩、普通）
下唇（弛緩、普通）
n. 顎関節の問題　（有________　無）
o. 歯周疾患の問題　（有________　無）
p. 患者の態度　（良好、普通、不良）
q. 親の態度　（良好、普通、不良）
r. その他 ________

咀嚼時の状態
・噛みぐせがある（右、左、よく噛まない）
・口を開けたまま咀嚼する
・舌を前方に押し出す
・必要以上に顔面の筋肉がうごく
・食べものを口に入れるとき、舌が迎えに出る
・口のまわりに食べかすが残ったり、唇をよくなめる
・その他 ________

嚥下時の状態
・必要以上に顔面の筋肉がうごく
・身体がうごく
・その他 ________

評　価

1. 初診時　年　月　日	2. レッスン5開始時　年　月　日	3. 終了時　年　月　日
1.舌尖がスポットにつくか	1.舌尖がスポットにつくか	1.嚥下 ________
2.舌中央部が口蓋につくか	2.舌中央部が口蓋につくか	2.口唇閉鎖
3.口唇閉鎖	3.舌後方部が口蓋につくか	3.習慣化
4.口輪筋の強さ ____kg	4.口唇閉鎖	4.口輪筋の強さ ____kg
5.問題点 ________	5.口輪筋の強さ ____kg	5.最終評価 ________

図Ⅱ-2-1　口腔機能の観察・検査で使用する用紙（例）
（文献2）より転載）

基本的には医療面接後に観察・検査を行うが，その結果に基づいて，患者や保護者から追加で情報収集する場合もある．

2）得られる情報と評価

医療面接や観察・検査から情報を収集し，評価する（表Ⅱ-2-1）．得られる情報を以下にあげる．

（1）舌（図Ⅱ-2-2～4）

・安静時における舌の姿勢位（低位舌の有無など）と大きさ．

・舌の随意的な動きの円滑さや運動範囲など．

表Ⅱ-2-1 口腔機能を評価する際の判定基準（例）
6項目に分類したそれぞれの口腔機能の症状について，5段階で評価する．

評価項目	評価基準	
舌のコントロール	1	ほとんど舌が動かない，または不随意に動く
	2	舌尖を口角につけることができる
	3	舌尖を上唇の中央につけることができる
	4	舌尖で上唇をなぞることができる
	5	一定の速さで上唇をなぞることができる
舌を挙上する力（舌を上に挙げる力）	1	舌尖を口蓋につけることができない
	2	舌尖をスポットにつけることができる
	3	舌前方を挙上して舌打ちができる
	4	舌小帯を伸ばして舌を口蓋に挙上できる
	5	舌全体を挙上したまま静止できる
咀嚼筋（咬む力）	1	指で触れてもほとんど動きを感じない
	2	指で触れると咬筋に動きを感じるが，側頭筋に動きがない
	3	指で触れると咬筋，側頭筋に動きを感じる
	4	指で触れると咬筋，側頭筋に強い動きを感じる
	5	指で触れなくても動いているのが見てわかる
咀嚼と嚥下（食べ方と飲み込み方）	1	正しく咀嚼できない，嚥下時に舌が突出する
	2	正しくスラープスワローができる
	3	正しくサッキングスワローができる
	4	正しくスナックプラクティス（りんご）ができる
	5	正しく咀嚼・嚥下ができる
舌側方部のコントロール	1	舌尖をとがらせることができない
	2	舌尖をとがらせることができる
	3	一定の速さでファットタング・スキニータングができる
	4	舌尖でスティックを押すと強い抵抗を感じる
	5	正しくサッキングができる
口輪筋と習慣化（唇の力と舌・唇の位置）	1	いつも口を開けていて舌背が見えている
	2	口を開けていることが多く，舌が見えている
	3	意識すると口唇が閉じ，舌を口蓋に挙上できる
	4	いつも口唇閉鎖ができていて，舌は口蓋に挙上している
	5	無意識の就寝中も口唇を閉じ，舌は口蓋に挙上している

（文献6）より）

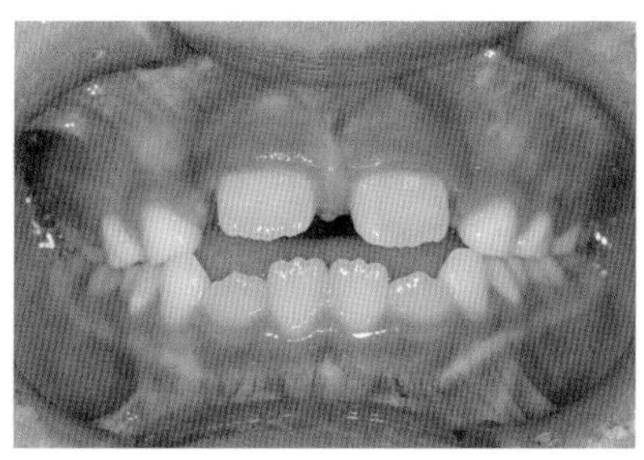
図Ⅱ-2-2　**低位舌**
安静時に舌が下顎歯列弓内に位置している.

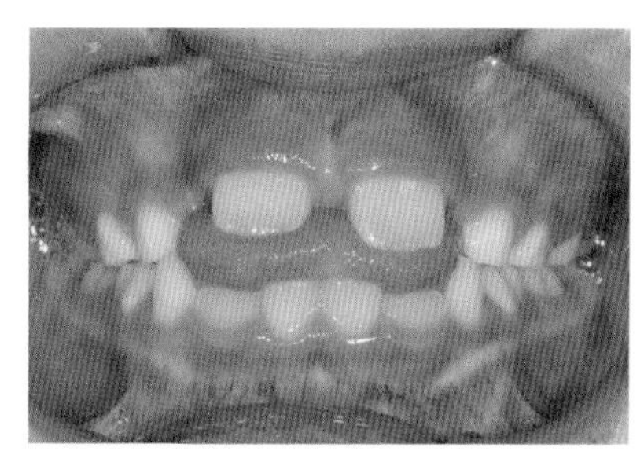
図Ⅱ-2-3　**舌突出癖（嚥下時）**
嚥下時に舌が上下前歯の間に入るように，前方へ突出する.

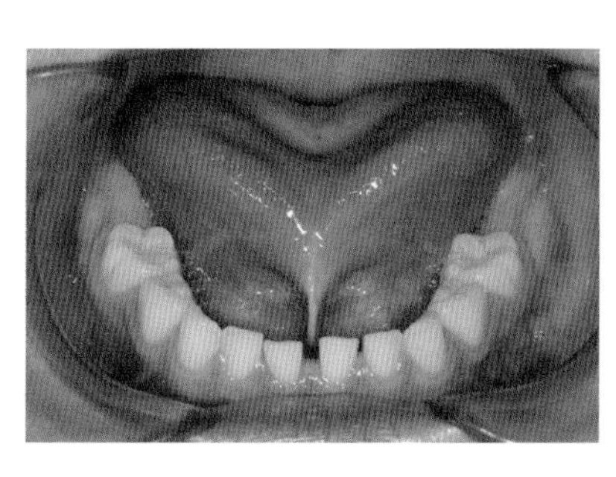
図Ⅱ-2-4　**舌小帯の異常**
舌小帯が短く，舌が挙上できない.

・舌の側縁部の圧痕の有無.
・舌小帯の付着位置.

(2) 口唇（図Ⅱ-2-5）

・安静時における口唇の姿勢位.
・上下口唇の形態.

(3) オトガイ部（図Ⅱ-2-6）

口唇閉鎖時，咀嚼・嚥下時のオトガイ部の過度な緊張状態の有無を確認する.

(4) 口腔習癖，態癖

・舌突出癖（舌の突出方向），低位舌，口唇閉鎖不全，吸指癖（指しゃぶり），咬唇癖，咬爪癖など.
・頬杖・うつぶせ寝などの態癖.

(5) 呼吸

正常な呼吸様式である鼻呼吸が，日常的にできているかを観察する．口呼吸をしている場合，アレルギー性鼻炎やアデノイド・口蓋扁桃肥大などの鼻咽腔疾患の有無を確認する.

(6) 歯列・咬合，顎顔面形態

顎顔面形態，歯列・咬合関係を観察し，必要に応じて不正咬合の形態学的な検査を行う.

(7) 硬口蓋

形態（幅径，高径）を観察する.

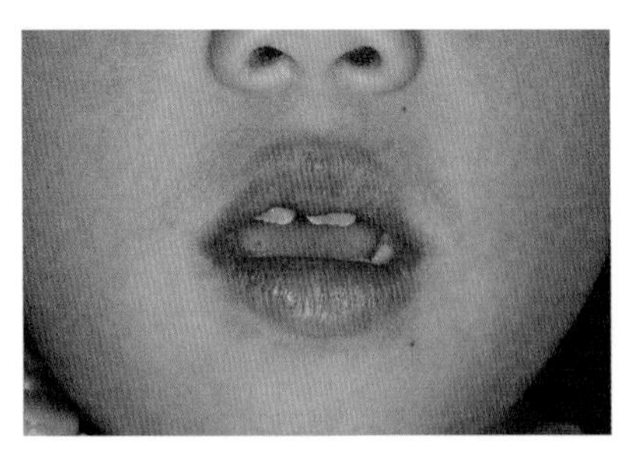

図Ⅱ-2-5 **口唇の観察**
安静時に上下口唇が開いている．

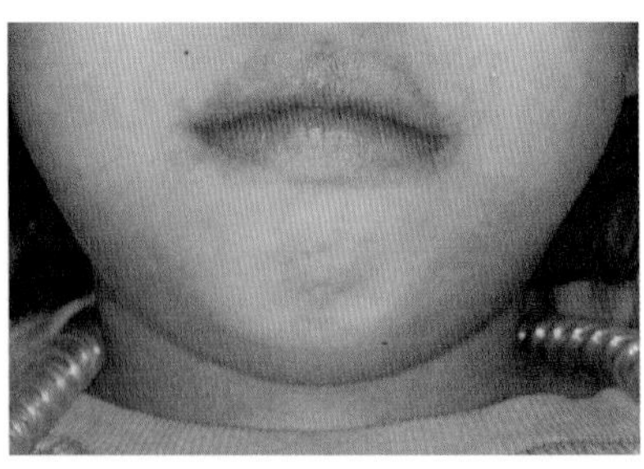

図Ⅱ-2-6 **オトガイ部の観察**
口唇閉鎖時にオトガイ筋を使って下唇を上方へ持ち上げるような力が加わっていると，オトガイ部にしわが認められる．

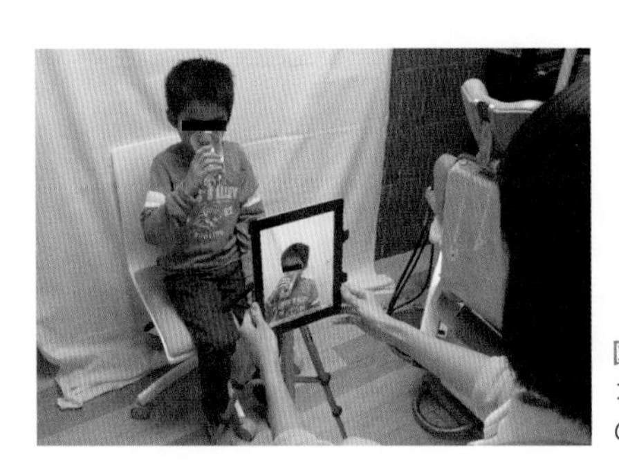

図Ⅱ-2-7 **動画の撮影風景**
コップの水を口に含んでいるときと，嚥下するときの口腔周囲筋の動きを記録している．

(8) 軟口蓋

口を大きく開けて，「アー」と発声した際の動きや形態を観察する．

(9) 咀嚼機能と嚥下機能

チェアサイドでは，水を嚥下してもらい，口腔周囲筋の動きを観察する．検査では，コップに入れた水やさまざまな食品を咀嚼・嚥下してもらい，動画を撮影して記録し，運動を評価する（図Ⅱ-2-7）．

(10) その他

患者および保護者の協力度，全身の姿勢，発音を評価し，さらに顎関節や歯周組織の状態についても観察する．

2. 口腔筋機能療法の診断と訓練計画の立案

収集した患者の口腔機能の症状を整理して，問題点を明確化する．複数の問題点には優先順位をつけて，問題リストを作成する．

次に，訓練全体を通した長期目標と，1回の訓練ごとの短期目標を設定して，訓練計画を立案する．具体的には，市販のワークブックを使用する方法や，それぞれの患者に対して適切な訓練を組み立てていく方法がある．立案された訓練計画は，口腔機能の症状や口腔筋機能療法の必要性と合わせて，患者と保護者に説明し，訓練前の動機づけを行う．

口腔機能と不正咬合の症状によっては，矯正装置による動的治療を先行させることもある．その場合の訓練を開始する時期や，訓練の継続の判断については，矯正歯科治療の治療計画と調整する必要があるため，歯科医師と歯科衛生士が連携して，訓練計画の立案と実施に継続的に携わることが望ましい．

3. 口腔筋機能療法の実施

1）訓練に使用する器材（図Ⅱ-2-8）

❶舌圧子（木製のスティック）

舌，口唇の訓練で使用する．

❷ストロー

安静時の舌と口唇の姿勢位を覚える訓練や，嚥下機能の訓練で使用する．

❸ひもの付いたボタン

口唇の訓練で使用する．

❹コットンロール

口唇の訓練で使用する．

❺スプレーボトル，コップ

嚥下機能の訓練で使用する．

❻手鏡

訓練中に自分の舌や口唇などの動きを確認するために使用する．

❼録音機器

家庭で練習するための指導内容を録音するときに使用する（ボイスレコーダー，スマートフォンなど）．

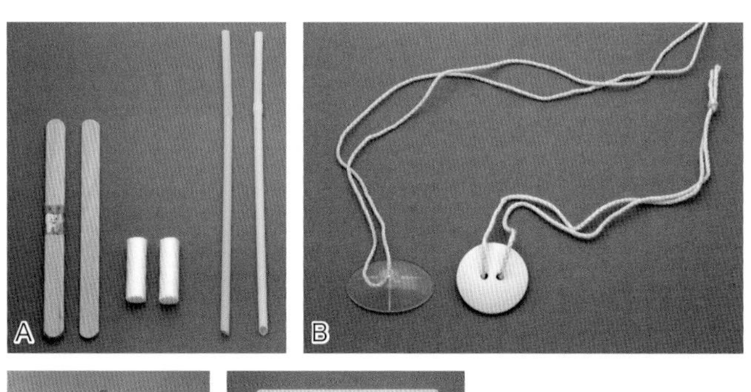

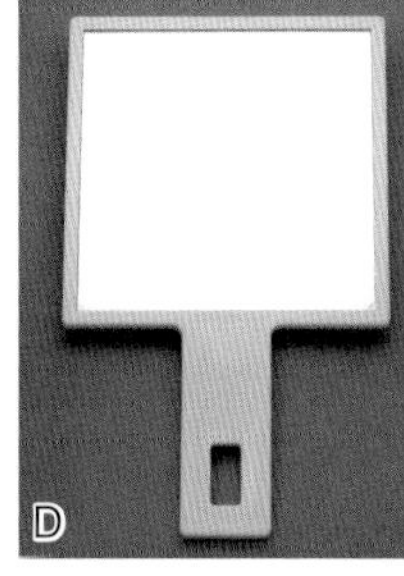

図Ⅱ-2-8　**口腔筋機能療法に使用する器材**
A：左から舌圧子，コットンロール，ストロー．
B：ひもの付いたボタン．
C：スプレーボトル．
D：手鏡．

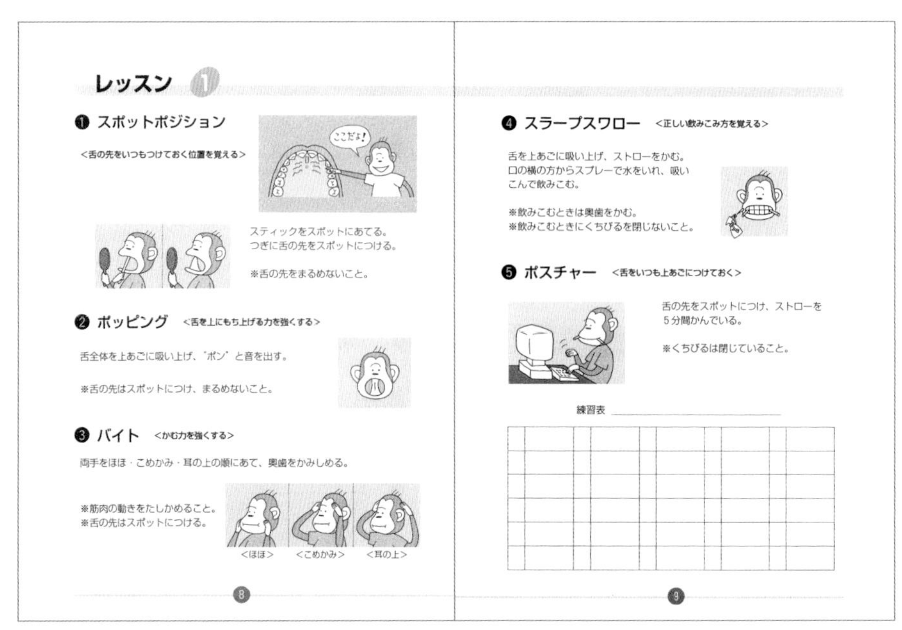

図Ⅱ-2-9 ワークブック（レッスンの一例） （文献5）より転載）

❽水，食品

水，水分の多い食べ物（リンゴなど），水分の少ない食べ物（クラッカーなど），軟らかい食べ物（ヨーグルトなど），レーズン，ガムなどを咀嚼・嚥下機能の検査や訓練で使用する．

❾動画撮影機器

咀嚼・嚥下・発音時の口腔周囲筋の動きを記録するために使用する（タブレット端末，ビデオカメラ，スマートフォンなど）．

❿ワークブック（図Ⅱ-2-9）

さまざまな訓練がレッスンごとにまとめられた冊子．

2）訓練の種類

安静時の舌の正常な姿勢位は，舌尖（舌の先）が**スポット**（図Ⅱ-2-10）につき，舌全体が上顎歯列弓内に収まり，舌背は口蓋に接している状態である．また，安静時の口唇の正常な姿勢位は，口腔周囲筋の過度な緊張がなく，口唇は軽く閉じられている状態である（図Ⅱ-2-11）．さらにこのとき，下顎安静位として上下顎臼歯はわずかに離れている．

また，咀嚼・嚥下の一連の正常な動作を以下に示す．

①口輪筋によって口唇が閉じた状態を保ちながら，臼歯で食物を粉砕し，頬と舌の動きにより食塊を形成する．

②舌の上に保持された食塊は，舌尖がスポットについたまま，舌の中央部から後方部が挙上することによって後方へ送られる．食塊が舌根付近まで到達すると軟口蓋

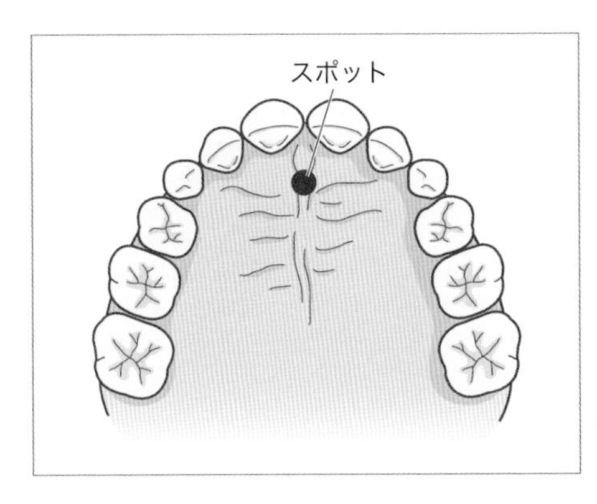

図Ⅱ-2-10　**スポット**
切歯乳頭の後方部にあり，安静時および嚥下時に舌尖がついている位置をスポットという．

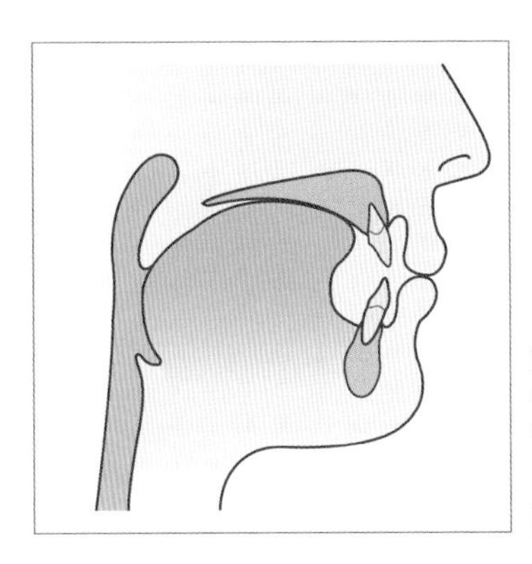

図Ⅱ-2-11　**安静時の舌と口唇の正常な姿勢位**
舌尖はスポットにつき，舌全体が上顎歯列弓内に収まり，舌背は口蓋に軽く接している．口腔周囲筋はリラックスし，口唇は軽く閉じられている．またこのとき，上下顎臼歯はわずかに離れている．

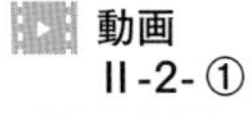
動画 II-2-①

が挙上して，鼻咽腔が閉鎖する．

③嚥下反射が始まり，食塊が咽頭へ送られる．嚥下時には咀嚼筋が収縮して上下顎臼歯は瞬間的に接触し，舌全体は挙上され口蓋に圧接される．このとき，口腔周囲筋に過度な緊張は認められない．

このような安静時および機能時（咀嚼・嚥下・発音時）の口腔周囲筋の正常な姿勢位と機能の獲得を目標として，目的別に次のような訓練がある．

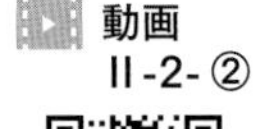
動画 II-2-②

(1) 筋力の訓練

❶舌

舌の運動機能を高めることを目的として，以下のような訓練がある．

①舌尖を正常な位置につける訓練（図Ⅱ-2-12）

②舌側方部：口を開けて舌尖でゆっくりと上唇をなぞる訓練（図Ⅱ-2-13，▶**動画 II-2-①**）

③舌尖部：舌の先をまっすぐにとがらせて舌圧子を強く押す訓練（図Ⅱ-2-14，▶**動画 II-2-②**）

動画 II-2-③

④舌中央部：舌圧子で舌中央部を押した状態で，舌を上方に持ち上げる訓練（図Ⅱ-2-15）

⑤舌全体：舌を口蓋に吸い上げる訓練（図Ⅱ-2-16，▶**動画 II-2-③**）

①口を大きく開けて，舌圧子をスポットに当てる．

②舌圧子を離して，口を開けたまま舌尖をとがらせてスポットにつける．

図Ⅱ-2-12 **舌の訓練①**

①口を開けて，舌尖をとがらせて口角に置き，反対の口角に向かって上唇の輪郭をゆっくりなぞる．

②反対の口角についたら，①と同様に元の位置にゆっくり戻すようになぞる．

図Ⅱ-2-13 **舌の訓練②**

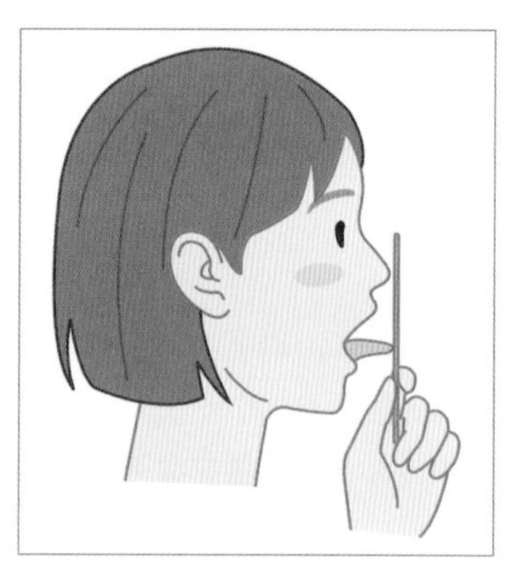

図Ⅱ-2-14 **舌の訓練③**
舌圧子を口の前で垂直に持ち，口を開けて，舌尖をとがらせてまっすぐ前方に出す．舌尖と舌圧子で押し合ったら舌圧子を離して，舌の力を抜き，口唇を閉じて休む．

❷口唇

動画 Ⅱ-2-④

口輪筋を強化し，口唇閉鎖力を高めることを目的として，以下のような訓練がある．

①前歯と口唇の間にボタンを挟んで，ひもで引っ張る訓練（図Ⅱ-2-17，▶**動画Ⅱ-2-④**）

②上唇を伸ばす訓練（図Ⅱ-2-18）

図Ⅱ-2-15　**舌の訓練④**
舌圧子を舌中央部に置き，軽く押し，舌に力を入れて上方に持ち上げる．舌と舌圧子で押し合ったら舌圧子を離して，舌の力を抜き，口唇を閉じて休む．

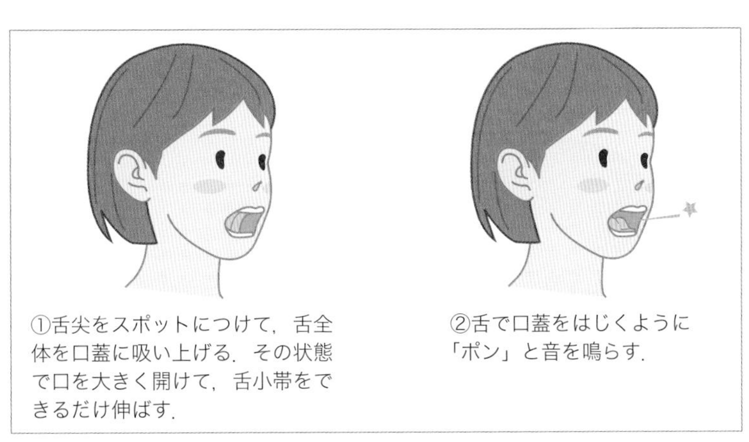

①舌尖をスポットにつけて，舌全体を口蓋に吸い上げる．その状態で口を大きく開けて，舌小帯をできるだけ伸ばす．

②舌で口蓋をはじくように「ポン」と音を鳴らす．

図Ⅱ-2-16　**舌の訓練⑤**

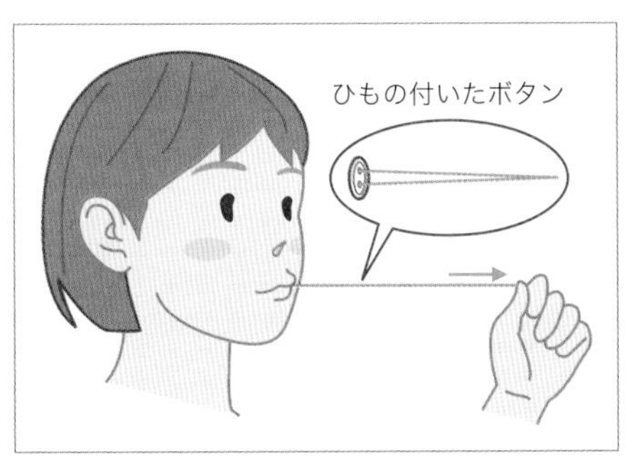

図Ⅱ-2-17　**口唇の訓練①**
臼歯を咬み合わせて，前歯と口唇の間にボタンを挟み，口唇を閉じる．口唇に力を入れて，ひもを前方に引っ張る．

❸咀嚼筋

嚥下時に下顎位を調整する咀嚼筋の機能や，咬合力を高めることを目的として，舌尖をスポットにつけたまま臼歯を咬頭嵌合位で意識的に咬合させる訓練（図Ⅱ-2-19）などがある．

(2) 咀嚼機能の訓練

口唇を閉じたまま臼歯部で咀嚼すること，舌の上に食塊を集める感覚をつかむことを目的として，さまざまな食品を使用した訓練がある．

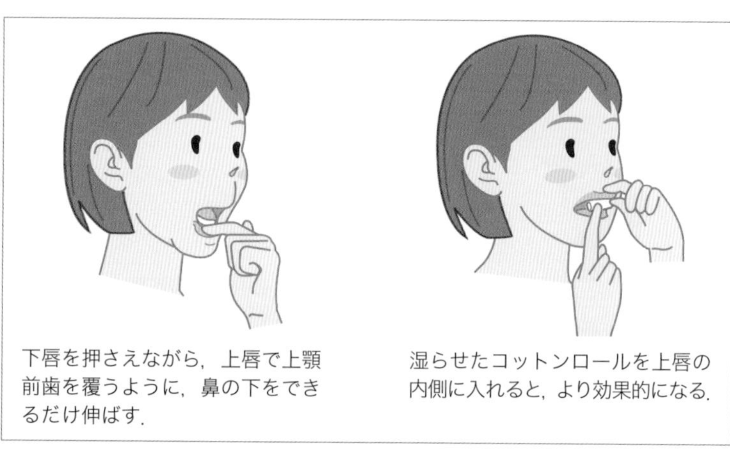

図Ⅱ-2-18 **口唇の訓練②**

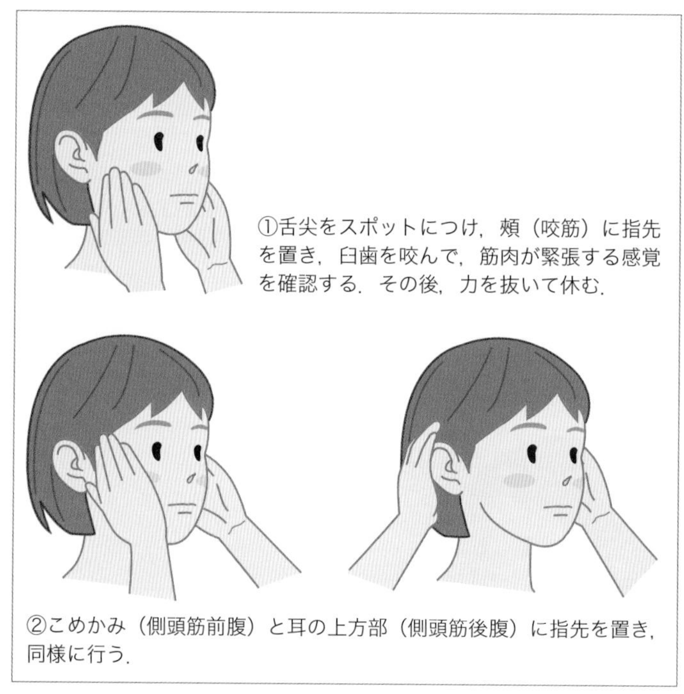

図Ⅱ-2-19 **咀嚼筋の訓練**

(3) 嚥下機能の訓練

異常な嚥下では，①口腔周囲筋の過度な緊張が認められる，②上下顎臼歯が接触しない，③舌全体が上方へ挙上せず，上下顎前歯の間に入るように前方へ突出する，といった特徴がみられる．

このような嚥下時の異常な動作（異常嚥下癖）が認められる患者に対して，舌尖をスポットにつける，上下顎臼歯を接触させる，舌後方部を挙上する，といった正常な嚥下の動作を体感させることを目的として，次のような訓練がある．

①ストローを咬んだまま，スプレーボトルで口腔内に入れた水を飲み込む訓練（図Ⅱ-2-20）

②舌後方部を持ち上げて，スプレーボトルで口腔内に入れた水を飲み込む訓練（図Ⅱ-2-21）

Link
構音障害
p.30

(4) 構音機能の訓練

構音障害（発音障害）とは，話しことばのなかにある決まった音が正しく発音できず，誤った発音が定着している状態をいう．言語聴覚士による構音訓練（発音指導）と連携して，主に舌の運動の巧緻性を高めることを目的とした訓練を行う．

(5) 舌と口唇の姿勢位の訓練

安静時における舌と口唇の正常な姿勢位を覚えて保持すること（習慣化）を目的として，以下のような訓練がある．

①ストローを咬んだ状態で，舌全体を口蓋につけておく訓練（図Ⅱ-2-22）

②舌圧子を上下口唇の間に挟む訓練（図Ⅱ-2-23）

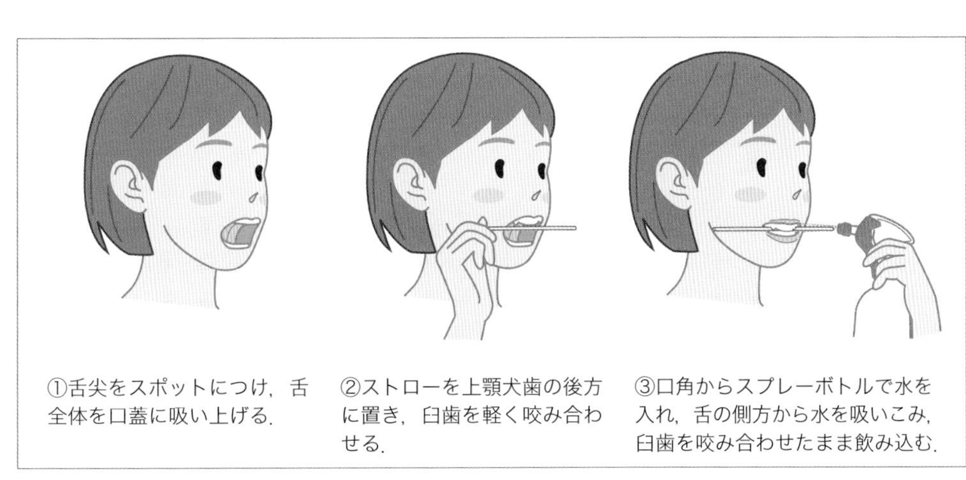

①舌尖をスポットにつけ，舌全体を口蓋に吸い上げる．

②ストローを上顎犬歯の後方に置き，臼歯を軽く咬み合わせる．

③口角からスプレーボトルで水を入れ，舌の側方から水を吸いこみ，臼歯を咬み合わせたまま飲み込む．

図Ⅱ-2-20 嚥下機能の訓練①

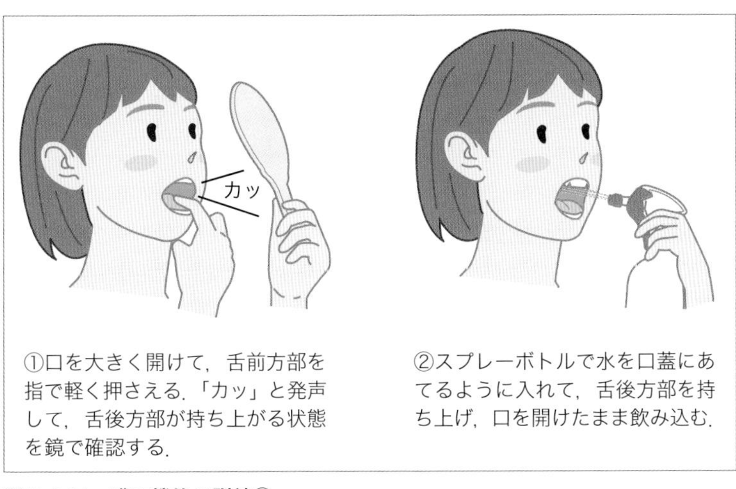

①口を大きく開けて，舌前方部を指で軽く押さえる．「カッ」と発声して，舌後方部が持ち上がる状態を鏡で確認する．

②スプレーボトルで水を口蓋にあてるように入れて，舌後方部を持ち上げ，口を開けたまま飲み込む．

図Ⅱ-2-21 嚥下機能の訓練②

①舌尖をスポットにつけ，舌全体を口蓋に吸い上げる．

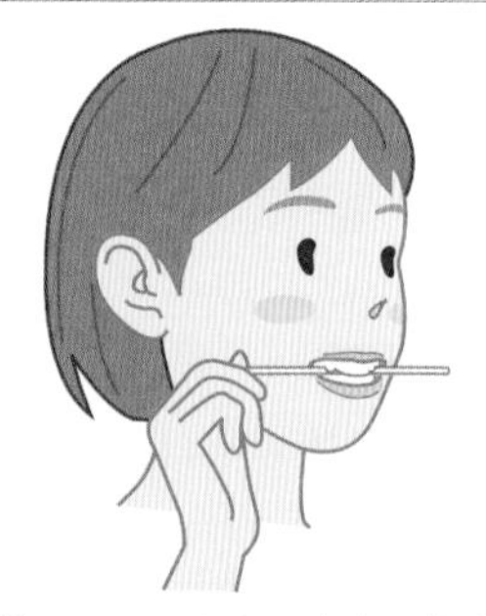

②ストローを上顎犬歯の後方に置き，上下顎臼歯でストローを軽く咬み固定する．

③口唇を閉じる．

図Ⅱ-2-22　**舌と口唇の姿勢位の訓練**

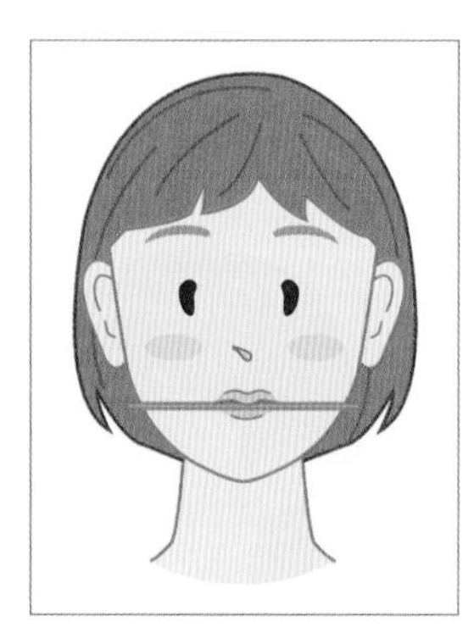

図Ⅱ-2-23　**口唇の姿勢位の訓練**
臼歯を軽く咬み合わせて，上下口唇の間に舌圧子を挟み，口唇を閉じる．

3）動機づけ

口腔機能の問題は，患者自身では認識しにくい傾向がある．さらに，口腔筋機能療法による機能的な改善の程度についても認識しにくく，訓練は数カ月以上かかることも珍しくないため，特に学童期の患者を対象にする場合，目標達成まで訓練を続けられるような環境づくりが重要である．

口腔筋機能療法の効果を十分に発揮するためには，来院までの経緯，患者の年齢，協力度などを考慮し，それぞれの患者や保護者の個性に合わせた訓練計画の立案だけでなく，診断の結果や訓練中の評価の説明による情報共有，訓練前・訓練中の支援によるモチベーションの向上・維持が重要となる．

4）訓練の評価と記録

2～4週間ごとに来院してもらい，1回約30分を目安に訓練を実施する．次回の来院までに家庭で練習してもらうため，訓練時に練習用の指導内容を録音し，持ち帰ってもらう．

来院ごとに，訓練の短期目標の達成程度を評価して記録する．短期目標を達成できていた場合は，次の段階の訓練に移行する．最終的に，長期目標が達成できた段階で，定期的な経過観察へ移行する．

3 口腔筋機能療法の実際

患者概要

6歳8カ月，男児.

主訴：上の前歯に隙間がある，口がいつも開いている.

口腔機能の観察・検査・評価（図Ⅱ-2-24 ～ 26）

- 口腔機能の観察と検査から，低位舌，嚥下時の舌突出癖，口唇閉鎖不全，口呼吸が認められた.
- 口腔内所見では，正中離開を伴う前歯部の開咬を呈していた.
- 吸指癖の既往はなく，舌小帯にも異常は認められなかった.
- 鼻咽腔疾患は認められず，意識させると正常な鼻呼吸は可能であった.
- 患者と保護者の治療に対する協力度は良好であった.

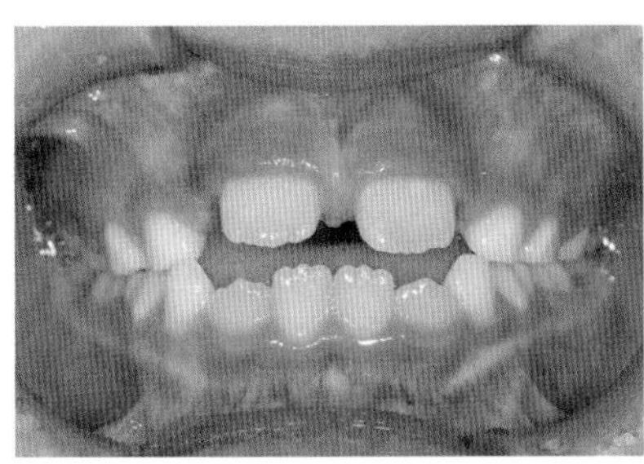

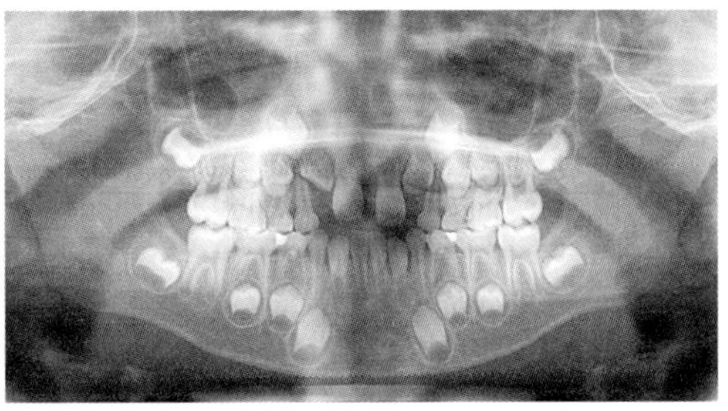

図Ⅱ-2-24　初診時の口腔内写真とパノラマエックス線写真
安静時に舌はだらんとして低位にあり，下顎歯列弓内に位置している．また上顎前歯の正中離開と開咬が認められる.

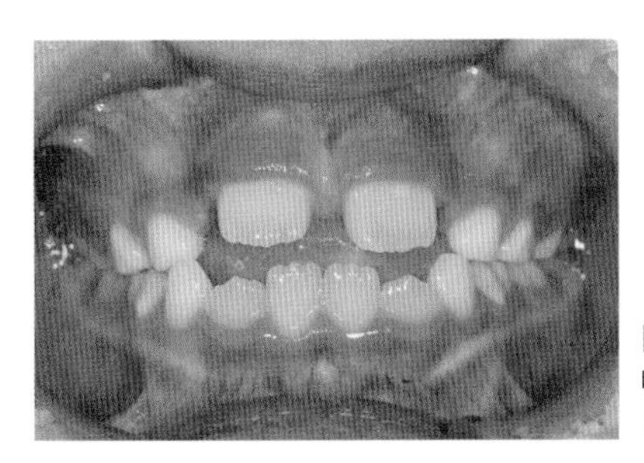

図Ⅱ-2-25　初診時の嚥下時の写真
嚥下時に舌は上方へ挙上せず，上下顎前歯の間に入るように前方へ突出している.

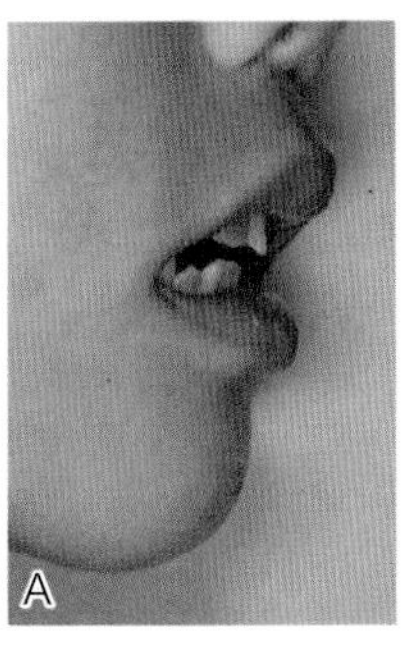

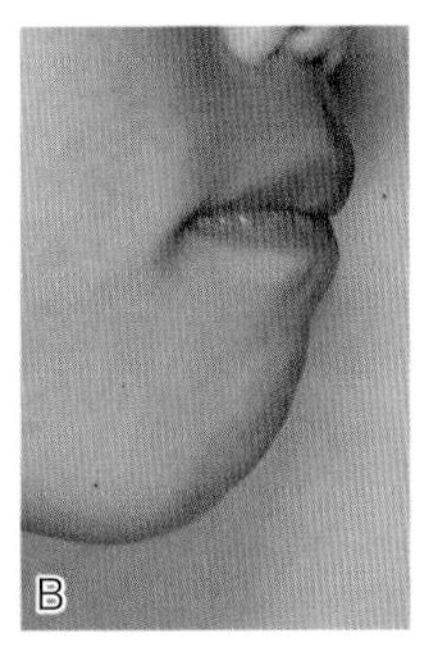

図Ⅱ-2-26　初診時の口元の写真（側貌）
A：安静時．口呼吸に伴って，口唇が開いたままになっている.
B：口唇閉鎖時．意識的に口唇を閉じさせると，オトガイ部と上下口唇の緊張が観察される.

診断と治療計画

口腔習癖が原因で生じた開咬であると考えられた．このことから，混合歯列期の治療計画として，以下のように目標を設定して訓練計画を立案し，口腔筋機能療法を開始した．

長期目標：①安静時の舌と口唇の正常な姿勢位の習慣化
②嚥下時の口腔周囲筋の正常な機能の獲得

短期目標：ワークブックのレッスンごとの訓練の習得

正中離開については，上顎両側側切歯の萌出まで経過観察とした．また，その後の歯列・咬合の状態により動的治療を検討することを含めて，患者と保護者からインフォームド・コンセントを得た．

訓練の実施と評価

訓練開始から10カ月間で，計13回の訓練を行い，長期目標は達成できたため，来院間隔を3カ月に設定して経過観察していくこととした（図Ⅱ-2-27）．ただし，安静時の舌の正常な姿勢位については完全な習慣化が得られていなかったため，経過観察中に継続的に確認していくこととした．

経過観察開始から2年3カ月経過時点において，口腔機能の異常は認められなくなった．正中離開も側切歯の萌出によって自然に改善し，適切な前歯部の被蓋関係を維持している（図Ⅱ-2-28）．

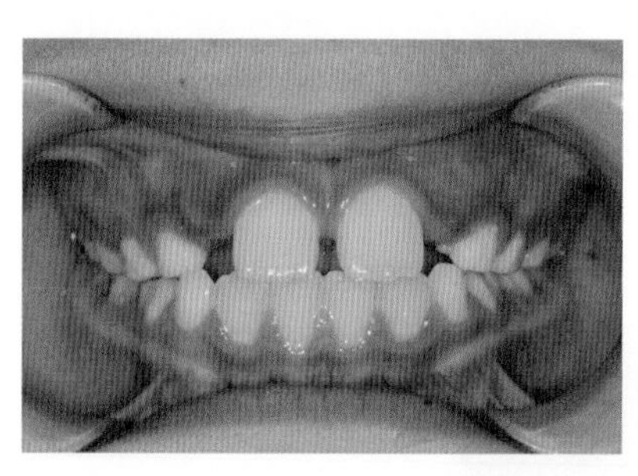

図Ⅱ-2-27　**訓練終了時**
安静時に舌尖はスポットにつき，舌全体が上顎歯列弓内に収まり，舌背は口蓋に接している．口腔周囲筋の機能異常の改善により，上顎前歯の萌出が促された．

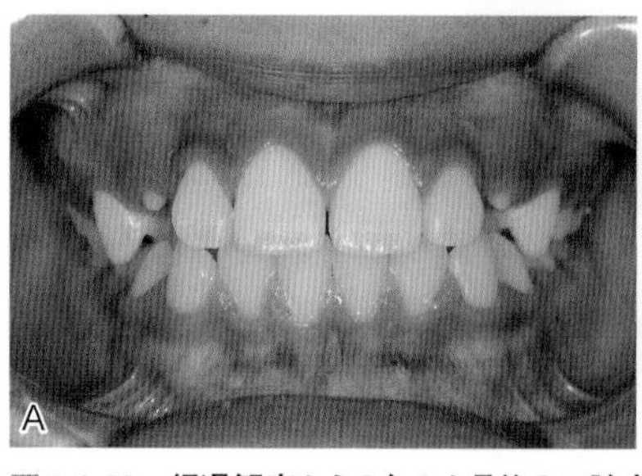

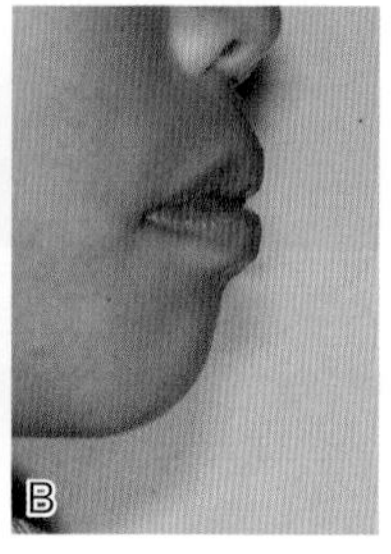

図Ⅱ-2-28　**経過観察から2年3カ月後の口腔内写真と顔面写真（側貌）**
A：適切な前歯部の被蓋関係が維持できている．
B：口唇閉鎖時，オトガイ部と上下口唇の過度な緊張は認められない．

まとめ

不正咬合が口腔習癖と関連していると考えられる場合，口腔筋機能療法によって，口腔周囲筋の機能異常の改善に伴い形態と機能が調和した環境が得られ，不正咬合の抑制や動的治療後の歯列・咬合の安定性に寄与することが期待できる．特に，混合歯列期の歯性の前歯部開咬においては，口腔筋機能療法が歯列・咬合の改善をもたらすこともある．

本症例では，安静時および機能時の問題が改善されたことで，阻害されていた上顎前歯部の萌出が促されて適切な前歯部の被蓋関係が獲得でき，長期的に安定した歯列・咬合の維持につながっていると考えられる．

参考文献

1) 大野粛英，山口秀晴，嘉ノ海龍三ほか編著：ライフステージに合わせた口腔機能への対応 MFT アップデート．医歯薬出版，2018.
2) 山口秀晴，大野粛英，嘉ノ海龍三 監修：MFT 入門 初歩から学ぶ口腔筋機能療法．わかば出版，東京，2007.
3) 大野粛英，山口秀晴，井上美津子ほか編著：ワンポイント MFT で取り組む口腔機能すくすく BOOK．医歯薬出版，2022.
4) 大野粛英，橋本律子編：もっと知りたい MFT　口腔筋機能療法の知識をぐっと深めるトピックス．デンタルダイヤモンド社，東京，2023.
5) 大野粛英，岡田順子，橋本律子ほか：舌のトレーニング．わかば出版，東京，1998.
6) 山口秀晴，大野粛英，高橋　治ほか監修：MFT 臨床 指導力アップ･アドバンス編．わかば出版，東京，2012.
7) 山口秀晴，大野粛英，橋本律子編：はじめる・深める MFT お口の筋トレ実践ガイド．デンタルダイヤモンド社，東京，2016.

3章 矯正歯科治療における口腔衛生管理と指導

到達目標

❶ 矯正歯科治療における口腔衛生管理の意義を説明できる.
❷ 口腔衛生管理のためのアセスメントに必要な情報を列挙できる.
❸ 口腔衛生管理に関わる歯科予防処置を説明できる.
❹ 口腔衛生管理に関わる歯科保健指導を説明できる.
❺ 矯正装置に関わる指導を説明できる.
❻ 保定中の管理と指導を説明できる.

1 矯正歯科治療における口腔衛生管理

1. 矯正歯科治療における口腔衛生管理の意義

矯正歯科治療における口腔衛生管理の目的は，う蝕・歯周病の発症や進行を防止することである．一方で，矯正歯科治療を希望する患者は，叢生などの不正咬合によってプラークが停滞しやすい口腔内環境であることが多く，初診の時点でう蝕や歯周病が認められる場合も少なくない．さらに動的治療が始まると，矯正装置が装着されることで歯面がより複雑な形態になるため，口腔内の自浄作用も低下し，う蝕や歯周病の発症・進行のリスクが高まっていく．

もし矯正歯科治療中にう窩の形成や歯肉の腫脹などが生じれば，治療が困難になり，場合によっては治療の中断につながってしまう．したがって，数年に及ぶこともある矯正歯科治療においては，それぞれの患者の成長や生活環境の変化に対応しつつ，治療の進行に合わせた継続的な口腔衛生管理が重要となる．

2. 口腔衛生管理のためのアセスメント

Link
歯科衛生アセスメントとしての情報収集と情報整理
『歯科予防処置論・歯科保健指導論』
p.121-182

う蝕や歯周病の発症には，プラークをはじめ，患者の生活習慣や社会的環境などさまざまな要因が関与している．そのため，まず矯正歯科治療が始まる前に医療面接や口腔内外の観察，種々の検査から情報を収集し，問題点を把握することで，う蝕や歯周病のリスクを下げておくことが重要である．例えば初診時の歯周組織検査で何らかの問題があった場合，動的治療の前に歯周基本治療などを行うことで，矯正装置を装着しても歯周病を発症させないような口腔内環境に整えておく必要がある．

このような口腔衛生管理のための情報収集と情報整理は，矯正歯科治療前だけでなく，治療中や治療後も口腔衛生状態やう蝕・歯周病の罹患状況などを把握するために行う．以下に代表的な情報をあげる．

1）主観的情報

①**主訴**：患者がなぜ矯正歯科を受診したのか，具体的な来院動機を聴取する．
例：「歯がでこぼこしていて磨きにくい」など．

②**現病歴**：主訴となる症状の現在までの経過を聴取する．
例：過去に矯正歯科治療を受けた経験があるかなど．

③**歯科的既往歴**：歯科疾患の既往歴を聴取する．
例：前歯や下顎骨の外傷の既往など．

④**医科的既往歴**：一般的な歯科治療と同様に，全身疾患の既往歴を聴取する．特に，矯正歯科治療に影響する可能性のある糖尿病，関節リウマチ，アレルギー，鼻咽腔疾患などの既往や，常用薬の有無などを把握する．

⑤**家族歴**：家族の矯正歯科治療の経験を聴取し，不正咬合の遺伝的な要因を推測する．

⑥**食生活**：食事・間食・清涼飲料水の摂取内容や回数を聴取する．
例：偏食や，間食・清涼飲料水の摂取習慣がある場合は，矯正歯科治療中のう蝕リスクがより高まるため，具体的な摂取内容や回数について尋ね，必要に応じて食事記録をとってもらうなどして食生活指導を行う．

⑦**生活習慣**：口腔清掃習慣（ブラッシングの回数，使用している清掃用具，フッ化物使用の有無など），喫煙の有無，スポーツ習慣，飲食や飲酒などの生活習慣を把握し，患者に応じた改善策を口腔衛生管理に反映させる．

⑧**その他**：心理的な情報・社会的な情報を聴取する．
例：患者が小児の場合，保護者だけではなく患者本人も矯正歯科治療を望んでいるかどうかは，口腔衛生管理への協力度につながる情報である．

2）客観的情報

①**歯・歯列・咬合の観察**：歯冠形態の異常（巨大歯，矮小歯など）や歯数の異常，現在歯数，う蝕経験歯数（DMF 歯数，def 歯数）から，現在までの口腔衛生状態を推測し，口腔清掃指導の参考にする．欠損歯がある場合は，その原因がう蝕由来か歯周病由来かなどを聴取する，初期う蝕の兆候（エナメル質の白斑，白濁）があれば記録し，経過観察やフッ化物応用の参考にする．また，叢生や空隙などの歯列・咬合状態を観察し，プラークの付着を助長する要因を確認して口腔清掃指導に役立てる．

②**口腔機能の観察**：口唇閉鎖の状態，舌機能や構音の異常がないか，鼻呼吸か口呼吸かなどを観察する．

③**歯周組織の検査**：歯周ポケットの深さ（PPD），クリニカルアタッチメントレベル（CAL），歯周ポケットからの出血（BOP），歯の動揺度を検査し，歯周病の進行程度などを把握する．

④**口腔衛生状態の検査**：O'LearyのPCRやOHIなどから口腔衛生状態を評価する．矯正歯科治療を希望して来院した患者，または治療を受けている患者は，叢生などによって元々口腔清掃がしにくい状態であることが多く，矯正装置の装着によってさらにブラッシングが難しくなることから，口腔衛生状態の評価は矯正歯科治療における口腔清掃指導や動機づけに重要である．

⑤**顔面写真・口腔内写真の観察**：初診時の状態を記録し，治療中も変化を観察する．口腔衛生管理に関わる歯科保健指導時の説明媒体や動機づけに活かす．

⑥**エックス線写真の観察**：歯根と歯槽骨の状態や，隣接面う蝕，埋伏歯や歯胚の位置異常などを観察し，プロービングやスケーリング時の参考にする．観察事項の例：形態異常，埋伏，う蝕，修復物・補綴装置の状態，隣接面の歯石沈着の状態，根分岐部の状態など．

⑦**う蝕活動性試験**：唾液分泌速度や唾液緩衝能，ミュータンスレンサ球菌数，乳酸菌数などのう蝕発生に関与する微生物因子および宿主因子から，う蝕活動性を評価し，矯正歯科治療が開始できるかどうかの判定や，リコール間隔の決定，治療前から治療中における口腔清掃指導や動機づけに役立てる．矯正装置の装着によってう蝕リスクが高まる矯正歯科治療においては，う蝕活動性試験の結果を，個々の患者に応じたフッ化物の種類や応用法を選択する際の参考にし，組み合わせることで，より効果的なう蝕予防処置や口腔清掃指導を行うことができる．

3. 口腔衛生管理に関わる歯科予防処置

Link
マルチブラケット装置
p.87-88

特に口腔衛生上の問題が生じやすいのは，マルチブラケット装置のような固定式矯正装置の装着時であり，歯科衛生士によるプロービングを中心とした歯周組織検査やスケーリング・ルートプレーニング（SRP），PMTC（歯面清掃）やフッ化物塗布などの処置が重要である．

患者が定期的な矯正装置の調整のために来院した際は，まず口腔粘膜の状態（歯肉の炎症の有無，口腔乾燥状態など）や，ブラケット周囲の歯面にう蝕や白斑ができていないかを観察する（図Ⅱ-3-1）．また，これらの異常が前回来院時から認められる場合は，弱いエアーをかけて進行の程度を確認する．

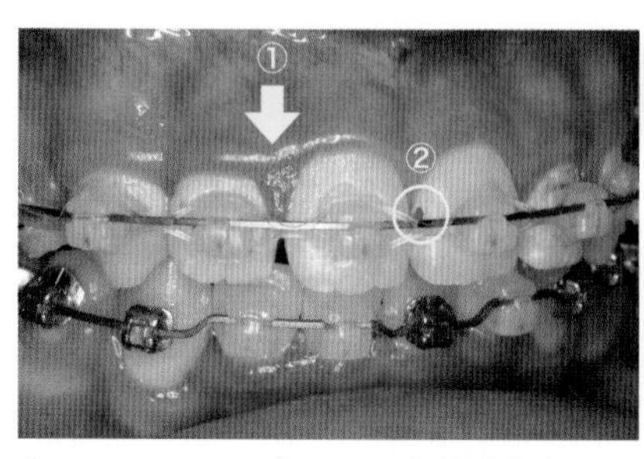

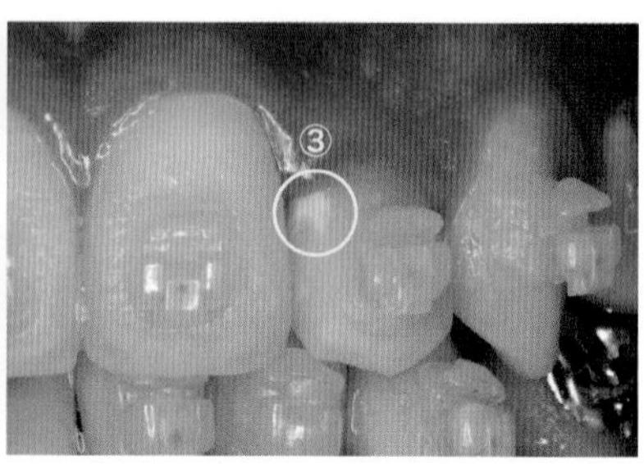

図Ⅱ-3-1　**マルチブラケット装置装着中の変化の観察**
①歯肉の炎症，②隣接面に発生したう蝕，③初期う蝕（白斑）．

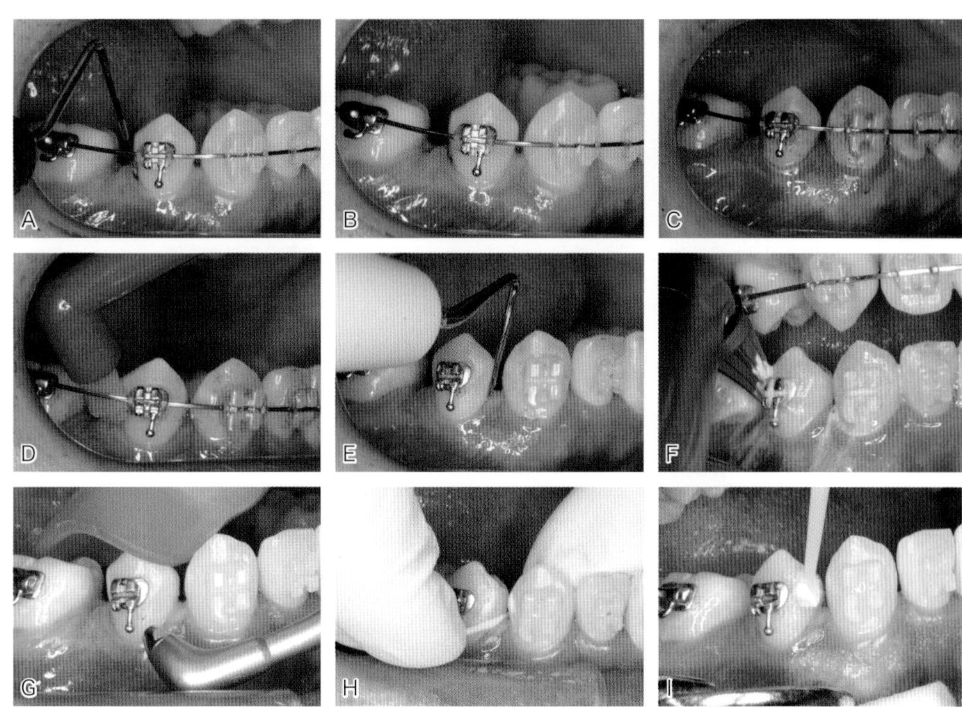

図Ⅱ-3-2　**マルチブラケット装置装着中の一般的なプロフェッショナルケアの流れ（一例）**
A：プロービング，B：下顎右側第二小臼歯（5|）遠心にBOP（＋）が認められる．
C：染め出しによって明確になったプラーク付着部位を患者と共有する．
D：BOP（＋）部のセルフケアの確認と再指導を行う．
E：アーチワイヤーを外すとプラーク除去が比較的容易になる．BOP（＋）部を中心に歯肉縁下の歯石・プラークを，手用スケーラーや超音波スケーラーを用いて除去する．
F：ラバーチップとフッ化物配合ペーストを使用して，ブラケット周囲に付着したプラークを除去する．
G：必要に応じて，歯面清掃剤（エリスリトールパウダー）とエアポリッシャーで，ブラケット周囲のプラークを除去する．
H：デンタルフロスで隣接面のプラークを除去する．
I：簡易防湿下でう蝕リスク部位にフッ化物塗布を行う．

次に，歯周プローブを使用して歯周ポケットの深さ（PPD）や出血の有無（BOP）を検査し，必要に応じて根分岐部病変や歯の動揺度なども確認する．歯肉縁上歯石のある部位は，ブラッシング時の歯頸部のプラーク除去がさらに困難になるため，スケーリングを行う．特に，矯正歯科治療の開始前に歯周病に罹患していた患者については，エックス線写真を参考にプロービングを行い，歯肉縁下歯石が認められればSRPを行う．その後，う蝕・歯周病のリスク部位に焦点をあてたPMTC（歯面清掃）を行い，フッ化物を塗布する（図Ⅱ-3-2）．

4．口腔衛生管理に関わる歯科保健指導

観察や検査から得られた情報を考慮しながら，患者に装着される矯正装置の種類に適した歯科保健指導を行う．患者が低年齢の場合は保護者にも指導を行い，家庭においては保護者による口腔衛生管理への日常的な協力を促す．

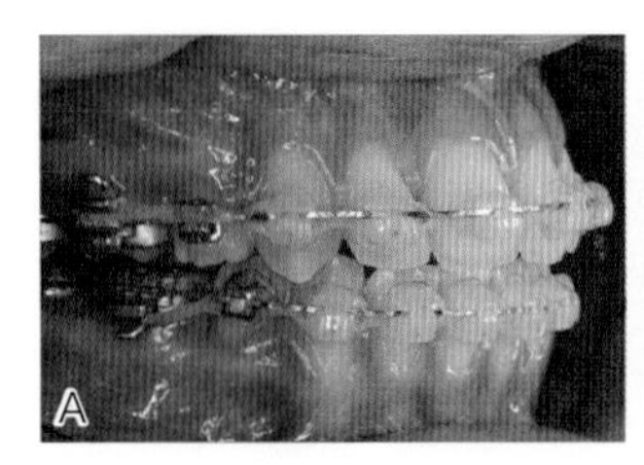

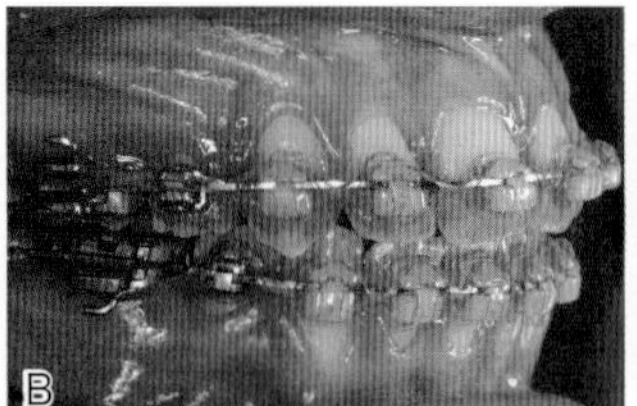

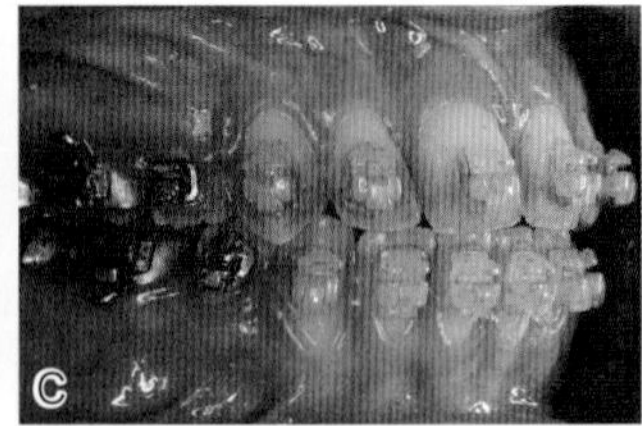

図Ⅱ-3-3　染め出しを行ったマルチブラケット装置装着患者の口腔内写真
A：染め出し前，B：染め出し後．
C：染め出し後にアーチワイヤーを撤去したところ．ブラケットをはじめとする矯正装置の周囲にプラークが停滞している．

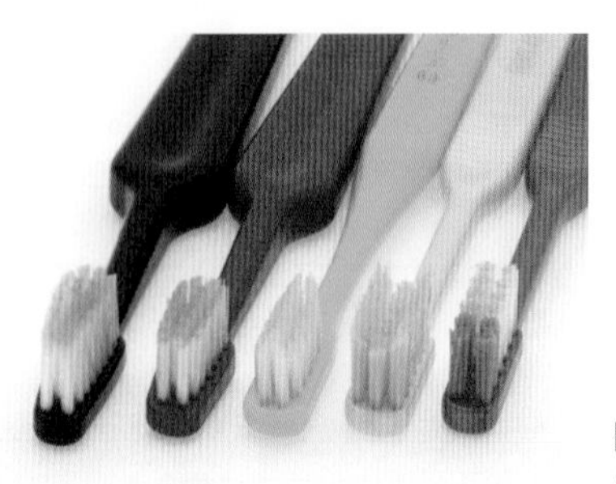

図Ⅱ-3-4　マルチブラケット装置装着患者に用いる歯ブラシの例

1）歯ブラシを用いた口腔清掃

(1) 動的治療前

矯正装置の装着前の段階でう蝕や歯周病のリスクを下げ，口腔内環境を整えておくために，まずは患者自身による正しいブラッシング習慣を定着させる必要がある．不正咬合の状態（叢生，傾斜・転位などの部位）や矯正装置の装着予定部位，口腔衛生状態の検査やう蝕活動性試験の結果などを踏まえて，患者が自身の口腔内の状態を理解したうえで実施できるようなブラッシング指導を行う．

(2) 動的治療中

動的治療開始後は，装着された矯正装置の特徴に応じて歯ブラシやブラッシング法を選択し，指導する必要がある．マルチブラケット装置の場合は，特にブラケット周囲の歯面にプラークが停滞しやすいため（図Ⅱ-3-3），ブラシ先端が山型にカットされている矯正歯科用の歯ブラシが有用な場合がある（図Ⅱ-3-4，Ⅱ-3-5-A～C，▶動画Ⅱ-3-①）．

動画
Ⅱ-3-①

また，ブラッシング圧の強い患者などでは，軟毛の歯ブラシを軽く把持し，ゆっくりとした軽いストロークで使用すると効果的である（図Ⅱ-3-5-D，E）．手用歯ブラシではうまくプラークコントロールができない患者には，電動歯ブラシが推奨されることもある．

2）補助的清掃用具を用いた口腔清掃

隣接面や叢生部のほか，矯正装置の周囲といったプラークが残りやすい部位は，歯ブラシのみではプラーク除去が困難であるため，歯間ブラシ，タフトブラシ，デ

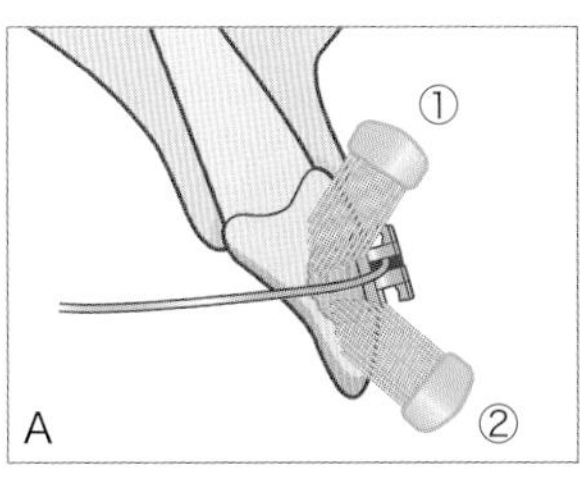

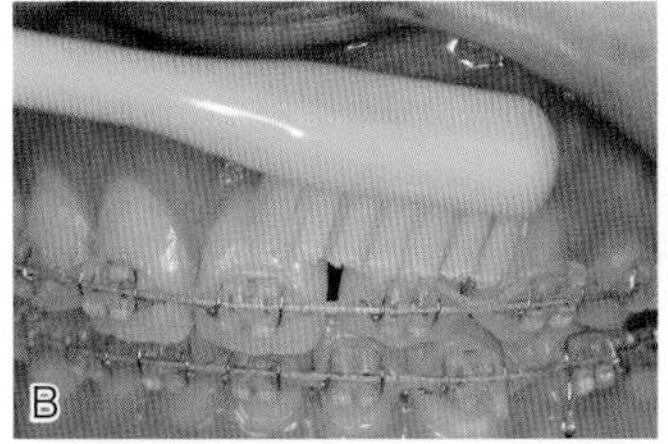

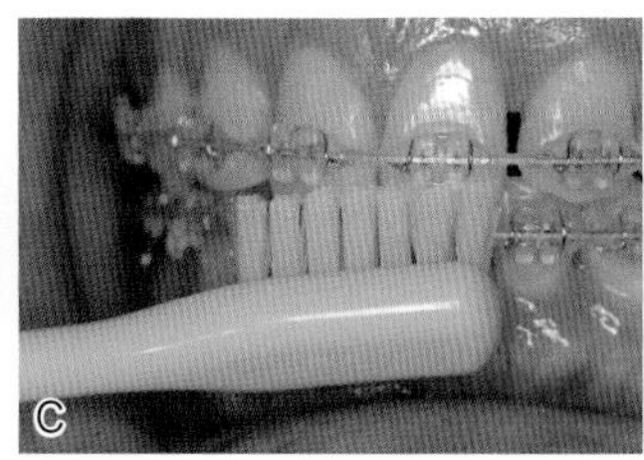

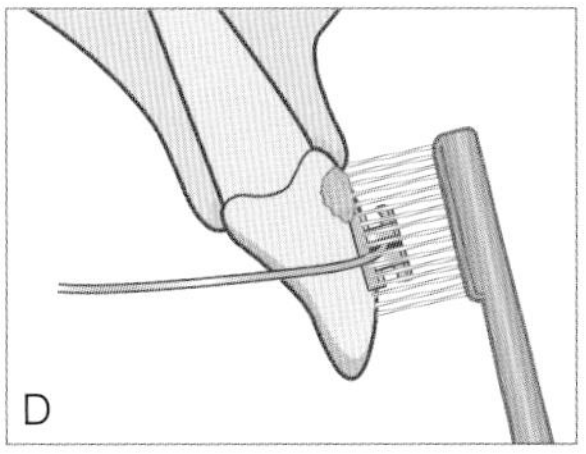

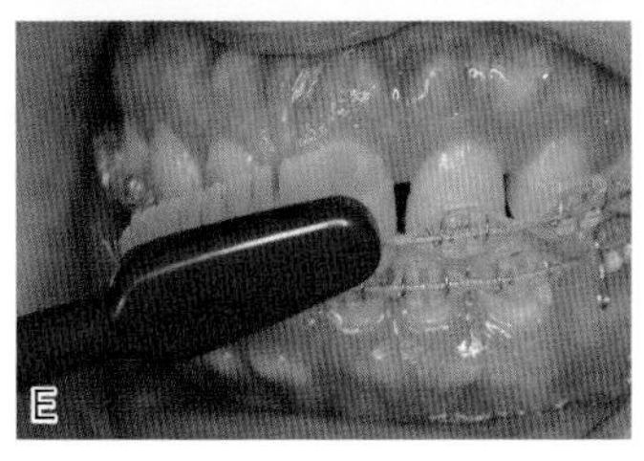

図Ⅱ-3-5　**マルチブラケット装置装着患者における，ブラケット周囲と歯頸部への歯ブラシの当て方の例**
A～C：ブラケットの周囲はプラークが停滞しやすいため，歯頸部側から（A-①, B）と咬合面側から（A-②, C）それぞれ45度の角度で歯ブラシの毛先を当て，ゆっくりとした軽いストロークで磨く．図は毛先が山型にカットされた矯正歯科用の歯ブラシを使用している．
DE：軟毛歯ブラシの毛先を各歯面（近心・中央・遠心）の歯頸部に沿わせ，過度な力をかけないよう注意しながら，ゆっくりとした軽いストロークで磨く．近心と遠心の歯頸部は歯ブラシを斜めにして当てると，矯正装置の高さに左右されにくく，磨きやすい場合もある．

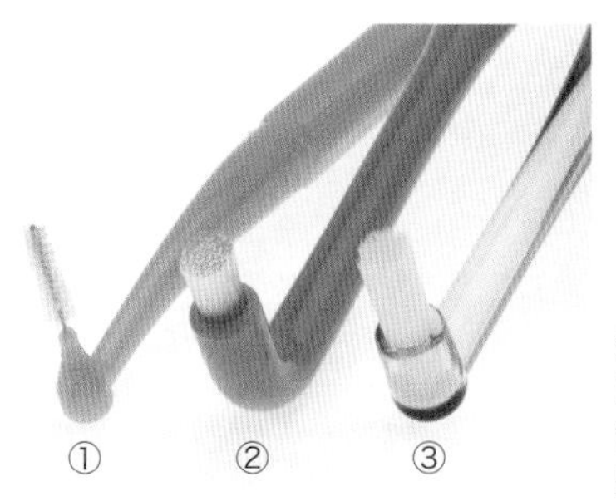

図Ⅱ-3-6　**マルチブラケット装置装着患者に用いる補助的清掃用具の例**
①歯間ブラシ，②タフトブラシ（軟毛），③タフトブラシ（超軟毛）

ンタルフロスなどの補助的清掃用具の使用を指導する（図Ⅱ-3-6）．

(1) 歯間ブラシ

マルチブラケット装置で，すでにアーチワイヤーを装着している場合，歯間鼓形空隙が十分にある部位は歯間ブラシが適用される．また，歯間ブラシをアーチワイヤーと歯面の間に通して使うことで，ブラケット側面やアーチワイヤー下の歯面に付着したプラークを除去できる（図Ⅱ-3-7，▶**動画Ⅱ-3-②**）．

(2) タフトブラシ

タフトブラシは歯ブラシと同様に，ブラシの先端を押しつぶさない程度の力で使用するよう指導する．ともに大きなストロークや強い力で使用すると，矯正装置の脱離や歯肉の損傷につながるので，使い方の指導とその後の評価が必要である（図Ⅱ-3-8）．

(3) デンタルフロス

一般的にマルチブラケット装置では，歯の隣接面接触点に，咬合面側からデンタ

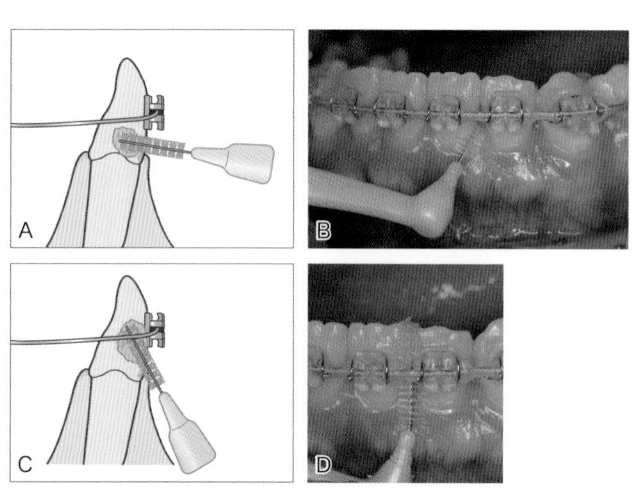

図Ⅱ-3-7 **マルチブラケット装置装着患者における歯間ブラシの使用例**
AB：歯間鼓形空隙が十分にある歯間部のプラーク除去に使用する．ブラシの先は歯肉辺縁に沿わせて歯冠方向に向ける．
CD：ブラケット側面やアーチワイヤー下のプラーク除去に使用する．

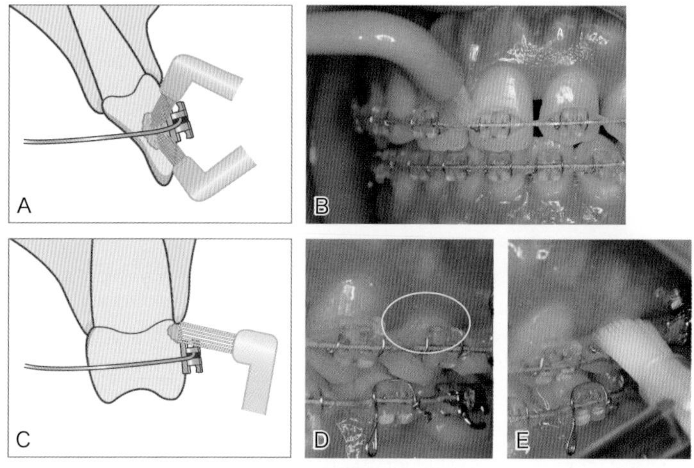

図Ⅱ-3-8 **マルチブラケット装置装着患者におけるタフトブラシの使用例**
AB：アーチワイヤー下やブラケット周囲のプラーク除去には，軟毛のタフトブラシが有用である．ブラシの先は歯肉辺縁に沿わせて歯肉を傷つけないように挿入し，ブラシの先端を押しつぶさない程度の力で，45 度の角度で毛先を当てて磨く．
C～E：ブラケットの位置が歯肉辺縁に近いとプラークが停滞しやすく，歯ブラシのみではプラークコントロールが困難なため，軟毛あるいは超軟毛のタフトブラシが有用である．歯肉辺縁に毛先を沿わせて振動させる．

ルフロスを通過させることが難しい．しかし，矯正装置の種類によってはデンタルフロスが使用できる場合もあるので，治療の進行状況に応じて使用を推奨する．

3）フッ化物の応用

フッ化物には歯質の強化，萌出後のエナメル質の石灰化促進，初期う蝕部の再石灰化促進とう蝕の進行抑制，う蝕病原細菌に対する抗酵素作用がある．そのため，

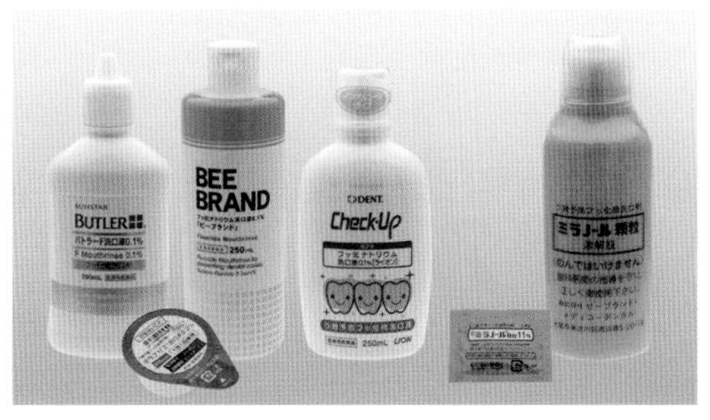

図Ⅱ-3-9　市販されているフッ化物洗口剤の例

特にう蝕の発症リスクが高くなる動的治療中は，フッ化物配合歯磨剤とフッ化物洗口剤を毎日使用することがきわめて有効である（図Ⅱ-3-9）．

フッ化物応用を導入するにあたり，特に小児患者の場合は，診療室で実際にフッ化物配合歯磨剤やフッ化物洗口剤を試して好きな風味を選んでもらうとよい．保護者や成人患者に対しては，継続して使用することで得られる効果を十分に説明したうえで勧めることが望ましい．

4）動機づけ（モチベーション）

長期にわたる矯正歯科治療においては，患者自身が継続的にブラッシングやフッ化物応用を実践し，良好な口腔衛生状態を維持するための動機づけが必要となる．具体的には，う蝕と歯周病の原因や病態，動的治療中の口腔衛生管理の重要性，適切なブラッシングによって得られる効果などを十分に説明する．矯正歯科治療中も継続的に動機づけを行うことで，患者自身に歯と歯周組織の状態，および口腔衛生状態に常に関心をもち続けてもらい，患者，あるいは患者と保護者が積極的に治療に参加する意識を培わせる．

2　矯正装置に関わる指導

1．痛みに対する指導

Link
矯正歯科治療に伴うリスクとその対応
p.137-140

1）矯正力が加わることによる痛み

矯正力が歯に加わり，歯が移動することで，患者は歯が浮いたような持続的な痛みを感じる．これは一過性のものであり，通常２～３日程度で軽減し，１週間程度で消失する．痛みの感じ方には個人差があり，強い痛みがある場合は鎮痛薬（アセトアミノフェン）を服用しても構わないが，病的な痛みではないことをあらかじめよく説明しておくことが大切である．

また，食事の際に痛みを感じるようであれば，この間は軟らかいものを中心に食べるように説明する．開口障害が生じたり，痛みが長期に持続したりする場合は通院中の歯科医療機関に連絡するよう伝える．

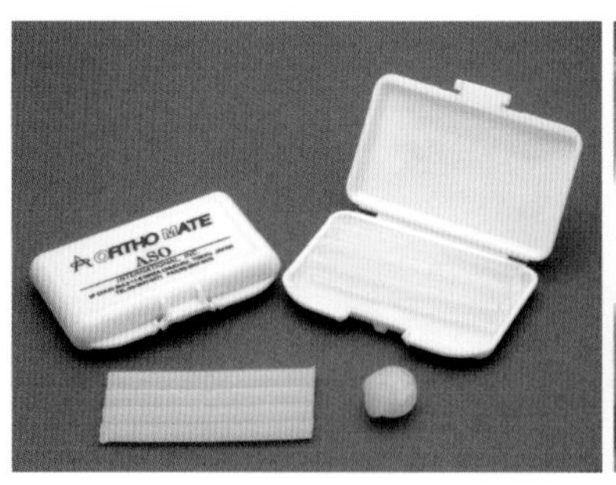

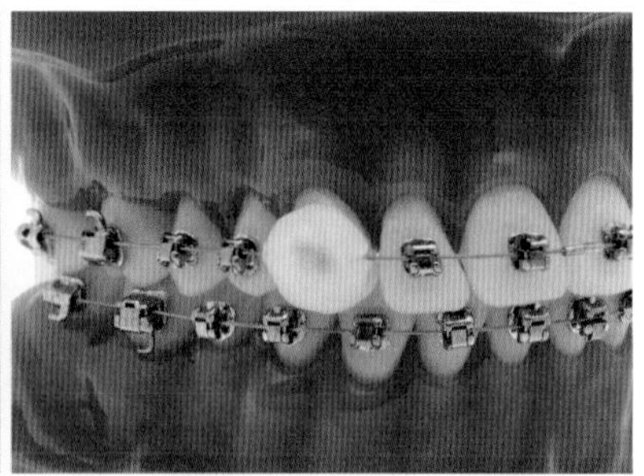

図Ⅱ-3-10　**粘膜保護用の材料と使用例**
ワックス製やシリコーン製の粘膜保護用材料で矯正装置を覆うことにより，口腔粘膜の痛みを緩和させる.

2）粘膜に刺激が加わることによる痛み

矯正歯科治療中は，ワイヤーやブラケットなどの装置の一部が口唇粘膜や頬粘膜に刺激を与えることで，これらの口腔粘膜に痛みを感じることがある．この場合，ワックス製やシリコーン製の粘膜保護用の材料で装置を覆うことで，痛みを緩和することができる（図Ⅱ-3-10）.

また，装置の破損や脱離による口腔粘膜の痛みのほか，装置の動揺などによる違和感が生じた場合も，速やかに連絡をしてもらうようにする.

2. 食生活指導

・矯正装置の破損や脱離を防ぐために，硬いものを前歯で噛まないように注意する（例：硬いせんべい，アイスキャンディー，氷など）.
・かぶりついたり，前歯で噛みきったりするような食べ物を食べる際も，不用意に力をかけないように注意する（例：ハンバーガー，とうもろこし，リンゴなど）.
・ガムやキャンディのように，矯正装置にくっつくものは装置の破損につながることがあるので避ける.
・矯正装置の装着直後は，硬い食べ物は軟らかく・小さくすることで食べやすくしてもらったり，野菜は口に入れやすいサイズにカットし温野菜として食べてもらったりするなど，調理を工夫してもらう．さらに，時間をかけてゆっくり食べられるような環境をつくることで，栄養バランスを損なわないように伝える.

矯正装置を装着している間の食生活指導にあたっては，大幅に食事内容を変えさせるのではなく，患者に精神的な負担をなるべくかけないように，好きな食べ物などの情報を活用して，患者が工夫して日常に取り入れやすいような食事方法のアドバイスを具体的に行う.

3 保定中の管理と指導

Link
保定装置
p.106-108

一般的に動的治療直後の歯は不安定で，元の状態に戻ろうとする場合が多い．そのため，後戻りを防ぐことを目的として必ず保定装置を装着する．保定装置は1〜2年装着することが多い．マルチブラケット装置などに比べると複雑さは軽減されるため，口腔清掃は行いやすくなるが，その分患者の口腔衛生への関心が低下しないように注意し，動的治療時と同様にう蝕と歯周病の予防のための口腔衛生管理が重要となる．

1．可撤式保定装置

1）可撤式保定装置の管理方法

可撤式保定装置は患者自身で取り外しができるという利点がある．装着中はプラークが停滞しやすくなるため，食後は装置を再装着する前に口腔清掃が必須となる．

また，可撤式保定装置は紛失の恐れがある．紛失すると再製作が必要となり，その間の治療が滞ってしまうだけでなく，せっかく移動した歯が後戻りしてしまう可能性もある．そのため，食事やブラッシング時に保定装置を外した際はケースに入れるなど，決められた方法で保管することを徹底させる（図Ⅱ-3-11）．一時的にティッシュや紙ナプキンに包んで置いておくと，誤って捨てられたり，破損したりしてしまう可能性があることを注意する．

2）可撤式保定装置の洗浄方法

可撤式保定装置は食事時とブラッシング時を除いて長時間装着しているため，特にレジン床の歯に接する側面にプラークが残りやすい．そのため歯ブラシを使用して，流水下でやさしく十分にこすり洗いする（図Ⅱ-3-12）．より効果的な洗浄には，保定装置や部分床義歯用の市販の洗浄剤の使用が推奨されている（図Ⅱ-3-13）．

洗浄の際に歯磨剤を用いると，保定装置の表面に傷をつけたり，歯磨剤が細部に

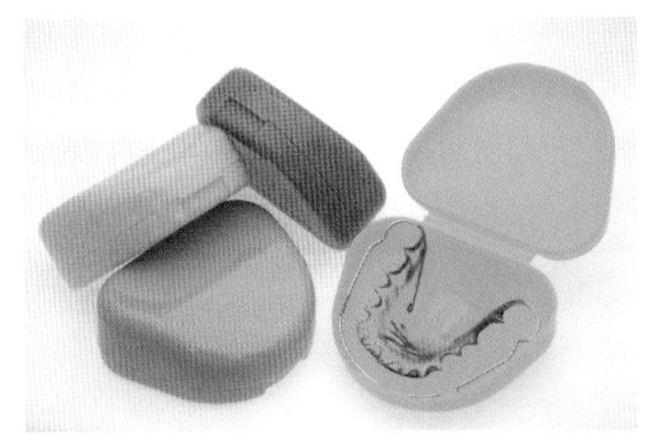

図Ⅱ-3-11 可撤式保定装置用の保管ケース

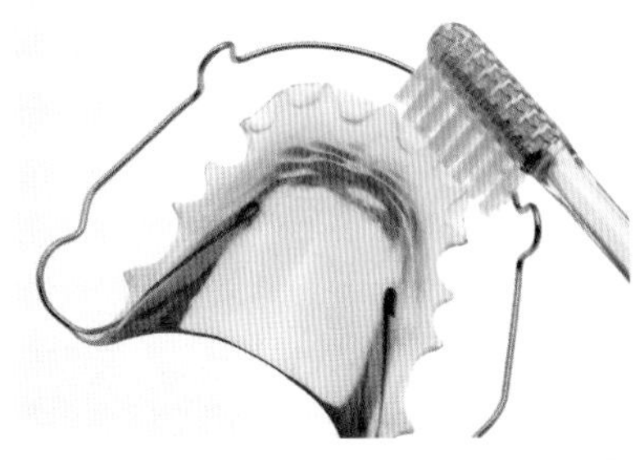

図Ⅱ-3-12 歯ブラシを用いた可撤式保定装置の洗浄
歯と接する部分は特にプラークが残りやすいため，丁寧に清掃を行う．

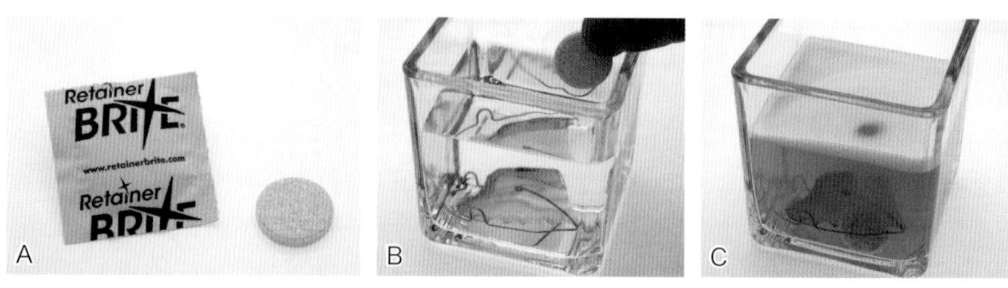

図Ⅱ-3-13　**洗浄剤を用いた可撤式保定装置の洗浄**
A：保定装置用の洗浄剤.
BC：容器にぬるま湯と保定装置を入れて洗浄剤を投入すると，洗浄剤が発泡して洗浄効果を発揮する.

図Ⅱ-3-14　**超音波洗浄器**
密封できる袋に義歯用洗浄液と可撤式保定装置を入れて，超音波洗浄器にかける.

入り込んで固まったりする可能性がある．また，熱可塑性樹脂で製作された装置に熱湯を使用すると変形してしまうため，いずれも使用しないよう注意する.

来院時にプロフェッショナルケアを行う際は，患者から保定装置を預かり，密閉した袋に保定装置と義歯用洗浄液を入れて超音波洗浄器にかけると，効果的な洗浄が行える（図Ⅱ-3-14).

2. 固定式保定装置

固定式保定装置の場合は，ワイヤーの下や歯頸部にプラークが停滞し，さらにそれが歯石になりやすいため，可撤式保定装置と比較すると，う蝕や歯周病のリスクが高い．そのため，リスク部位となるワイヤー下，隣接面，歯頸部のプラークコントロールが必要である（図Ⅱ-3-15)．これらの部位については，来院ごとにプラークや歯石の付着・沈着状況を診査し，ブラッシング状態を確認し，必要があればブラッシングの再指導を行う．また，リスク部位に焦点を当てたプロフェッショナルケアを行い，良好な口腔衛生状態を維持する.

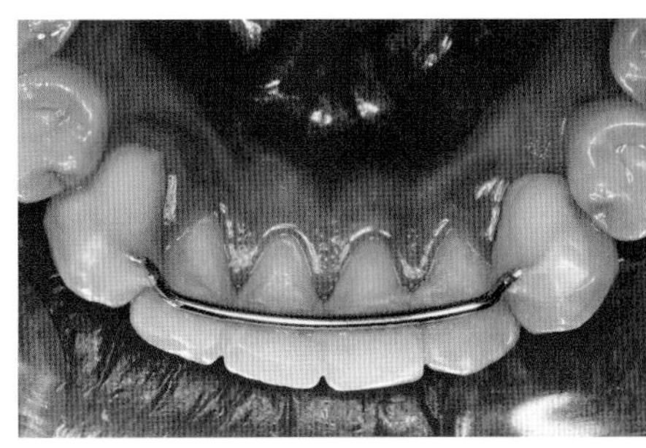
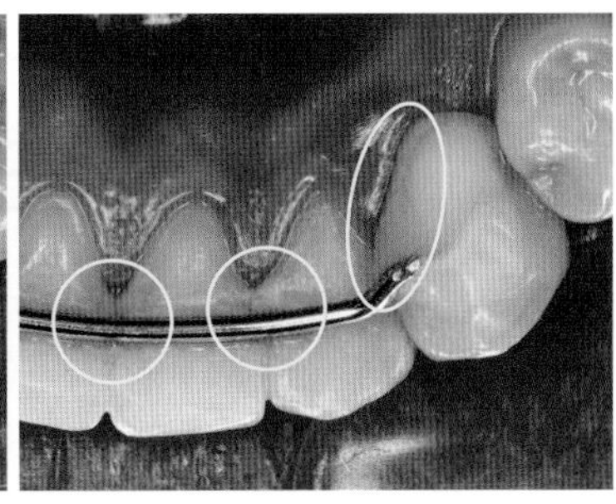

図Ⅱ-3-15　**下顎前歯部に装着した固定式保定装置（犬歯間保定装置）**
ワイヤー下から隣接面，歯頸部にかけて歯石を認める．

参考文献

1）Tedesco LA, Keffer MA, Davis EL, et al.：Effect of a social cognitive intervention on oral health status, behavior reports, and cognitions. J Periodontol, 63（7）：567-575, 1992.
2）Emler BF, Windchy AM, Zaino SW, et al.：The value of repetition and reinforcement in improving oral hygiene performance. J Periodontol, 51（4）：228-234, 1980.
3）厚生労働省：フッ化物洗口マニュアル（2022 年版）.
https://www.mhlw.go.jp/content/001037973.pdf
4）日本口腔衛生学会フッ化物応用委員会編：フッ化物応用の科学 第 2 版．口腔保健協会，東京，2018.
5）小野卓史，小海　暁 監修：矯正歯科のための重要 16 キーワード・ベスト 320 論文．クインテッセンス出版，東京，2017.
6）葛西一貴，新井一仁，須田直人ほか編：新・歯科衛生士教育マニュアル 歯科矯正学．クインテッセンス出版，東京，2015.

4章 矯正歯科治療に関わる歯科衛生の実践

到達目標

❶ 矯正歯科治療における歯科衛生業務に歯科衛生過程を活用できる．
❷ 混合歯列期の事例と歯科衛生過程を関連付けることができる．
❸ 永久歯列期の事例と歯科衛生過程を関連付けることができる．
❹ 成人の事例と歯科衛生過程を関連付けることができる．
❺ 歯科矯正用アンカースクリューを用いた事例と歯科衛生過程を関連付けることができる．
❻ 口唇裂・口蓋裂の事例と歯科衛生過程を関連付けることができる．
❼ 顎変形症の事例と歯科衛生過程を関連付けることができる．

一般に矯正歯科治療の期間は長く，治療前･治療中･治療後を通して，対象者（患者）は定期的に来院する．その間，対象者は進学や就職によって環境が変化したり，治療中は歯の移動に伴う痛みが生じたり，場合によっては矯正装置の種類や形態が変更されたりする．このように状況に応じて問題点は変化するため，歯科衛生士は歯科衛生過程を活用することで，対象者の健康状態や置かれている状況を理解し，対象者に合った介入方法を思考して実践することが求められる．

※歯科衛生過程の詳細は『歯科予防処置論・歯科保健指導論』p.100 ～ 119 を参照．

事例 01 ‖ 混合歯列期の事例

▪ 患者概要 ▪

8 歳 5 カ月，女児．保護者が前歯部の叢生と咬み合わせの異常を気にして受診し，上顎の劣成長および叢生と，乳臼歯早期脱落を伴う下顎前突と診断された．一期治療として①急速拡大装置による上顎骨の側方拡大，②上顎前方牽引装置による上顎骨の前方成長誘導を行い，二期治療としてはマルチブラケット装置を適用するという治療方針となった．

歯科衛生アセスメント（S：主観的情報 / O：客観的情報）

主訴

S　歯並びの“ でこぼこ ”と咬み合わせのずれが気になる．

現病歴

S　小学校低学年時に，学校歯科健診で永久歯萌出のスペース不足を指摘されていた.

S 現在，上顎犬歯が唇側に萌出してきており，前歯部の叢生と咬み合わせの異常を気にして矯正歯科治療を希望し，受診した.

既往歴

S 季節性の花粉症・アレルギー症状がある.

家族歴

S 両親ともに叢生がある.

S 兄（10 歳）と妹（4 歳）がおり，兄は上顎前突と叢生のためすでに矯正歯科治療を受けている.

顔貌所見

O 正貌：左右対称

O 側貌：直線型（ストレートタイプ）

口腔内所見（図Ⅱ-4-1）

O オーバージェット：−1.0 mm，オーバーバイト：+0.5 mm

O 顔面正中に対して，上顎歯列の正中は右側に 1.5 mm 偏位しており，下顎歯列の正中は顔面正中に一致している.

O 上顎は 2|2 の口蓋側転位，3| の低位と唇側転位を認め，やや歯列弓の狭窄を認める.

O 下顎は前歯部に軽度の叢生を認め，|E はう蝕により早期に抜歯されており，|6 は近心傾斜を呈している．|D は処置歯で，レジン修復の脱落を認める.

O 側方歯部の開咬を認める.

口腔清掃

S 1 日 2 回（朝晩）の口腔清掃が習慣になっている.

S 歯磨剤は使用しているが，フッ化物イオン濃度は気にしていない.

O 顕著な歯肉炎などは認めないが，上顎歯列の叢生が強く，低位・唇側転位している 3| と，口蓋側転位している 2|2 に磨き残しが認められる.

情報の解釈・分析

・う蝕による抜歯や処置の経験から，う蝕の発症リスクは高いと考えられる．叢生や生え変わりに伴う磨きにくさと，フッ化物の使用に対する意識・関心が低いことに加え，矯正装置の装着を予定しているため，今後のう蝕の発症には強い懸念

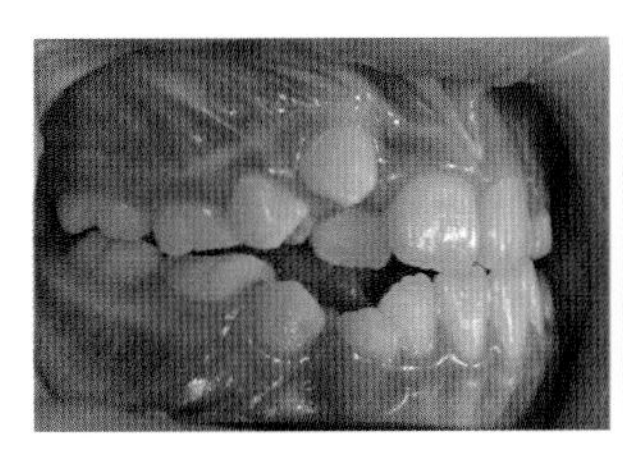
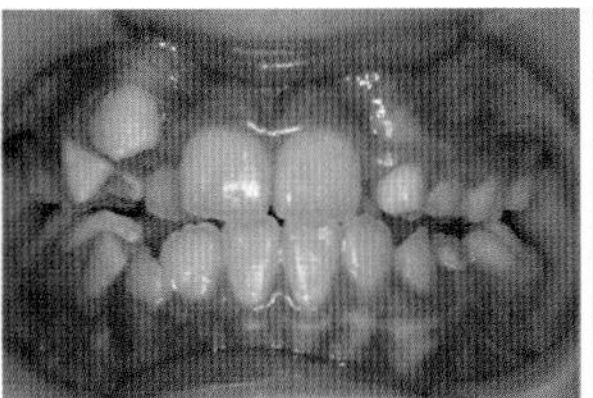
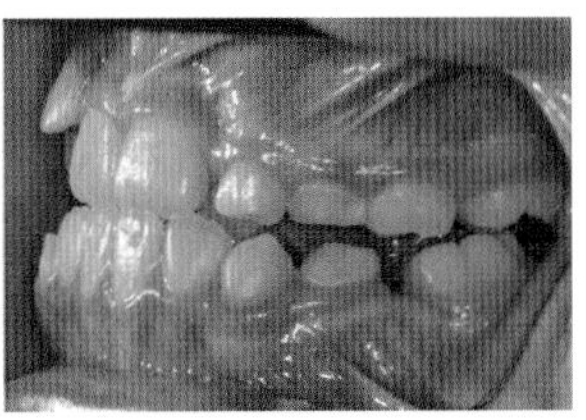

図Ⅱ-4-1　初診時の口腔内写真

がある．
・叢生や生え変わりに伴う磨きにくさから，特に上顎前歯部にプラークの残存が認められる．側方歯部は開咬であり，咬合による自浄作用が期待できない．矯正装置の装着予定もあり，今後歯肉炎が生じるリスクが高い．

本症例に対する歯科衛生士のアプローチ

混合歯列期における一期治療では，症例の不正咬合の状態によってさまざまな矯正装置が用いられる．特に固定式の矯正装置を適用する場合などは，口腔清掃は患者本人だけでは不十分になることが多く，保護者に対しても治療上の注意点や口腔清掃のサポートを指導することが必要になる．また口呼吸などの口腔習癖などが認められる場合には，機能訓練の指導を行うことも重要である．

さらに小児の場合には，客観的な評価に加え，日常の口腔清掃の状況や食行動の特徴，嗜好の聴き取りなども重要になる．

歯科衛生診断

口腔清掃不良に関連したう蝕と歯肉炎の発症リスク

歯科衛生計画の立案・歯科衛生介入・歯科衛生評価

歯科衛生診断　口腔清掃不良に関連したう蝕と歯肉炎の発症リスク
長期目標　う蝕・歯肉炎の発症リスクを低減できる．

短期目標	歯科衛生介入	歯科衛生評価（達成状況を示す指標）
保護者の仕上げ磨きが習慣化される（急速拡大装置の装着から1カ月後までに）．	E-P：急速拡大装置の装着時（図Ⅱ-4-2-A）には，維持バンド周辺を重点的にブラッシングするよう説明する．タフトブラシの使用を勧め，実際に保護者にブラッシングをしてもらいながら指導する． E-P：マルチブラケット装置の装着後（図Ⅱ-4-2-B, C）は，口腔清掃が困難になることを説明し，清掃方法を指導する．具体的には，歯面を分割してブラッシングする方法や，ブラケット周囲と歯頸部についてはタフトブラシや歯間ブラシを利用した清掃方法を指導する．	保護者は協力的であり，継続した仕上げ磨きでセルフケアをサポートしてもらった（全面達成）．

短期目標	歯科衛生介入	歯科衛生評価（達成状況を示す指標）
フッ化物を応用したセルフケアを継続実施できる（急速拡大装置の装着から1カ月後までに）.	E-P：う蝕予防のためのフッ化物応用について説明する．具体的には1,000 ppm程度のフッ化物配合歯磨剤を1 cm使用し，ブラッシングを行う．う蝕の発症リスクが高いため，理解が得られればフッ化物洗口の併用を勧める． E-P：中学校へ進学すると保護者の目が届きにくくなること，部活などで忙しくなることから，治療へのモチベーションが低下する傾向がみられる．来院時に生活背景をしっかり聴取し，実施可能なセルフケアについて話し合うようにする． C-P：来院時には，口腔衛生状態の確認と必要に応じてPTCを実施する．う蝕の発症リスクが高いことから，PTC実施時にはフッ化物配合の歯面研磨ペーストを使用する．	フッ化物配合歯磨剤を使用したセルフケアを実施できた．

治療結果

およそ5年の治療期間を通して，保護者の協力のもと矯正装置も滞りなく使用され，さらに仕上げ磨きなどのサポートが得られたため，う蝕や歯肉炎を予防することができた（図Ⅱ-4-3）．

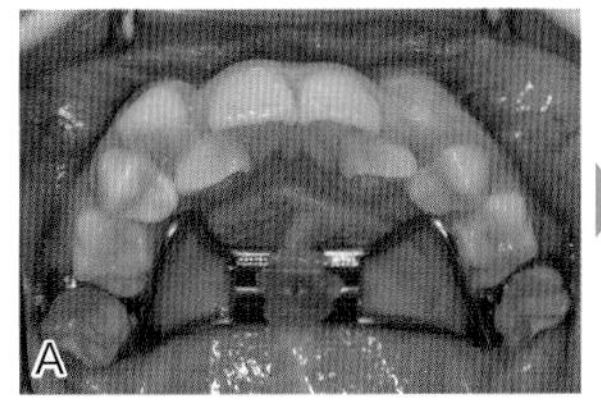

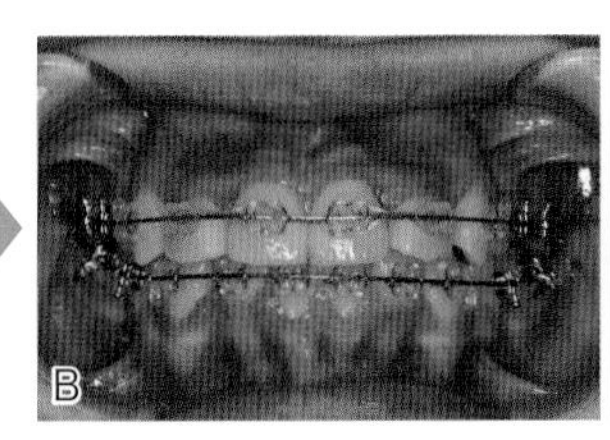

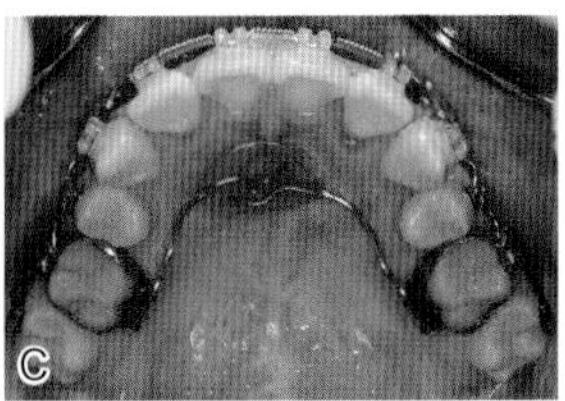

図Ⅱ-4-2　**一期治療と二期治療の口腔内写真**
A：急速拡大装置を用いた一期治療．
BC：マルチブラケット装置とNanceのホールディングアーチを併用した二期治療．

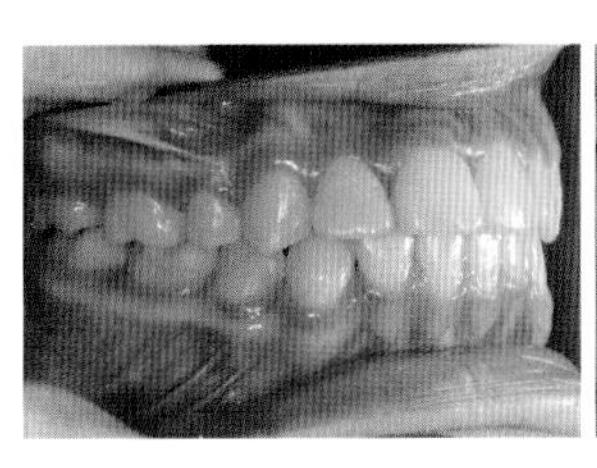
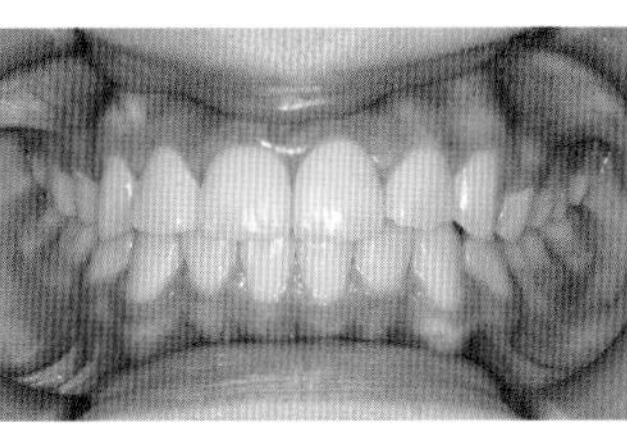

図Ⅱ-4-3　**治療後の口腔内写真**

事例 02 ‖ 永久歯列期の事例

▪ **患者概要** ▪

16歳，女子．前歯の叢生を気にして，かかりつけ歯科医から本院へ紹介された．上下口唇の突出と著しい叢生を伴う骨格性上顎前突，Angle Ⅰ級不正咬合と診断され，①口腔衛生指導，②上下顎第一小臼歯の抜去，③大臼歯部での固定源をパラタルアーチとヘッドギアで確保し，マルチブラケット装置にて歯列の排列と咬合の緊密化，ならびに口元の改善を行うという治療方針となった．

※本症例は歯科衛生ヒューマンニーズ概念モデルを活用している．

歯科衛生アセスメント

主訴

S 前歯の“がたがた”が気になる．

医科的既往歴・現病歴

S 尋常性ざ瘡，皮膚乾燥症

全身所見およびアレルギー

O 健康状態：良好

O 身長：158 cm，体重：52 kg，BMI：20.8

O アレルギー：なし

家族歴・家族構成

特記事項なし（父，母，本人，妹）

現病歴

S 半年ごとに定期健診でかかりつけ歯科を受診している．前歯部交換期に“がたがた”が目立つようになり，現在に至る．

顔貌所見（図Ⅱ-4-4）

O 正貌：ほぼ左右対称

O 側貌：凸顔型（コンベックスタイプ）．上下口唇が突出し，オトガイ部の緊張が認められる．

口腔内所見

O 歯数に異常は認められない．

O オーバージェット：＋4.0 mm，オーバーバイト：＋1.0 mm

O Angle Ⅰ級不正咬合

O 顔面正中に対して，下顎歯列の正中は右側に1 mm偏位している．

口腔衛生状態

O DMF歯数：7本，PCR：55%，PPD：3 mm以下

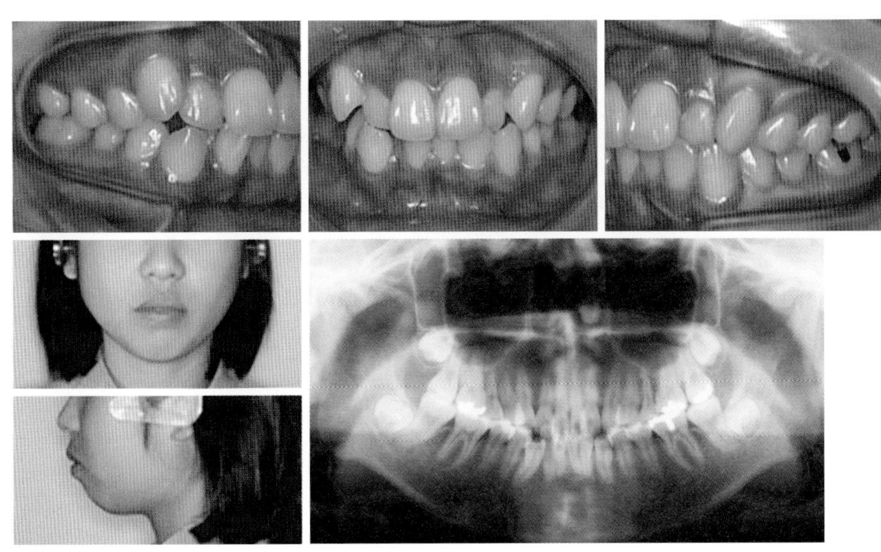

図Ⅱ-4-4　初診時の口腔内写真と顔面写真，パノラマエックス線写真

- O　唾液分泌速度：0.70 mL/ 分
- O　Dentobuff-STRIP：緑（唾液の最終 pH：4.5 ～ 5.5）
- O　Dentocult-SM：Class 1

その他

- O　口腔習癖：特記すべき口腔習癖は認められない．
- O　顎関節：左側顎関節にクリックが認められる．

情報の解釈・分析

Link
歯科衛生ヒューマンニーズ概念モデル
『歯科予防処置論・歯科保健指導論』p.104

歯科衛生ヒューマンニーズ概念モデルを用いて，詳細な情報の整理と解釈・分析を行う（表Ⅱ-4-1）．

本症例に対する歯科衛生士のアプローチ

本症例では，青年前期特有の心身の変化や学校生活のストレスなど，感受性の高い時期であることを理解し，ブラッシングや食事内容などの口腔衛生管理は，基本的に患者本人の責任で行えるように指導していく．

表Ⅱ-4-1　歯科衛生ヒューマンニーズ概念モデルを用いた情報の解釈・分析

歯科衛生ニーズ	情報（S O）	情報の解釈・分析
1. 健康上のリスクに対する防御	S 健康状態は良好，学校生活も楽しい． O 身長・体重・BMI，バイタルサイン異常なし．	全身の健康状態は良好で，矯正歯科治療を受けるうえで全身的な制約はない．
2. 不安やストレスからの解放	S 前歯の歯並びの“がたがた”が気になる． S 人前で話すとき，笑うときに気になる． S 矯正歯科治療には前向きである．	不正咬合に負のイメージがあり，他者との交流に不安を抱えている．強みは，治療に前向きであり期待を持っている．
3. 顔や口腔に関する全体的なイメージ	S 前歯の歯並びのがたがたが気になる． S 人前で話すとき，笑うときに気になる．	歯列や上下口唇の突出に不満足である．
4. 生物学的に安定した歯・歯列（硬組織の健康）	S 前歯の歯並びのがたがたが気になる． O 前歯部の叢生． O 臼歯部にインレー修復を複数認める． O DMF 歯数：7 本，PCR：55%，う蝕活動性試験結果は中等度である．	叢生を伴う骨格性上顎前突，Angle Ⅰ級不正咬合．臼歯部のインレー修復から，口腔衛生状態が低下するリスクが高いと考えられる．
5. 頭頸部の皮膚・粘膜の安定（軟組織の健康）	O 叢生部分には歯肉の腫脹を示す． O PPD：3 mm 以下．	叢生部分の適切な口腔衛生管理の不足による歯肉の腫脹があり，歯周組織の悪化，感染のリスクがある．
6. 頭頸部の疼痛からの解放	O 口腔内外の疼痛，知覚の異常なし． O 痛みを伴わない左側顎関節のクリックが認められる． O 矯正装置を長時間装着している．	左側顎関節のクリックがあることを踏まえ，予測される成長の変化を考慮し，矯正装置の装着による物理的な不快感がないか観察を要する．
7. 概念化と理解（口腔健康に関する知識）	S 人前で話すとき，笑うときに気になる． S 矯正歯科治療には前向きである． S 使用している清掃用具は歯ブラシのみ． O 装着される矯正装置の特徴を十分に理解できていない．	ブラッシングの知識不足．装着される矯正装置の特徴を十分理解できていないが，強みとして，本人が矯正治療に前向きであり，正しい口腔衛生管理の方法を修得しようとしている．
8. 口腔の健康に関する責任（口腔健康に関する行動）	S 歯並びは気になるが今まで放置している．かかりつけ歯科医には半年ごとの定期健診で受診． S ブラッシングは本人管理，使用している清掃用具は歯ブラシのみ．ブラッシングは1日2回（朝食後，就寝前）で，学校ではブラッシングができないことが多い． S 間食は学校帰りにときどきスナック菓子，グミキャンディを間食している．糖含有飲料の摂取習慣はなし．	学校生活上の制約，間食を含め食生活の管理，口腔衛生管理が本人管理に委ねられることから，口腔衛生状態が低下するリスクが高い．

歯科衛生診断

口腔清掃不良によるプラークコントロール不足に関連した歯肉炎とう蝕の発症リスク

歯科衛生計画の立案・歯科衛生介入・歯科衛生評価

歯科衛生診断　口腔清掃不良によるプラークコントロール不足に関連した歯肉炎とう蝕の発症リスク

長期目標　矯正歯科治療中のプラークコントロールの管理と正しいブラッシング法を身につける.

短期目標	歯科衛生介入	歯科衛生評価 （達成状況を示す指標）
定期的に歯科健診を受け，矯正装置装着前に一般的な正しいブラッシング法を身につける.	O-P：PCR, 歯肉の状態, 指導内容の理解度を確認する. C-P：矯正装置装着前の医療面接により不明点・不安を軽減する. E-P：矯正治療開始前の TBI を実施する. ・歯垢染色により清掃不十分な部位を確認する. ・清掃用具の選択方法を指導する.	○月○日 O-P，E-P を実施. 指導内容を理解し，適切な方法でブラッシングができている．PCR 低下. 短期目標達成.
矯正装置装着開始時の TBI により正しいブラッシング法を身につける.	O-P：PCR の維持，プラークの付着部位・程度，清掃方法の理解度，ブラッシング指導後の PCR を確認する. C-P：矯正装置装着後の PMTC を行う. E-P：矯正装置装着時・装着後の口腔衛生指導を行う. ・歯垢染色により清掃不十分な部位を確認する. ・矯正装置装着時の歯ブラシの当て方，清掃用具の種類と使い方を指導する. ・実際に具体的な磨き方を示す. E-P：フッ化物の応用について説明する（フッ化物配合歯磨剤の使用，フッ化物洗口，フッ化物歯面塗布）. C-P：フッ化物歯面塗布を行う.	△月△日 O-P，E-P 実施. 歯ブラシの当て方が不十分なため，計画を続行する. 次回来院時に再評価.

治療結果

2年6カ月の動的治療期間を経て，咬合の緊密化と良好な側貌が得られた．その後，上下顎歯列に保定装置を装着し，保定が行われた（図Ⅱ-4-5）.

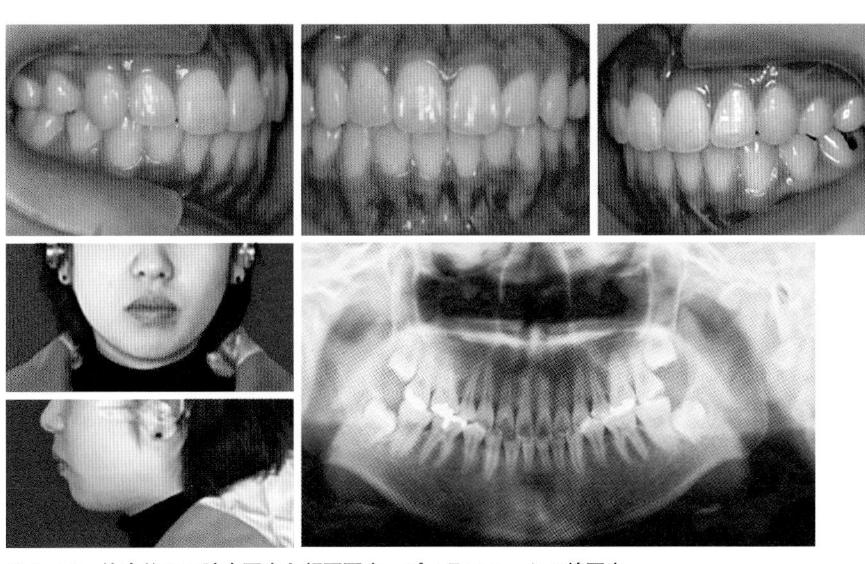

図Ⅱ-4-5　治療後の口腔内写真と顔面写真，パノラマエックス線写真

事例 03 成人（歯周病患者）の事例

▪ 患者概要 ▪

45 歳，女性．上顎左側中切歯の叢生を自覚して近医を受診し，全顎的に進行した歯周炎と歯列不正が認められたため，当院を紹介され受診した．広汎性中等度慢性歯周炎を伴う前歯部の叢生と診断され，①歯周基本治療，②歯周外科治療，③マルチブラケット装置による矯正歯科治療（叢生解消のため⌈1 を抜歯），④保定・メインテナンスという治療方針となった．

〈①歯周基本治療〉の実施前と，〈②矯正歯科治療〉の開始前に歯科衛生過程を実施した．本項では主に,〈③矯正歯科治療〉の開始前に実施した歯科衛生過程について述べる．

歯科衛生アセスメント（歯周基本治療の実施前）

主訴

S 飛び出している前歯を治したい．

既往歴

特記事項なし

口腔内所見（図Ⅱ-4-6）

〈歯〉

O ⌊1 唇側傾斜，上下顎前歯部の叢生

O 7 6⌋，⌈6 に補綴治療が認められる．

〈歯周組織〉

O 上下顎前歯部に歯肉腫脹を認める．

O ⌊1 近心の PPD：10 mm，BOP（＋），動揺度：1

O 下顎前歯部に深いポケットが集中している．

O PCR：57.1%，BOP（＋）：51.8%

O ⌊1 2，2 1⌉⌈1 2 の動揺度：1

〈う蝕活動性試験〉

O 唾液分泌量：6.8 mL/ 分

O Dentobuff-STRIP：青（唾液の最終 pH≧6.0）

O Dentocult-SM：Class 3，Dentocult-LB：Class 2

〈その他〉

S 食事は 1 日 3 食，間食 1 回．

O DMF 歯数：7 本

O 口腔習癖：グラインディング，クレンチング

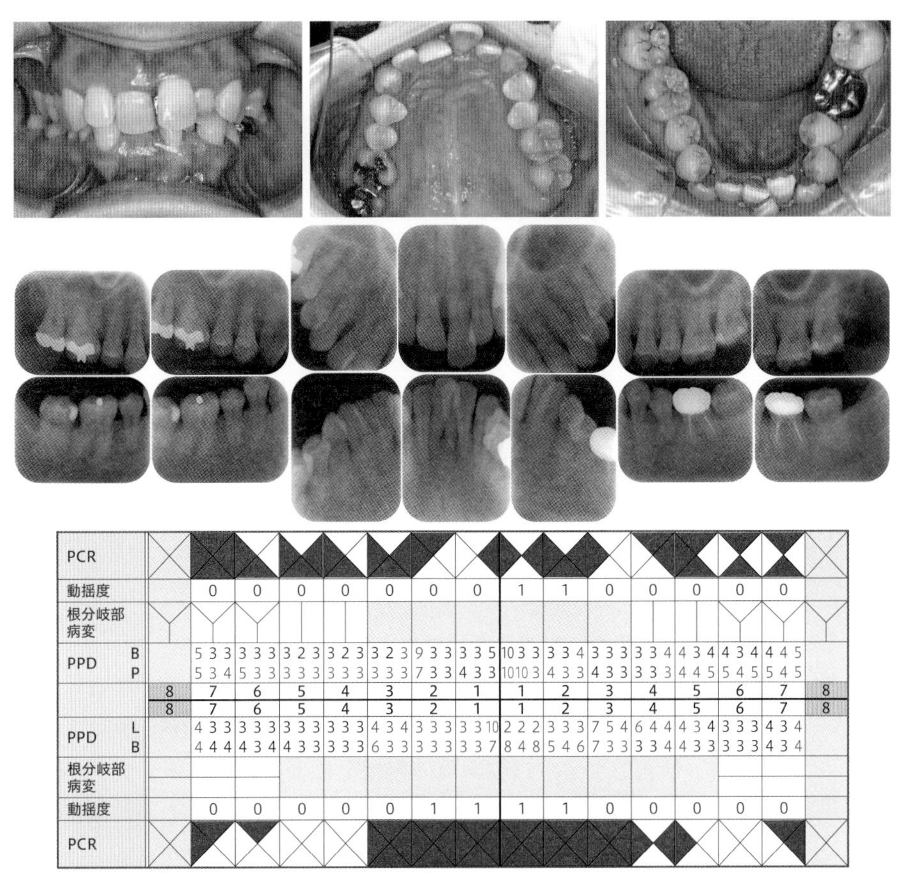

	8	7	6	5	4	3	2	1	1	2	3	4	5	6	7	8
PCR																
動揺度		0	0	0	0	0	0	0	1	1	0	0	0	0	0	
根分岐部病変																
PPD B		5 3 3	3 3 3	3 2 3	3 2 3	3 2 3	9 3 3	3 3 5	10 3 3	3 3 4	3 3 3	3 3 4	4 3 4	4 3 4	4 4 5	
PPD P		5 3 4	5 3 3	3 3 3	3 3 3	3 3 3	7 3 3	4 3 3	10 10 3	4 3 3	4 3 3	3 3 3	4 4 5	5 4 5	5 4 5	
	8	7	6	5	4	3	2	1	1	2	3	4	5	6	7	8
PPD L		4 3 3	3 3 3	3 3 3	3 3 3	4 3 4	3 3 3	3 3 10	2 2 2	3 3 3	7 5 4	6 4 4	4 3 4	3 3 3	4 3 4	
PPD B		4 4 4	4 3 4	4 3 3	3 3 3	6 3 3	3 3 3	3 3 7	8 4 8	5 4 6	7 3 3	3 3 4	4 3 3	3 3 3	4 3 4	
根分岐部病変																
動揺度		0	0	0	0	0	1	1	1	1	0	0	0	0	0	
PCR																

図Ⅱ-4-6　初診時の口腔内写真，デンタルエックス線写真，歯周組織検査の結果

口腔清掃

S　ブラッシングは朝食後，昼食後，就寝前の3回行っている．

S　歯ブラシ，デンタルフロスを使用している．ときどき歯間ブラシを使用している．

情報の解釈・分析

- 1日3回ブラッシングをし，デンタルフロスも使用しているが，上下顎前歯部の叢生部のプラーク残存が顕著であり，歯肉の炎症も確認できる．叢生部に対する清掃方法の知識と技術が不足していると考えられる．この状態が続くと，歯肉の炎症がさらに進み，円滑に矯正歯科治療に移行できなくなる可能性がある．
- 患者は叢生に対する気づきはあるが，歯肉に関する発言はみられない．歯周病に関する知識が不足しており，また矯正歯科治療と歯周病の関係について理解できておらず，現在の口腔内状態への危機感が薄いと考えられる．
- PCR，DMF歯数，Dentocult-SMとDentocult-LBの結果より，う蝕のリスクが高い．
- 前歯部の審美を気にしていることから，口腔に対する関心は高いと考えられる．

これを強みとし，モチベーションを高めていく必要がある．

歯科衛生アセスメント（矯正歯科治療の開始前）

口腔内所見（図Ⅱ-4-7）

- O　PCR：4.6%，BOP（+）：1.2%
- O　|1 の動揺度：1
- O　全顎的に PPD は 4 mm 以下になった．

情報の解釈・分析

・歯周基本治療と歯周外科治療により，大幅な改善が確認できた．

・矯正歯科治療の開始後は歯周病の悪化に加え，う蝕の発症リスクを軽減する必要がある．

本症例に対する歯科衛生士のアプローチ

成人患者は歯周病を有していることが多く，その場合は原則として，歯周治療を実施した後に矯正歯科治療を開始する．矯正歯科治療により歯列に関する審美性が改善しても，口腔環境の複雑化によってブラッシングが困難になり（図Ⅱ-4-8），歯周病およびう蝕を発症することもある．そのため，矯正歯科治療において歯科衛生士の介入は非常に重要である．また，口腔衛生状態の改善が患者自身の努力と結びついていることを意識づけ，歯科衛生介入とともにセルフケアの重要性を理解させることが，治療の成否に関わるといえる．

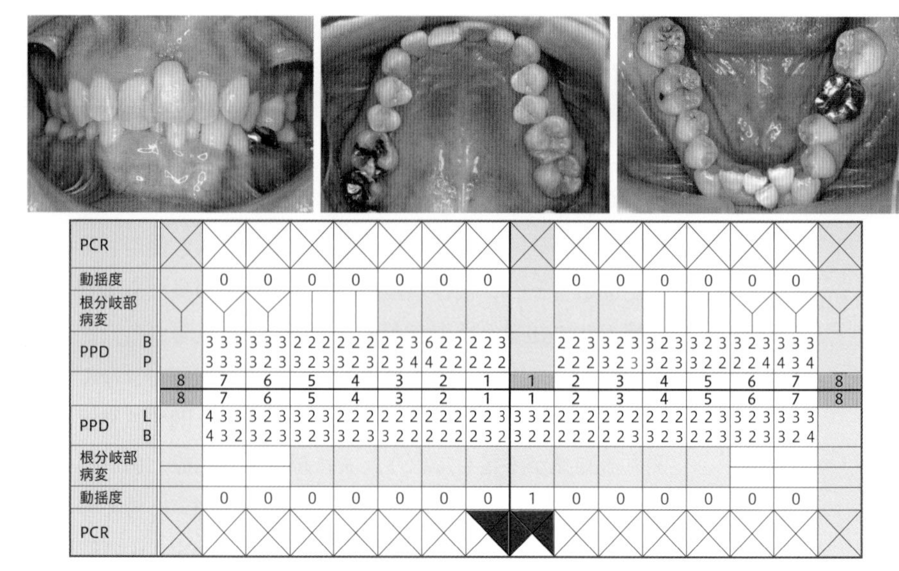

PCR																
動揺度		0	0	0	0	0	0	0		0	0	0	0	0	0	
根分岐部病変																
PPD B		3 3 3	3 3 3	2 2 2	2 2 2	2 2 3	6 2 2	2 2 3		2 2 3	3 2 3	3 2 3	3 2 3	3 2 3	3 3 3	
PPD P		3 3 3	3 2 3	3 2 3	3 2 3	2 3 4	4 2 2	2 2 2		2 2 2	3 2 3	3 2 3	3 2 2	2 2 4	4 3 4	
	8	7	6	5	4	3	2	1	1	2	3	4	5	6	7	8
	8	7	6	5	4	3	2	1	1	2	3	4	5	6	7	8
PPD L		4 3 3	3 2 3	3 2 3	2 2 2	2 2 2	2 2 2	2 2 3	3 3 2	2 2 2	2 2 2	2 2 2	2 2 3	3 2 3	3 3 3	
PPD B		4 3 2	3 2 3	3 2 3	3 2 3	3 2 2	2 2 2	2 3 2	3 2 2	2 2 2	2 2 3	3 2 3	2 2 3	3 2 3	3 2 4	
根分岐部病変																
動揺度		0	0	0	0	0	0	0	1	0	0	0	0	0	0	
PCR																

図Ⅱ-4-7　**歯周基本治療後の口腔内写真と歯周組織検査の結果**
上顎左側中切歯（|1）は骨欠損が多く保存不可能と判断され，歯周外科治療時に抜去された．抜去歯は歯冠部で切断され，歯科用接着材で両隣在歯に暫間固定されている．

歯科衛生診断

#1：矯正装置の装着に伴う口腔清掃技術不足によるう蝕リスクの亢進状態

#2：口腔清掃不良による病状安定となった歯周組織の悪化のリスク状態

歯科衛生計画の立案・歯科衛生介入・歯科衛生評価

歯科衛生診断　#1：矯正装置の装着に伴う口腔清掃技術不足によるう蝕リスクの亢進状態

長期目標　口腔衛生管理を継続することができる(マルチブラケット装置装着から1年後まで).

短期目標	歯科衛生介入	期待される結果	歯科衛生評価（達成状況を示す指標）
矯正装置に適した口腔清掃を実施することができる(マルチブラケット装置装着から1カ月後まで).	E-P：う蝕の原因について説明する. E-P：う蝕予防のための食生活指導を行う. E-P：う蝕とプラークとの関連について説明する. E-P：フッ化物の応用について説明する（フッ化物配合歯磨剤, フッ化物洗口, フッ化物歯面塗布). E-P：矯正歯科治療中の口腔清掃の重要性について説明する. E-P：口腔清掃方法を指導する（タフトブラシ, 歯間ブラシの活用). C-P：矯正歯科治療中, 月1回PMTCを実施する. C-P：フッ化物歯面塗布を実施する.	・口腔内状態が安定する. ・う蝕の発症を予防できる. ・矯正歯科治療が奏功する.	口腔清掃を適切に行うことができており, プラーク量が減少した（PCR：1.0%, 図Ⅱ-4-9, 全面達成).

歯科衛生診断　#2：口腔清掃不良による病状安定となった歯周組織の悪化のリスク状態

長期目標　口腔衛生管理を継続することができる(マルチブラケット装置装着から1年後まで).

短期目標	歯科衛生介入	期待される結果	歯科衛生評価（達成状況を示す指標）
矯正装置に適した口腔清掃を実施することができる(マルチブラケット装置装着から1カ月後まで).	E-P：矯正歯科治療中の口腔清掃の重要性について説明する. E-P：口腔清掃方法を指導する（タフトブラシ, 歯間ブラシの活用). C-P：矯正歯科治療中, 月1回PMTCを実施する.	・口腔内状態が安定する. ・歯周病の悪化を予防できる. ・矯正歯科治療が奏功する.	歯肉の炎症は消退し, プラーク量も減少した（PCR：1.0%, BOP（+）:0%, 図Ⅱ-4-9, 全面達成).

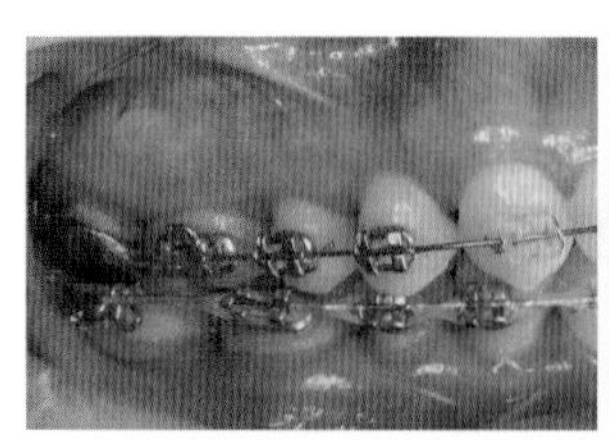
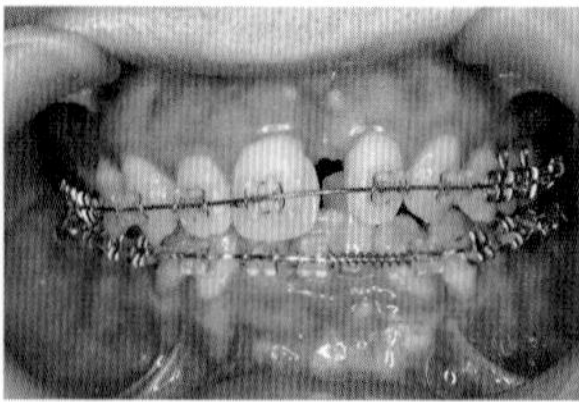
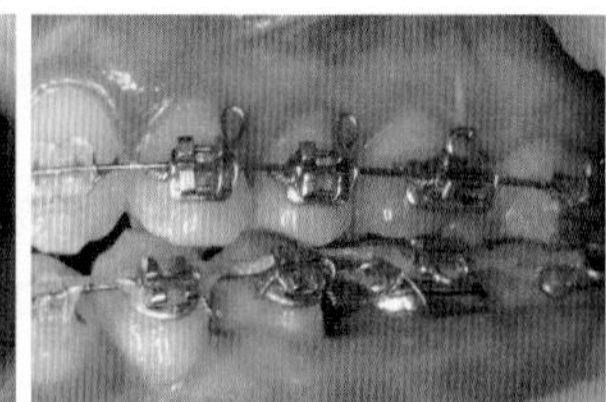

図Ⅱ-4-8　**矯正歯科治療中の口腔内写真**
下顎前歯部の叢生の解消のため，下顎左側中切歯（┌1）を抜去した．

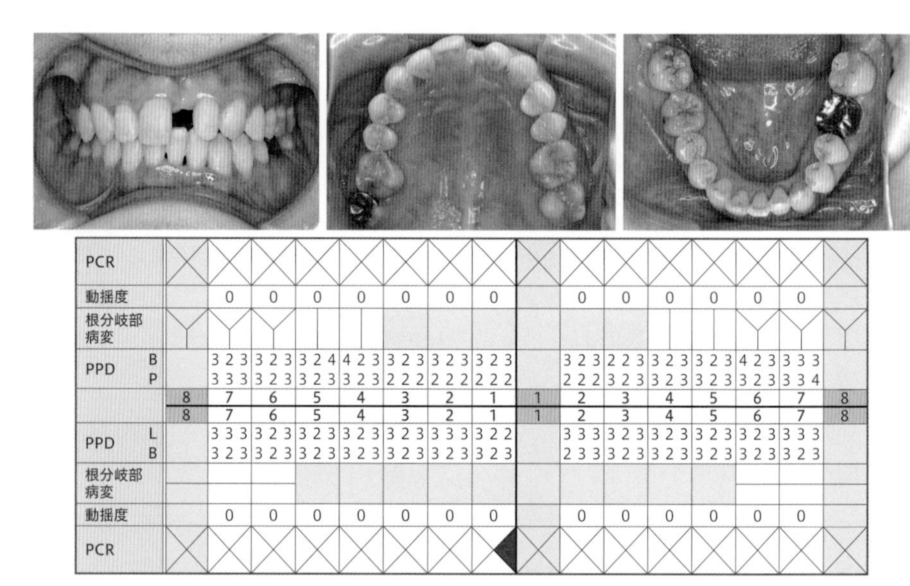

PCR																
動揺度		0	0	0	0	0	0	0		0	0	0	0	0	0	
根分岐部病変																
PPD B		3 2 3	3 2 3	3 2 4	4 2 3	3 2 3	3 2 3	3 2 3		3 2 3	2 2 3	3 2 3	3 2 3	4 2 3	3 3 3	
PPD P		3 3 3	3 2 3	3 2 3	3 2 3	2 2 2	2 2 2	2 2 2		2 2 2	3 2 3	3 2 3	3 2 3	3 2 3	3 3 4	
	8	7	6	5	4	3	2	1	1	2	3	4	5	6	7	8
	8	7	6	5	4	3	2	1	1	2	3	4	5	6	7	8
PPD L		3 3 3	3 2 3	3 2 3	3 2 3	3 2 3	3 3 3	3 2 2		3 3 3	3 2 3	3 2 3	3 2 3	3 2 3	3 3 3	
PPD B		3 2 3	3 2 3	3 2 3	3 2 3	3 2 3	3 2 3	3 2 3		2 3 3	3 2 3	3 2 3	3 2 3	3 2 3	3 2 3	
根分岐部病変																
動揺度		0	0	0	0	0	0	0		0	0	0	0	0	0	
PCR																

図Ⅱ-4-9　**矯正歯科治療終了時の口腔内写真と歯周組織検査の結果**

事例 04 マルチブラケット装置に歯科矯正用アンカースクリューを併用した事例

■ **患者概要** ■

23歳，女性．叢生と口元の突出感を主訴として受診した．歯性の上下顎前突，Angle I 級不正咬合と診断され，①上下顎両側第一小臼歯の抜去，②歯科矯正用アンカースクリューを併用したマルチブラケット装置による矯正歯科治療，③保定という治療方針となった．

Link
歯科矯正用アンカースクリューによるトラブル
p.140

歯科衛生アセスメント

主訴

S 左上のネジの周囲が腫れている．

既往歴

特記事項なし

口腔内所見（図Ⅱ-4-10）

〈歯〉

O 全顎にマルチブラケット装置を装着している．

〈歯周組織〉

O |3 遠心の歯肉頬移行部の歯肉に腫脹が認められる．

〈その他〉

O 歯科矯正用アンカースクリューのヘッド部分が歯肉に埋没している．

O エラスティックチェーンにプラークが付着している．

O 口腔習癖：口を開けて寝る．

口腔清掃

S ブラッシングは朝と夜の1日2回行い，1回につき3分以上かけて磨いている．

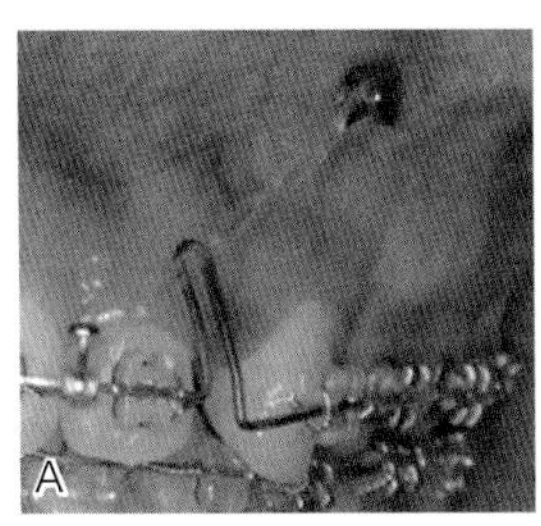

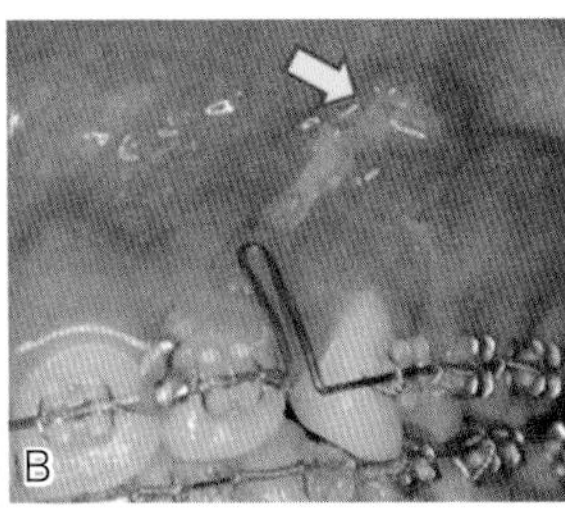

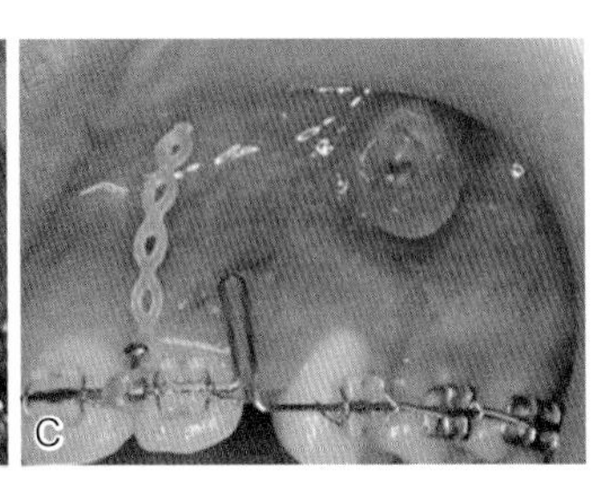

図Ⅱ-4-10 **歯科矯正用アンカースクリュー周囲の歯肉腫脹**
A：歯科矯正用アンカースクリューの埋入直後．3|3 遠心の歯肉頬移行部に歯科矯正用アンカースクリューを埋入することで，上顎前歯部の圧下をはかった．
B：埋入から1カ月後．歯科矯正用アンカースクリュー周囲の歯肉が腫脹し，スクリューのヘッド部が埋没している（矢印）．またエラスティックチェーンにプラークが付着している．
C：エラスティックチェーンの撤去時．腫脹した歯肉内にわずかにヘッド部が確認できる．

情報の解釈・分析

・歯科矯正用アンカースクリューの周囲は見えにくい部分であるにも関わらず，患者は周囲の炎症に気がついていることから，普段から自身の口腔内の観察を行えているが，知識がなく行動に移せていないことが考えられる．
・歯肉腫脹の改善に対する質問がないことから，腫脹が引き起こされる原因について知らないことが予想される．
・すでに矯正装置を装着していることから，口腔清掃の重要性についてある程度理解できていることが推測される．
・この状態が続くと，他の部位にまで炎症が波及する可能性があり，歯科矯正用アンカースクリューへの悪影響も考えられる．

本症例に対する歯科衛生士のアプローチ

歯科矯正用アンカースクリューの周囲はプラークが付着しやすく，炎症による歯肉の腫脹を生じたり，歯科矯正用アンカースクリューが脱落したりする場合もある．これらを予防するために，歯科衛生介入によって歯科矯正用アンカースクリュー周囲やエラスティックチェーンの清掃の必要性について指導を行う必要があり，口腔衛生状態を良好に保つことが重要である．

歯科衛生診断

口腔清掃技術の不足による歯肉の腫脹

歯科衛生計画の立案・歯科衛生介入・歯科衛生評価

歯科衛生診断　口腔清掃技術の不足による歯肉の腫脹
長期目標　歯科矯正用アンカースクリュー周囲の歯肉の炎症が改善する（歯科衛生介入から2カ月後まで）．

短期目標	歯科衛生介入	期待される結果	歯科衛生評価（達成状況を示す指標）
矯正装置周囲の清掃方法を実践できる（歯科衛生介入から2週間後まで）．	E-P：矯正装置周囲の清掃方法を指導する（軟毛のタフトブラシで歯科矯正用アンカースクリュー周囲とエラスティックチェーンを清掃する）． E-P：洗口剤を用いた洗口方法を指導する．	・歯科矯正用アンカースクリュー周囲のプラーク付着状況が改善する． ・歯科矯正用アンカースクリュー周囲の歯肉腫脹が消退する．	炎症が改善したことから，矯正装置周囲の適切な清掃が実施できていると判断できた（全面達成）．
継続した口腔清掃を行うことができる（歯科衛生介入から4週間後まで）．			歯科矯正用アンカースクリュー，エラスティックチェーンのプラーク付着が改善され，口腔清掃も継続されている（全面達成）．

事例 05 ‖ 口唇裂・口蓋裂の事例

▪ 患者概要 ▪

6歳6カ月，女児．左側口唇裂・口蓋裂に伴う反対咬合であることから，口腔外科より紹介された．左側口唇裂・口蓋裂に起因した上顎の著しい狭窄と劣成長による骨格性下顎前突と診断され，①口腔衛生指導，②成長を利用した上顎骨の前方成長促進・上顎狭窄歯列弓の側方拡大，③歯列形態および前歯部叢生の改善後，左側顎裂部の骨欠損に対する骨移植，④成長終了後の再診断後，マルチブラケット装置による咬合の緊密化をはかるという治療方針となった．

※本症例は歯科衛生ヒューマンニーズ概念モデルを活用している．

歯科衛生アセスメント

Link
口唇裂・口蓋裂
p.124-127

主訴

S 左側口唇裂・口蓋裂に伴う反対咬合

医科的既往歴

S 滲出性中耳炎

全身所見およびアレルギー

O 健康状態：良好

O 身長 115 cm，体重 17 kg，Rohrer 指数 111.7（痩せ気味）

O アレルギー：なし

家族歴・家族構成

特記事項なし（父，母，本人．両親は共働き）

現病歴

S 生後3カ月で口唇形成術，1歳6カ月で口蓋形成術が施行され，経過観察が行われている．

S 5歳6カ月より言語療法を開始している．

顔貌所見（図Ⅱ-4-11）

O 上顎の劣成長による中顔面の陥凹感と，下顎オトガイの突出感を示す．

口腔内所見（図Ⅱ-4-11）

O 上顎の著しい狭窄，左側に骨欠損を伴う顎裂，前歯部の叢生を認める．

O オーバージェット：−8.5 mm，オーバーバイト：+6.3 mm

O 両側性交叉咬合，前歯部は逆被蓋を示す．

O 顔面正中に対して，上顎歯列の正中は左側へ5 mm 偏位している．

口腔衛生状態

O DMF 歯数：2本，PCR：70%，特に前歯部の顎裂部周囲のプラーク残存を

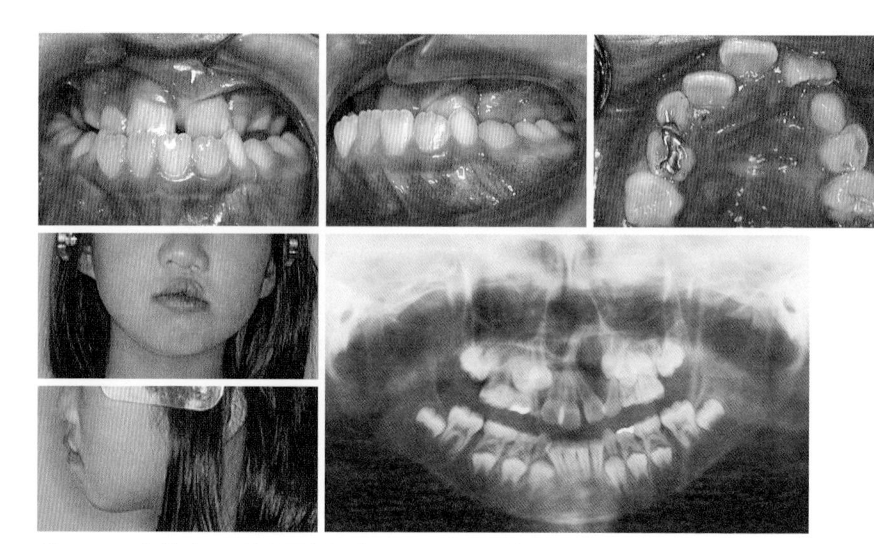

図Ⅱ-4-11 初診時の口腔内写真とパノラマエックス線写真，顔面写真

認める．

- O 唾液分泌速度：0.76 mL/分
- O Dentobuff-STRIP：青（唾液の最終 pH≧6.0）
- O Dentocult-SM：Class 2
- S ブラッシングは母親が仕上げ磨きを行っている．

その他

- O 口腔習癖：特記すべき口腔習癖は認められない．
- O 構音検査ではわずかに音声が鼻から抜けて（開鼻声），軽微な鼻咽腔閉鎖機能不全を認める．

情報の解釈・分析

歯科衛生ヒューマンニーズ概念モデルを用いて，詳細な情報の整理と解釈・分析を行う（表Ⅱ-4-2）．

本症例に対する歯科衛生士のアプローチ〈初診時（乳歯列期・混合歯列期）〉

幼児期から学童期の患児であるため，口腔健康管理（口腔清掃・食生活習慣，食動作，栄養・食事内容など）は，保護者の管理のもとに行われる．しかし，患者の精神的な成長に伴い，指導の基本的な対象は，保護者から患者本人へ移行していくことも考慮に入れなければならない．また，歯科医師だけでなく形成外科医や言語聴覚士などの他職種とも協力する必要がある．

表Ⅱ-4-2　歯科衛生ヒューマンニーズ概念モデルを用いた情報の解釈・分析

歯科衛生ニーズ	情報（S O）	情報の解釈・分析
1. 健康上のリスクに対する防御	S 健康状態は良好，学校生活も楽しい． O 身長・体重・Rohrer 指数，バイタルサイン異常なし．	やや痩せ傾向であるが，全身の健康状態は良好で，矯正歯科治療を受けるうえで全身的な制約はない．
2. 不安やストレスからの解放	S 反対咬合を心配している． S 開鼻声で，人前で話すのは苦手．聞き間違えられるのが嫌． S 矯正歯科治療は怖がらず，協力的である． S 保護者は患児の障害を受容し，最大限の努力をしたいと考えている．	不正咬合に負のイメージがあり，他者との交流に不安を抱えている．強みは，治療に恐怖心がなく協力的である．保護者が患児の障害を受容し，治療に前向きである．
3. 顔や口腔に関する全体的なイメージ	S 保護者は左側口唇裂・口蓋裂に伴う反対咬合を心配している．	歯列や骨格性下顎前突に不満がある．
4. 生物学的に安定した歯・歯列（硬組織の健康）	S 咬合異常による咀嚼が難しい．前歯で噛み切れない． O 左側口唇裂・口蓋裂，上顎の著しい狭窄． O DMF 歯数：2 本，PCR：70%，う蝕活動性試験結果は中等度である．前歯部の顎裂部周囲にプラークが残存している．	左側口唇裂・口蓋裂．口腔衛生管理が難しい前歯部の顎裂部周囲にプラーク残存が認められ，口腔衛生状態が低下するリスクが高い．
5. 頭頸部の皮膚，粘膜の安定（軟組織の健康）	O 前歯部の顎裂部周囲の歯周組織が脆弱．	前歯部の顎裂部への口腔清掃不足によるプラーク付着があり，歯周組織の悪化，感染のリスクがある．
6. 頭頸部の疼痛からの解放	S まれに飲料が鼻から漏れる． S 中耳炎になりやすい． O 軽微で持続的な鼻咽腔閉鎖機能不全． O 口腔内外の疼痛・知覚の異常なし．	軽微で持続的な鼻咽腔閉鎖機能不全から，鼻漏や中耳炎を起こしやすく，感染兆候の観察を要する．
7. 概念化と理解（口腔健康に関する知識）	S 軟らかいものばかり食べる，野菜が嫌い． S 矯正歯科治療は怖がらず，協力的である． S 清掃用具は歯ブラシのみ． O 装着される矯正装置の特徴を十分に理解できていない．	咀嚼困難から軟食傾向で，食習慣や口腔清掃の知識不足．矯正装置についての理解が不十分であるが，本人と保護者が治療に前向きであることが強みである．
8. 口腔の健康に関する責任（口腔健康に関する行動）	S 野菜嫌い．丸呑みが多く，軟らかいものを好み，よく噛まない． S 一口量の調整にばらつきあり． S ブラッシングは本人，保護者が仕上げ磨き，清掃用具は歯ブラシのみ，1 日 2 回実施（朝食後，就寝前），学校ではブラッシングができない． O 間食はプリン，ゼリー，アイスクリーム，飴など．糖含有飲料の摂取習慣はなし．	咀嚼機能の獲得に遅れがあり，食物の噛み取り，一口量の調整が不十分．軟食嗜好で，丸呑み傾向がある．咀嚼を必要とする野菜の摂取が少ない．口腔清掃習慣が不十分で，口腔衛生状態の悪化リスクが高い．

歯科衛生診断

＃1：矯正歯科治療における本人および保護者の口腔健康管理の知識不足に関連した口腔衛生状態の不良

＃2：左側口唇裂・口蓋裂，不正咬合に伴う咀嚼障害による食行動・食習慣の発達の遅れ

歯科衛生計画の立案・歯科衛生介入・歯科衛生評価

歯科衛生診断　#1：矯正歯科治療における本人および保護者の口腔健康管理の知識不足に関連した口腔衛生状態の不良

長期目標　本人および保護者ともに，矯正歯科治療に伴う口腔健康管理の知識と，適切なブラッシング法を身につける．

短期目標	歯科衛生介入	歯科衛生評価（達成状況を示す指標）
口腔清掃の重要性を理解する．	O-P：PCR，本人および保護者の現状の理解度，達成感や心理的・精神的反応を確認する． E-P：プラークコントロールの重要性と，保護者の支援の必要性を説明する．	○月×日 O-P，E-P を実施． 継続指導し，治療へのモチベーションを高める． 次回来院時に再評価．
矯正歯科治療に伴う口腔環境の変化を理解する．	O-P：PCR，現状の理解度，達成感や心理的・精神的反応を確認する． E-P：歯の移動に伴い，ブラッシングの工夫が必要であることを説明する． C-P：できていることを認め継続支援する．PMTC を行う．	△月×日 O-P，E-P，C-P を実施． 自己効力感を高める．継続指導を続行． 次回来院時に再評価．
定期的に歯科健診を受け，適切な口腔清掃方法を身につける．	O-P：PCR，歯肉の状態（PMA），指導内容の理解度を確認する． E-P：矯正歯科治療開始前のブラッシング指導を実施する（PCR の説明，口腔清掃用具の選択方法の指導）． C-P：定期的にプロフェッショナルケアを行う（スケーリング，PMTC）． E-P：フッ化物の応用について説明する（フッ化物配合歯磨剤の使用，フッ化物洗口，フッ化物歯面塗布）． C-P：フッ化物歯面塗布を行う．	□月○日 O-P，E-P，C-P を実施． 指導内容を理解し，適切な方法でブラッシングができている．PCR 低下．

歯科衛生診断　#2：左側口唇裂・口蓋裂，不正咬合に伴う咀嚼障害による食行動・食習慣の発達の遅れ

長期目標　口腔機能訓練を継続し，咀嚼機能を維持・向上させることができ，定型発達に基づく食行動・食習慣を身につける．

短期目標	歯科衛生介入	歯科衛生評価（達成状況を示す指標）
定期的に口腔機能訓練を受け，定型発達に基づく咀嚼機能・嚥下機能が獲得できる．	O-P：口腔習癖，摂食時の口腔周囲運動の様子，咀嚼能力，開鼻声・構音障害の程度，指導内容の理解度を確認する． E-P：本人と保護者に訓練の効果と方法を指導する． C-P：手本を示し，自ら実施できるように促す． ・口唇・頬・舌の筋刺激訓練 ・口唇・舌の筋力トレーニング，構音訓練	○月○日 O-P，E-P，C-P を実施． 継続指導を続行． 次回来院時に再評価．
健やかに成長し，適切な食行動・食習慣を身につける．	O-P：身長・体重・Rohrer 指数，一口量，栄養バランス，食事内容，食嗜好，間食，食具の選択を確認する． E-P：本人と保護者に対し，咀嚼を促す食形態，栄養バランスの重要性を説明し，間食の工夫を指導する． C-P：手本を示し，自ら習慣化できるように促す．他職種と連携し，必要な情報を提供する．	△月○日 O-P，E-P，C-P を実施． できていることを認め，自己効力感を高める．継続指導を続行． 次回来院時に再評価．

治療結果

①矯正歯科：混合歯列期では上顎歯列弓の側方拡大後，上顎骨の前方成長促進と上顎前歯の唇側移動が行われた．永久歯列期では３年２カ月間のマルチブラケット装置を用いた治療により，安定した咬合の確立と良好な側貌が得られた．現在は保定期間中にあり，欠損部位への補綴治療が検討されている（図Ⅱ-4-12）．

②形成外科・口腔外科：12 歳４カ月で顎裂部への骨移植が，19 歳６カ月で口唇形成術が行われ，良好な形態を獲得している．軽度の鼻咽腔閉鎖機能不全に対して手術が検討されたが，言語聴覚士と相談し経過を観察している．

③言語治療：矯正歯科治療の開始時点においてパ行，タ行，カ行，サ行の子音がやや不明瞭で，わずかに開鼻声があったため，矯正歯科治療と並行して言語治療を実施した．動的治療後は日常生活に支障がなく，経過観察を行っている．

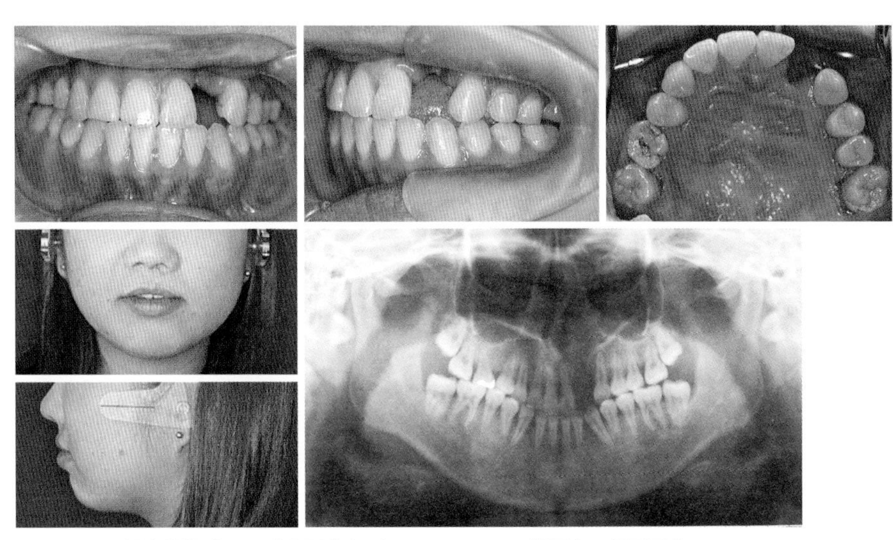

図Ⅱ-4-12　保定開始時の口腔内写真とパノラマエックス線写真，顔面写真

事例 06 ‖ 顎変形症（外科的矯正治療）の事例

▪ 患者概要 ▪

17歳，女子．咬み合わせのずれと，下顎の突出感が気になり受診した．下顎の左側偏位を伴う骨格性下顎前突と診断され，①マルチブラケット装置による術前矯正治療，②顎矯正手術による下顎骨の後方移動，③マルチブラケット装置による術後矯正治療を行うという治療方針となった．

Link
顎変形症と外科的矯正治療
p.130-133

歯科衛生アセスメント

主訴

S 咬み合わせのずれと，下顎の突出感が気になる．

現病歴

S 小学校低学年時に反対咬合を指摘され，近医で矯正歯科治療を行っていた．

S 小学校高学年時に咬合は改善していたが，中学校に入学した頃から身長が伸びるとともに，咬み合わせが変化してきた．

S 高校入学時にはさらに下顎が左側に偏位してきており，改めて矯正歯科治療を希望して受診した．

既往歴

特記事項なし

家族歴

S 両親ともに正常咬合であるが，弟に叢生症状がある．

S 親戚に反対咬合や下顎前突の者はいない．

顔貌所見（図Ⅱ-4-13）

O 正貌：左右非対称（オトガイがやや左側に偏位している）

O 側貌：凹型（コンケイブタイプ）

口腔内所見（図Ⅱ-4-13）

O オーバージェット：−1.2 mm，オーバーバイト：+0.5 mm

O 顔面正中に対して，上顎歯列の正中は一致しており，下顎歯列の正中は左側に2.5 mm偏位している．

O 上下顎ともに欠損歯はなく，う蝕および処置歯も認めない．

歯周組織検査

O 全顎的に3 mmを超える歯周ポケットは認めない．

O BOP（+）：0%，歯肉に軽度の発赤・腫脹を認める．

O PCR：25%，上顎両側大臼歯の頬側歯頸部および上下顎臼歯部の隣接面にプラークの付着を認める．

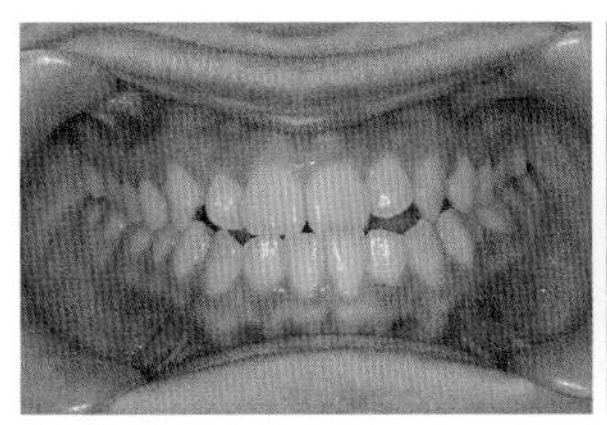
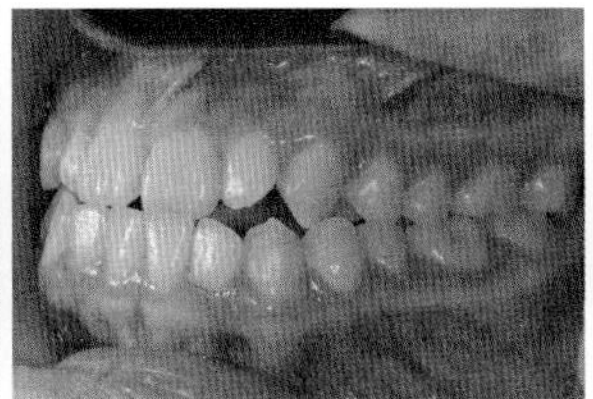
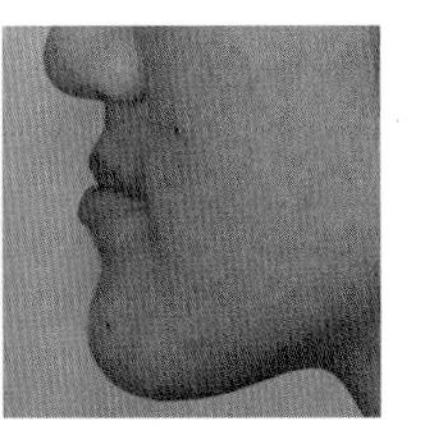

図Ⅱ-4-13　初診時の口腔内写真と顔面写真（側貌）

口腔清掃

S　歯磨剤を使用しているが，フッ化物イオン濃度は気にしていない．

情報の解釈・分析

- 現在まではう蝕の経験もなく管理されているが，マルチブラケット装置を装着予定であり，磨きにくさが生じることと，フッ化物の使用に対する意識・関心が低いことから，う蝕発症のリスクがある．
- 臼歯部を中心にプラークの残存があり，歯肉に軽度の発赤と腫脹が認められる．今後マルチブラケット装置を装着した術前矯正治療の開始後には，さらに口腔清掃が困難になることが考えられ，歯肉の炎症が助長されるリスクがある．
- 術前矯正治療終了後の顎矯正手術では，通常1～2週間の入院加療が必要となる．手術後には顎顔面口腔領域の腫脹，開口障害，オトガイ部の一時的な知覚鈍麻などが生じるため，口腔清掃が困難な状況になることが考えられる．顎矯正手術のための入院・手術前後では，口腔内装置が複雑化することもあり，口腔衛生管理が難しくなることから創部感染のリスクがある．

本症例に対する歯科衛生士のアプローチ

顎変形症の治療（外科的矯正治療）では，通常のマルチブラケット装置による治療で危惧されるような，口腔清掃不良から生じるう蝕や歯肉炎の予防に加え，手術直後の口腔清掃が困難な状態をいかに良好な状態にするか，また退院後の口腔清掃状態を良好にするための指導や，速やかに普通食に戻れるような口腔機能の回復訓練のサポートが重要になる．

歯科衛生診断

#1：マルチブラケット装置の装着に関連したう蝕・歯肉炎の発症リスク

#2：顎矯正手術のための手術・入院に関連した創部感染リスク

歯科衛生計画の立案・歯科衛生介入・歯科衛生評価

歯科衛生診断　#1：マルチブラケット装置の装着に関連したう蝕・歯肉炎の発症リスク
長期目標　う蝕・歯肉炎の発症リスクを低減できる.

短期目標	歯科衛生介入	歯科衛生評価（達成状況を示す指標）
臼歯部のPCRが20%以下になる（マルチブラケット装置の装着前までに）.	E-P：マルチブラケット装置の装着前に，基本的な口腔衛生管理について確認する．具体的には，臼歯部のブラッシング法と補助的清掃用具の使用について指導する. E-P：マルチブラケット装置の装着後は，口腔清掃が困難になることを説明し，清掃方法を指導する．具体的には，歯面を分割してブラッシングする方法や，ブラケット周囲・歯頸部についてはタフトブラシや歯間ブラシを利用したブラッシング法を指導する. C-P：来院時には，口腔衛生状態の確認と，必要に応じてPTC を実施する.	患者の協力度が高く，指示通りのセルフケアが行われた（全面達成）.
就寝前にフッ化物配合歯磨剤を併用したダブルブラッシングを継続実施できる（マルチブラケット装置の装着後1カ月以内）.	E-P：う蝕予防のためのフッ化物応用について説明する．具体的には 1,500 ppm のフッ化物配合歯磨剤の使用法について指導する. E-P：マルチブラケット装置の装着後は，ダブルブラッシングを勧める．具体的には，プラーク除去のための1回目のブラッシングを時間をかけて行い，よくうがいし，2回目のブラッシングでフッ化物が口腔内に滞留することを目的とし，少量の水で1回のうがいにとどめることを指導する.	基本的には継続して実施しているが，疲れから実施できない日もある様子．来院時には継続して実施の確認を行う（部分達成）.

歯科衛生診断　#2：顎矯正手術のための手術・入院に関連した創部感染リスク
長期目標　手術後の創部感染を予防できる.

短期目標	歯科衛生介入	歯科衛生評価（達成状況を示す指標）
創部感染はなく，予定通りに退院できる（退院時）.	C-P：術前には顎間固定のためのフックがアーチワイヤーに装着されるため，ブラッシングが困難になる（図Ⅱ-4-14）．セルフケアの方法を確認するとともに，外来ではサブソニックブラシなどを使用し，細部まで歯面清掃を行う. C-P：術後には開口困難になるため，より丁寧に口腔衛生管理を行う．具体的には，タフトブラシなどを使用し，外科用バキュームで吸引しながら歯面清掃を行う．汚れたタフトブラシは水で洗浄し，消毒液も活用しながら手際よく清掃していく. C-P：術後間もない時期には口唇の乾燥が認められるため，処置前には口唇を保湿する. E-P：顎間固定の解除後には，術後矯正治療として装着される顎間ゴムの着脱について指導する.	手術後には口腔衛生管理を頻回に行うことで創部感染もなく，速やかに経口栄養摂取に移行できた．また，顎間固定の解除後の開口訓練についても患者の協力度は高く，入院中の食事形態も問題なく普通食に近づき，通常どおりの退院となった（全面達成）.

治療結果

本症例では患者の理解度や協力度が高く，良好な状態で保定まで移行できた（図Ⅱ-4-15）．

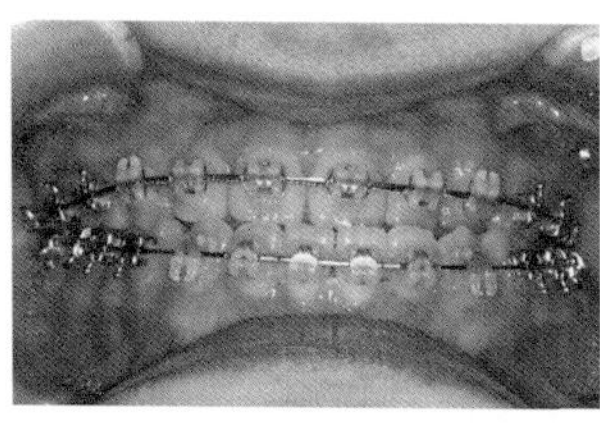
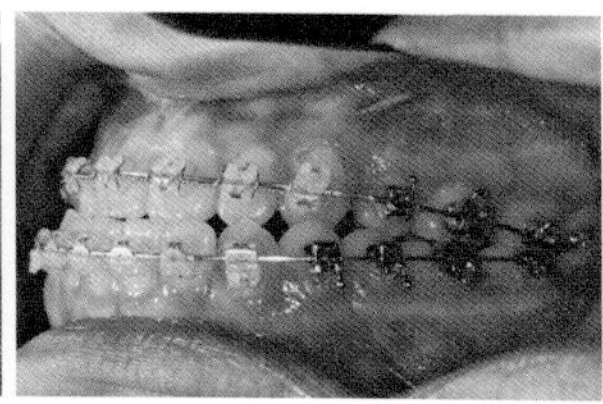
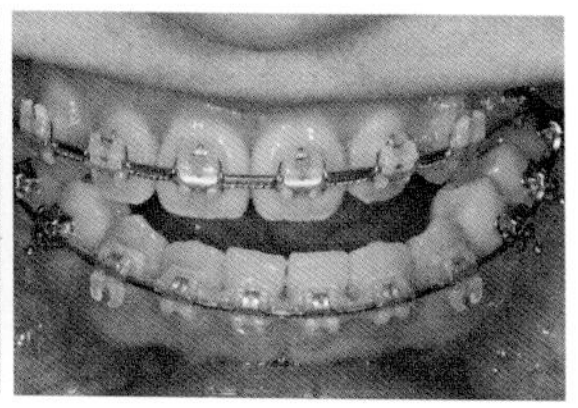

図Ⅱ-4-14　術前矯正治療中の口腔内写真

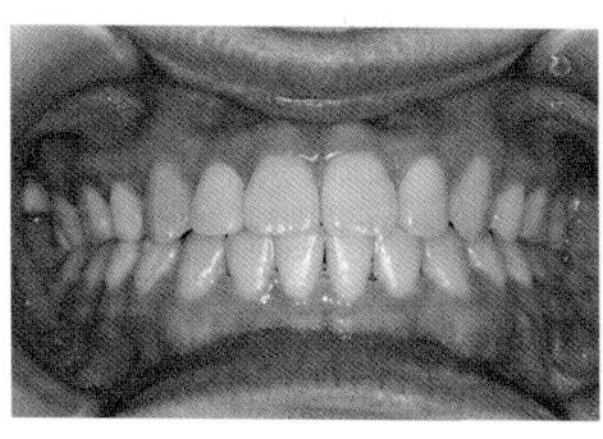
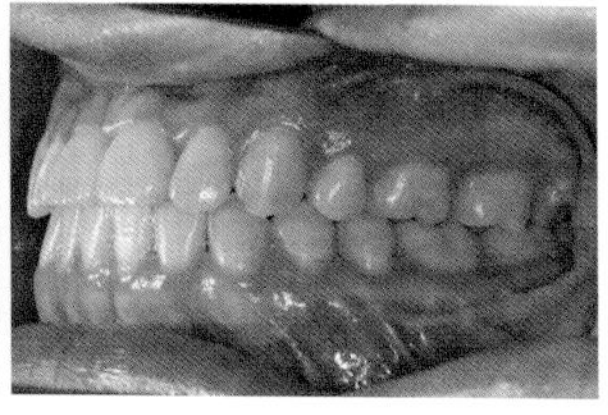

図Ⅱ-4-15　保定中の口腔内写真

さくいん

あ

アーチフォーミングタレット…156
アーチレングスディスクレパンシー……62，71，72
アーチワイヤー……145，168
アクチバトール……101
圧下……79
圧迫側……84
アデノイド……50，177
アデノイド顔貌……50
アベイラブルアーチレングス……62，71，72
アライナー型矯正装置……96
アレルギー……138
鞍状歯列弓……39
安定期……15

い

医科的既往歴……191
維持装置……89
維持バンド……88，90
異常嚥下癖……50，184
痛み……138，197
一期治療……7
一般型……13
移転……38
遺伝的要因……44
移動歯……80
印象採得……73
インフォームド・コンセント…57

う

ウイング……142
ウォッシャーディスインフェクター……173
う蝕……2，51
う蝕活動性試験……192
運動障害性構音障害……30

え

永久歯列期……6，26，206
永久保定……106
栄養障害……46
エックス線写真……192
エッジワイズ装置……87
エッチング……167
エラスティック……148
エラスティックセパレーター……149，165
エラスティックセパレーティングプライヤー……150，165
エラスティックチェーン……148
エラスティックモジュール……148，169
エラスティックリング……148
嚥下……27
嚥下機能……178，184
遠心階段型……24
遠心転位……36

お

凹顔型……59
大坪式模型計測器……61
オートクレーブ……173
オーバージェット……61
オーバーバイト……61
オープンコイルスプリング……146
オクルーザルエックス線写真…64
オトガイ帽装置……98

か

開咬……41，120
外傷……3，51
回転……79
過蓋咬合……41，118
下顎……22
下顎運動……69
下顎遠心咬合……40
下顎下縁平面……67
下顎下縁平面角……68
下顎下縁平面に対する下顎中切歯歯軸傾斜角……68
下顎近心咬合……40
下顎前突……40，114
加強固定……82，92
顎外固定……80
顎外固定装置……80，87，97
顎間固定……80
顎間ゴム……80
顎関節症……138
顎関節障害……51
顎矯正手術……131
顎口腔機能……27
顎整形力……77，90，97
拡大床……93
拡大ネジ……90，93
顎態模型……74
顎内固定……80
顎内固定装置……87
顎内ゴム……80
顎変形症……130，222
顎裂部骨移植術……126
過剰歯……44，52
画像検査……63
仮想正常咬合……34
家族歴……191
顎間固定装置……87
可撤式矯正装置……87，93
可撤式保定装置……107，199
環境的要因……44
間歇的な矯正力……97
間歇的な力……78
緩徐拡大装置……91
顔面写真……58，73，164，192
顔面頭蓋……20

き

器械的矯正装置……87
器械的矯正力……76
器械保定……106
技工用ワイヤー……160
器質性構音障害……30
機能性下顎前突……57，114
機能性構音障害……30
機能性上顎前突……112
機能正常咬合……34
機能性要因……57
機能的矯正装置……87，101
機能的矯正力……76
機能的検査……69
客観的情報……191，202
吸指癖……49，177
吸唇癖……49
急速拡大装置……90
吸啜運動……27
狭窄歯列弓……39
頬側転位……36

巨舌症…… 46
巨大歯…… 45
筋機能検査…… 69
近心階段型…… 24
近心転位…… 36

く

空隙歯列弓…… 40
クリティカル……171
クリブ……105
クローズドコイルスプリング…146
クワドヘリックス装置…… 91

け

傾斜…… 36
傾斜移動…… 79, 88, 91
形態学的年齢…… 17
形態的検査…… 58
外科的矯正治療…… 130, 222
結紮線…… 146, 168
牽引側…… 84
限局矯正……134
言語治療……126
犬歯間保定装置……108
原始反射…… 27
現病歴……191

こ

コイルスプリング……146
高圧蒸気滅菌器……173
高位…… 36
構音…… 29
構音器官…… 29
構音機能……185
構音障害……4, 30
口蓋形成術……126
口蓋裂…… 20, 124, 217
口腔衛生管理……11, 190
口腔衛生状態の検査……192
口腔機能……191
口腔筋機能療法…… 10, 49, 174
口腔周囲筋…… 4, 174
口腔習癖…49, 52, 53, 120, 177
口腔習癖除去装置……105
口腔腫瘍…… 51
口腔内写真……60, 73, 164, 192
口腔内装置……100
口腔粘膜への傷害……139
口腔模型…… 60, 73
口腔模型分析…… 61
硬口蓋……29, 177
咬合挙上板…… 95
咬合斜面板…… 94
咬合発育段階…… 26
咬合力…… 69
口呼吸……50, 177
交叉咬合……42, 122
交叉ゴム…… 81
口唇形成術……125
口唇閉鎖不全……177
口唇閉鎖力…… 70
咬唇癖……49, 177
口唇裂…… 20, 124, 217
構成咬合位……101
硬石膏…… 74
咬爪癖……50, 177
合着材…… 147, 165
後天的原因…… 44
咬頭嵌合位…… 41
咬頭干渉…… 57
喉頭原音…… 29
個性正常咬合…… 34
骨格性開咬……120
骨格性下顎前突……114
骨格性上下顎前突……116
骨格性上顎前突……112
骨格性要因…… 57
骨吸収…… 19
骨性癒着…… 49, 53
骨添加…… 19
骨年齢…… 17
骨膜性成長…… 18, 22
固定…… 80
固定源…… 80
固定式矯正装置…… 87
固定式保定装置…… 108, 200
コンケイブタイプ…… 59
混合歯列期…… 6, 24, 202
コンベックスタイプ…… 59

さ

サービカルヘッドギア…… 98
最適な矯正力…… 77, 86
三嘴プライヤー……162
酸処理……167

し

子音…… 29
歯科衛生過程……202
歯科矯正用アンカースクリュー
…… 83, 140, 215
歯牙腫…… 48
歯科診療の補助…… 10
歯科的既往歴……191
歯冠近遠心幅径…… 61
歯間空隙…… 23
歯間ブラシ……195
歯間分離…… 149, 165
歯根吸収…… 4, 137
歯周基本治療……210
歯周組織の検査……191
歯周病
…3, 51, 53, 128, 134, 138, 210
思春期…… 14, 17
思春期性成長スパート…… 15
持針器…… 158, 168
歯性開咬……120
歯性下顎前突……114
歯性上下顎前突……116
歯性上顎前突……112
歯性要因…… 57
自然保定……106
歯槽基底弓長径…… 62
歯槽基底弓幅径…… 61
持続的な力…… 78
歯体移動…… 79
至適矯正力…… 77
歯胚の位置異常…… 47
充血帯…… 84
主観的情報…… 191, 202
手根骨エックス線写真…… 17, 64
主線…… 89
主訴……191
術後矯正治療……131
術前矯正治療……131
上下顎前突……40, 116
上顎…… 20
上顎遠心咬合…… 40

上顎顎外固定装置……………… 97
上顎近心咬合…………………… 40
上顎前突……………………40，112
上顎前方牽引装置…………81，100
床矯正装置……………………… 93
硝子様変性………………… 77，84
小舌症…………………………… 46
小帯の異常………………… 46，52
指様弾線………………………… 89
消毒………………………………172
床用レジン………………………162
食生活……………………………191
食生活指導………………………198
歯齢………………………… 17，26
歯列弓周長………………… 63，71
歯列弓長径……………………… 61
歯列弓幅径……………………… 61
唇顎口蓋裂………………………124
神経型…………………………… 14
唇側転位………………………… 36
審美性…………………………… 5

す

垂直型…………………………… 24
垂直ゴム………………………… 81
睡眠態癖………………………… 50
スクエアワイヤー………………145
スクリュー……………………… 90
スクリューキー………………… 90
ストレートタイプ……………… 59
スポット…………………………180
スポットウェルダー…… 153，165
スリージョープライヤー………162
スロット…………………………142

せ

生活習慣…………………………191
成熟型嚥下……………………… 27
正常咬合………………………… 32
生殖器型………………………… 14
成人期…………………………… 8
成人矯正歯科治療………………128
正中口蓋縫合…………………… 90
正中離開………………………… 38
成長……………………………… 13
成長曲線………………………… 14
成長速度曲線…………………… 14
静的治療…………………… 6，106
正貌……………………………… 58
生理的年齢……………………… 16
セーフティーエンドカッター…158
セクショナルアーチ……………126
舌小帯……………………………177
摂食嚥下の５期モデル ……… 27
舌側弧線装置…………………… 88
舌側転位………………………… 36
絶対成長………………………… 16
切端咬合………………………… 41
接着材……………………146，167
接着式犬歯間保定装置…………108
セットアップモデル…………… 62
舌突出癖……………………50，177
セパレーティング………………165
セファログラム………………… 64
セミクリティカル………………171
セメント…………………147，165
穿下性骨吸収…………………… 84
漸減期…………………………… 16
洗浄………………………………171
全身的検査……………………… 58
先天異常………………………… 44
先天性欠如………………… 44，52
先天的原因……………………… 44

そ

早期接触………………………… 57
早期喪失…………………… 48，52
早期治療………………………… 7
早期萌出………………………… 47
叢生………………… 23，38，109
相対成長………………………… 16
相対捻転………………………… 38
相反固定………………………… 82
側貌……………………………… 58
側面頭部エックス線規格写真分析
……………………………… 66
咀嚼……………………………… 28
咀嚼機能……… 4，28，178，183

た

ターミナルプレーン…………… 24
第一急進期……………………… 15
対角ゴム………………………… 81
帯環………………………………144
対称捻転………………………… 38
ダイナミックポジショナー……107
第二急進期……………………… 15
態癖………………………………177
ダイレクトボンディング………146
タフトブラシ……………………195
タングクリブ……………………105
単式弾線………………………… 89
単純固定………………………… 82
断続的な力……………………… 78

ち

チューブ…………………143，165
超音波洗浄器……………………171
蝶形後頭軟骨結合……………… 19
蝶形骨間軟骨結合……………… 19
蝶形篩骨軟骨結合……………… 19
直接性骨吸収……………… 77，84
直線型…………………………… 59
チンキャップ……………… 98，99
チンキャップタイプ……………101

つ

ツイストワイヤー………………145
強い矯正力………………… 77，86

て

低位……………………………… 36
低位舌……………………………177
挺出……………………………… 79
ディスクレパンシー…………… 71
ディスタルエンドカッター
…………………………158，168
ディボンディング………………170
転位……………………………… 36
典型正常咬合…………………… 34
デンタルエックス線写真……… 63
デンタルコンペンセーション…131
デンタルフロス…………………195

と

トゥースポジショナー…………107
頭蓋冠…………………………… 19
頭蓋底…………………………… 19

動的治療……6
頭部エックス線規格写真……64
凸顔型……59
トルク……79，155

な

内分泌障害……46
軟口蓋……29，178
軟骨結合……19
軟骨性成長……18，22

に

二期治療……6
二次性徴年齢……17
乳児型嚥下……27，50
乳歯列期……6，23

ね

捻転……38

の

脳頭蓋……18
嚢胞性疾患……47
ノギス……61，164
ノンクリティカル……171

は

バードビークプライヤー……154
バイオネーター……102
ハイプルチンキャップ……99
ハイプルヘッドギア……98
バクシネーターメカニズム……35，174
鋏状咬合……42
発育……13
発育空隙……23
発音……29
バッカルシールド……103
バッカルチューブ……143
抜歯……71
発声……29
パノラマエックス線写真……63
歯ブラシ……194
パラタルアーチ……91
晩期残存……48，53
反対咬合……43
バンド……144，164，169
バンドコンタリングプライヤー……152，165
バンドシーター……151，165
バンド賦形鉗子……152
バンドプッシャー……151，165
バンドリムーバー……153
バンドリムービングプライヤー……153，165，169

ひ

ビーク……149
非移動歯……80
鼻咽腔疾患……51
鼻呼吸……177
鼻上顎複合体……20
ピンアンドリガチャーカッター……157，168
貧血帯……84

ふ

ファンクショナルレギュレーター……103
フェイスボウ……97
フェイスマスクタイプ……101
複式弾線……89
不正咬合……2，36
不正咬合の予防……51
フッ化物塗布……192
フッ化物の応用……196
不動固定……82
ブラキシズム……51
ブラケット……142，166，170
ブラケットポジショニングゲージ……149，165，167
ブラケットリムービングプライヤー……149，170
ブラッシング指導……194
フランクフルト平面……67
プリフォームド・アーチワイヤー……145
プロービング……192

へ

平行模型……60，74
ヘッドギア……97

ほ

母音……29
縫合性成長……18，20
萌出遅延……47
保隙……51
母指吸引癖……49
母指尺側種子骨……64
補助弾線……80，89
補助的清掃用具……194
保定……6，51，106，199
保定装置……106
哺乳……27
哺乳床……125
ホルンタイプ……101
本格矯正……7，51
ボンディング材……146，167

ま

マルチブラケット装置……87，164，192

み

三叉鉗子……162
みにくいアヒルの子の時期……24

む

無舌症……46

め

滅菌……173

も

モスキートフォーセップス……158，168
モスキートプライヤー……160

ゆ

ユーティリティプライヤー……160，168
癒合歯……45
癒着歯……45
指しゃぶり……49，177

よ

用手洗浄……171

翼状捻転…… 38
抑制矯正…… 6，51
予測模型…… 62
予防矯正…… 6，51
弱い矯正力…… 77

ら

ライトワイヤープライヤー…… 154
ラウンドワイヤー…… 145
ラビアルパッド…… 103

り

リーウェイスペース…… 25
リガチャーインスツルメント…… 158，168
リガチャータイイングプライヤー…… 158，168
リガチャーワイヤー…… 146
リクワイアードアーチレングス…… 63，72
リップバンパー…… 104
リンガルアーチ…… 80，88
リンガルシールド…… 103
リンパ型…… 14

る

ループ…… 154

れ

霊長空隙…… 23
暦年齢…… 17
暦齢正常咬合…… 34
レクタンギュラーワイヤー…… 145
レジンボタン…… 92
レジンリムーバー…… 150，170
連続弾線…… 89
連続抜去法…… 72，110

ろ

弄唇癖…… 49
弄舌癖…… 50
ロープルヘッドギア…… 98

わ

矮小歯…… 45
ワイヤーカッター…… 162

数字

Ⅰ級の臼歯関係…… 33
Ⅱ級ゴム…… 81
Ⅲ級ゴム…… 81

A

ANB 角…… 68
AngleⅠ級不正咬合…… 42
AngleⅡ級1類不正咬合…… 43
AngleⅡ級2類不正咬合…… 43
AngleⅡ級不正咬合…… 43
AngleⅢ級不正咬合…… 43
Angle の不正咬合の分類…… 42
ANS…… 67
A 点…… 67

B

Begg タイプリテーナー…… 107
B 点…… 67

C

CT 画像…… 64

F

FH 平面…… 67
Fränkel 装置…… 103

H

Hawley タイプリテーナー…… 107
Hellman の咬合発育段階… 17，26
Hotz 床…… 125
How プライヤー…… 160，168

J

Jarabak プライヤー…… 155

K

Kaup 指数…… 16

M

Me…… 67
MFT…… 10，49，174
MRI 画像…… 64
MTM…… 134

N

N…… 67
Nance のホールディングアーチ…… 92

O

Or…… 67

P

PMTC…… 192
PNS…… 67
Po…… 67
Pog…… 67

R

Rohrer 指数…… 16

S

S…… 67
Scammon の臓器別発育曲線… 13
SNA 角…… 68
SNB 角…… 68
SN 平面…… 67
SN 平面に対する上顎中切歯歯軸傾斜角…… 68
SRP…… 192

T

Tweed アーチベンディングプライヤー…… 155
Tweed ループフォーミングプライヤー…… 156

V

V 字型歯列弓…… 39

W

Weingart のユーティリティプライヤー…… 160

Y

Young プライヤー…… 162

【編者略歴】

新井　一仁（あらい　かずひと）

1987年　日本歯科大学歯学部卒業
1993年　日本歯科大学大学院歯学研究科 修了
2000年　Harvard大学歯科矯正学分野 客員講師
2007年　Angle Society (East), Active Member at Large
2009年　日本歯科大学生命歯学部歯科矯正学講座 教授

佐藤　聡（さとう　そう）

1987年　日本歯科大学新潟歯学部卒業
1991年　日本歯科大学大学院歯学研究科修了
2003年　日本歯科大学歯学部歯周病学講座准教授
2005年　日本歯科大学新潟生命歯学部歯周病学講座 教授

山田　小枝子（やまだ　さえこ）

1982年　岐阜歯科大学附属歯科衛生士専門学校（現朝日大学歯科衛生士専門学校）卒業
1995年　朝日大学歯科衛生士専門学校 教務主任
2007年　中部学院大学人間福祉学部卒業
2018年　朝日大学歯科衛生士専門学校 副校長

歯科衛生学シリーズ
歯科矯正学　第2版　　ISBN 978-4-263-42636-4

2023年1月20日　第1版第1刷発行
2024年1月20日　第2版第1刷発行

監　修　一般社団法人
　　　　全国歯科衛生士
　　　　教育協議会
著　者　新井一仁 ほか
発行者　白石泰夫
発行所　医歯薬出版株式会社

〒113-8612　東京都文京区本駒込1-7-10
TEL.（03）5395-7638（編集）・7630（販売）
FAX.（03）5395-7639（編集）・7633（販売）
https://www.ishiyaku.co.jp/
郵便振替番号 00190-5-13816

乱丁，落丁の際はお取り替えいたします　　印刷・木元省美堂／製本・愛千製本所